Understanding the Digital World:
What You Need to Know about
Computers, the Internet, Privacy,
and Security
Second Edition

教養としての コンピューター サイエンス 講義

今こそ
知っておくべき
「デジタル世界」
の基礎知識

第2版

解説 坂村健　翻訳 酒匂寛

著 ブライアン・カーニハン

日経BP

For Meg

前書き

デジタル社会をより良く生きるために必要な
「コンピューティング」の基礎知識

　1999 年からほぼ毎秋、私はプリンストン大学で「Computers in Our World」（私たちの世界におけるコンピューター）という講義を教えてきました。講義のタイトルは恥ずかしいほど曖昧ですが、これはある日、5 分以内にひねり出す必要があって付けた名称で、その後の変更が難しくなってしまったものです。とは言うものの、この講義を教えること自体は、常に仕事を楽しむ私にとっても、特に楽しいものとなりました。

身の回りにあふれる「コンピューティング」

　この講義は、コンピューターおよびコンピューティングが、私たちの身の回りをぐるりと取り巻いている状況に基づいています。

　コンピューティングの中には、とても目立つものがあります。今の学生は皆、私が大学院生だった 1964 年当時の IBM7094 コンピューターよりも、はるかに強力なノートパソコンを持っています。IBM7094 の価格は数百万ドルを超えていて、大きな空調付きの部屋を占領し、プリンストン大学のキャンパス全体にサービスを提供していました。また、学生は皆、1964 年のコンピューターよりもはるかに高い計算能力を備えた携帯電話も持っています。さらに、世界中の多くの人々と同様に、高速インターネットアクセスも利用しています。誰もがオンラインで検索や買い物をし、友人や家族と連絡を取るためにメール

やテキスト、ソーシャルネットワークを利用しています。

　しかし、これらはコンピューティング（コンピューターを使った営み）という氷山の一部に過ぎず、その多くは水面下に隠れています。家電製品、自動車、飛行機、そして当たり前のように使っている日常的な電子機器、具体的にはスマートテレビ、サーモスタット、ドアベル、音声認識装置、フィットネストラッカー、イヤホン、おもちゃ、ゲームなどに潜んでいるコンピューターについては、普段は目にすることも考えることもありません。また、電話網、ケーブルテレビ、航空管制、電力網、銀行・金融サービスなどの社会的インフラが、どれほどコンピューターに依存しているかについても、あまり考えられていません。

　ほとんどの人はこのようなシステムの開発や製造には直接関わってはいませんが、誰もがその影響を強く受けますし、そうしたシステムに関して重要な決断を下さなければならない人もいます。教育を受けた人なら、少なくともコンピューティングの基本を知っていなければなりません。コンピューターは何ができて、どのように行うのでしょうか？　コンピューターが全くできないことは何で、単に今は難しいから行えないだけのものは何でしょう？　コンピューターはどのようにしてお互いに対話し、対話の際には何が行われているのでしょう？　さらに、コンピューティングとコミュニケーションが私たちの周囲に与えている様々な影響についても知る必要があります。

脅かされる個人情報

　すみずみまで広がるコンピューティングの特性は、私たちに予想外の影響を与えます。日々、監視システムの発展によるプライバシーの侵害や個人情報の盗難の危機が増大していることに気づかされますが、一方でそれがコンピューティングとコミュニケーションにより、どの程度可能になっているのかをおそらく意識していません。

　2013年6月、米国家安全保障局（NSA）の契約業者だったエドワ

ード・スノーデンは、NSA が定常的に通話記録、電子メール、SMS、インターネットなどの電子通信を監視して収集していたことを、証拠となる文書とともにジャーナリストに提供しました。世界中の人が監視対象でしたが、特に米国内に居住する米国市民が中心でした（こうした市民は、米国の安全に対して、いかなる意味でも全く脅威ではない人たちでした）。スノーデンの文書はまた、他の国々もその市民を監視していることを暴露しました。しかし、おそらく最も驚くべきなのは、最初の怒りが過ぎ去ったあと、ますます多くの政府による監視とスパイ活動が行われているにもかかわらず、市民は諦めているのか、無頓着にそれを受け入れる日常に戻ったことです。

　企業もまた、私たちがオンラインや実世界で何をしているかを追跡し、監視しています。多くの企業のビジネスモデルは、広範なデータ収集と、私たちの行動を予測して影響を与える能力に基づいています。膨大なデータが利用できるようになったことで、音声理解、画像認識、言語翻訳などが大きく進歩し、その代償としてプライバシーが損なわれ、誰もが匿名でいることが難しくなっています。

　あらゆる種類のハッカーたちによるデータリポジトリ（訳注：データの一元的な貯蔵庫）への攻撃が巧妙になっています。企業や官公庁にある電子機器への侵入はほぼ日常的に行われており、顧客や従業員の情報が大量に盗まれ、詐欺や個人情報の盗用に利用される場合も少なくありません。また、個人への攻撃も普通にあります。かつては、ナイジェリアの王子やその親戚からのメールを無視していれば、オンライン詐欺から安全に逃れることができました。しかし、標的型攻撃は今でははるかに巧妙になっており、企業のコンピューターに侵入が行われる際の、最も一般的な方法になっています。

　Facebook、Instagram、Twitter、Reddit などのソーシャルメディアが、人々のかかわり方を大きく変えました。良い方向に変わったものもあります。友人や家族と連絡を取り合ったり、ニュースを見たり、あらゆる種類のエンターテイメントを楽しんだりできることがその例

です。また、たとえば2020年半ばに、警察の残虐行為を撮影した動画がBlack Lives Matter運動への注目を集めたように、ポジティブな効果をもたらすこともあります。

しかしソーシャルメディアは、かなりの量のネガティブな要素も含んでいます。信条や政治的立場にかかわらず、人種差別主義者、ヘイトグループ、陰謀論者、その他のおかしな人たちが、インターネット上で簡単にお互いを見つけ出し、その行動を互いに調整して大きくできるのです。言論の自由に関する厄介な議論や、コンテンツを管理するための技術的な困難さが、憎しみや愚かな考えの拡散防止を難しくしています。

インターネットで完全につながった世界では、管轄権の問題は難しくなっています。2018年、欧州連合（EU）は一般データ保護規則（GDPR）を施行しました。EU居住者は自分の個人データの収集と使用をコントロールできるようになり、企業がそのようなデータをEU外に送信したり保存したりする行為が禁止されました。GDPRが個人のプライバシー向上にどれだけ効果があったかについては、まだ評価が定まっていません。もちろん、これらのルールはEUのみで適用され、世界の他の地域での事情は異なります。

高まるシステムリスク

個人や企業が、Amazon、Google、Microsoftなどの企業が所有するサーバーに、データを保存しコンピューティングを行うクラウドコンピューティングの急速な普及は、また別の複雑さをもたらします。データはもはやその所有者によって直接保持されるのではなく、異なる課題、責任、そして脆弱性を有する第三者によって保持され、法執行機関からの要請に直面する可能性があります。

あらゆる種類のデバイスがインターネットに接続する「モノのインターネット」（IoT）が急速に拡大しています。携帯電話はもちろんですが、車、防犯カメラ、家電製品や屋内制御、医療機器、そして航

空管制網や電力網などの多数のインフラストラクチャ（基盤）も関係しています。ネットにつながる利点が魅力的であるため、身の回りのモノすべてをインターネットに接続しようとする傾向は、この先も続きます。残念ながら、これらのデバイスの中には、娯楽だけでなく、生死に関わるシステムを制御するものもあるため、大きなリスクも伴います。さらに、そうしたデバイスのセキュリティは成熟したシステムのセキュリティよりもはるかに弱いことが多いのです。

通信やデータの保存を秘密かつ安全に保つ方法を提供してくれる暗号技術は、こうした問題に対する数少ない有効な防御策です。しかし、強力な暗号は絶えず攻撃を受けています。政府は、個人や企業やテロリストが真にプライベートな通信が行えるという考えが気に入らないため、暗号メカニズムに政府機関が破れるバックドアを要求する提案を繰り返しています。もちろん、「正しい防御」と「国家安全保障の観点」に限定された話ですが。

しかし、これは、良い意図に基づいているにしても、とても悪いアイデアです。政府は常に高潔に振る舞い、秘密情報が漏れることはないと信じていたとしても（まあスノーデン氏はともかく）、脆弱な暗号は味方に役立つと同時に敵も助けてしまうからです。それに悪人はいずれにしても弱い暗号など使いません。

このようにシステムリスクは、本講義の受講者や専門家はもちろんのこと、経歴や教育歴を問わず、街を歩く普通の人々が皆、心配しなければならない問題であり課題なのです。

コンピューティングについて未来の大統領が知るべきこと

本講義の受講者は、エンジニア、物理学者、数学者といった技術的背景を持つ人たちではありません。英語や政治学の専門家、歴史学者、古典学者、経済学者、音楽家、そして芸術家の人たちです。人文科学や社会科学の素晴らしさを引き受けている人たちなのです。講義が終わるまでには、こうした聡明な人たちは、コンピューティングに関す

る新聞記事を読んで理解できるようになるはずです。記事からより学べるようになりますし、ひょっとすると正確ではない記述を指摘できるようになるかもしれません。もっと広い言い方をするなら、私は学生や読者が技術について知的に懐疑的であってほしいと願っています。技術は基本的には良いものですが、決して万能薬ではないことを知ってほしいのです。もちろん技術が悪い影響を及ぼすこともありますが、決して純然たる悪ではありません。

　リチャード・ムラーの素晴らしい著書 "Physics for Future Presidents"（未来の大統領のための物理学）は、指導者たちが取り組まなければならない、核脅威、テロリスト、エネルギー、地球温暖化などの、重要な問題に通底する科学的ならびに技術的背景を解説しています。大統領になることを熱望していなくとも、知的な市民ならこうした話題についてもある程度知っている必要があります。ムラーのアプローチは、私が達成したいと思っていること、つまり「未来の大統領のコンピューティング」のための良いヒントです。

　未来の大統領は、コンピューティングについて何を知っているべきでしょう？ そして知的な市民は、コンピューティングについて何を知っているべきでしょう？そして、あなたは何を知っておくべきでしょう？

知っておくべき4つの技術領域

　私は、ハードウェア、ソフトウェア、コミュニケーション、データという4つの中核的な技術領域があると考えています。

　ハードウェアは目に見える部分です。家庭やオフィスに置かれたり、携帯電話として持ち歩けたりする、見たり触れたりできるコンピューターです。コンピューターの中身は何でしょう？ どのように機能し、どのように作られているのでしょうか？ どのように情報を保存して、処理しているのでしょう？

　ビットとバイトとは何でしょう？ また、それらを使って音楽や動

画などを表現するにはどうすればよいのでしょう？

　ハードウェアとは対照的に、コンピューターに何をすべきかを指示するソフトウェアは、ほとんど目に見えません。私たちは何を計算できて、それをどれくらい速く計算できるのでしょうか？　コンピューターに何をすべきかを、どのように指示するのでしょうか？　ソフトウェアを正しく機能させることはなぜ難しいのでしょう？　なぜソフトウェアの多くは使いにくいのでしょう？

　コミュニケーションは、コンピューターや電話といった機器が相互に通信して、私たちが対話できるようになることです。

　インターネット、ウェブ、電子メール、そしてソーシャルネットワークなどがコミュニケーションに使われます。これらはどのように機能しているのでしょうか？　利点は明らかですが、特にプライバシーとセキュリティに対するリスクは何でしょうか？　またそうしたリスクはどのように軽減できるでしょうか？

　データは、ハードウェアとソフトウェアが収集、保存、処理するすべての情報で、世界中の通信システムが送信しています。こうした情報の一部は私たち自身が、慎重であろうとなかろうと、記事や写真、そしてビデオをアップロードすることで、自発的に提供しています。その多くは、個人情報であり、日々生活する中で、私たちの合意や認識がないまま、集められて共有されているのです。

あなたに関わるコンピューティング

　大統領であるかどうかにはかかわらず、コンピューティングのしくみについては知っておくべきです。なぜなら、あなた個人に関わってくるからです。

　あなたの生活と仕事が、どれほどコンピューティング技術とはかけ離れていても、必ずその技術を利用したり技術関係者とやりとりすることになります。各種機器やシステムが動作するしくみをある程度知っていれば、セールスパーソンやヘルプデスク、または政治家による

嘘を見破れるぐらいの知識だったとしても、大いに役立ちます。

　実際、無知であることが直に有害な場合があります。ウイルスやフィッシングなどの脅威を理解できていなければ、その悪影響を受けやすくなります。プライベートだと思う情報が、ソーシャルネットワークからどのように流出（場合によっては広範囲に）しているかを知らないとしたら、おそらく自分自身で認識している以上に個人情報を公開してしまっています。

　もしあなたの生活について学んだことを悪用しようとする、営利組織の猛烈な勢いに気が付いていないとしたら、わずかな利便性と引き換えにプライバシーを手放してしまっているのです。

　喫茶店や空港でのインターネットバンキングの危険性がわからないとしたら、お金や個人情報の盗難に対して無防備です。データがいかに簡単に操作できるかを知らなければ、フェイクニュースや詐欺まがいの画像、陰謀論などに騙されてしまう可能性が高くなるのです。

本書の読み方

　本書は最初から順番に読まれることを想定していますが、個人的に興味のある話題を先に読んで、また戻ってきてもよいでしょう。たとえば、第8章から始まるネットワーク、携帯電話、インターネット、ウェブとプライバシー問題に関する話題を先に読むこともできます。いくつかの部分を理解するためには、前の章へ戻らなければならないかもしれませんが、ほとんどが理解可能でしょう。たとえば第2章の2進数（バイナリー）の働きに関する説明といった、数値に関する話題は読み飛ばすことができます。そして複数の章に登場するプログラミング言語の詳細も無視できます。

　最後にまとめた原注（原書注釈）には、私が特に好んでいるいくつかの本を挙げてありますし、役に立つ補足情報源へのリンクも掲載してあります。用語集では、重要な技術用語と略語の簡単な定義と説明をまとめてあります。

コンピューティングに関するすべての書籍は、すぐに時代遅れになりがちです。本書も例外ではありません。前の版が発行されたのは、悪意のある連中が世論を動かし、米国やその他の国の選挙に影響を与える可能性が判明するはるか前でした。私は本書を、新しい重要な話題でアップデートしました。その多くが個人のプライバシーとセキュリティに関係しています。なぜならこの問題はここ数年で大きく重要性を増しているからです。

また新たに、人工知能、機械学習、そしてそれらを効果的にしたり、場合によっては危険なものにしたりするビッグデータの役割についての章を書き下ろしました。また、わかりにくかった説明が明快になるよう努めました。一部の古くなった情報は削除したり、置き換えたりしました。それにもかかわらず、読者が本書を読まれるときには、情報のごく一部は間違っているか、時代遅れになっているでしょう。それでも私は、永続的に価値を持つ情報がどれなのかがはっきり識別できるように努力しました。

本書での私の目標は、コンピューティングのしくみ、経緯、今度の動向を理解し、評価できるよう、読者に基礎知識を身に付けてもらうことです。その過程で、デジタル世界について考えるために役立つ方法を発見できるでしょう。そうなることを願っています。

– 0 –
はじめに

それは最良の時代であり、最悪の時代でもあった

チャールズ・ディケンズ、『二都物語』、1859.

　私と妻は 2020 年の夏、イギリスでの休暇を計画していました。予約をして、手付金を払って、チケットを買って、留守宅や猫の世話をしてくれる友人を手配したところで、世界が変わってしまいました。

　3 月初旬には、新型コロナウィルス感染症（Covid-19）による世界的に重大な健康危機が明らかになりました。プリンストン大学では、対面授業を停止して、ほとんどの学生を急遽自宅へ戻しました。荷物をまとめて帰るために与えられた猶予は 1 週間だけ。そしてすぐに、その学期中には大学に戻れないことが決まりました。

新型コロナが加速したオンライン化

　授業はオンラインに移行。学生は、講義を視聴して、レポートを書いて、試験を受けて、成績を受け取る一連の流れすべてを遠隔で行いました。Zoom ビデオ会議システムに関しては、専門家とまではいかなくても、アマチュアユーザーくらいの経験は積めました。幸いなことに、私が教えていたのは十数人以下の小さなセミナーふたつだったので、グループの全員を同時に見られて、対話も普通に行えました。しかし、大規模な講義を担当していた同僚にとってはあまり良いことではなく、もちろんバーチャルな教壇の向こう側にいる学生たちも悪影響を受けました。

　ほとんどの学生は、電力が安定していて、インターネットに接続で

き、家族が協力的で、食料やその他の重要な物資が不足していない、快適な家庭へと戻りました。当然のことながら、強制的に引き離されたことで人間関係が悪化したり、強制的に一緒にいることで人間関係が良好になったり、その逆も見受けられました。しかし、これらは小さな問題でした。

もっとひどい状況に置かれていた学生もいたのです。また、インターネットの接続が断続的にしかできなかったり、そもそもない場合もあり、動画やメールの送受信がほとんどできない学生もいたのです。病気になったり、長期間隔離された人もいました。身内が病気になって看病したり、家族が亡くなったりすることもありました。

大学の日常的な事務作業もオンライン化され、廊下での何気ない会話が毎日のバーチャルミーティングに変わり、書類作成はほとんどメールに置き換えられました。Zoom 疲れがすぐに始まりましたが、今のところハッカーが私のオンライン空間に侵入してくる Zoom 爆撃の被害には遭っていません。

世界の多くの地域では、恵まれた人々はオンラインで仕事ができるようになり、企業はすぐに「在宅勤務」モードに移行しました。また人々は、本を並べたり、花や写真をきれいに飾ったりしてビデオ背景を洗練させ、子供やペットを含む大切な者たちを（ほぼ）静かにさせてカメラフレームに入れないようにする方法を学びました。

以前から人気のあった Netflix などの動画配信も、一層盛んになりました。オンラインゲームも成長して、現実のスポーツが完全に中止された後には、ファンタジースポーツ（訳注：実在の選手のデータを用いて好きなチームを編成し、試合を行うゲーム）が登場しました。

私たちは、Covid-19 の急速な広がりと、がっかりするほど遅く不安定な封じ込め状況の報告を受け続けていました。それにもかかわらず不思議な思考を披露し完全な嘘を撒き散らす政治家はあまりにも多く、正直で頼りになる指導者は本当に稀でした。そして私たちは、指数関数的な性質を持つ感染が、いかに素早く拡大するかを少し学びま

した。

　この新しいビジネスのやり方には、驚くほど簡単に適応できました。幸運な人たちは仕事を続け、友人や家族とオンラインで連絡を取り合い、食料や物資を注文し、ほぼ以前と同じように生活できました。インターネットやすべてのインフラが私たちをつないでくれたのです。それは驚くべき回復力を見せてくれました。通信システムは常に動作し、幸いなことに電気、熱、水も途切れませんでした。

　これらの技術的システムは、世界的な危機の中で非常にうまく機能しました。そのため時折不安になることを除けば、私たちはそれらについて考えることはありませんでした。しかし、これらのシステムがなければ、私たちはどうにも身動きが取れないことになっていたでしょう。また、語られることはありませんが、当然ながら、舞台裏では多くの勇敢な人々が、しばしば自分の健康や命を危険にさらしながらも、物事を動かし続けていたのです。また、インターネットではできない仕事が一夜にして消えてしまい、本当に多くの人たちが失業してしまったことについても十分に考えていませんでした。

　2020年3月に使い始める必要が生じるまで、私はZoomというアプリを全く知りませんでした。Zoomは、Microsoft TeamsやGoogle Meetのような巨大IT企業のシステムに対抗できるビデオ会議システムを提供することを目的に、2013年に設立されました。Zoomは2019年に上場し、私が本書を書いている2020年秋の終わりには、1250億ドル（約14兆円）以上の評価を受けており、General Motors（610億ドル、約7兆円）やGeneral Electric（850億ドル、10兆円弱）などの古くて有名な企業をはるかに上回り、IBM（1160億ドル、約13兆円）をも大きく上回っています（訳注：円換算はいずれも2021年11月時点）。

　高速で信頼できるインターネットと、カメラとマイクを備えたコンピューターがあれば、オンラインでの活動が可能でした。インターネットやクラウドサービスプロバイダーは、トラフィックの増加に対応

できる十分な能力を持っていたのです。ビデオ会議サービスが一般的になり、多くの人が使いやすいように洗練されました。もし10年前だったなら、このようなことはほとんどうまく行かなかったでしょう。

つまり、身の回りに普通に存在する現代技術によって、幸運な人たちは、日常生活のシミュレーションをある程度行えるようになっていたのです。この経験は、テクノロジーの幅広さ、私たちの生活にいかに深く浸透しているかということ、そしてあらゆる方法で生活を向上させているのだということを実感させてくれます。

オンライン化の負の側面

しかしここには、それほど楽観的ではない別の側面もあります。

ただでさえ被害妄想やヘイト、奇態な理論の温床となっていたインターネットがさらに悪化したのです。ソーシャルメディアは、政治家や政府関係者たちが嘘を広め、私たちをさらに分断し、責任を回避することを可能にしました。事実を無視した「ニュース」報道がそれを後押ししたのです。TwitterやFacebookのようなサイトは、思想を自由に表現するためのプラットフォームとしての役割と、扇動的な連続投稿や明らかなデマの氾濫を抑制する役割を果たす中立的な立場であろうとしましたが、うまくいきませんでした。

監視は新たな水準に達しています。多くの国で人々を制限し、行動を監視・強制するための技術が用いられています。たとえば中国では、少数民族の追跡などに顔認証技術を利用しています。Covid-19のパンデミックの際に中国政府は、とあるアプリのインストールを義務付けました。このアプリは一種のワクチンパスポートのような役割を果たしますが、同時にユーザーの位置情報を警察に通知します。アメリカやイギリスでは、地域の法執行機関が顔認証やナンバープレートリーダーなどの技術を使って人々を監視しています。

携帯電話は常に私たちの位置をモニターしており、様々な関係者がそのデータを集約できます。スマートフォンの追跡アプリケーション

は、テクノロジーの両面性を示す優れた例です。感染の可能性のある人に接触したかどうかを教えてくれるCovid-19接触追跡システムに反対する人はいないでしょう。しかし、あなたがどこにいて、誰と話していたかを把握できるテクノロジーは、政府が効果的に監視・管理を行うのに役立ちます。病気の追跡を行うことと、平和的な抗議者、反体制派、政敵、内部告発者などの当局が脅威と考える人物を探し出すこととの間には、わずかな違いしかありません（アプリケーションを使った接触者追跡は、偽陽性率や偽陰性率が高いため、本当に効果があるかどうかは不明です）。

　数え切れないほどのコンピューターシステムが、ほぼすべてのオンライン上でのやりとりはもちろん、多くの現実世界のやりとりについても監視しています。あなたや私が誰と取引したか、いくら支払ったか、その時どこにいたかを監視し記憶しているのです。このようなデータ収集の大部分は商業的な目的で行われています。企業が私たちのことを知れば知るほど、広告のターゲットとして、より正確に絞り込めるからです。データが収集されていることは、多くの読者が知っていると思いますが、その量と詳細さを知って驚かれる方も多いのではないでしょうか。

　私たちを観察しているのは企業だけではありません。政府も監視に深く関わっています。エドワード・スノーデンが公開したNSAの電子メール、内部レポート、パワーポイントなどから、デジタル時代のスパイ活動について多くのことが明らかになりました。要するに、NSAは壮大なスケールで全員を監視しているのです。

　スノーデンの暴露は衝撃的でした。NSA自身が認めている以上に人々を監視しているだろうことは広く信じられていましたが、その範囲は皆の想像以上でした。NSAは、米国内でかけられたすべての電話について、誰が、いつ、どのくらいの時間かけたかなどのメタデータを日常的に収集しています。そしてこれらの通話内容も記録していた可能性があるのです。また、私のSkypeでの会話やメールの連絡先、

そしておそらくメールの内容も記録していました（もちろん、あなたのものもです）。そして世界のリーダーたちの携帯電話も盗聴していました。海底ケーブルがアメリカに出入りする場所に置かれた機器に記録装置を接続し、膨大な量のインターネットトラフィックを傍受しました。大手通信会社やインターネット会社に、ユーザーの情報を収集して提供するように求めたり強制したりしました。大量のデータを長期間にわたって保存して、その一部を他国のスパイ機関と共有していました。

　その一方で、商業的な世界では、どこかの企業や機関でセキュリティ侵害が発生し、正体のよくわからないハッカーたちが何百万人もの人々の氏名、住所、クレジットカード番号などの個人情報を盗み出したというニュースを耳にしない日はほとんどありません。通常、これらはハイテク犯罪ですが、時には貴重な情報を探している他国のスパイ活動の場合もあります。情報を管理している人の愚かな行動や不注意によって、個人情報が誤って流出してしまうこともあります。流出の経緯がどのようなものであっても、私たちについて収集されたデータが公開されたり、盗まれたりして、私たちが不利になる可能性は珍しくありません。

　本書は、こうしたシステムがどのように動作するかを理解できることを目標に、その背景にある技術を説明します。どのような仕掛けで、写真、音楽、映画、そして個人的な生活の詳細が、あっという間に世界中に送られてしまうのでしょうか。メールやテキストはどのようなしくみになっていて、どのくらいプライベートなものなのでしょうか。なぜスパムは簡単に送信できて、排除するのが難しいのでしょうか。携帯電話は常に持ち主の居場所を知らせ続けているのでしょうか。オンラインや携帯電話であなたを追跡しているのは誰で、それがなぜ問題なのでしょうか。人混みにいるあなたの顔を認識されてしまうことはあるのでしょうか。それがあなたの顔だとわかる人は誰なのでしょう。ハッカーはあなたの車を乗っ取れるでしょうか。それが自動運転

車ならどうでしょう。私たちはプライバシーやセキュリティを守れるのでしょうか、それともさっさと諦めるべきなのでしょうか。

本書を読み終える頃には、コンピューターや通信システムのしくみや、それらが自分にどのような影響を与えるのか、また、便利なサービスの利用とプライバシーの保護をどのように両立させればよいのかについて、きちんと理解できるはずです。

デジタル表現、プロセッサー、ネットワーク、データ

本書では、次に述べる基本的な考え方について、詳しく説明していきます。

最初にお話しするのは、情報の普遍的なデジタル表現についてです。20世紀のほとんどの期間、文書、写真、音楽、映画を保存していたような、複雑で洗練された機械的なシステムは、単一の統一された保存メカニズムに取って代わられました。情報は、プラスチックフィルムに埋め込まれた着色された染料や、ビニールテープに描かれた磁気パターンのような特殊な形ではなく、数値としてデジタルで表現されます。紙のメールはデジタルメールに道を譲りました。紙の地図も同様にデジタル地図に変わっています。紙の書類がオンラインのデータベースに置き換えられています。これらのバラバラなアナログ表現は、すべて数字となる共通の低次元な表現、すなわちデジタル情報で置き換えられました。

二番目にお話しするのは、汎用のデジタルプロセッサーです。すべてのデジタル情報は、単一の汎用機器であるデジタルコンピューターで処理できます。アナログ表現を処理する精巧で複雑な機械装置に代わって、均一なデジタル表現を処理するデジタルコンピューターが登場したのです。これから説明するように、コンピューターは、何が計算できるのかという意味ではどれも同じで、演算速度とデータの保存量が違うだけです。スマートフォンは、ノートパソコンと同等の演算能力を持つ、非常に高度なコンピューターです。このように、かつて

はデスクトップパソコンやノートパソコンに限られていた処理が、携帯電話でも可能になっています。デジタル化による収束^convergenceのプロセスはますます加速しているのです。

　三番目は、ユニバーサル・デジタル・ネットワークです。インターネットは、デジタル表現を処理するデジタルコンピューター同士をつなぐもので、コンピューターや携帯電話を、メール、検索、ソーシャルネットワーク、ショッピング、バンキング、ニュース、エンターテインメントなどあらゆるものにつなげます。世界人口の大多数がこのネットワークにアクセスしています。相手がどこにいようと、どのようなメールアクセスをしようと、誰とでもメールを交換できます。スマホ、ノートパソコン、タブレットから検索して、店を比較して、商品を購入できます。ソーシャルネットワークでは、友人や家族との連絡を、同じく携帯電話やパソコンから行えます。無尽蔵のエンターテイメントを、ほとんど無料で見られます。「スマート」デバイスは、家庭内のシステムを監視して制御します。こうしたデバイスに話しかけて指示を出したり、質問をしたりできます。これらのサービスを連携させるための世界的なインフラがあるのです。

　四番目は、継続的に収集・分析されている膨大な量のデジタルデータです。世界の多くの地域の地図、航空写真、路上からの眺めが自由に利用できます。検索エンジンは、問い合せに対する結果を効率よく表示するために、インターネットをたゆまずスキャンしています。莫大な数の書籍がデジタル化されています。ソーシャルネットワークや共有サイトが、私たちのために、そして私たちに関する膨大な量のデータを保持しています。オンラインと実際の店舗やサービスの両方が、商品へのアクセスを提供する一方で、検索エンジンやソーシャルネットワーク、携帯電話の助けを借りて、私たちがその店舗やサービスを訪れたときの行動をすべて静かに記録しています。オンラインでのやりとりのすべてに関して、インターネットサービスプロバイダーは、私たちが行った接続を記録していますが、おそらくそれ以上のことを

行っています。政府は、10年から20年前には不可能だったような範囲と精度で、常に私たちを監視し続けています。

　このような状況は、デジタル技術システムの小型化、高速化、低価格化によって急速に変化しています。より良い機能、より良い画面、より面白いアプリケーションを備えた新しい携帯電話が次々と登場しているのです。新しいガジェットが次々に登場し、便利な機能は携帯電話のアプリへと集約されていきます。これはデジタル技術の自然な副産物で、技術の発展がデジタル機器全体の改善につながっていきます。ある変化によってデータをより安く、より速く、より大量に扱えるようになれば、すべての機器が恩恵を受けられるのです。その結果、デジタルシステムは、私たちの生活の中で目に見える形で、また見えない形でも、欠かせないものとして浸透しています。

　このような進歩は間違いなく良いことですし、ほとんどの場合でそうなっています。しかし、良いことの周りには悪いことも伴っています。最も明白で、おそらく個人にとって最も心配なことは、テクノロジーが個人のプライバシーに与える影響です。あなたが携帯電話を使ってある商品を検索し、店舗のウェブサイトにアクセスすると、同時にすべての関係者が、どこを訪れ、何をクリックしたかを記録します。携帯電話はあなたをユニークに識別できるので、彼らはあなたが誰であるかを知っています。携帯電話が常に100メートル以内の位置情報を報告しているため、彼らはあなたがどこにいるかも知っています。電話会社はこの情報を記録し、販売することもあるでしょう。GPS（全地球測位システム）を使えば、5〜10メートルの範囲で位置を特定できますが、もし位置情報サービスをオンにしていると、その情報がアプリに提供され、アプリもその情報を販売できます。実際には事態はもっと深刻です。仮に位置情報サービスを無効にしても、アプリがGPSデータを利用できなくなるだけで、携帯電話のOSがデータを収集したりアップロードしたりするのを止めることはできません。これらは携帯電話ネットワーク、Wi-Fi、Bluetoothを使って行われます。

ネット上だけでなく、リアルの世界でもあなたは監視されています。顔認識技術は、路上やお店の中であなたを識別できます。交通カメラはナンバープレートをスキャンして車の位置を把握しますし、電子料金収受システムも同じです。インターネットにつながったスマートサーモスタット、音声レスポンダー、ドアロック、ベビーモニター、セキュリティカメラなどは、私たち自身が家の中に招き入れた監視装置です。今日、私たちが深く考えずに許可しているトラッキングに比べれば、ジョージ・オーウェルの『1984』に登場する監視機構はカジュアルで取るに足らないものに見えます。

私たちの情報の行方

　私たちが何をどこで行ったかの記録は、永遠に残るかもしれません。デジタルストレージは非常に安価な上に、データはとても貴重であるため、情報が廃棄されることはほとんどありません。恥ずかしいことをネットにアップしたり、後悔するはめになるようなメールを送ったりしてからでは遅いのです。複数の情報ソースを組み合わせることで、個人の人生の詳細な情報を作成できます。そして個人が知ることも許可することもないままに、その情報を企業、政府、犯罪関係者が利用できるのです。こうした情報は無期限に残り続ける可能性があり、いつ個人に損害を与えるかはわかりません。

　普遍的なネットワークとデジタル情報は、わずか10年か20年前には想像もできなかったレベルで、私たちを他人からの悪意に対して脆弱にしたのです。ブルース・シュナイアーは、2015年に出版したその素晴らしい著書 "Data and Goliath"（邦訳『超監視社会：私たちのデータはどこまで見られているのか？』）の中で、「私たちのプライバシーは、絶え間ない監視によって、絶えず傷つけられている。これがどのように起こるかを理解することが、何が危機に晒されているかを理解する上で重要である」と述べています。

　私たちのプライバシーと財産を保護するための社会的なしくみは、

技術の急速な進歩に追いついていません。30 年前には、私は地元の銀行や他の金融機関とは物理的なメール（つまり郵便）で取引をしていましたし、時折は個人的な訪問も受けました。私のお金にアクセスするには、時間がかかり、大量の書類が残されていました。誰かが私からお金を盗むことは難しかったのです。現在私は、金融機関との取引にインターネットを主に使っています。自分の口座には簡単にアクセスできますが、不運なことに私が大きなヘマをやらかしたり、関係者の誰かが間違いを犯してしまったら、あっという間に、対応するチャンスも得られないままに、地球の裏側の誰かにアカウントが晒され、識別情報が盗まれ、クレジット記録は改竄（かいざん）されるかもしれません（それ以外の悪いことが起きる可能性はいくらでもあるでしょう）。

基本的なアイデアを理解しよう

　本書の目的は、これらのシステムがどのように機能し、どのように私たちの生活を変えているのかを、読者が理解することです。最新のシステムは常に一時的な姿に過ぎないので、今から 10 年後には、現在のシステムが、不便で時代遅れになっていることは間違いないでしょう。技術的な変化は独立した出来事ではなく、素早く絶えず加速し続ける、現在進行中のプロセスなのです。

　ただ幸いなことに、デジタルシステムの基本的なアイデアは変わらないでしょう。そのため、基本的なアイデアを理解しておけば、未来のシステムも同じように理解できます。さらに、そうした未来のシステムがもたらす挑戦やチャンスに対して、有利な立場で取り組むことができるでしょう。

第 1 部

ハードウェア

「この計算が蒸気によって実行されればよいのにと、
私は神に祈りました」

チャールズ・バベッジ、1821年、ハリー・ウィルモット・バクストンの著作(Memoir of the Life and
Labours of the Late Charles Babbage=故チャールズ・バベッジの人生と労働の回顧録, 1872.)より

　ハードウェアはコンピューティングの要素のうち、固くて目に見える部分です。すなわち、見たり手に乗せたりできる各種機器・装置を指します。コンピューティング機器（計算機）の歴史は興味深いものですが、ここではほんの少しだけ説明するに留めます。とは言うものの、いくつかの特徴についてはきちんと説明しておく価値があります。特に一定の空間に、ほぼ一定の価格で詰め込める回路や装置の量が、どれほど指数関数的に増加したかは知る価値があるでしょう。デジタル機器がより安価で強力になることで、広く多様性に満ちた機械的なシステムは均質な電子システムに取って代わられてきました。

計算機への道のり

　計算機には長い歴史があります。初期のほとんどは特定用途向きで、しばしば天文現象や星の位置を予測するために用いられました。たとえば、証明はされていませんが、ストーンヘンジは天文台の一種だったという説もあります。また、紀元前100年頃に作られた、ギリシャのアンティキティラ島の機械は、驚くほど洗練された機械式天文コンピューターです。そろばんのような計算装置は、何千年もの間、特に

アジアで使用されてきました。計算尺は 1600 年代初頭に、ジョン・ネイピアが対数を発見してからほどなく発明されました。私は計算尺を工学部の学生として 1960 年代に使っていましたが、今ではすっかり骨董品扱いです。計算機とコンピューターが代わりに使われるようになり、苦労して身に付けた私の計算尺の技術もお蔵入りです。

　今日のコンピューターに最も関係の深い先行事例は、1800 年頃にジョセフ・マリー・ジャカールによってフランスで発明されたジャカード織機です。ジャカード織機は、織りパターンを指定する複数の列の穴を備えた、長方形のカードを使用していました。ジャカード織機は、穴の空いたカードで与えられた指示に従って、多種多様な異なるパターンを織るように「プログラミング」できたのです。カードを交換することで、異なるパターンが織れました。織物のための省力化機械の誕生によって、織工たちが仕事を追われ、社会的な混乱が発生しました。1811 年から 1816 年にかけて英国で発生したラッダイト運動は、機械化に反対する暴力的な抗議行動でした。現代のコンピューティング技術も似たような混乱を引き起こしています。

チャールズ・バベッジとエイダ・ラブレス

　現代のコンピューティングは、チャールズ・バベッジの仕事とともに、19 世紀半ばのイギリスで始まりました。バベッジは航海術と天文学に興味を惹かれた科学者でしたが、どちらの学問も位置を計算するために数値表を必要としていました。バベッジは、当時手作業で行われていた退屈で間違いの起きやすい算術計算を機械化してくれる計算機の開発に、その生涯の大部分を費やしました。冒頭の引用文からも、彼の苛立ちが感じられます。財政的支援者が離れていってしまうなどの様々な理由から、彼はその野望を成就できませんでした。それでも彼のデザインは優れたものでした。当時の工具や材料を用いて作られたそのしくみの一部の実現例を、ロンドンの科学博物館や、カリフォルニア州マウンテン・ビューにあるコンピューター歴史博物館で

図1 バベッジの差分機関（階差機関）の現代的な実装

実際に見ることができます（**図1**）。

　バベッジは、詩人でもあるバイロン男爵（ジョージ・ゴードン・バイロン）の娘にして、ラブレス伯爵夫人でもあった若い女性オーガスタ・エイダ・バイロンに、数学と彼の計算機に対する興味を持たせました（**図2**）。彼女、エイダ・ラブレスは、バベッジの解析機関（彼が計画した中で最も洗練されていた機器）を科学計算に利用するための、詳細な記述を行っています。そして、そのしくみが数値計算以外の仕事、たとえば作曲なども可能だろうと推測していました。「たとえば、和声学や作曲における音程の基本的な関係が、このような数値表現と操作を許すとすれば、解析機関はどんな複雑さや長さであっても、精巧で科学的な音楽を作曲できるだろう」と書き残しています。エイダ・ラブレスはしばしば世界最初のプログラマーと呼ばれます。

図2　エイダ・ラブレス。
マーガレット・サラ・カーペンターによる肖像画（1836年）

そしてプログラミング言語 Ada（エイダ）は、彼女の名前にちなんで命名されたものなのです。

　ハーマン・ホレリスは、1800 年代の後半に米国勢調査局と協力して、国勢調査情報を手作業よりもはるかに迅速に集計できる機械を設計し、製作しました。ホレリスはジャカード織機のアイデアを利用し、紙にパンチで開けた穴を用いて彼の機械で処理できるよう国勢データを加工しました。よく知られているように 1880 年の国勢調査を表の形にまとめるのには 8 年の歳月がかかりました。1890 年の国勢調査では、ホレリスのパンチカードと読み込み機械を使うことで、事前に予想されていた 10 年ではなく、わずか 1 年しかかかりませんでした。ホレリスが創立した会社は、合併と買収を経て、1924 年に International Business Machines（国際事務機器）という会社になりました。私たちが今、IBM という名前で知っている会社です。

電子計算機の誕生
　バベッジの機械は、ギア、ホイール、レバー、そしてロッドなどを

組み合わせた複雑なものでした。20世紀における電子工学の発展は、機械部品に頼らないコンピューターの考案を可能にしました。こうした完全電子式の、最初の重要な機械がENIAC（Electronic Numerical Integrator and Computer：電子式数値積算計算装置）でした。これは1940年代にフィラデルフィアのペンシルベニア大学で、ジョン・プレスパー・エッカートとジョン・モークリーによって開発されました。ENIACは大きな部屋を占有しており、大量の電力を必要としましたが、1秒で約5000回の足し算を実行できたのです。元々弾道計算などでの使用が想定されていましたが、第二次世界大戦が終わってかなり時間の経った1946年まで、完成しませんでした（ENIACの一部は、ムーア電気工学スクールのあったペンシルベニア大学で展示されています）。

　バベッジは、計算機がその操作命令とデータを同じ形式で保存できることをはっきり理解していました。しかしENIACは、命令をメモリーの中に格納していませんでした。その代わりに、スイッチとケーブルでコネクター同士を接続することによって、プログラミングされていたのです。プログラムとデータを実際に一緒に保存した最初のコンピューターは英国で作られました。その代表が1949年に作られたEDSAC（Electronic Delay Storage Automatic Calculator：電子式遅延記憶自動計算機）です。

　初期の電子計算機は、演算素子として真空管を使用していました。真空管とは、サイズと形状が円筒状の電球にほぼ等しい電子機器です（次章の図7を参照）。真空管は高価で、壊れやすく、かさばり、電力喰らいでした。1947年のトランジスタの発明、そして1958年の集積回路の発明によって、現代のコンピューティングの時代が本格的に始まりました。これらの技術によって、電子システムのさらなる小型化、低価格化、高速化が可能になったのです。

　この後に続く3つの章では、実際の物理的詳細というよりも、コンピューティングシステムの論理的なアーキテクチャに焦点を当てなが

ら、コンピューターのハードウェアについて説明します。アーキテク
チャは基本的に何十年も変わっていませんが、その一方でハードウェ
アは驚くほど変化しています。第1章では、コンピューターの構造と
主要部品の概要を説明します。第2章では、コンピューターが情報を
どのようにビット、バイト、そして2進数で表現しているのかを示し
ます。そして第3章では、コンピューターの計算方法を説明します。
つまり目的を達するために、どのようにビットやバイトが扱われてい
るのかということです。

− 1 −
コンピューターとは何だろう

完成した機器は汎用コンピューティングマシンに
なるのだから、それは計算、記憶、制御、
そして人間のオペレーターとの接触に関連する、
主要な装置を含んでいるはずだ

アーサー・W・バークス、ハーマン・H・ゴールドスタイン、ジョン・フォン・ノイマン、
Preliminary discussion of the logical design of an electronic computing instrument=
電子計算機の論理設計に関する予備的考察, 1946.

　ハードウェアについての説明を「コンピューターとは何か」、この概要を示すことから始めましょう。少なくともふたつの視点から、コンピューターを見ることができます。

　ひとつは、論理的または機能的な視点——構成要素は何か、それらは何をするもので、どのようにつながっているのか、です。そしてもうひとつは、物理的な視点——構成要素はどのように見えるのか、そしてどのように作られるのか、です。本章の目的は、コンピューターとは何かを理解し、内部に何があるのかを見て、それぞれの部品が何をしているのかを学び、無数の略語と数字が何を意味しているのか、についての雰囲気をつかむことです。

　手元にあるコンピューターについて考えてみましょう。多くの読者は、「PC」という種類の機器を持っているでしょう。すなわち IBM が 1981 年に初めて販売したパーソナルコンピューター（Personal Computer）を起源に持つ、ノートブック型やデスクトップ型のコン

ピューターで、Microsoft の Windows オペレーティングシステムの、いずれかのバージョンを搭載しています。その他には、macOS オペレーティングシステムのいずれかのバージョンを実行する Apple Macintosh（Mac）を使っている人もいるでしょう。さらには、ストレージと計算をインターネットに頼る、Chrome OS を搭載した Chromebook を使用している人もいるでしょう。スマートフォン、タブレット、電子書籍リーダーなどの、より特化した機器も強力なコンピューターです。これらはすべて外見が異なりますし、使ってみたときの感じも異なりますが、中身に目を向けてみれば、みな基本的に同じものなのです。その理由を説明しましょう。

　この事情は自動車と少し似ています。機能的に見れば、自動車は100 年以上にわたって同じでした。自動車には、何らかの燃料を使って始動し、車を動かすエンジンが載っています。自動車にはまた、車を制御するためのハンドルがあります。燃料を蓄える場所と、乗客およびその荷物を保持する場所があります。しかし、物理的に見たときには、自動車はこの一世紀で大きく変わりました。使っている素材が変わり、より速く、より安全になり、何より信頼性と快適性が大きく上がりました。私の最初の車で使い込んだ 1959 年型フォルクスワーゲンビートルとフェラーリの間には大きな違いがあるものの、どちらも私を乗せてスーパーマーケットから自宅に戻ったり、国中を走り回ったりできます。そういった意味で、どちらも機能的には同じです（念のために申し添えておきますが、私はこれまで一度もフェラーリに乗ったことはありませんし、ましてや所有していたこともありません。なので野菜を積む余地があるかどうかについては想像で書いています。ただ、一度だけ隣に駐車したことがあります。**図 1**）

　同じことがコンピューターにも当てはまります。現在のコンピューターも、論理的には 1950 年代のコンピューターとよく似ています。しかし、物理的な違いは、自動車の世界で起こった変化をはるかに超えています。現在のコンピューターは、50 年前のものよりも、はる

図1　フェラーリに最も近付いた瞬間

かに小さく、安価で、高速かつ信頼性が高く、文字通りいくつかの点で何百万倍も優れています。そのような改善が行われたことが、コンピューターが普及した根本的な理由です。

「機能的な振る舞い」とその「物理的な性質」の区別、つまり、「それは何を行うものか」と「それが内部ではどのように作られ動作しているのか」の区別はとても重要です。コンピューターの場合、「どのように作られているか」は、その実行速度と同様に驚くべき速さで変化していますが、「何を行うものか」は、かなり安定しています。このような抽象的な記述と具体的な実装との区別の話は、この先も繰り返し出てきます。

　私は大学での講義の1回目で、時々アンケートを行っています。Windows機を持っている人は何人いますか？　では、Macを持っている人は何人いるでしょう？　両者の比率は、2000年代前半ではか

なり安定していて 10 対 1 ほどの比率で Windows 機が多かったのですが、ここ数年で急速に変化し、現在では Mac が 4 分の 3 を超えるようになっています。しかし、この比率は広い範囲で見たときには必ずしも成り立ちません。世界では Windows 機がより広く使われているからです。

こうした不均衡が生まれるのは、片方がもう一方よりも優れているからでしょうか？　もしそうなら、このわずかな期間に何が劇的に変わったのでしょうか？　私は学生たちに対して、どちらの機種が良いのかと、その意見を支える客観的な意見を尋ねます。自分のコンピューターを買うときに、何が選択の決め手になったのですか？

当然、価格は答えのひとつです。多くの競合との激しい市場競争の結果、Windows 機はより安くなる傾向にあります。より幅広いハードウェアとその拡張機器、より多くのソフトウェア、さらには、より多くの専門知識が容易に利用できます。これは、経済学者たちが「ネットワーク効果」と呼んでいるものの例です。他の人が何かを使用すればするほど、どれだけ多くの人が使っているかに比例して、広く使われることはあなたに役立つのです。

Mac に関しては、信頼性、品質、審美性、そして「きちんと動く」という感覚（sence）に対して、多くの消費者が割増金（premium）を喜んで払っています。

どちらの側も相手を納得させられないまま議論は続いていきますが、そのことはいくつかの良い疑問を生んでいます。議論をする人々が考えざるを得ない「様々な種類のコンピューターの違いは何か、そして本質的に同じものは何か」というものです。

携帯電話についても似た議論があります。ほぼすべての人が、Apple の App Store、もしくは Google の Play ストアからダウンロードしたプログラム（アプリ）を実行できるスマートフォンを持っています。携帯電話は、ブラウザー、メールシステム、時計、カメラ、音楽とビデオプレイヤー、価格比較ツール、そして時には会話のための機器として機能します。通常、学生の約 4 分の 3 が Apple の iPhone

を持っています。そして残りのほとんどの学生は、多くの会社から提供されている Android 携帯を持っています。iPhone はより高価ですが、Mac、iPad、Apple Watch などの機器やクラウドサービスといったエコシステムと円滑に連携できます。これはネットワーク効果のもうひとつの例です。いわゆる「フィーチャーフォン」（ほぼ通話機能しか持たない携帯電話）しか持っていないことを告白する学生もいます。私のサンプルは米国の比較的豊かな環境で得られたものです。世界の他の地域では、Android 携帯がはるかに一般的な端末になるでしょう。

　携帯電話の選択には、人それぞれの理由があります。それは、機能、価格、見た目の、いずれかかもしれません。しかし Windows 機 対 Mac の説明で見たように、コンピューティングを行うハードウェアは極めて似通ったものなのです。それがなぜかを見ていきましょう。

1.1 論理的構造

　単純な汎用コンピューターの中に何があるのかを示す抽象的な図（その論理的もしくは機能的アーキテクチャの図）を描いたとすると、**図2**のようになるでしょう。これは Mac でも Windows 機でも同じです。1個のプロセッサー、ある程度の一次メモリー、ある程度の二次ストレージ、そして、その他の様々な構成要素すべてが、バスと呼ばれる線で接続され、そのバスを介して情報がやりとりされます。

　パソコンの代わりに、携帯電話もしくはタブレット用にこの図を描いた場合でも、結果は似たものになるでしょう。ただし、マウスとキーボードとディスプレイは、ひとつの部品（スクリーン）に統合されます。さらに、隠れた構成要素である方位計、加速度計、物理的な位置を決める GPS などが加わります。

　この基本的な構造——ひとつのプロセッサー、命令とデータのためのメモリーとストレージ、入力と出力のためのデバイス——が、1940年代以降ずっと標準だったのです。この構造はしばしばフォン・ノイマン型アーキテクチャと呼ばれます。本章の冒頭で引用した1946年

の論文を執筆した、ジョン・フォン・ノイマンにちなんだ名前です。本当は他者によってなされた仕事に対しても彼の名前が用いられ過ぎているのでは、という論争も続いてはいますが、上記の論文はとても明快で洞察に満ちていて、今日でも十分読む価値があります。たとえば、本章の冒頭にある引用文が、その論文の最初の文章です。現在の用語に翻訳すれば、プロセッサーが計算と制御を提供し、一次メモリーと二次ストレージが記憶装置であり、キーボード、マウスおよびディスプレイが人間のオペレーターと接触する部分です。

　ここで用語についての注意点を述べておきましょう。プロセッサーは従来、CPU（中央処理装置）と呼ばれてきましたが、今では単に「プロセッサー」と呼ばれることが多くなっています。一次メモリーはRAM またはランダムアクセスメモリーと呼ばれることも多く、二次ストレージはディスクまたはドライブと呼ばれることも多いです。これは、物理的な実装の違いを反映しています。私は本書でプロセッサー、メモリー、ストレージという用語を主に使うつもりですが、時折古い用語を使います。

1.1.1 プロセッサー

　プロセッサーは、脳に相当します（コンピューターがそのようなものを持つと言えるのであれば、ですが）。プロセッサーは計算を行い、

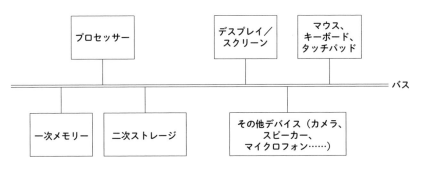

図２　単純に理想化したコンピューターのアーキテクチャ図

データを移動し、他の構成要素の動作を制御します。プロセッサーが実行できる基本操作の種類は限られますが、その実行はとても速く、毎秒何十億回にも達します。次に何の演算をするかをそれまでの計算結果に基づいて決めるので、ユーザーの人間とはほぼ独立して動くことになります。プロセッサーという部品は本当に重要なので、第3章でさらに時間を費やして説明します。

あなたが、コンピューターを買うためにリアル店舗やオンラインショップに立ち寄った場合、ここで話題にした部品に何やら神秘的な略語や、負けずに神秘的な数字が添えられていることに気付くでしょう。たとえば、「2.2GHz デュアルコア Intel Core i7」と記載されているプロセッサーを見るかも知れません（これは私の所有するパソコンの1台と同じです）。これは何でしょう？　Intel がこのプロセッサーを作った会社で、「Core i7」はその Intel の数多いプロセッサーのひとつです。このプロセッサーは、実際には単一のパッケージ内に2つ（デュアル）の処理ユニット（コア）を抱えています。この文脈では、「コア」は「プロセッサー」の同義語になっているのです。ひとつのコアはそれ自体がプロセッサーですが、CPU には複数のコアがあり、それらが共同または独立して動作することで、より高速に計算ができます。ほとんどの目的に対して、どれだけ多くの「コア」を抱えていたとしても、それらを組み合わせたものをひとつの CPU と考えれば十分です。

「2.2GHz」はより興味深い部分です。プロセッサーの速度は、1秒間に実行できる演算または命令の数で、少なくともおおよそは測ることができます。プロセッサーは、基本的な演算を実行するために、心臓の鼓動や時計のチクタクに似た内部クロックを使用しています。速度のひとつの尺度は、1秒あたりのそのような「刻み」の数です。

1秒あたり1回の鼓動あるいは刻みがあることを、ドイツのエンジニア、ハインリッヒ・ヘルツの名前にちなんで、1ヘルツと呼びます。ヘルツは Hz という表記で表現します（ヘルツは1888年に電磁放射

を行う方法を発見しました。これにより、ラジオやその他の無線システムへの道が開かれました）。ラジオ局は、102.3MHz のように、放送周波数をメガヘルツ（百万ヘルツ）で表示します。現在のコンピューターは通常数十億ヘルツ、もしくはギガヘルツ、あるいは GHz で動作します。私の極めて普通の 2.2GHz プロセッサーは 1 秒あたり 2,200,000,000 回という猛烈な速さで「刻み」を繰り返しています。人間の鼓動は約 1Hz、または 1 日あたり 100,000 回です。これは 1 年あたりでは約 3000 万回となります。私の心臓なら 70 年分の鼓動に相当する刻みを、私のプロセッサー内の個々のコアなら 1 秒で刻めます。

　これはコンピューティングの世界ではとても一般的な、「メガ（M）」や「ギガ（G）」という数値接頭辞への最初の出会いです。「メガ」は 100 万、もしくは 10^6 です。「ギガ」は 10 億、もしくは 10^9 を表します（英語では "gig" の発音のように g を強く発音します）。私たちはすぐにより多くの単位を見ることになります。完全な表は用語集を見てください。

1.1.2 一次メモリー

　一次メモリーは、プロセッサーおよびコンピューターの他の部分から頻繁に使われる情報を記憶します。その内容は、プロセッサーが変更できます。一次メモリーには、プロセッサーが現在処理しているデータだけでなく、プロセッサーにデータの処理方法を指示するための命令も格納されています。これは決定的に重要なポイントです。異なる命令をメモリーに読み込むことで、プロセッサーが異なる計算を実行できるのです。こうすることで（プログラムをメモリーに読み込む）ストアドプログラム方式のコンピューターが汎用デバイスになります。つまり、メモリーの中に適切な命令を読み込むことで、同一のコンピューターがワードプロセッサーやスプレッドシートを実行したり、ウェブの閲覧、電子メールの送受信、Facebook 上での友人とのやりとり、税金の計算、そして音楽の再生といった仕事を実行できる

のです。このストアドプログラム方式のアイデアの重要度はいくら強調しても強調しきれません。

　一次メモリーは、コンピューターの実行中に情報を格納する場所を提供します。Word、Photoshop、またはブラウザーのような、実行中のプログラムの命令が保存されています。さらに、そうしたプログラムのデータ、たとえば画面上の画像、編集中の文書、再生中の音楽なども保存します。また、複数のアプリケーションを同時に実行できるように、舞台裏で動作しているオペレーティングシステム（Windows や macOS など）の命令も格納されています。アプリケーションとオペレーティングシステムについては、第6章で説明します。

　一次メモリーが、ランダムアクセスメモリー（RAM）と呼ばれる理由は、プロセッサーがその中のどの場所に置かれている情報でも、同じくらいの速さでアクセスできるからです。少々単純化していうならば、ランダムにどのような順序でメモリーにアクセスしても、そのスピード（アクセス速度）の違いは生じません。はるか昔に姿を消してしまったビデオテープと比較してみましょう。映画の最終シーンを見るためには、最初から早送り（実は遅いのですが）する必要がありました。これはシーケンシャルアクセス（順送り）と呼ばれる方式です。

　ほとんどの RAM は揮発性です。つまり、電源が切れれば、その内容は消え、現在アクティブな情報はすべて失われてしまいます。そのため、特にデスクトップパソコンでは、作業を頻繁に保存した方が賢明です。なぜなら、電源コードを足に引っかけたら目も当てられない悲劇になるからです。

　あなたが使っているコンピューターには、固定された容量の一次メモリーが搭載されています。容量はバイトという単位で表現されます。1バイトというのは、単一の文字である w や @ や、42 といった小さな数値や、より大きな値の一部を保存できる程度のメモリーの量です。第2章では、情報がメモリーやコンピューターの他の部分でどのよう

に表現されるかを示します。それがコンピューティングにおける基本的な問題のひとつだからです。ここでは、メモリーとは、数十億までの番号が付いた同じ小さな箱が大量に集まっているものと考えておけば大丈夫です。箱のそれぞれに、少量の情報を保存できるのです。

　容量とは何でしょう？　私が今使っているノートパソコンは、80億バイト、または8ギガバイト（8GB）の一次メモリーを持っていますが、おそらくこれでは小さすぎます。その理由は、より多くのメモリーがあれば、より速く処理を実行できるからです。すべてのプログラムが同時に使えるだけの十分な容量はないので、活動していないプログラムを移動して新しい場所を作ってやらなければなりませんが、そのためには時間がかかるのです。あなたのコンピューターをより速く動かしたいなら、追加のRAMを買うのが最善の戦略でしょう（もしメモリーがアップグレード可能ならばですが、そうではないかもしれません）。

1.1.3 二次ストレージ

　一次メモリーが情報を格納できる容量は、それなりに大きいものですが、それでも限られていて、電源がオフになるとその内容は消えてしまいます。一方、二次ストレージは、電源がオフになっても情報を保持し続けます。二次ストレージには、ハードディスクあるいはハードドライブと呼ばれる磁気ディスクと、それよりも新しい方式のソリッドステートドライブ（SSD）の2種類があります。どちらの種類のドライブも、一次メモリーよりもはるかに多くの情報を保存でき、揮発性ではないので電源が切れても情報はそのまま残ります。データ、命令、その他のすべてが、二次ストレージに保存され、一次メモリーには一時的に取り込まれるのです。

　磁気ディスクは、回転する金属表面上の、磁性材料の小さな領域の磁化の方向を変化させることにより、情報を記憶します。データは、同心円状のトラックに格納されます。読み書きは、トラックごとに移

動するセンサーにより、行われます。コンピューターが何かをしているときに聞こえる、ウィーンという音やカチカチと鳴る音は、ディスクの動作音なのです。このときセンサーがディスク表面上の正しい場所へ移動しています。ディスク面は毎分 5400 回転以上という高速で回転しています。**図 3** に示すのは標準的なノートパソコン内蔵ディスクの中身で、表面とセンサーを見ることができます。このプラッター（ディスクの円盤）の直径は 2.5 インチ（6.35cm）です。

　ディスクストレージの価格は、RAM よりも 1 バイトあたり約 100 分の 1 と安価ですが、情報へのアクセス速度は遅くなります。ディスクドライブが表面上の特定のトラックにアクセスするには約 10 ミリ秒かかり、そしてデータは約 100MB/ 秒の速度で転送されます（MB はメガバイトです）。

　10 年前は、ほとんどのノートパソコンに磁気ディスクが搭載されていました。現在では、ほとんどの機種が、回転する機械の代わりにフラッシュメモリーを使用する SSD を搭載しています。フラッシュメモリーは不揮発性で、情報は電荷として回路に保存され、電源を切っても個々の回路素子に電荷が維持されます。蓄積された電荷は、その値が何であるかを見るために読み取ったり、消去したり、新しい値で上書きしたりできます。フラッシュメモリーは、より速く、より軽く、より信頼性が高く、落としても破損せず、従来のディスクストレージよりも少ない電力しか必要としないので、携帯電話やカメラなどにも使用されています。1 バイトあたりの価格はまだ高いものの、価格は下がってきていて、その利点がとても魅力的なので、ノートパソコンでは SSD が機械式ディスクに取って代わるほどになりました。

　現在一般的なノートパソコンの SSD は、250 ～ 500 ギガバイトです。USB ソケットに接続して使用する外付けドライブは、数テラバイト（TB）の容量がありますが、まだ回転式の機械が多数派です。ちなみに「テラ」というのは 1 兆もしくは 10^{12} を表します。これもまたよく目にすることになる単位です。

図3　ハードディスクドライブの内部

　テラバイト（TB）というのは……まあギガバイト（GB）でも同じ
疑問が湧くと思いますが、どれくらいの大きさなのでしょう？　1バ
イトは英文テキストの最も一般的な表現形式において、1文字分の英
字を保持できる大きさです。小説『高慢と偏見』は、紙では250ペー
ジほどですが、文字数が約68万字なので、1GBはおおよそ1500冊
分に相当します。私だったら、おそらく同じ本は1冊だけにし、残り
は音楽などを入れておくでしょう。MP3またはAACフォーマット
の音楽は1分あたり約1MBの容量を必要としますので、私のお気に
入りのCDの1枚である "Jane Austen' Songbook" は、約60MBの大
きさになります。そして、それを入れたとしても、なお15時間以上
のゆとりが1GBという容量にはあるのです。1995年にBBCが制作
した「高慢と偏見」（主演：ジェニファー・イーリーとコリン・ファ
ース）は2枚組のDVDでその容量は10GB以下です。ということは、
同じような映画100本を1TBのディスクに入れておくことができる
のです。
　ディスクは、論理的構造と物理的実装の違いを示す良い例です。

Windows のファイルエクスプローラーや macOS の Finder などのプログラムを実行してみると、ディスクの内容が階層的なフォルダーやファイルの形で表示されます。しかし、こうしたデータは、回転機構、または動く部品が全くない集積回路、あるいは全く別物のいずれであっても、保存することが可能です。コンピューターに搭載されているドライブがどのような種類なのかは重要ではありません。ディスク内のハードウェアと、ファイルシステムと呼ばれるオペレーティングシステム内のソフトウェアが、組織的な構造を生み出しているのです。第 6 章でこの話題に戻ります。

　この論理的構造はあまりにもユーザーになじみやすかった（むしろ、私たちが完璧に慣れてしまったというべきかもしれませんが）ために、物理的に全く異なる他のデバイスであっても、同じ構造が用いられています。たとえば、CD-ROM や DVD の情報にアクセスできるソフトウェアは、実際にはどのように格納されているかどうかにかかわらず、情報がファイル階層に格納されているように見せてくれます。USB デバイスや、リムーバブルメモリーカードを使用するカメラやその他のガジェットも同様です。現在は完全に時代遅れとなった、古いフロッピーディスクでさえ、論理レベルでは同じように見えていました。これはコンピューティングの世界に広く行き渡った考え方である「抽象化」の良い例です。ここでは物理的な実装の詳細は隠されています。ファイルシステムの場合には、様々な技術がどのように機能したとしても、構造的な情報の階層としてユーザーには提示されるのです。

1.1.4 その他のデバイス

　無数とも言えるその他のデバイスが、特別な役割や機能を果たしています。マウス、キーボード、タッチスクリーン、マイクロフォン、カメラ、スキャナーによりユーザーは、入力ができます。ディスプレイ、プリンター、およびスピーカーによりユーザーは、出力が得られ

ます。Wi-Fi や Bluetooth などのネットワーク部品により、他のコンピューターと通信できます。人間の視覚、聴覚、その他の身体的な問題に対処するための、様々な支援技術もあります。

　図2として示したアーキテクチャでは、これらすべてのデバイスが、まるでひとつのバス（ワイヤーの束。この用語は電気工学からの借り物です）へ接続されているように描かれていました。実際には、コンピューターの内部には複数のバスがあり、それぞれはその機能に適した性質を持っています。短くて高速ながらも高価なバスは CPU と RAM の間に、長くて遅いけれども安価なバスはヘッドフォンジャックへ、といった具合です。一部のバスは外部にも現れます、たとえば、様々なデバイスをコンピューターに接続するための、どこにでもあるユニバーサルシリアルバス（USB）です。

　本章では、この他のデバイスについてあまり説明をしませんが、必要に応じて触れることにします。ここでは、あなたのコンピューターに付属していたり接続しているかもしれない様々なデバイスを列挙してみましょう。マウス、キーボード、タッチパッド、タッチスクリーン、ディスプレイ、プリンター、スキャナー、ゲームコントローラー、ヘッドフォン、スピーカー、マイク、カメラ、電話、指紋センサー、そして他のコンピューター。リストはまだまだ続きます。これらはすべて、プロセッサー、メモリー、ディスクと同様の進化を遂げました。しばしば、より小型かつより低価格で、より多くの機能を提供するように、物理的特性が急速に変化してきました。

　こうしたデバイスが、どういう形でひとつのモノに収束しつつあるかを指摘しておくことには意味があるでしょう。今や携帯電話は、腕時計、電卓、静止画ならびに動画カメラ、音楽と映画のプレイヤー、ゲーム機、バーコードリーダー、ナビゲーター、さらには懐中電灯としてさえ機能します。1台のスマートフォンは、ノートパソコンと同じ抽象的なアーキテクチャを備えていますが、サイズや電力の制約から実装には大きな違いがあります。携帯電話には、図3に示したよう

なハードディスクはありませんが、電話機の電源がオフになっている
ときに、アドレス帳、写真、アプリなどの情報を保持できるように、
フラッシュメモリーが搭載されています。携帯電話にはたくさんの外
部デバイスも伴っていませんが、ヘッドフォン用のソケットやUSB
コネクターなどは備わっているでしょう。小さなカメラはとても安い
ので、ほとんどの携帯電話には表と裏に用意されています。iPad や
そのライバルとなるタブレットも、同様のアーキテクチャで独自の構
成を実現しています。これらは、同じ一般的なアーキテクチャと同様
の構成要素を備えたコンピューターなのです。

1.2 物理的構造

　私の授業では、様々なハードウェアデバイスを回覧します（数十年
におよぶガラクタあさりの成果です）。通常、内部を露出させて行い
ます。コンピューティングに関わる多くの事柄が抽象的なので、ディ
スク、集積回路チップ、それらの製造に使われたウェハー（円形の薄
い板）などを具体的に見ることができるのは、理解する上で有益です。
　さらに、デバイスの進化が見られるのも興味深いです。たとえば、
現在のノートパソコンのハードディスクは、10 ～ 20 年前のものと見
分けがつきません。10 倍、100 倍の容量を持っているかもしれないの
に、その向上は目に見えないのです。デジタルカメラで使用されてい
るような、SD カードについても同様です。現在のパッケージは、数
年前と同じですが（**図 4**）、容量ははるかに大きく、価格は安くなっ
ています。現在 32GB カードの価格は 10 ドル（1000 円強）以下にな

図 4　容量が大きく異なる SD カード

図5　1998年頃のPC回路基板、12 × 7.5インチ（30 × 19cm）

っています。

　一方、コンピューターの構成要素を保持する回路基板には、明らか
な進展があります。部品の数が減っているのです。それぞれの部品の
中に多くの回路が収納されるようになり、結線は細くなり、20年前
と比べて接続ピンの数は膨大になり、間隔も狭くなっているからです。

　図5に示すのは、1990年代後半のデスクトップパソコンの回路基
板です。プロセッサーやメモリーなどの部品は、このボードに取り付
けられているか、差し込まれていて、反対側の面に印刷されたワイヤ
ーで接続されています。**図6**は、図5の回路基板の裏側の一部です。
並行している印刷されたワイヤーが様々な種類のバスです。

　コンピューターの電子回路は、何種類かの基本要素が大量に集まっ
て構成されています。最も重要な要素は、ひとつまたはふたつの入力
値に基づいてひとつの出力値を計算する論理ゲートです。電圧または
電流などの入力信号を使用して、出力信号（これもまた電圧または電
流です）を制御します。十分な数の論理ゲートが適切に接続されてい

図6　プリント基板上のバス

れば、あらゆる種類の計算を実行できます。チャールズ・ペゾルドの
著書である "Code"（邦訳『CODE コードから見たコンピューターのからく
り』）はこの話題に関する優れた入門書です。そして多くのウェブサ
イトが、論理回路による計算がどのように行われているのかを示すア
ニメーションを提供しています。

　論理ゲートを含む電子回路を構成する基本要素が、1947 年にベル
研究所で発明されたトランジスタです。トランジスタを発明したのは、
ジョン・バーディーン、ウォルター・ブラッテン、ウィリアム・ショ
ックレーの3人で、彼らはその発明で 1956 年にノーベル物理学賞を
受賞しました。コンピューターの内部で、トランジスタは基本的にス
イッチとして振る舞います。トランジスタは電圧の制御により、電流
をオンまたはオフにできます。この単純なしくみの上に複雑なシステ
ムが成り立っているのです。

　かつて論理ゲートは、個別の部品を組み合わせて作られていました。

図7　真空管、最初のトランジスタ、パッケージ内のプロセッサーチップ

ENIAC では電球サイズの真空管が、そして 1960 年代のコンピュー
ターでは鉛筆の消しゴムサイズのトランジスタが使われていたのです。
図7は、最初のトランジスタのレプリカ（左側）、真空管（右奥）、
そしてパッケージに入ったプロセッサーを示したものです。CPU の
実際の回路部分はパッケージの中心に置かれた、およそ 1cm 平方の
正方形です。真空管の長さはおよそ4インチ（10cm）です。現在の
このサイズのプロセッサーには、少なくとも数十億個のトランジスタ
が含まれています。

　現在の論理ゲートは、チップまたはマイクロチップと呼ばれる集積
回路（integrated circuit：IC）上に作られています。IC は、ひとつ
の平面（薄いシリコンのシート）上に、すべての部品およびそれらと
結線された電子回路が置かれています。回路は、複雑な光学的そして
化学的プロセスを経て製造されていて、実際には従来の意味での結線

図8 集積回路（IC）チップ

は行われていません。したがって、IC は個別の部品を組み合わせた回路よりもはるかに小さく、はるかに堅牢なのです。チップは直径約 12 インチ（30cm）の円形ウェハー上にまとめて製造されます。ウェハーはスライスされて、複数のチップに分けられて個別にパッケージされます。典型的なチップ（図7右下）は、システムの残りの部分に接続するための数十から数百のピンを備えた、より大きなパッケージの中に置かれています。**図8**にパッケージ内の集積回路を示します。先に述べたように、プロセッサーは中央にあり、約 1cm 四方の大きさです。

　集積回路がシリコンを用いて作られていることから、シリコンバレーというニックネームが生まれました。カリフォルニア州サンフランシスコの南に位置するこの地域は、初めて集積回路ビジネスが生まれた場所です。現在はすべてのハイテクビジネスの代名詞となり、ニューヨークのシリコンアリーやイングランドのケンブリッジにあるシリコンフェンのような、その名前にあやかった地域を生み出しています。

　IC は、1958 年頃にロバート・ノイスとジャック・キルビーがそれ

ぞれ独自に発明しました。ノイスは1990年に死去しましたが、キルビーはその業績に対して2000年にノーベル物理学賞を受賞しています。集積回路はデジタルエレクトロニクスの中心ですが、ディスク用の磁気ストレージ、CD および DVD 用のレーザー、そしてネットワーキング用の光ファイバーといった、他の技術も使用されています。これらのすべてが、過去50 ～ 60 年の間に、大きさ、容量、コストの点で劇的に改善されています。

1.3 ムーアの法則

　インテルの共同創業者であり長年にわたって CEO を務めたゴードン・ムーアは、インテル創業前の1965 年に "Cramming more components onto integrated circuits."（「集積回路上に多くの部品を詰め込む」）という短い記事を発表しました。少ないデータから推測することによりムーアは、技術の進歩に従って、特定のサイズに詰め込めるトランジスタの数が毎年2倍になると予想したのです。後に彼は、その率を2年ごとに2倍としましたが、他の人たちは18カ月で2倍になるとしました。トランジスタの数はコンピューティングパワーをおおよそ表していると言えるので、これは2年ごとにコンピューティングパワーが2倍になっていたことを意味します（必ずしも速くなったということではありませんが）。20 年の間には倍増が10 回行われるため、デバイスの数は 2^{10} 倍（およそ1000 倍）になります。40 年間には、その倍率は100 万以上になります。

　今ではムーアの法則として知られているこの指数関数的な成長は、60 年近く続いています。そのため現在では、集積回路のトランジスタ数は1965 年に比べて余裕で100 万倍以上になっています。ムーアの法則を表した、特にプロセッサーチップ向けのグラフは、トランジスタの数が1970 年代初期のインテル 8008 プロセッサーの数千から、現在の安価な消費者向けノートパソコン向けのプロセッサーの数十億以上に増加していく様子を表しています。

回路の規模を特徴付ける数字は、たとえばワイヤーの幅やトランジスタのアクティブ部分のサイズといった、集積回路上の製造プロセスのサイズ（プロセスルール）に関係しています。この数字は年々着実に縮小（微細化）しています。私が1980年に設計した最初の（そして唯一の）集積回路は、3.5ミクロン（3.5マイクロメートル）のプロセスルールを使用していました。2021の多くのICは、最小プロセスルールは7ナノメートル、つまり7×10^{-9}メートルです。そして次の段階では5ナノメートルになります。

「ミリ」（Milli）は1000分の1、つまり10^{-3}です。「マイクロ」（Micro）は100万分の1、つまり10^{-6}です。そして「ナノ」（Nano）は10億分の1または10^{-9}という意味で、ナノメートルはnmと略記されます。比較のために挙げておきますが、1枚の紙の厚さまたは人間の髪の毛の太さは、約100マイクロメートル（または1/10ミリメートル）です。

　集積回路のプロセスルールの幅が1000分の1になれば、一定の面積に収まる部品の数はその自乗、つまり100万倍になります。古い技術では1000個だったトランジスターが、新しい技術では10億個になるのは、こうした要因によるものです。

　集積回路の設計と製造は非常に洗練されたビジネスで、とても競争の激しいものです。製造工程（製造ライン）も高価です。新しい工場を建てるには、すぐに数十億ドル（数百億円）規模の費用がかかります。技術的そして財政的に追いつくことのできない企業は、競争上不利な立場に立たされます。さらに、そのようなリソースを持たない国家は、他国の技術に依存しなければならなくなり、潜在的に戦略上の深刻な問題となり得ます。

　ムーアの法則は自然の法則ではなく、半導体業界が目標を設定するために使用した指針であることに注意してください。ある時点で、法則は通用しなくなります。その限界は過去にもしばしば予測されてき

ましたが、これまでは結局なんだかんだで回避されてきていました[※1]。しかし、私たちの技術は回路の中にわずかな原子しか存在しないようなレベルに近付いています。それは制御するには小さすぎるものなのです。

プロセッサーのスピードが2年で2倍になることはなくなりました。その理由のひとつは、より高速なチップは熱を過剰に発生させてしまうためです。しかし、RAMの容量は今でも増加しています。

プロセッサーは、ひとつのチップにひとつ以上のプロセッサーコアを載せることで、より多くのトランジスタを使えるようになりました。そしてシステムは複数のプロセッサーチップを載せるようになりました。成長はコアの数で行われ、個々のコアの実行速度では行われていないのです。

現在のパーソナルコンピューターを、1981年に登場したオリジナルのIBM PCと比較すると、違いが際立ちます。PCには4.77MHzのプロセッサーが搭載されていました。現在の2.2GHzのプロセッサコアのクロックはその500倍近く速いものですし、プロセッサー内には通常、2個から4個のコアが入っています。RAMは64KB（キロバイト）でした。現在の8GBを搭載するコンピューターはその12万5000倍の容量を持っています（キロ = Kiloは1000を意味していて、その略称は"K"です）。

オリジナルのPCには、最大750KBの容量のフロッピーディスクストレージが備わっていて、ハードディスクはありませんでした。現在のノートパソコンはその100万倍のディスク容量を誇っています。また、オリジナルのPCには、黒の背景に緑色の文字で、横に80字の文字が縦に24行しか表示できない11インチの画面があるだけでした。一方私は、1600万色の表示できる24インチのスクリーンを用い

※1　訳註：2017年にはNVIDIAのCEOが半導体大手の経営者として初めてムーアの法則の終焉に言及しています。

て本書の大部分を執筆しました。64KBのメモリーと160KBフロッピーディスク1基を搭載したPCの価格は、1981年当時は3000ドルでした。これは現在の価値で言えば1万ドルくらいに相当するでしょう。現在では2GHzのプロセッサー、8GBのRAM、そして256GBのSSDを搭載したノートパソコンの価格は、2〜300ドル程度です。

1.4 まとめ

　コンピューターのハードウェア（実際にはあらゆる種類のデジタルハードウェア）は、集積回路の発明から始まって、50年以上にわたり指数関数的に改善されてきました。「指数関数的」という言葉は、しばしば誤解され誤用されていますが、この場合は正確に使われています。一定の時間間隔ごとに、回路は一定の割合で、より小型またはより安価に、あるいは高性能になってきたのです。最も簡潔に示すのが、18カ月ごとに同じサイズの集積回路上に置くことができるデバイスの数は約2倍になる、というムーアの法則です。こうした能力の驚異的な成長が、私たちの生活をこれほどまでに変えたデジタル革命の中心にあったのです。

　このような能力や容量の拡大は、コンピューティングやコンピューターの概念をも変えてしまいました。最初のコンピューターは、弾道計算や武器設計、その他の科学技術計算に適した数値計算機と考えられていました。次の用途は、給与計算や請求書の作成などのビジネスデータ処理でした。ストレージが安価になってくると、給与や請求書の作成に必要な情報を保存するデータベース管理も行われるようになりました。パソコンの登場で、誰もが買えるようになったコンピューターは、個人的なデータ処理や家計簿処理、手紙を書くなどのワープロ作業などに使われるようになりました。その後ほどなく、音楽CDの再生や特にゲームなどのエンターテインメントにも利用されるようになりました。インターネットが登場すると、コンピューターはコミュニケーションデバイスにもなって、メールやウェブ、ソーシャルメ

ディアなどを提供するようになりました。

　1940年代以降、コンピューターのアーキテクチャ（主要な構成要素とその役割、および、それらのつながり方）は変化していません。フォン・ノイマンが生き返って今のコンピューターを調べてみたならば、彼は現代のハードウェアの能力と応用範囲に対して驚くだろうとは思いますが、アーキテクチャに対してはおなじみのものだと考えるでしょう。

　かつてコンピューターは物理的に巨大で、エアコンの効いた大きな部屋を占有していましたが、どんどん小さくなっています。最近のノートパソコンは、実用性を維持したまま、可能な限り小型化されています。携帯電話内のコンピューターも同様に高性能で、可能な限り小型化されています。ガジェット内部のコンピューターも小さいですし、ガジェット自身も小さいことが多いです。

　しかし、こうしたことの裏側では、私たちは日常的に、どこかのデータセンター（空調の効いた部屋）に置かれた「コンピューター」を扱っているのです。私たちはそのコンピューターを使って、買い物をしたり、検索をしたり、友人と話したりしていますが、そうした行為をコンピューターのおかげだとも思わず、ましてや、コンピューターがどこに置かれているかなど考えもしません。クラウド内の「どこか」にあるだけです。

　20世紀のコンピューターサイエンスが生み出した素晴らしい成果のひとつは、現在のデジタルコンピューターも、オリジナルのPC（物理的にははるかに大きくて、能力が低い先祖）も、そして私たちが使う携帯電話や、コンピューターが組み込まれた各種デバイスも、さらにはクラウドコンピューティングを提供してくれるサーバーも、その論理的または機能的な性質はみな同じであるということです。速度と記憶容量のような実用上の特性を無視すれば、どれを使ってもすべて同じ計算ができるのです。

　このようにハードウェアの改良は、私たちの計算処理能力に大きな

実用的な違いをもたらしました。しかしながら、驚くべきことに、その原理は根本的に何も変わっていないのです。これについては、第3章で詳しく説明します。

— 2 —
ビット、バイト、
そして情報の表現

底として2が使われた場合、結果は2進数（binary digits）、
あるいはもっと簡潔にビット（bits）と呼ばれる。
この用語はJ.W.テューキー氏によって提案された

クロード・シャノン、A Mathematical Theory of Communication＝通信の数学的理論, 1948.

本章では、コンピューターが情報を表現するときに使う、3つの基本的な考えについて説明します。

第1に、コンピューターはデジタルプロセッサーです。塊に分かれて個別の値（基本的に単なる数字）になっている情報を、保存して処理（プロセス）します。これとは対照的にアナログ情報は、連続して変化する値を意味します。

第2に、コンピューターは情報をビット（bit）で表現します。1ビットはふたつの値、すなわち0または1の値をとる数字です。コンピューター内部では、人が使い慣れた10進数ではなく、すべてがビットで表現されます。

第3に、ビットの集まりはより大きなものを表します。数値、文字、言葉、名前、音、写真、動画、それらを処理するプログラムを構成する命令……これらはすべてビットの集まりとして表現されます。

本章における数値を用いた詳細な説明は無視しても構いませんが、

その考え方は重要です。

2.1 アナログ 対 デジタル

アナログとデジタルを区別しましょう。「アナログ」という言葉は「類似」を意味する「アナロガス」（analogous）と同じ語源を持ちます。何かが変化する際に値が連続して滑らかに変化する概念を伝える言葉です。私たちは現実世界で、水栓や車のハンドルのような、アナログなモノを多く扱います。車の方向を少し変えたいときは、ハンドルを少し回します。好きなだけ細かく調整ができます。これを方向指示器（ウィンカー）と比べてみましょう。方向指示器はオンまたはオフで、その中間の状態はありません。

アナログな道具や機器では、あるモノが変化した割合（どれくらいハンドルを回したか）に比例して、何か（車がどれほど方向を変えるか）が滑らか、かつ、連続的に変化します。ここには不連続なステップはありません。あるモノの小さな変化は、別のモノの小さな変化を意味します。

デジタルシステムは離散値（訳注：連続していない値）を扱うので、可能な値は有限個しかありません。方向指示器の状態は、オフか、ある一方向あるいは反対方向に対してオンになっているか、のいずれかです。何かに起きる小さな変化は、別の何かに対して何の変化も起こさないか、あるいは突然の変化（ある離散値から別の離散値へ）を引き起こします

時計について考えてみましょう。アナログ時計には、時針、分針、秒針があり、秒針は1分で1回転します。現代の時計は内部のデジタル回路により制御されていますが、時針と分針は時間の経過とともに滑らかに移動し、通ることのできるあらゆる場所を通過していきます。対照的にデジタル時計や携帯電話の時計は、時間を数字で表示します。ディスプレイは毎秒変化し、1分ごとに新しい分の値が表示され、1秒に満たない中間的な値が表示されることはありません。

車の速度計を考えてみましょう。私の車の伝統的なアナログ速度計では、針は車の速度に比例して連続して動きます。ある速度から別の速度への針の移動は滑らかで、途中で断続していません。一方、最も近い時速をマイルまたはキロメートルで表示するディスプレイを搭載した車もあります。ほんの少し速くなることで、ディスプレイは 65 マイルから 66 マイルに変化します。少し減速すると 65 マイルに戻ります。65.5 といった表示はありません。

　体温計について考えてみましょう。赤い液体（通常は色付きアルコール）もしくは水銀の管が入っているものはアナログです。液体は温度の変化に直接比例して膨張したり収縮したりします。よって温度のわずかな変化が同じく管内の高さに反映されるのです。一方、建物の外で光りながら 37 を表示しているディスプレイはデジタルです。数値が表示され、36½ から 37½ 度の間のすべての温度は 37 として表示されるのです。

　これはいくつかの奇妙な状況を引き起こします。数年前に私は、米国のハイウェイを走りながら、カーラジオを聴いていました。そこはメートル法を使っているカナダの放送も受信できる場所でした。アナウンサーは、リスナー全員の役に立とうと、次のように言ったのです。「華氏温度はこの 1 時間で 1 度上がりました、摂氏温度は変わりません」

　なぜアナログの代わりにデジタルを使うのでしょう？　結局のところ、私たちの世界はアナログで、腕時計やスピードメーターなどのアナログ機器では一目でその内容を把握できます。それにもかかわらず、本書でこれから数多く示すように、多くの現代技術はデジタルです。外部からのデータ（音、画像、動き、温度など）は、入力側ではできるだけ早くデジタル形式に変換され、また出力側ではアナログ形式への変換が可能な限り先送りされます。

　その理由は、デジタルデータがコンピューターで扱いやすいためです。元の形式に関係なく、様々な方法で保管、送信、そして処理でき

ます。第8章で説明するように、冗長または重要でない情報を切り捨てることにより、デジタル情報の圧縮も可能です。デジタルデータはまた、セキュリティとプライバシーのために暗号化できます。他のデータとマージ（統合）したり、正確にコピーしたりもできます。インターネットを介してどこにでも送付でき、果てしなく多様な機器に格納できるのです。こうしたことのほとんどが、アナログ情報では現実的ではないか、実現不可能です。

　デジタルシステムには、アナログに比べてまた別の利点があります。拡張がはるかに簡単なことです。私のデジタル時計は、ストップウォッチモードでは経過時間を1/100秒単位で表示できます。その機能をアナログ時計に追加することは難しいでしょう。その一方で、アナログシステムにも利点があります。粘土板、石への彫刻、羊皮紙、紙、写真フィルムなどの古いメディアは長い年月を経ていますが、デジタル形式はそうした経年変化の試練を受けていないのです。

2.2 アナログ／デジタル変換

　アナログ情報をデジタル形式に変換するにはどうすればよいのでしょうか？　基本的な例をいくつか見ていきましょう。まずは写真と音楽から始めます。このふたつを取り上げることで最も重要なアイデアを説明できるのです。

2.2.1 画像のデジタル化

　画像をデジタル形式に変換する方法を説明するのが、おそらく最も簡単でしょう。今、飼い猫を撮影したとします（**図1**）。

　アナログカメラは、撮影しようとしている物体から届く光を、化学物質に覆われたプラスチックフィルムの感光領域に当てることによって、画像を生成します。それぞれの領域が、異なる色の、異なる量の光を受け取り、フィルム上の色素に影響を及ぼします。このフィルムは複雑な一連の化学プロセスによって現像され、紙に印刷されます。

図1　飼い猫（2020年）

色は着色染料の量の違いとして表現されます。

　デジタルカメラの場合、レンズは、赤、緑、青のフィルターの後ろにある、小さな感光装置（撮像素子）が置かれた長方形の領域に画像を集めます。各感光装置は、その上に当たる光の量に比例した電荷量を記憶します。これらの電荷量は数値に変換され、その光強度を表す数値の並びが、画像のデジタル表現となるのです。感光装置の数が多くて電荷がより正確に測定されるほど、デジタル化された画像は元の物体を正確に捉えています。

　感光装置の各要素は、赤、緑、青の光の量を測定する検出器の組^{trio}であり、各組は画像の要素を意味するピクセル（画素）と呼ばれます。もし画像が4000 × 3000ピクセルで構成されているなら、1200万画素（12メガピクセル）になります。これは現在のデジタルカメラとしては小さな値です。ピクセルの色は通常、赤、緑、青の強度を記録する3つの値で表されるため、12メガピクセルの画像には、合計3600万個の光の強度を表す値があります。

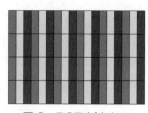

赤緑青

図2　RGB ピクセル

　スクリーンは画像を小さな赤、緑、青の発光素子の組（それぞれの
明るさは対応するピクセルの明るさで決定されます）を並べたもので
表示します。虫眼鏡で電話機やコンピューターの画面を見ると、**図2**
のような個々の色の点が容易に見えます。スタジアムのスクリーンや
デジタル広告の掲示板でも、十分に近付けば同じような点が見えます。

2.2.2 音のデジタル化

　アナログ／デジタル変換の2番目の例は音、特に音楽です。

　デジタル音楽は良い例です。なぜなら音楽はデジタル情報の特性が、
社会、経済、そして法的に大きな影響を及ぼし始めた最初の領域のひ
とつだったからです。ビニールレコードや音楽カセットテープとは異
なり、デジタル音楽は、自由自在に任意の家庭用コンピューター上で
何度でも完全にコピーできます。そうした完全なコピーは、世界中の
どこにでも、インターネット経由で、誤りなく、無料で、送信できま
す。音楽業界はこれを深刻な脅威とみなして、コピーを抑制するため
の法的および政治的行動のキャンペーンを開始しました。この争いが
収まる気配はありません。新しい小競り合いが今でも法廷や政治の場
で行われています。しかし、Spotify のような音楽ストリーミングの
出現がこの問題の解決に役立っています。この件については第9章で
もう一度取り上げます。

　そもそも、音とは何でしょう？　音源は、振動やその他の急速な動
きによって、空気圧の変動を生み、私たちの耳は、その圧力変化を、

図3　LP（長時間再生）レコード

脳が音として解釈できる神経のアクティビティ（活動）に変換します。

　1870 年代にトーマス・エジソンは、「蓄音機 ^phonograph」と呼ばれる装置を作りました。この装置は気圧変動を、後で再現できるよう、ワックス・シリンダーの溝のパターンへと変換しました。音を溝のパターンに変換するのが「録音」で、パターンから空気圧の変動に変換するのが「再生」でした。このエジソンの発明は急速に洗練されて、1940 年代には長時間再生（long-playing）レコード、別名 LP（**図3**）へと進化しました。レコードは今もまだ使われていますが、オーディオマニアが中心です[※1]。

　LP は長い螺旋状の溝が刻まれたビニールディスクで、経時的な音圧の変化を記録したものです。マイクロフォンは、音が発生したときの圧力の変化を測定します。この測定値を利用して、螺旋溝上にパターンを作り出します。LP が再生されるときには、細い針が溝のパターンをたどり、その動きが電気信号の振動へと変換・増幅されて、スピーカーやイヤフォンから音が出ます（スピーカーやイヤフォンは、

※1　訳注：最近はアナログレコードの人気がやや復活傾向にあり、2021 年前半の米国では、好調なアナログレコードと凋落する CD の売上が逆転する現象が起きています。

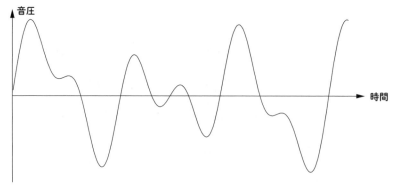

図4　サウンドの波形

振動板が震えることにより音を生み出すデバイスです）。

　図4に示すグラフのように、時間とともに空気圧がどのように変化するかをプロットして、音を視覚化するのは簡単です。圧力は、様々な物理的手段で表現できます。たとえば電子回路内の電圧または電流、電球の明るさや、エジソンの元祖蓄音機のような純粋に機械的なシステムなどでも表現できます。

　グラフの音圧の波の高さ（縦軸）は、音の強度または大きさを表します。横軸は時間を表し、1秒あたりの波の数が音の高さ^{pitch}または周波数を表します。

　音の波の高さ（たとえばマイクからの音圧）を、**図5**の垂直線で示すように、一定時間ごとに測定したとします。これらの測定値は、元の曲線を近似する一連の数値を提供します。より頻繁に、そしてより正確に測定すればするほど、近似値はより正確になります。結果として得られる数値の列は、保存したり、コピーしたり、操作したり、あるいは、どこにでも送信したりできる、波形のデジタル表現になります。その数値列を、対応する電圧または電流のパターンに変換し、スピーカーまたはイヤフォンを駆動して、音として再生できるのです。

　波形から数値列への変換はアナログ／デジタル変換と呼ばれ、これを行うデバイスはA/Dコンバーターと呼ばれます。逆向きは、もち

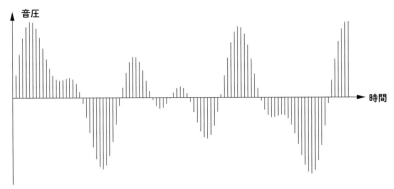

音圧

時間

図5　サウンド波形のサンプリング

ろん、デジタル／アナログ変換、または D/A と呼ばれます。変換は
決して完璧ではなく、それぞれの方向で何かしら失われます。ほとん
どの人はこの劣化を知覚できないのですが、オーディオマニアはデジ
タルの音質は LP ほど良くないと主張します。

　オーディオコンパクトディスク（略称 CD）は 1982 年頃に登場し、
消費者向けのデジタルサウンドの最初の例でした。LP レコードのよ
うなアナログの溝ではなく、CD はディスクの片面にある長い螺旋状
のトラックに数字を記録します。トラックに沿った各地点（スポッ
ト）の表面は滑らか、あるいは小さな窪み（ピット）になっています。
これらのピットまたは滑らかなスポットは、波形の数値列をエンコー
ド（コード化）するために使われます。各スポットがひとつのビット
を表していて、ビットの列がバイナリーコードを使った数値を表しま
す。これについては、次節で説明します。

　ディスクが回転すると、トラックにレーザー光が当たり、どれくら
いの光が反射したか、その変化を光電センサーが検出します。もしあ
まり反射光がないなら、そこはピットだったということです。逆にた
くさんの反射光が検出されたら、そこはピットではなかったというこ
とです。CD の標準エンコードでは 1 秒あたり 44,100 回のサンプリン
グが行われます。それぞれのサンプルにはふたつの値があります（ス

テレオのための左と右の値です）が、それらは0から65,535（2^{16}）までのいずれかの値をとります。ピットは非常に小さく、顕微鏡でしか見ることができません。DVDも同様です。より小さなスポットと、より短い波長のレーザーによって、CDの約700MBに対して、DVDは5GB近くの情報を格納できます。

オーディオCDは、LPを市場からほとんど追い出してしまいました。なぜならとても多くの利点があったからです。レーザー光線は物理的に接触をしないので、ディスクが劣化しませんし、埃や傷をあまり気にする必要もありません。壊れやすくもなく、もちろんとてもコンパクトです。

ただし、LPには定期的にささやかなブームがやってきますが、ポピュラー音楽CDの落ち込みは激しくなっています。なぜなら音楽は、インターネットからダウンロードする方が簡単で安いからです。CDはソフトウェアとデータのための記憶媒体および配布媒体としての、第2のキャリアも重ねていましたが、それもDVDに取って代わられ、やがてその大部分がインターネットストレージとダウンロードによって置き換えられています。多くの読者には、オーディオCDはすでにLPのような骨董品に見えるかもしれません。

それにもかかわらず私は、自分の音楽コレクションがすべてCDだと嬉しく感じます（とは言えMP3形式でリムーバブルハードディスクにも保存しています）。私はそれらを完全に所有しているからです。この喜びは、「クラウドの中」の音楽コレクションに対しては感じられません。商品として製造されたCDは、私よりも長生きするでしょう。しかしコピーによって作られたもの（記録用CD）はそうでもないかもしれません。記録用CDは光に反応する色素を使っているため、経年変化してしまうからです。

音と画像は、人間が実際に知覚できる以上の細かい内容を含んでいるため、圧縮可能です。音楽の場合、こうした圧縮は通常、MP3やAAC（Advanced Audio Coding）などの技術を使用して行われます。

画像の場合、最も一般的な圧縮技術は JPEG と呼ばれています（その技術を定義した組織である Joint Photographic Experts Group にちなんで命名されました）。JPEG は、画像のデータ量を 10 分の 1 以下に圧縮できます。圧縮は、デジタル情報に対して行える処理の一例ですが、アナログ情報の圧縮は不可能ではないにしても非常に困難です。このことは第 8 章でさらに説明します。

2.2.3 動画のデジタル化

　動画はどうでしょう？　1870 年代に英国の写真家エドワード・マイブリッジは、一連の静止画像を次々に連続して表示して動いているように錯覚させる方法を示しました。現在、映画は毎秒 24 フレームで画像を表示し、テレビは毎秒 25 〜 30 フレームで表示します。この速さは人間の目には十分に連続的な動きとして認識されます。テレビゲームは通常毎秒 60 フレームで表示します。古い映画は毎秒 12 フレームしかなかったので、ちらつきが気になりました。その「ちらつき」（flicker）という言葉が、現在では「映画」を意味する flick という言葉として生き残り、Netflix という名前にも使われています。

　動画のデジタル表現は、音声と画像要素を結合して同期させたものです。必要な容量を減らすために、MPEG（Moving Picture Experts Group）のような標準的な動画表現形式を使って圧縮できます。実際には、動画表現はオーディオよりも複雑です。その理由は本質的に難しいからということもありますが、長い年月をアナログとして過ごしてきたテレビ放送のための標準に基づいていることもまた大きな要因です。

　アナログテレビは、世界中のほとんどの地域で段階的に廃止されている最中です。米国では、2009 年にテレビ放送がデジタルに切り替わりました。他の国々は切り替えている途中の段階です。

　映画やテレビ番組は写真と音の組み合わせであり、商用映像を生み出すには、音楽よりもはるかに多くの費用がかかります。にもかかわ

らず、完全なデジタルコピーを作成して、世界中に無料で送付するのは簡単です。そのため、動画の著作権料は音楽よりも高く、エンターテインメント業界はコピー防止キャンペーンを継続しているのです。

2.2.4 テキストのデジタル化

ある種の情報は、デジタル形式で簡単に表現できます。なぜなら「どんな表現形式を使うのか」以上の合意が不要だからです。

本書の中にある、文字、数字、句読点のような、普通のテキストを考えてみましょう。私たちは、A は 1、B は 2 といったように、それぞれの異なる文字に相異なる番号を割り当てることができます。これはデジタル表現として十分なやり方で、実際に行われています。ただし、その対応は標準に従っています。すなわち、A から Z には 65 から 90、a から z には 97 から 122、数字の 0 から 9 には 48 から 57、そして句読点のような他の文字には別の値が割り当てられています。この表現は ASCII（American Standard Code for Information Interchange：情報交換のための米国標準コード）と呼ばれ、1963 年に標準化されました。

図 6 に ASCII の一部を示します。タブ、バックスペース、その他の非印字文字を含む最初の 4 行は省略しています。

地理的や言語的に異なる地域には、複数の文字セット標準が存在しますが、世界では Unicode という単一の標準にほぼ収束しています。

```
 32 space  33  !    34  "    35  #    36  $    37  %    38  &    39  '
 40  (     41  )    42  *    43  +    44  ,    45  -    46  .    47  /
 48  0     49  1    50  2    51  3    52  4    53  5    54  6    55  7
 56  8     57  9    58  :    59  ;    60  <    61  =    62  >    63  ?
 64  @     65  A    66  B    67  C    68  D    69  E    70  F    71  G
 72  H     73  I    74  J    75  K    76  L    77  M    78  N    79  O
 80  P     81  Q    82  R    83  S    84  T    85  U    86  V    87  W
 88  X     89  Y    90  Z    91  [    92  \    93  ]    94  ^    95  _
 96  `     97  a    98  b    99  c   100  d   101  e   102  f   103  g
104  h    105  i   106  j   107  k   108  l   109  m   110  n   111  o
112  p    113  q   114  r   115  s   116  t   117  u   118  v   119  w
120  x    121  y   122  z   123  {   124  |   125  }   126  ~   127 del
```

図 6　ASCII 文字と対応する数値

Unicode は各言語のすべての文字に固有の数値を割り当てています。これは膨大な文字の集合です。なぜなら、人間は果てしなく独創性を発揮してきましたが、記述方式については体系的に行ってこなかったからです。現時点で Unicode の文字数は 14 万文字を超え、着実に増加しています。ご想像の通り、中国語のようなアジアの文字セットは、Unicode の大きな部分を占めますが、決してすべてではありません。Unicode のウェブサイトである unicode.org には、すべての文字の表があります。それはとても魅力的なので、立ち寄ってみる価値があるでしょう。

　要するに、デジタル表現を使えば、画像、音、動画、テキストといった情報すべて、および数値に変換できるものなら何でも、実質的に表現できるのです。それは単なる数値なので、デジタルコンピューターで処理できます。第9章で説明するように、共通デジタルネットワーク、すなわちインターネットにより、他のどんなコンピューターにもデジタル表現をコピーできるのです。

2.3 ビット、バイト、そしてバイナリー
「世界には 10 種類の人間しかいない——2 進数（バイナリーナンバー）を理解している人と、そうでない人だ」

　デジタルシステムはすべての情報を数値で表しますが、（おそらく驚くと思いますが）その内部では私たちがなじんでいる 10 を基底とした 10 進数のシステムは使われていません。代わりに使われているのが、2 を基底とした数値、すなわち 2 進数です。

　誰もが、多かれ少なかれ、基本的な計算には慣れています、しかし私の経験によれば、数の意味を不確かに理解していることは珍しくありません。少なくとも（おなじみの）10 進数と、（多くの人にとってはおなじみではない）2 進数の間の類似性を説明しようとする場合には、なおさらです。私は本節で、この問題をうまく説明していくつもりで

すが、頭が混乱したり目が回ってきたときには、「これは普通の数値と同じだ、ただ 10 の代わりに 2 を使っているだけだ」と繰り返し自分に言い聞かせてください。

2.3.1 ビット

デジタル情報を表現する最も基本的な方法が「ビット」です。この章の冒頭で引用したように、ビットという言葉はバイナリーデジット（2 値の数字）の省略形として、1940 年代半ばに統計学者ジョン・テューキーが作りました（テューキーは 1958 年にソフトウェアという言葉も作りました）。水素爆弾の父としてよく知られているエドワード・テラーはビジットという用語を好みましたが、こちらは受け容れられませんでした。

「バイナリー（2 値）」という言葉は、ふたつの値を持つものを示唆します（接頭語 bi はもちろん 2 を意味します）が、実際にそうなっています。つまり、1 ビットは 0 または 1 のいずれかの値をとる数字なのです。他の数値の可能性はありません。10 進数で 0 から 9 までの 10 個の値が使えることとは対照的です。

「ふたつの値のどちらか」については、ひとつのビットでコード化または表現できます。そうした 2 者択一の選択肢の例はたくさんあります。オン / オフ、真 / 偽、はい / いいえ、高 / 低、イン / アウト、アップ / ダウン、左 / 右、北 / 南、東 / 西、などです。ペアのうちのどちらかを識別するには、ひとつのビットがあれば十分です。たとえば、どちらの値がどの状態を表しているかに全員が同意しているなら、0 をオフ、1 をオン、またはその逆に割り当てることができます。

図 7 は、私のプリンターの電源スイッチをはじめ、多くの機器に見られる標準のオン / オフ記号を示します。これは Unicode 文字にもなっています。

オン / オフや真 / 偽をはじめとする 2 値（バイナリー）の選択肢を表現するには 1 ビットで十分ですが、より多くの選択肢を扱ったり複

図7　オン／オフスイッチと標準的なオン／オフ記号

雑なものを表現するための方法も必要です。

　それには、複数のビットを使用して、0と1による異なる組み合わせに意味を割り当てます。たとえば、大学の4学年を、1年生（00）、2年生（01）、3年生（10）、4年生（11）という具合に、ふたつのビットを使って表現できます。もしもうひとつのカテゴリー、たとえば大学院生があるなら、2ビットでは不十分です。可能性のある値が5つあるのに、2ビットでは4つの異なる組み合わせしか表現できないからです。3ビットあれば十分ですが、実際にはこれで8通りの異なる表現ができます。そのため、さらに教員、職員、ポスドクも表現できるのです。可能な組み合わせは、000、001、010、011、100、101、110、111の8通りです。

　ビット数と、そのビット数でラベル付けできるアイテムの数の間には単純な関係があります。N個のビットがある場合、そこから生まれる異なるビットパターンの数は2^N、つまり$2 \times 2 \times \cdots \times 2$（2をN回掛けたもの）です。**図8**にこの2の累乗を示します。

ビット数	表現できる 値の個数	ビット数	表現できる 値の個数
1	2	6	64
2	4	7	128
3	8	8	256
4	16	9	512
5	32	10	1,024

図8　2の累乗

N の数	表現できる 値の個数	N の数	表現できる 値の個数
1	10	6	1,000,000
2	100	7	10,000,000
3	1,000	8	100,000,000
4	10,000	9	1,000,000,000
5	100,000	10	10,000,000,000

図9　10の累乗

　この関係は 10 進数に似ています。N 個の 10 進の数字がある場合、そこから生まれる異なる数字のパターンは 10^N 個です。**図9**にこの 10 の累乗を示します。

2.3.2 2の累乗と10の累乗

　コンピューター内部ではすべてがバイナリーで処理されるため、サイズや容量などの特徴は 2 の累乗で表現されることが多くなります。N ビットあれば、2^N 個の値が表現できるので、2 の累乗の値をある程度（たとえば 2^{10}）覚えておくと便利です。まあ確かに、数字が大きくなると、わざわざ覚えておく価値はなくなります。幸いなことに、**図10**に示すように、ほどよい近似を与えてくれる覚え方があります。特定の 2 の累乗は、覚えやすいある規則に従えば、特定の 10 の累乗に近い値になるのです。

　図 10 には、「ペタ」（peta、10^{15}）があります。（英語では「ピート」ではなく「ペット」のように発音します）。本書の終わりにある用語集には、より多くの単位を掲載した大きな表を掲載してあります。

　近似度は数値が大きくなるにつれて下がりますが、10^{15} で 12.6% 大

$2^{10} = 1,024$　　　　　　　　　　　$10^3 = 1,000$　(kilo)
$2^{20} = 1,048,576$　　　　　　　　　$10^6 = 1,000,000$　(mega)
$2^{30} = 1,073,741,824$　　　　　　　$10^9 = 1,000,000,000$　(giga)
$2^{40} = 1,099,511,627,776$　　　　　$10^{12} = 1,000,000,000,000$　(tera)
$2^{50} = 1,125,899,906,842,624$　　　$10^{15} = 1,000,000,000,000,000$　(peta)
...

図10　2の累乗と10の累乗

きくなる程度なので、非常に広い範囲で有用です。読者は時折、誰か
が2の累乗と10の累乗の区別を曖昧にしていることに気付くでしょ
う（時には自分の主張に有利な方向へと）。よって「キロ」もしくは
「1K」は、1,000を意味する場合と、2^{10}（あるいは1,024）を意味する
場合があります。これは通常小さな差ですから、2と10の累乗は、
ビットを含む大きな数字に対して頭の中で計算を行うためのよい手段
です。

2.3.3 2進数

あるビット列は、もし各数字を通常の位取り記数法で解釈すれば
（ただし10ではなく2を基底として）、ひとつの数値を表現できます。

いつものように10進数で、0から9までの10個の数字を使えば、
最大10個のアイテムにラベルを割り当てることができます。10個を
超えるラベル付けを行う必要がある場合には、さらに数字を使う必要
があります。2桁の10進数を使うと、00から99までのラベルを100
個の対象に付けることができます。100個以上の場合は、000から
999までの1,000の範囲を示す3桁の数値を使います。普段私たちは
数字の先頭に0を書きませんが、実は見えないだけで隠れています。
また、日常生活においては、ラベルは0からではなく、1から付いて
います。

10進数は、10の累乗の合計を表したものです。たとえば1867は、
$1 \times 10^3 + 8 \times 10^2 + 6 \times 10^1 + 7 \times 10^0$ ですが、これは $1 \times 1000 +$
$8 \times 100 + 6 \times 10 + 7 \times 1$（1000 + 800 + 60 + 7）になります。小
学校ではこれらを、1の位、10の位、100の位といった名前で呼んで
いたと思います。これはとてもなじみ深いために、意識することは滅
多にありません。

2進数の場合も同じです。ただし底が10ではなくて2という点、
そして使われる数字が0と1だけという点は異なります。11101のよ
うな2進数は、$1 \times 2^4 + 1 \times 2^3 + 1 \times 2^2 + 0 \times 2^1 + 1 \times 2^0$ と解釈

され、これを 10 進数で表現すると 16 + 8 + 4 + 0 + 1、つまり 29
になります。

　ビット列が数字として解釈できるということは、対象に 2 進数のラ
ベルを割り当てて数値順に並べるための、自然なパターンがあること
を意味しています。先に挙げた例では、1 年生、2 年生などに対して
00、01、10、11 というラベルを付けました。これは 10 進数の値とし
ては 0、1、2、3 となります。次の列は、0 から 7 までの数値を表す、
000、001、010、011、100、101、110、111 となります。

　さてここで、皆さんの理解度を確かめるための練習をしてみましょ
う。私たちは皆、10 までの数を指で数えることに慣れています。し
かし、2 進数を使う場合、個々の指で 2 進数を表現しながら、いくつ
まで数えられるでしょうか[2]？　値の範囲はどうなるでしょう？　も
し 4 と 132 の値を表す 2 進数の指の表現が「何か」を思い出させるな
ら、考え方は理解できています[3]。

　これまで見てきたように、2 進数を 10 進数に変換するのは簡単です。
対応するビットが 1 になっている位の、2 の累乗を合計するだけです。
10 進数から 2 進数への変換の方が難しいのですが、それほど難解で
はありません。10 進数を 2 で繰り返し割っていきます。このとき剰
余を書き留めます。2 で割っているので、剰余は 0 または 1 のいずれ
かです。そして、割り算の結果の商を、次に割る値にします。元の数
値が 0 になるまで割り続けてください。途中書き留めた剰余の列が求
める 2 進数です。ただし、順序が逆になっていますから左右を反転し
てください。

　例として、**図 11** に 10 進数の 1867 を 2 進数に変換する様子を示し
ます。得られたビットを逆順で読み取ると、111 0100 1011 となります。
1 のある位の 2 の累乗を足し上げていくことで、1024 + 512 + 256 +

---

[2]　訳注：数字を意味する英語の digit には、指という意味もあります。

[3]　訳注：132 を 2 進数で表すと 10000100 となり、これを両手の指で表すと両手の中指が
　　　立った状態になります。これは欧米では極めて下品なハンドサインを意味します。

数	商	剰余
1867	933	**1**
933	466	**1**
466	233	**0**
233	116	**1**
116	58	**0**
58	29	**0**
29	14	**1**
14	7	**0**
7	3	**1**
3	1	**1**
1	0	**1**

図 11　10 進数の 1867 から 2 進数への変換

$64 + 8 + 2 + 1 = 1867$ という検算ができます。

　この手順の各ステップでは、残っている数値の最下位ビット（図11 の右端の数字）が生成されています。これは、秒で表された大きな数値を日、時、分、秒に変換していく工程に似ています。60 で割ることで分数が得られます（剰余は秒です）。その結果を 60 で割って時間数が得られます（剰余は分です）。さらに、その結果を 24 で割って日数が得られます（剰余は時間数です）。違いは、時間の変換ではひとつの底を使用せずに、60 と 24 の底を混ぜて使った点です。

　単純に元の数から順に減っていく 2 の累乗を引き算していくことでも、10 進数を 2 進数に変換できます。まず対象の数値が含む最大の 2 の累乗（たとえば 1867 の場合は $2^{10} = 1024$）を引くことから始めます。2 の累乗が引かれるたびに 1 と書き込みます。もし、その時点での 2 の累乗が大きすぎて引き算ができないときには 0 と書き込みます。上の例だと、$2^7 = 128$ を引き算しようとしたときが相当します。こうした最後に得られた 1 と 0 の列が 2 進数の値です。こちらのやり方の方が、おそらくより直観的ですが、あまり機械的ではありません。

　2 進数の計算は簡単です。扱う数字は 2 種類しかないので、**図 12** に示すように、加算と乗算の表にはふたつの行とふたつの列しかありません。読者自身が 2 進数を計算することはまずありませんが、この

+	0	1		×	0	1
0	0	1		0	0	0
1	1	0	1を繰り上げ（キャリー）	1	0	1

図 12　2 進数の加算と乗算の表

表の単純さは、2 進数の計算のためのコンピューターの回路が、10 進数の計算のための回路よりもはるかに単純になる理由を示しています。

2.3.4 バイト

現在のすべてのコンピューターの内部では、処理とメモリー構成の基本単位は 8 ビットになっており、一塊として扱われます。

8 ビットの一塊はバイト（byte）と呼ばれます。これは 1956 年に IBM のコンピューターアーキテクトであるワーナー・ブッフホルツにより作られた言葉です。ひとつのバイトは 256 個の異なる値をコード化できます（2^8、長さが 8（8 桁）の、0 と 1 の列のあらゆる組み合わせ）。これは 0 から 255 の整数値かもしれませんし、ASCII 文字セットの 1 文字かもしれませんし（1 ビットは予備）、さらに別のものなのかもしれません。

大きかったり複雑な値を表わすときには、複数のバイトが使われます。ふたつのバイトは、一緒にすることで 16 ビットとなります。これは 0 から $2^{16} - 1$（あるいは 65,535）までの数を表すのに十分な大きさです。

東京

2 バイトは、Unicode 文字セット内の 1 文字を表せます。たとえば、上に示す「東京」は 2 文字からなり、各文字は 2 バイトで表せます[4]。

---

[4]　訳注：UCS-2 という Unicode の規格で表現した場合です。情報交換用に外部エンコーディングを行うときには構成バイト数が異なります。たとえばよく使われる UTF-8 では「東京」は、3 バイト×2 で 6 バイト必要です。

4バイトは32ビットで、それは4文字のASCIIかもしれませんし、2文字のUnicodeかもしれません。あるいは$2^{32} - 1$（すなわち約43億）の数値かもしれません。ちなみにプロセッサー自身には、（様々なサイズの整数のような）いくつかの特別なグループと、そうしたグループを扱うための命令が定義されています。ただし、バイトの集まりが何を表現するかに関する一般的な制約は存在しません。

　1バイト以上で表現される数値を書き出したいときは、10進数の形式で表現できます。その値が本当に数値ならば、人間の読み手には便利な形式です。個々のビットを見るときには、2進数で書き出せます。個々のビットが別々の情報をコード化しているときに重要です。しかし、2進数は10進数表現よりも、3倍以上長くて場所をとる表現形式なので、2進数表現の代わりに16進数表現がよく使われます。16進数は16を底としているので、16種類の数字を使います（10進数が10種類、2進数が2種類の数字を使うのと同じです）。使われるのは、0、1、……、9、A、B、C、D、E、そしてFです。16進数の各数字は4ビットを表現します。対応する数値を**図13**に示します。

　あなたがプログラマーでない限り、16進数を目にする機会は限られるでしょう。そのうちのひとつはウェブページ上の色です。前述のように、コンピューター内部の最も一般的な色表現には、各ピクセルに3バイトを使用します。それぞれ、赤（Red）の量、緑（Green）の量、青（Blue）の量を表現します。これはRGBエンコーディングと呼ばれます。

　赤・青・緑は、それぞれ1バイトに格納されます。各ピクセルの赤には256種類の可能性があります。同様に緑と青にも、それぞれ256

```
0    0000    1    0001    2    0010    3    0011
4    0100    5    0101    6    0110    7    0111
8    1000    9    1001    A    1010    B    1011
C    1100    D    1101    E    1110    F    1111
```

図13　16進数とその2進数値の表

種類の可能性があります。これらを合わせると、256 × 256 × 256 色のカラーがあることになります。

相当な色の種類があるように聞こえますね。図 10 に示した 2 の累乗と 10 の累乗を使って、これがどれくらいの種類かを素早く推定できます。結果は、$2^8 × 2^8 × 2^8$ で、2^{24} または $2^4 × 2^{20}$ です。およそ、$16 × 10^6$ すなわち 1,600 万になります。おそらくこの数字をコンピューターディスプレイを説明するための数字（「1,600 万色以上」）として見たことがあるでしょう。なお、この推定値は約 5% 低いものです。2^{24} の真の値は 16,777,216 です。

真っ赤なピクセルは、FF0000 として表されます。つまり、赤は最大値で 10 進数の 255、緑は 0、青も 0 です。一方、明るいけれども真っ青ではない、多くのウェブページにあるリンクのような色は、0000CC になります。黄色は赤と緑を加えたものです。よって、FFFF00 が最も明るい黄色になります。グレーは等量の赤、緑、青で生まれるため、中間の灰色のピクセルの値は 808080（つまり同じ量の赤、緑、青）になります。黒と白はそれぞれ 000000 と FFFFFF です。

16 進数の値はまた、文字を指定するために Unicode コード表でも使用されています。

東京

「東京」という 2 文字のコードは、6771 4EAC です。16 進数はイーサネットアドレスを表現するときにも見られますが、これについては第 8 章で説明します。また、URL 中の特殊文字を表現するときにも見られます。これは第 10 章で解説します。

コンピューターの広告では（たとえば、Microsoft Windows 10 Home 64 ビット）のように「64 ビット」という文言を見かけることがあります。これは何を意味しているのでしょうか？

コンピューターはその内部で、様々なサイズの塊でデータを操作し

ます。このデータの塊は、数値（利便性のために 32 ビットや 64 ビットのサイズが使われます）やアドレス（一次メモリーの中の位置情報）を表現します。ここでいう「64 ビット」が指しているのは後者の属性（アドレス）です。30 年前には、16 ビットアドレスから 32 ビットアドレスへの移行が行われました。32 ビットは最大 4GB のメモリーにアクセスできる大きさです。現在の汎用コンピューターでは、32 ビットから 64 ビットへの移行がほぼ終了しています。64 から 128 への移行がいつ起こるかを予測しようとは思いませんが、しばらくの間はこのままでいけるはずです。

　ビットとバイトに関するこうした議論で重要なのは、ビットの集合の意味が文脈によって異なることです。ただビットの集合を見るだけでは、その意味はわかりません。1 バイトは、真または偽を表す 1 ビットと、未使用の 7 ビットから構成されているかもしれません。または小さな整数値、あるいは # などの ASCII 文字、さらには別の記述システムの文字の一部かもしれません。2、4、8 バイトで表現される大きな数の一部である可能性もあります。あるいは画像や音楽の一部かもしれませんし、プロセッサーへの実行命令の一部かもしれません。その他の可能性もたくさんあります（これは 10 進数と同じです。文脈に応じて、3 桁の数字は、アメリカの市外局番、高速道路の番号、野球の打率などを表します）。

　あるプログラムの命令は、別のプログラムにとってはデータだったりします。あなたが新しいプログラムやアプリをダウンロードするときは、それは単なるデータにすぎません。各ビットは盲目的にコピーされるだけです。しかし、そのプログラムが実行されるときには、コピーされた同じビットが、CPU によって処理される際に命令として扱われるのです。

2.4 まとめ

　なぜ 10 進数の代わりに 2 進数を使うのでしょう？　その答えはとて

も簡単です。ふたつの状態（たとえばオンとオフ）だけを持つデバイスを作る方が、10個の状態を持つデバイスを作るよりも、はるかに簡単だからです。この比較的単純な性質は、様々な技術で利用できます。たとえば、電流（流れているか否か）、電圧（高いか低いか）、電荷（存在しているか否か）、磁気（北または南）、光（明暗）、反射率（輝いているか鈍いか）などに使えるのです。

　フォン・ノイマンはこのことをはっきりと認識していました。1946年に彼は、「私たちの基本的な記憶単位は、もちろん2進数を応用したものになる。なぜなら値の変化の度合いを測定したくはないからだ」と述べています。

　なぜ2進数を知ったり気にかけたりしなければならないのでしょう？　理由のひとつは、あまりなじみのない底を使って数を扱うことで、おなじみの10進数において数がどのように振る舞うのかをより理解できるようになるからです。これ以外にも、ビット数は通常、どれくらいの領域あるいは時間が必要になるのか、そして複雑になるのかに影響するため、重要なのです。結局のところコンピューターを理解するためには、その核となる2進数を知る必要があるのです。

　2進数は、コンピューティングとは無関係の、現実世界でも登場します。おそらく重さや長さなどを2倍にしたり半分にしたりすることが、人にとって自然な操作だからでしょう。たとえば、ドナルド・クヌースの書籍 "The Art of Computer Programming"（邦訳も同名）には、1300年代の英国のワイン容器は、13段階の2の倍数で表されていたことが書かれています。すなわち2ギルは1チョピンで、2チョピンは1パイントで、2パイントは1クオートで……といった具合に続き、2バレルが1ホグスヘッドになり、2ホグスヘッドが1パイプ、そして最後に2パイプが1タンとなるのです。

　これらの単位の約半分は、今でも英語の液量単位として普通に使われています。とは言うものの、ファーキン（firkin）やキルダーキ

ン※5（kilderkin）（1 キルダーキンは 2 ファーキン、もしくは 2 分の 1
バレル）といったチャーミングな単語は、今ではほぼ見かけなくなり
ました。

− 3 −
プロセッサーの内部

もし機械への命令が数値コードへと変換され、
機械が何らかの方法で命令と数値を区別できたなら、
記憶装置は、数値と命令の両方を保存するために使用できる

アーサー・W・バークス、ハーマン・H・ゴールドスタイン、ジョン・フォン・ノイマン、
Preliminary discussion of the logical design of an electronic computing instrument =
電子計算機の論理設計に関する予備的考察, 1946.

　第1章でプロセッサー（中央処理装置、CPU）はコンピューター
の「脳」であると説明しましたが、実際にはこの説明にはあまり意味
がないという警告付きでした。それでは、プロセッサーの詳細を見て
いきましょう。何しろプロセッサーはコンピューターで最も重要な部
品ですし、その特性が本書の残りの部分においても最も重要になるか
らです。

　プロセッサーはどのように動作しているのでしょうか？ 何をどの
ように処理しているのでしょう？ まず、ざっくりというなら、プロ
セッサーは、実行可能な基本操作をいくつか備えています。電卓のよ
うに、数値の加算、減算、乗算、除算といった計算を実行できます。
多くの電卓でのメモリー操作のように、操作するデータをメモリーか
ら取り出したり、結果をメモリーに保存したりできます。

　プロセッサーはまた、コンピューターの他の部分を制御します。バ
ス上の信号を利用して、マウス、キーボード、ディスプレイなど、電
気的に接続されているものすべての入力と出力を、まとめたり調整し

たりするのです。

　最も重要なのは、（単純な操作ですが）決定を下せるということです。数値を比較できますし（たとえば「この数値はあの数値より大きいか？」）、他の種類のデータの比較が行えます（「この情報はあの情報と同じか？」）。そうした比較結果に基づいて、次に何をするかを決められるのです。これが最も重要です。というのも、プロセッサーは電卓以上のことはあまりできないものの、次に何をするかを決められるという特性のおかげで、人手を介さなくても動作できるからです。バークス、ゴールドスタイン、フォン・ノイマンが言ったように、「機械はその特性として完全に自動的であることが想定される。すなわち計算が始まったら人間のオペレーターからは独立して動作する」ということです。

　プロセッサーは処理しているデータに基づいて、次に実行する処理を決定できるため、システム全体を自らの判断で実行していくことができるのです。実行可能な基本操作は数が限られ、複雑でもありませんが、プロセッサーは毎秒何十億回もの操作を実行できるため、非常に高度な計算を実行できるのです。

3.1 トイ・コンピューター

　ここで架空のマシンを使って、プロセッサーがどのように動作するのかを説明しましょう。架空マシンは、本物のコンピューターと同じアイデアで動きますが、はるかに単純な、それ風の（あるいは「なんちゃって」）コンピューターです。これは机上にしか存在しませんから、実際のコンピューターがどのように動作しているのかを説明するために役立つよう、自由に設計可能です。さらに、机上の設計をシミュレートする（模擬する）プログラムを、本物のコンピューター上で作ることもできます。そうすれば、その「なんちゃって」コンピューター用のプログラムを書いて、それがどのように実行されるのかを見ることができます。

架空マシンは本物ではありませんが、本物が持つ多くの特性を備えていますので、これを「トイ・コンピューター」と呼ぶことにします。トイ・コンピューターは実際、1960年代終わり頃のミニコンピューターレベルで、バークス、ゴールドスタイン、フォン・ノイマンの原論文で説明された設計にやや似ています。

　トイ・コンピューターは、命令とデータを保存するためのメモリーを備えています。さらに、「アキュムレーター」と呼ばれる保存場所（数をひとつ保存できるだけの大きさです）をひとつ持っています。アキュムレーターは電卓のディスプレイに似ています。ディスプレイにはユーザーが最後に入力した数値、または最新の計算結果が置かれています。

　このトイ・コンピューターは、先に説明した基本操作を行うための、10個ほどの基本的な命令を持っています。**図1**に最初の6つを示します。

GET	キーボードから数値を取得しアキュムレーターに格納する。以前の内容は上書きされる
PRINT	アキュムレーターの内容を印刷（表示）する
STORE M	アキュムレーターの内容のコピーをメモリー位置Mに保存する（store）（アキュムレーターの内容は変更されない）
LOAD M	メモリー位置Mの内容をアキュムレーターに読み込む（load）（Mの内容は変更されない）
ADD M	メモリー位置Mの内容をアキュムレーターの内容に加算する（add）（Mの内容は変更されない）
STOP	実行停止

図1　トイ・コンピューターの代表的な命令

　メモリー内部にあるそれぞれの保存場所^{location}には、ひとつの数値、またはひとつの命令が格納されます。そのためプログラムは、メモリーにひとつながりに格納されている命令とデータで構成されます。実行時

には、プロセッサーはメモリーの最初の位置から開始して、次に示す単純なサイクルを繰り返します。

フェッチ（取り出し）：	メモリーから次の命令を取り出す
デコード（解読）：	取り出された命令が何をするものか判断する
実行：	命令を実行して、フェッチに戻る

3.1.1 初めてのトイ・プログラム

トイ・コンピューター用のプログラムを作って実行するには、必要な仕事を行う命令の列を書き下して、それをメモリーに書き込んでから、プロセッサーに対して実行を始めるよう伝えなければなりません。例として、メモリーには今、次のような命令が置かれているとしましょう。これらの命令はメモリーに2進数として保存されています。

```
GET
PRINT
STOP
```

この命令列（「命令シーケンス」とも呼ばれます）が実行されると、最初の命令（この場合はGET）がユーザーに数値を要求し、2番目の命令がその番号を印刷（表示）し、3番目の命令がプロセッサーに停止を指示します。この例はどうしようもなく退屈ですが、それでもプログラムがどのように見えるかを示すには十分です。本物のトイ・コンピューターがあれば、このプログラムを実行することさえ可能です。

幸いにも、実行可能なトイ・コンピューターがいくつか存在します。**図2**は、そのうちのひとつが動作している様子を示しています。これはJavaScriptで記述されたシミュレーター（トイ・コンピューター・シミュレーター）ですので、第7章で説明するように、どんなウ

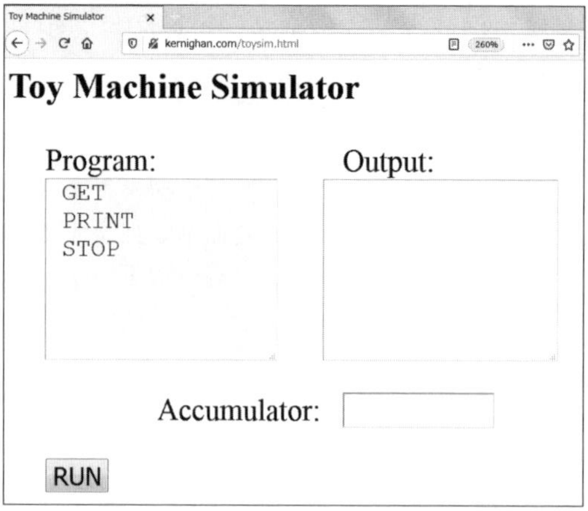

図2　実行可能なプログラムが書き込まれた状態の
トイ・コンピューター・シミュレーター

図3　トイ・コンピューター・シミュレーターの入力ダイアログ・ボックス

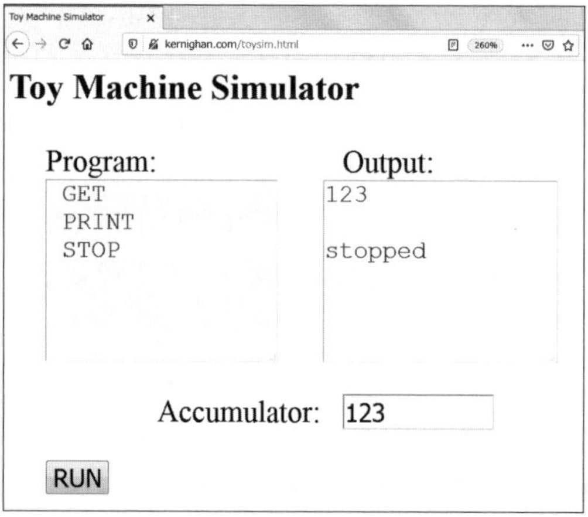

図4　短いプログラムを実行した後のトイ・コンピューター・シミュレーター

```
1:      GET
2:      STORE FirstNum
3:      GET
4:      ADD FirstNum
5:      PRINT
6:      STOP
7: FirstNum:
```

1: 最初の数値をアキュムレーターに取り込む
2: FirstNum という名前の RAM の場所にアキュムレーターの内容を
   保存する
3: アキュムレーターに 2 番目の数値を取り込む
4: FirstNum の場所に保存された最初の数値を今読み込んだ数値に足
   す
5: 計算結果を出力する
6: プログラムの実行を停止する
7: 最初の数値を保存するための RAM 上の場所

図 5　ふたつの数字を加えて合計を印刷するトイ・コンピューターのプログラム

ェブブラウザー上でも実行できます。

　RUN ボタンを押して、GET 命令が実行されると、**図 3** のような
ダイアログ・ボックスが表示されます。123 はユーザーによって入力
された数字です。

　ユーザーが数値を入力して OK を押すと、シミュレーターが実行さ
れて、**図 4** に示す結果が表示されます。予定通り、プログラムは数
値の入力を要求し、それを印刷（表示）して、停止します。

3.1.2 2番目のトイ・プログラム

　次のプログラム（**図 5**）はもう少し複雑で、値をメモリーに保存し
て取り出すという、新しいアイデアを追加しています[1]。

※1　訳注：図 5 では、命令とその下に添えた説明が対比できるよう行番号が付いています。
　　実際には、行番号は必要ありません。

プログラムはまず数値をアキュムレーターに取り込み、取り込んだ値をメモリーに保存し、2番目の数字をアキュムレーターに取り込み（最初の数字は上書きされます）、メモリーに保存しておいた最初の数字を取り込んだアキュムレーターの値に足し、ふたつの数の合計を印刷し、最後に停止します。プロセッサーはプログラムの先頭から開始し、一度にひとつずつ命令をフェッチし（取り出し）ます。順番にフェッチした各命令をデコード（解読）して実行しては、次の命令に進みます。

　ひとつ注意が必要なのは、最初に読み込まれる数字をデータとして保存しておくために、メモリー内部にその場所を用意しておく必要があることです。最初に読み込んだ数字をアキュムレーター内に置いたままにしておくことはできません。なぜなら2番目のGET命令の結果、アキュムレーターの内容が上書きされてしまうからです。この数字は命令ではなくデータなので、メモリー内部で命令と解釈されない場所に保存しなければなりません。その場所をプログラムの最後（つまり、すべての命令の後）に置くことにすれば、プロセッサーがそのデータを命令として解釈することはありません。なぜなら、そこにたどり着く前にSTOP命令が実行されるからです。

　また、プログラムの命令によってデータが必要とされたときに、その場所を参照する方法も必要です。やり方のひとつは、データが（6つの命令の後の）7番目のメモリー位置（memory location）に置かれることを観察して、STORE 7と書く方法です。実際、プログラムは、最終的にはこうした形式で保存されます。しかし、プログラムが変更されたらメモリー位置も変わってしまいます。この場合の解決策は、データの場所に名前を付けることです。第5章で説明するように、プログラムは、データが実際にメモリーのどこに置かれているかを追跡し、その名前を適切な数字で表現した場所に置き換えるという事務的な処理を実行できます。

　FirstNumという名前は「最初の数字」（first number）を表すこと

を意図しています。名前は自由に選べますが、良い習慣として、対応するデータや命令の目的や意味を表現する名前を使うようにします。名前のあとにコロン（：）を付けることで、それがラベルであることを示しています。慣習として、命令自身はインデント（字下げ）され、命令やメモリーの場所に付けられたラベル名はインデントされません。トイ・コンピューターのシミュレーターはこうした細かい面倒を見てくれます。

3.1.3 分岐命令

　図5に示したプログラムは、どのように拡張すれば3つの数字を足すようにできるでしょうか？ 別のSTORE、GET、そしてADD命令のシーケンスを追加するのは簡単です（その追加を行える場所は2カ所あります）。しかし、そのやり方を1000個の数を足すときに使うのは大変ですし、もし、いくつの数字を足さなければならないかがあらかじめわからないときには、うまくいきません。

　解決策は、プロセッサーに、一連の命令（命令列）を再利用できるようにする新しい命令を追加することです。このGOTO命令は、しばしば「分岐」または「ジャンプ」と呼ばれます。GOTOは、プロセッサーに対して次の命令を現在実行中の命令列の次から取り出すのではなく、GOTO命令で指定された位置から取り出すように指示する命令です。

　GOTO命令を使うと、プロセッサーが実行する場所をプログラムの前の部分に戻らせて、命令を繰り返すことができます。簡単な例が、入力された各数字をそのまま印刷するプログラムです。これは入力をコピーまたは表示するプログラムの例として、GOTO命令が何をするものかを示します。**図6**のプログラムの最初の命令にはTopというラベルが付けられています。自由に付けられた名前ですが、その役割を示唆しています。そして最後の命令は、プロセッサーに対して最初の命令に戻るように指示を出しています。

```
1:  Top:  GET          1:  アキュムレーターに数字を読み込む
2:        PRINT        2:  印刷する
3:        GOTO Top     3:  次の数字を読み込むために Top へ戻
                            る
```

図6　永遠に実行が続くデータ・コピー・プログラム

　これで目的（命令の再利用）の一部は果たせたことになります。し
かし、まだここには重大な問題が残っています。この命令列の繰り返
し（もしくはループ）が永遠に続いてしまうのを止められないからで
す。

　このループを止めるには、また別の命令が必要です。つまり、単に
盲目的に突き進んでいくのではなく、次に何を実行すべきか、その条
件をテストして決められる命令が必要なのです。そのような命令は、
「条件付き分岐」または「条件付きジャンプ」と呼ばれます。たとえば、
ある値がゼロかどうかを調べて（テストして）、値がゼロなら指定さ
れた命令にジャンプする命令は、どんなコンピューターにも提供され
ているはずです。

　幸いなことにトイ・コンピューターは、IFZERO という命令を持
っています。この IFZERO 命令は、もしアキュムレーターの値がゼ
ロの場合には、指定された命令に分岐します。それ以外の場合には、
列に並んだ次の命令が選ばれます。

　こうして IFZERO 命令を用いることで、私たちは**図7**のようなプ
ログラムを書けます。これは入力にゼロの値が現れるまで、入力値を
読み込んでは印刷するプログラムです。

　このプログラムは、ユーザーが疲れてゼロを入力するまでデータを
フェッチして、それを印刷し続けます。ゼロが入力された時点で、プ
ログラムは Bot（bottom ＝最後）というラベルの付いた STOP 命令
にジャンプして終了します（IFZERO STOP と書きたくなる誘惑に
駆られますが、これはうまくいきません。IFZERO の後に続くのは

```
1:  Top:   GET
2:         IFZERO Bot
3:         PRINT
4:         GOTO Top
5:  Bot:   STOP
```

1: アキュムレーターに数字を読み込む
2: アキュムレーターの値がゼロの場合は Bot の位置の命令にジャン
   プする
3: 値がゼロではなかったので、それを印刷する
4: 次の数字を読み込むために Top に戻る
5: 停止する

図7　0 を入力すると停止するデータ・コピー・プログラム

場所であって、命令ではないからです）。

　このプログラムは、入力の終わりを示すゼロを印刷しないことに注
意してください。停止する前にプログラムがゼロを印刷するようにす
るには、どのように変更すればいいでしょう？

　これはひっかけ問題ではありません。答は明らかです。この例は、
ただ単にふたつの命令を入れ替えただけなのに、期待されているもの
に対してプログラムが微妙な違いをどのように生み出してしまうのか、
あるいは意図したものとは違うことをどのように行ってしまうのかを
示す良い例です。

　GOTO と IFZERO を組み合わせることにより、特定の条件が満た
されるまで命令を繰り返すプログラムが書けます。プロセッサーは、
それまでの計算結果に従って、計算の道筋を変えられるのです（もし
IFZERO があるなら、GOTO は本当に必要なのかと考えるかもしれ
ませんね。IFZERO と他の命令で GOTO をシミュレートする方法は
あるのでしょうか？）。

　直感的には明らかではないと思いますが、ここまでに取り上げた命

令群があれば、デジタルコンピューターを使ってあらゆる計算が行え
ます。どんな計算も基本的な命令を使って小さなステップに分解でき
るのです。IFZERO をその命令セットに追加したことで、トイ・プ
ロセッサーは原理的には、文字通りあらゆる計算を実行するよう、プ
ログラミングできるようになったのです。「原理的には」という言葉
を使ったのは、実際にはプロセッサーの速度、メモリーの容量、コン
ピューター内の数値の有限な大きさなどを無視できないからです。と
もあれ、「すべてのコンピューターは原理的には同じものである」と
いう、とても基本的な考えは本書でもこの先繰り返し登場します。

　IFZERO と GOTO のもうひとつの例として**図 8** に示すのは、数字
のゼロを入力するまでたくさんの数字を足し続けるプログラムです。
連続する入力を終了するために、特別な値を使用するのは一般的な方
法です。この特定の例では、足し算においてゼロを足す必要はないの
で、ゼロは終了マーカーとしてうまく働きます。

　トイ・コンピューター・シミュレーターは、このプログラムの最後
の行のような「命令」を、「プログラムを実行し始める前に、このメ
モリー位置に名前（この場合は Sum）を割り当てて、その位置に特
定の値（この場合は 0）を入れておく」という意味に解釈します。こ
れは本物の命令ではなく、プログラムを処理しているときにシミュレ
ーターによって解釈される「疑似命令」です。足し算が行われるとき
に、現在の合計を保存しておく場所がメモリー内部に必要なのです。
ちょうど電卓のメモリーをクリアするように、そのメモリー位置の値
をゼロにしてから開始する必要があります。

　ユーザーもまた、プログラムの他の部分から特定のメモリー位置を
指し示すために、メモリー位置の名前が必要です。どのような名前を
付けても良いのですが、例で使われている Sum はそのメモリー位置
の役割（sum は「合計」という意味です）を示すので良い選択です。

　このプログラムがきちんと動くことは、どのようにして確認できる
でしょうか？　一見問題なく、簡単なテストで正解が得られたとして

```
1: Top:  GET
2:       IFZERO Bot
3:       ADD Sum
4:       STORE Sum
5:       GOTO Top
6: Bot:  LOAD Sum
7:       PRINT
8:       STOP
9: Sum:  0
```

1: 数字を取り込む
2: その値がゼロなら Bot へ行く
3: 現在の合計に最後に取り込んだ数字を足す
4: 足した結果を新しい現在の合計として保存する
5: Top に戻って別の数字を取り込む
6: 現在の合計をアキュムレーターに読み込む
7: それを印刷する
8: 停止する
9: 現在の合計を保持する場所
（プログラムが開始したときに０に初期化）

図８　一連の数字を合計するトイ・マシンのプログラム

も、本当の問題は容易に見落とされがちです。そこで、体系的にテストを行うことが重要です。大切なのが「体系的（systematically）」という言葉です。プログラムにランダムに入力を与えるだけでは、効果的ではありません。

最も単純なテストケースは何でしょう？ 入力を終了させるためのゼロ以外に数字が全くなければ、合計はゼロになるはずです。そのため、これは最初のテストケースとしてふさわしいものです。２番目に試みるのは、１個の数字を入力することです。合計はその数になるはずです。その次は、１と２のように、合計がすでにわかっているふたつの数を試してみることです。結果は３になるはずです。

このようなテストをいくつか行うことで、プログラムが機能していることに、ある程度の自信が持てます。慎重な人なら、命令を自分で注意深くたどってみることにより、コンピューターに近付くことなくコードをテストすることさえできます。良いプログラマーは、自分が書くすべてのプログラムに対して、この種のチェックを行っています。

3.1.4 メモリー内部の表現

　ここまで私は、命令とデータがメモリー内部で正確にはどのように表現されるのか、という疑問への説明を避けてきました。一体どうなっているのでしょう？

　以下に示すのは、可能なやり方のひとつです。各命令が、命令に対応する数値コードを格納するためにメモリー位置をひとつ使用し、その命令がメモリーを参照するかまたはデータ値を持っている場合には、さらに次の位置も使用すると仮定しましょう。つまり、GET はひとつのメモリー位置を占め、IFZERO や ADD のようなメモリー位置を参照する命令はふたつのメモリー位置を占めます。2 番目のメモリー位置の内容はそれらが参照している位置の情報です。また、どんなデータ値でもひとつのメモリー位置に収まるものとします。これは単純化した説明ですが、実際のコンピューター内部で起こることから、かけ離れているわけではありません。

　さてここで、各命令の数値コードは、本章で登場した順に、GET=1、PRINT=2、STORE=3、LOAD=4、ADD=5、STOP=6、GOTO=7、IFZERO=8 であるとしましょう。

　図8のプログラムは、与えられた一連の数字を合計します。プログラムが開始されようとしているとき、メモリー内部は**図9**のようになっているでしょう。この図では実際のメモリーの位置、3つの位置に付けられた3つのラベル、それらに対応している命令とアドレスを示します。このトイ・コンピューター・シミュレーターは JavaScript で書かれています（実際にはどんな言語で書いても構いません）。

位置	メモリー	ラベル	命令
1	1	Top:	GET
2	8		IFZERO Bot
3	10		
4	5		ADD Sum
5	14		
6	3		STORE Sum
7	14		
8	7		GOTO Top
9	1		
10	4	Bot:	LOAD Sum
11	14		
12	2		PRINT
13	6		STOP
14	0	Sum:	0 ［データ. 0 に初期化］

図 9 メモリー内の数字加算プログラム

JavaScript は、第 7 章で説明するプログラミング言語のひとつです。このシミュレーターは簡単に拡張できます。たとえば、これまで全くコンピュータープログラムを見たことがなかったとしても、簡単に掛け算の命令や別の種類の条件付き分岐命令を追加できます。命令の追加は、理解度をテストする良い方法です。このプログラムは kernighan.com/toysim.html に置いてあります[※2]。

3.2 実際のプロセッサー

これまで見てきたのは、単純化したバージョンのプロセッサーです。初期型もしくは小型のコンピューターとしてはそれほど荒唐無稽なものではありませんが、実際はもっと細かに入り組んでいて複雑で、効率とパフォーマンスが重視されます。

プロセッサーは、フェッチ（取り出し）、デコード（解読）、実行、というサイクルを何度も繰り返します。プロセッサーは、次に実行す

※2 訳注：なおこのシミュレーターは、命令から始まる行の先頭に空白文字を入れる必要があり、ラベルを参照する際には最後の ":" も書く必要があります。

る命令をメモリーからフェッチします。次に実行する命令は通常、現在のメモリー位置の次の位置に保存されていますが、GOTO または IFZERO で指定された位置から読み出される場合もあります。メモリーから情報を取り出した後、算術演算または論理演算を実行し、結果をその命令に適した形で格納します。そしてまた、サイクルのフェッチ部分に戻ります。

　実際のプロセッサーにおけるフェッチ・デコード・実行のサイクルは、この過程全体を高速に実行するための精巧なメカニズムでできあがっています。それでも基本な考え方はループに過ぎず、前述した「数を足していく繰り返し」と同様なのです。

　実際のコンピューターは、トイ・コンピューター・シミュレーターよりも多くの命令を備えていますが、命令の種類は基本的に似ています。データ移動、様々なサイズや種類の数値に対する計算、比較と分岐、その他の制御命令などが、より多く用意されているのです。

　典型的なプロセッサーには、数十から数百種類の命令があります。命令およびデータは通常、複数のメモリー位置（多くの場合、2〜8バイト）を占めます。実際には、複数のアキュムレーター（多くの場合、16 または 32）があるため、その非常に高速なメモリー領域に、複数の中間結果を保存しておけるのです。

　実際のプログラムは、トイ・コンピューター・シミュレーターの例と比べて、長大です。その大きさは、多くの場合、数百万命令では足りないほどです。後の章でソフトウェアについて説明するときに、そうした実際のプログラムがどのように書かれるのか、という話題に戻ります。

　コンピューター・アーキテクチャという学問は、プロセッサーの設計と、そのプロセッサーを計算機の他の部分とどのようにつなぐのか、を扱うものです。大学では、コンピューターサイエンスと電気工学の境界にあるサブテーマになります。

　コンピューター・アーキテクチャの関心事のひとつは命令セット、

すなわち、プロセッサーが提供する命令の種類です。異なる計算を幅広く扱えるように、たくさんの命令を用意すべきでしょうか？ それとも作るのが簡単で、おそらく実行も速くなるよう、より少ない命令で済ませるべきでしょうか？

アーキテクチャは、機能性、速度、複雑さ、消費電力、そしてプログラミングのしやすさにまたがる複雑なトレードオフを扱う必要があります。フォン・ノイマンの言葉を再度引用しましょう。「一般に、演算装置の内部の経済性は、動作速度に対する欲求と、（中略）、機械の単純さ（あるいは安さ）に対する欲求との妥協点によって決まる」

プロセッサーは、メモリーやコンピューターの別の部分にどのように接続されているでしょう？ プロセッサーはとても高速で、1ナノ秒未満で1命令を実行します（「ナノ」は10億分の1、つまり10^9ということを思い出しましょう）。これに比べると、メモリーはとても遅く、メモリーからデータもしくは命令をフェッチするには、およそ10〜20ナノ秒ほどかかります。もちろんこれは、人間の感覚からすればとても速いのですが、データの到着を待たなくてもよいなら同じ時間で数十個ほどの命令を実行できるはずのプロセッサーからすれば、とても遅いのです。

現代のコンピューターは、最近使った命令およびデータを保持しておくために、プロセッサーとメモリーの間にキャッシュと呼ばれる少量の高速メモリーを備えています。キャッシュに置かれた情報へのアクセスは、メモリーに置かれた情報へのアクセスよりも高速です。

3.2.1 パイプライン、並列処理、マルチコア

設計者たちはまた、プロセッサーを高速に動作させるために、一連のアーキテクチャ上の仕掛けを駆使します。

フェッチと実行を同時に行えるようにしたプロセッサーでは、その内部に実行途中の様々な段階の命令を保持できます。この仕掛けは「パイプライン」と呼ばれます。

パイプラインは、考え方としては、自動車を組立ラインに流すことと似ています。こうすることで、与えられた個々の命令が完了する時間は変わらないものの、他の命令が同時に処理されているので、全体としての完了率は高くなります。

　パイプライン以外の選択肢としては、お互いに干渉も依存もしない複数の命令を並列に実行するやり方があります。自動車のたとえ話で言えば、これは複数の組立ラインを持つことと似ています。それらの操作がお互いに関係しない場合には、命令の実行順序を変えてしまうことさえ可能になります。

　さらに別の選択肢としては、同時に複数のプロセッサーを動作させるやり方があります。これは現代のノートパソコンや携帯電話では普通です。私が今使っている 2015 年製のパソコン内にある Intel プロセッサーは、単一の集積回路チップ上に、2 個のコア（訳注：プロセッサーの中核部分）を搭載しています。

　1 チップ上により多くのプロセッサーを載せること、そして 1 台のマシンに 1 個以上のチップを載せる流れはますます加速しています。集積回路の構成要素のサイズが小さくなるにつれて、より多くのトランジスタをチップ上に詰め込めるようになります。そのトランジスタは、より多くのコアとより多くのキャッシュメモリーのために使われることが多いのです。個々のプロセッサーは速くなっていませんが、多くのコアが載ることで実質的な計算速度は今でも速くなり続けています。

3.2.2 設計におけるトレードオフ

「プロセッサーがどこで使われるか」を考慮すると、プロセッサーの設計には様々なトレードオフが存在します。長い間、プロセッサーの主な使用場所はデスクトップパソコンでした。このデスクトップパソコンでは、電力および物理的スペースが比較的十分にあります。つまり、設計者は、十分な電力とファンによる熱放散を前提に、プロセッ

サーを可能な限り速く実行することに専念できました。

　ノートブックパソコンになって、このトレードオフは大幅に変わりました。何しろノートブックパソコン内部のスペースは限られていて、コンセントにつながっていないときには、電力を重くて高価なバッテリーから取り出さなければならなかったからです。ノートブックパソコン用のプロセッサーは、デスクトップパソコンのものと機能的にはほぼ同じでありながら、低速で消費電力が少ない傾向にあります。

　携帯電話、タブレット、およびその他の携帯性の高いデバイスでは、サイズと重量と電力が一層制限されるために、トレードオフがより厳しくなっています。これは単に、小手先の設計の工夫では十分とは言えない分野です。Intel とその強力なライバルの AMD は、デスクトップパソコンおよびノートブックパソコン用プロセッサーの主要な供給者ですが、一方ほとんどすべての携帯電話およびタブレットは「ARM」と呼ばれるプロセッサー設計を使用しています。これは特に少ない電力で動くように設計されています。ARM プロセッサーの設計は、英国の ARM ホールディングスがライセンス提供しています。

　プロセッサー間の速度比較は難しく、それほど大きな意味はありません。算術演算のような基本的な演算でも、十分に異なるやり方で処理できるため、直接比較するのは困難です。たとえば、あるプロセッサーは、トイ・コンピューターのように、ふたつの数字を足して3番目の場所に保存するために、3つの命令を必要とするかもしれません。別のプロセッサーはふたつの命令を必要とし、さらに別のプロセッサーはその操作をひとつの命令で行えるかもしれません。ひとつのプロセッサーが複数の命令を並列に処理できたり、複数の命令をオーバーラップさせて段階的に処理を進めたりできる場合もあります。

　プロセッサーによっては、電力消費を抑えるために処理速度を犠牲にするやり方を採用しています。バッテリーから電力を得ているか否かによって、動的に速度調整が行われることさえあります。速いコアと遅いコアを複数備えて、異なるタスクに割り当てるプロセッサーも

あります。あるプロセッサーが他のプロセッサーより「速い」と言われているときには注意が必要です。あなたの判断基準とは異なっているかもしれないからです。

3.3 キャッシング

「こうして私たちは、階層型メモリーの可能性に気付かされた。階層が深くなるに従って容量は大きくなり、アクセス速度は遅くなるような構造である。」

　アーサー・W・バークス、ハーマン・H・ゴールドスタイン、ジョン・フォン・ノイマン、Preliminary discussion of the logical design of an electronic computing instrument ＝電子計算機の論理設計に関する予備的考察, 1946.

　ここで、少々脱線して、コンピューティングの世界に留まらず幅広く適用される「キャッシング」という考え方について簡単に説明しておきましょう。

　プロセッサーにおけるキャッシュとは、一次メモリー（キャッシュに比べて容量は大きいものの低速です）にアクセスしなくてもよいように、直近に使用された情報を保存しておく、少量で非常に高速なメモリーです。プロセッサーは通常、関連したデータと命令のグループに連続して複数回アクセスします。たとえば、数字を合計する図9のプログラムのループを構成する5つの命令は、数字が入力されるたびに実行されます。もしこれらの命令がキャッシュに保存されていた場合には、ループを実行するたびに一次メモリーからフェッチしなくて済むため、高速に実行できます。同様に、Sum をデータキャッシュに保持しておくと、やはりアクセスが速くなります。とは言うものの、このプログラムの本当のボトルネックは（ユーザーから）データを取得する部分にあるのですが。

　典型的なプロセッサーは2段階または3段階のキャッシュを持って

います。それらのキャッシュには段階（レベル）に応じて L1、L2、L3 という名前が付いていて、レベルが大きくなるにつれて容量は大きく、ただし速度は遅くなります。最大のキャッシュは、数 GB のデータを保持することもあるかもしれません（私の新しいノートパソコンは、コアごとに 256KB の L2 キャッシュを備え、単一の L3 キャッシュの容量は 4MB です）。

キャッシュがうまく働く理由は、直近に使われたばかりの情報はまたすぐに使われる可能性が高いためです。その情報をキャッシュ内に保存しておけば、一次メモリーを待つ時間を節約できます。通常キャッシング処理は、情報のブロックをまとめて読み込みます。たとえば 1 バイトが要求されたときに、メモリーの連続したブロックを読み込んでしまうのです。こうする理由は、隣合わせの情報もおそらくすぐに利用され、必要になったときにはすでにキャッシュに読み込まれている可能性が高いからです。これにより近くの情報を参照するときに待たなくて済みます。

こうしたキャッシングは、パフォーマンスの向上を除けば、ユーザーが意識することはほとんどありません。しかし、キャッシングそのものは、もっと一般的なアイデアです。何かを使った後、すぐにそれをまた使ったり、あるいは近くの何かを使うといったときに役に立つのです。プロセッサー内の複数のアキュムレーターは事実上、高速なキャッシュとしての役割を果たしています。一次メモリーはディスクのキャッシュとして使うことが可能で、一次メモリーとディスクはどちらもネットワークから送られてくるデータのキャッシュになります。ネットワークには、遠く離れたサーバーからの情報の流れをスピードアップするためのキャッシュがあることが多く、サーバー自体にもキャッシュがあります。

おそらくウェブブラウザーの「キャッシュをクリアする」というような文言で、キャッシュという言葉を見たことがあるかもしれません。ウェブブラウザーは、ウェブページの一部である画像やその他の比較

的容量の大きな素材のローカルコピーを保持しています。なぜなら、ページを再訪問したときには、それらの素材を再ダウンロードするよりも、ローカルコピーを使った方が速いからです。キャッシュを無制限に大きくはできないので、ブラウザーは古いアイテムを黙って削除して新しいアイテム用のスペースを確保します。また、キャッシュされたアイテムすべてを削除する方法も提供されています。

　キャッシュの効果は確認できます。たとえば、Word や Firefox などの大きなプログラムを起動して、ディスクからの読み込みが終わって使用できるようになるまでの時間を測定します。その後、プログラムを終了してすぐに再起動してみましょう。通常2度目の起動は、はっきりわかるほど素早く行われるはずです。プログラムの命令がまだメモリー内に残っているからで、この場合メモリーはディスクのキャッシュとして働きます。しばらく他のプログラムを使っているうちに、メモリーはそれらの命令とデータで一杯になっていき、最初のプログラムはもうキャッシュ内には残らなくなります。

　Word や Excel などのプログラムで見られる「最近使ったアイテム」のリストもキャッシングの一種です。Word は最近使用したファイルを覚えていて、メニューにその名前を表示するので、人間がそれらを見つけるためにわざわざ検索する必要はありません。いくつものファイルを開いていくうちに、しばらくアクセスしていないファイル名は、順次最近アクセスしたファイル名で置き換えられます。

3.4 その他のコンピューター

　コンピューターと聞いてノートブックパソコンしか想像できないのも無理はありません。最も目にするコンピューターだからです。しかし、それ以外にも実に多様なコンピューターがあります。大小を問わず、中核となる「論理的に何を計算できるのか」という共通の特性を持ち、似たようなアーキテクチャを備えながらも、コスト、消費電力、サイズ、速度などの点で異なるトレードオフを行ったコンピューター

が存在するのです。

　携帯電話やタブレットもコンピューターです。オペレーティングシステムを実行し、十分なコンピューティング環境を提供してくれます。私たちの生活に紛れ込んでいる、カメラ、電子ブックリーダー、GPS、電化製品、ゲーム機、その他の様々な、ほぼすべてのデジタル機器の中にも、より小さなシステムが組み込まれています。いわゆる「モノのインターネット」（IoT）と呼ばれる、たとえばネットワークに接続されたサーモスタット、防犯カメラ、スマートライト、音声認識装置なども、そうしたプロセッサーに頼っています。

3.4.1 スーパーコンピューター

「スーパーコンピューター」は一般に、数多くのプロセッサーと大量のメモリーを搭載し、特定のデータをより高速に扱える命令を備えています。現在のスーパーコンピューターは、特殊なハードウェアではなく、高速なものの基本的には一般的なプロセッサーの集まり(cluster)で構成されています[3]。

　ウェブサイトの top500.org は、半年ごとに、世界で最も速い 500 台のコンピューターの最新リストを公開しています。最高速度の上昇する速さは驚異的です。数年前だったら上位数台にリストされたであろうマシンが、現時点ではリストの末席に載ることすらない状況です。2020 年 11 月時点のトップは日本の富士通が作ったマシンで[4]、760 万個のコアを持ち、ピーク時には毎秒 537 × 1015 回の演算が可能です。スーパーコンピューターの速度は、浮動小数点演算数（フロップ、Flops）で測られます。これは 1 秒間に小数部を持つ数の演算がいくつできるかを表します。top500.org のリストのトップ（2020 年 11 月時点）は 537 ペタフロップス。第 500 位は 2.4 ペタフロップスです。

---

[3]　訳注：以前のスーパーコンピューターは専用設計のプロセッサーやネットワークといった「特殊なハードウェア」を備えていました。

[4]　訳注：理化学研究所と富士通が共同開発した「富岳」です。

3.4.2 GPU

　グラフィックス処理ユニット（GPU）は、特定のグラフィックス計算を汎用プロセッサーよりもはるかに高速に実行する特殊なプロセッサーです。GPU は元々ゲームのような高速グラフィックスシステム用に開発されましたが、電話の音声処理や信号処理、そしてビデオにも使われています。

　GPU は、一般的なプロセッサーから特定の処理を請け負うという支援も行います。GPU は、数多くの単純な算術計算を、並列に実行できます。そのため、ある処理において、その一部が並列に実行でき、GPU に任せられる場合には、その処理を高速化できます[※5]。GPU は特に第 12 章で説明する機械学習に有効です。なぜなら、機械学習は、大規模なデータセットを複数の独立したデータに分割し、各データに同じ計算を並行して一斉に適用して処理するため、単純な計算を大量に並列処理できる GPU の特徴が有利に働くのです。

3.4.3 分散コンピューティング

　分散コンピューティングは、より独立しているコンピューターを指します。たとえば、メモリーを共有しておらず、物理的に分散している（離れている）かも知れず、世界中の様々な場所に置かれている場合さえあるでしょう。通信がボトルネックになる可能性はありますが、遠く離れた人々と複数のコンピューターが共同作業できるようにしてくれるのです。検索エンジン、オンラインショッピング、ソーシャルネットワーク、いわゆるクラウドコンピューティングなどの大規模ウェブサービスなどは、みな分散コンピューティングシステムであり、何千ものコンピューターが連携して多数のユーザーに結果を素早く提供します。

[※5]　訳注：一般的なプロセッサーが全体を管理し、並列処理できる部分を GPU が担当することで、高速に処理できます。

3.4.4 コンピューターの基本原則とチューリングマシン

こうしたすべての種類のコンピューターは、みな同じ基本原則に従っています。無限とも言える様々なタスクをプログラムとして実行できる、汎用プロセッサーに基づいているのです。

プロセッサーは、算術演算を行ったり、データ値を比較したり、前の計算結果に基づいて次に実行する命令を選択したりする、いくつかの単純な命令を備えているに過ぎません。一般的なアーキテクチャは1940年代後半からそれほど変わっていませんが、物理的な構造は驚異的な速度で進化し続けています。

おそらく当初は予想されていなかったでしょうが、速度やメモリー要件などの実用的な考慮事項は別としても、こうしたすべてのコンピューターは同じ論理的能力を持ち、全く同じ処理を計算できます。このことは、1930年代にイギリスの数学者アラン・チューリングをはじめとする人たちにより、別々に証明されました。

チューリングのアプローチは、非専門家にとって最も理解しやすいものです。彼はトイ・コンピューターよりもはるかに単純なコンピューターを定義してその特性を説明し、計算可能な対象なら何でも、そのコンピューターで計算できるということを、極めて一般的に示しました。現在そのようなコンピューターは、「チューリングマシン」と呼ばれています。

彼はまた、異なる任意のチューリングマシンをシミュレートできるチューリングマシンの作り方を示しました。それは現在、「万能チューリングマシン」と呼ばれています。万能チューリングマシンをシミュレートするプログラムを書くのは簡単です。さらに、現実のコンピューターをシミュレートする万能チューリングマシンのためにプログラムを書くことも可能です（ただし、こちらは簡単ではありません）。このように、すべてのコンピューターは計算可能という点では同じですが、それをどれだけ速く行えるかが異なるのです。

第二次世界大戦中、チューリングは理論から実践へと転じました。

彼はドイツ軍の通信を解読するための、特殊なコンピューターを開発するチームの中心人物でした。これについては第13章で再び簡単に説明します。チューリングの戦時中の仕事は、1996年の "Breaking the Code"（邦題『ブレイキング・ザ・コード』）や、2014年の "The Imitation Game"（邦題『イミテーション・ゲーム / エニグマと天才数学者の秘密』）などの映画で（かなりの脚色が加えられて）描かれています。

1950年にチューリングは、"Computing machines and intelligence"（計算する機械と知性）という論文を発表し、コンピューターが人間のような知的な振る舞いをするかどうかを評価するためのテスト（現在は「チューリングテスト」と呼ばれています）を提案しました。ある人が、キーボードとディスプレイを使って、別の場所にあるコンピューターあるいは人に対して、質問を行って対話するところを想像してみてください。質問する人は、どちらの相手が人で、どちらの相手がコンピューターかを、会話を通して判断できるでしょうか？ チューリングは、もしそれらが確実に見分けられないなら、コンピューターは知的な振る舞いを見せているのだと考えました。しかし、第12章で説明するように、コンピューターはいくつかの分野では人間以上の性能を発揮するようになったものの、総合的な知性という点ではまだまだなのです。

チューリングの名前は、頭辞語 CAPTCHA の一部となっています（やや無理はあるのですが）。これは "Completely Automated Public Turing test to tell Computers and Humans Apart"（コンピューターと人間を見分けるための完全に自動化された公開チューリングテスト）の略です。CAPTCHA は**図10**のような歪んだ文字のパターンで、ウェブサイトのユーザーが、プログラムではなくて人間であることを確認するために、広く使用されています。

CAPTCHA は逆チューリングテストの一例です。なぜなら CAPTCHA は、人間がコンピューターよりも視覚パターンの識別に

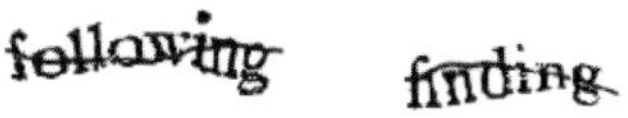

following   finding

図 10　CAPTCHA の例

優れているという一般的な事実に基づいて、人間とコンピューターを区別しようとするものだからです。もちろん視覚障害の方は CAPTCHA を利用できません。

　チューリングは、コンピューティング分野における最も重要な人物の1人であり、コンピューティングに対する私たちの理解を深めるのに大きく貢献しました。コンピューターサイエンス（計算機科学）分野におけるノーベル賞に匹敵するチューリング賞は、チューリングの名にちなんで命名されました。後の章では、チューリング賞を受賞したような、コンピューティング上の重要な発明を説明します。

　残念なことに、チューリングは 1952 年、当時イギリスでは違法だった同性愛行為のために起訴され、1954 年に亡くなりました。死因は自殺だと言われています。

3.5 まとめ

　コンピューターは何でもできる汎用機械です。コンピューターはメモリーから命令を取り出します。そのため、メモリーの中に異なる命令を書き込めば、実行する計算内容を変えられます。文脈^{context}以外に命令とデータを区別する方法はありません。誰かにとっての命令は、誰かにとってのデータなのです。

　現代のコンピューターのほとんどすべてが、単一チップ上に複数のプロセッサーを備えています。複数のチップを備えていることもあり得るでしょう。また、メモリーアクセスを効率よく行うために、大量のキャッシュを集積回路上に備えています。キャッシングは、コンピューティングにおける基本的な考え方です。キャッシュは、プロセッサーのような細かいレベルから、どのようにインターネットが構成さ

れているかというような大きなレベルに至るまで、あらゆる場所で見られます。ほとんどの場合、より高速なアクセスのためには、必要な命令やデータを近くに置いておく局所化を常に行う必要があります。

マシンの命令セットのアーキテクチャや速度、消費電力、命令自身の複雑さといった要素間の複雑なトレードオフを定義する方法は多々あります。これらの詳細は、ハードウェア設計者にとってはとても重要ですが、プログラマーの多くにとっては、それほど重要ではありませんし、プログラムのユーザーにとっては、全く重要ではありません。

チューリングは、本章で説明したアーキテクチャを採用するすべてのコンピューター（この先、皆さんが目にするであろうものも含めて）が、全く同じように計算できるという論理的な意味で、全く同じ計算能力があることを示しました。もちろん、パフォーマンスは大きく異なるかもしれませんが、速度とメモリー容量の問題を除いて、すべて同等に機能するのです。最も小さくて最も単純なコンピューターは、より大きい「兄弟」ができることなら、原理的に何でも計算できます。実際、どんなコンピューターでも、他のあらゆるコンピューターをシミュレートするようにプログラムが書けます。これは、実際にチューリングが彼の主張を証明した方法です。

「様々なコンピューティングプロセスを実行するために、様々な新しいマシンを設計する必要はありません。それらはすべて、それぞれの事情に合わせて適切にプログラムされた1台のデジタルコンピューターで実行できるのです」

アラン・チューリング、Computing Machinery and Intelligence = 計算する機械と知性, Mind, 1950.

ハードウェアのまとめ

　ハードウェアについての説明はこの節で終わりですが、この後も時々ガジェットやデバイスの話題に戻ってお話しします。最後に、このパート（第1部）で理解しておくべき基本的な事柄をまとめておきましょう。

　デスクトップパソコン、ノートブックパソコン、携帯電話、タブレット、電子ブックリーダー、その他多くのデバイスは、それがデジタルコンピューターである限りひとつまたは複数のプロセッサーと、様々な種類のメモリーを搭載しています。各プロセッサーは、簡単な命令を非常に高速に実行します。プロセッサーは、次に何を実行すべきかを、それまでの計算結果と外部からの入力に基づいて決定できます。メモリーは、データと、データをどのように扱うかを決定する命令の両方を保持しています。

　コンピューターの論理構造は1940年代からそれほど変わっていませんが、物理的な構造は大きく変わりました。50年以上にわたり有効で今や経験的にほぼ真実の予言となった「ムーアの法則」は、個々の構成要素のサイズと価格が指数的に減少すると指摘しました。つまり、一定の大きさと費用から引き出すことのできる計算能力が指数関数的に増えることを意味していたのです。

　ムーアの法則が、次の10年でいかなる終わりを迎えるかについてのもっともらしい警告は、何十年にもわたって技術予測の定番であり

続けました。今や原子数個レベルにまで達した現在の集積回路技術が、困難な段階に直面しつつあるのは明らかです。とは言え、これまでの困難は、驚くべき独創性を発揮した人々の工夫により、乗り越えてきました。おそらくこの先も新しい発明が支えてくれるでしょう。

　デジタルデバイスは、バイナリーで動作します。つまり最下位レベルでは、情報はふたつの状態（0または1）をとるデバイスで表現されます。なぜならそうしたデバイスは製造が最も簡単で、動作の信頼性が最も高いからです。

　あらゆる種類の情報はビットの集まりとして表現されます。様々な種類の数（整数、分数、科学的記数法）は、1、2、4、または8バイトの大きさで表現されます。これは、コンピューターがハードウェア内部で自然に扱える大きさです。つまり、普通の状況では、数値の大きさは有限で、精度は限られるということです。適切なソフトウェアを使用すれば、任意の大きさと精度に対応できますが、そのようなソフトウェアを使用するプログラムの実行はより遅くなります。

　自然言語で使う文字のような情報も、いくつかのバイトを使って表されます。英語を扱うのに十分なASCII（ASCIIコード）は、1文字につき1バイトを使用します。より広い範囲を対象とするUnicode（ユニコード）は、複数のエンコーディングに対応し、すべての文字セットを扱えます。しかし、利用するサイズは大きめです。UTF-8エンコーディングはUnicodeで定義された可変長のエンコーディングで、システム間の情報交換のために生まれました。ASCII文字に対しては1文字あたり1バイトを使用するだけですが、その他の文字に対しては1文字あたり2バイト以上を使います。

　測定値のようなアナログ情報は、デジタル形式に変換されてから、再び復元されます。音楽、写真、映画といった情報は、その各形式に固有の一連の測定値に基づいてデジタル形式に変換されてから、人間が利用できるよう再び変換されます。こうした変換では、情報の損失が多少起きることもありますが、そのおかげで圧縮が可能になること

もあります。

　ハードウェアについてここまで読み、すべてが四則計算で行われていることを知ると、不思議な気持ちになるかもしれません。もしプロセッサーが高速でプログラム可能な計算機にすぎないとしたら、そうしたハードウェアはどのようにして音声を理解し、好きな映画を勧め、写真の中の友人をタグ付けできるのでしょうか？

　良い質問です。基本となる答えは、「たとえ複雑な処理であっても、小さな計算ステップに分解できるから」です。これについては、この後のソフトウェアに関する章やさらに後の章でも、より詳しく説明します。

　最後に触れておくべき話題がひとつあります。すべてが最終的にビットに還元される——これがデジタルコンピューターなのです。ビットは個別にまたはグループで、どんな情報でも数値として表現します。ビットの解釈は文脈によって異なります。ビットに還元できるものなら何でも、デジタルコンピューターによって表現し処理できるのです。

　しかし、忘れてはならないのは、どのようにビットでエンコードすればよいかがわかないものや、どのようにコンピューター内で処理すればよいかがわからないものが、本当にたくさんあるということです。それらの多くは、人生で重要な意味を持ちます。創造性、真実、美しさ、愛、名誉、そして価値。私は、それらは今しばらくコンピューターの手に余るものであり続けると思っています。そのような問題に対して「コンピューターで」対処する方法を知っていると主張する人に対しては、懐疑的であるべきでしょう。

第 2 部
ソフトウェア

　良いお知らせは、コンピューターはあらゆる計算を実行できる汎用マシンだということです。実行できる命令は数種類しかありませんが、それらをとても高速に実行でき、自身の動作をほぼ制御できます。

　残念なお知らせは、誰かがコンピューターに対して何をすべきかを事細かに命令しない限り、コンピューターは何もしないということです。コンピューターは究極の「魔法使いの弟子[※1]」で、与えられた命令に飽きることなく、そしてミスもなく、従います。しかし、そのたそのための「何をすべきか」の指示には、骨の折れる正確さが要求されます。

コンピューターを動かす一連の命令

「ソフトウェア」とは、コンピューターに何か役立つことを実行させるための、一連の命令の総称です。それは形を持たず、手に乗せることも容易ではないため、「ハード」なハードウェアとの対比として「ソフト」と呼ばれます。ハードウェアはしっかりとした形を持って

※1　訳注：ディズニー映画の「ファンタジア」では、ミッキーマウス扮する「魔法使いの弟子」が、単純作業を魔法で片付けようとして大変な事態を引き起こしてしまいます。

います。もし足の上にノートパソコンを落としたら、すぐに気が付くはずです。これはソフトウェアには当てはまりません。

　次の数章では、コンピューターに何をすべきかを伝える方法であるソフトウェアについて説明します。

　第4章では、ソフトウェアを抽象的な形（アルゴリズム）で説明します。実質的にアルゴリズムは、対象となる仕事のための理想化されたプログラムです。

　第5章では、プログラミングと、一連の計算ステップを表現するために使用するプログラミング言語について説明します。

　第6章では、私たちの多くが使用する（知らないものもあるかもしれませんが）主要な種類のソフトウェアシステムについて説明します。

　第2部の最終章である第7章では、現在最も普及しているふたつの言語、JavaScript（ジャバスクリプト）とPython（パイソン）によるプログラミングを簡単に紹介します。

ソフトウェアの利点と欠点

　読み進めながら心に留めておいてほしいことがいくつかあります。現代の技術を用いたシステムは徐々に、汎用ハードウェア（プロセッサー、メモリー、周囲への接続において）を利用するようになっています。特定の振る舞いは、そうしたハードウェア上にソフトウェアを使って、後から実現されます。一般には、ソフトウェアの変更は、ハードウェアの変更よりも、安価で、柔軟性が高く、そして簡単だと思われています。特にデバイスが工場から出荷されてしまった後ではなおさらです。たとえば、コンピューターが車の動力とブレーキのかかり具合を制御する場合を考えましょう。アンチロックブレーキと電子安定制御のような、一見しただけでは異なる機能は、いずれもソフトウェアが提供する機能なのです。

　電車や船、飛行機においても、ソフトウェアへの依存度が高まっています。しかし、ソフトウェアを使って物理的な振る舞いを変えるこ

とは、必ずしも簡単ではありません。2018年10月と2019年3月に
ボーイングの「737 MAX」の事故が発生し、346名の方が亡くなら
れたことで、飛行機のソフトウェアが大きな話題となりました。

　ボーイングが737の製造を開始したのは1967年で、それ以来飛行
機は着実に進化してきました。2017年に就航した737 MAXは、さ
らに大きく効率的なエンジンを搭載するなど大規模な改造が施された
機体でした。

　新しいエンジンを搭載したことで、機体の飛行特性が大きく変化し
ました。ボーイングは、初期モデルに近い挙動を維持するために空力
的な改造を行う代わりに、MCAS（Maneuvering Characteristics
Augmentation System、操縦特性強化システム）と呼ばれる自動飛行
制御ソフトウェアシステムを開発しました。MCASの狙いは、MAX
が他の737と同じように飛行できるようにすることでした。こうすれ
ば、再認証やパイロットの再教育といった高いコストが不要になりま
す。MCASソフトウェアによって新型機は旧型機と同じようになる
はずでした。

　非常に単純化して問題をお話しするならば、エンジンが重くなり位
置が変わったことで、MAXの飛行特性が変わっていたのです。
MCASはある状況下で、機首が高すぎると判断した場合、失速する
可能性があると解釈して機首を下げてしまう特性がありました。同機
にはふたつのセンサーが搭載されていたにもかかわらず、故障する可
能性がある入力センサーひとつに基づいて判断していました。パイロッ
トが機首を上げようとしても、MCASがそれを無視したのです。
その結果、上下の揺れが繰り返され、最終的には致命的なクラッシュ
が発生しました。さらに悪いことに、ボーイングはMCASの存在を
明らかにしていなかったため、パイロットは潜在的な問題を知らず、
それに対処するための適切な訓練も受けていなかったのです。

　2度目の死亡事故が発生した直後に、世界の航空当局はMAXの飛
行を禁止しました。ボーイングの評判は地に落ちて、その損失額は

200億ドル（約2兆円）以上になるだろうと言われています。2020年11月下旬に米連邦航空局（FAA）は、パイロットの訓練や機体自体が変更されたことを受けて、MAXの再飛行を許可しましたが、いつ定期運航に戻るかは明らかになっていません[2]。

高まるソフトウェアへの依存度

今ではコンピューターが重要なシステムの中心をなしていて、ソフトウェアがそれらを制御しています。自動運転車、あるいは最近の車に搭載されている簡単なアシスト機能は、ソフトウェアで制御されています。たとえば、私が乗っているスバル・フォレスターにはフロントガラスに前方を向いたふたつのカメラが搭載されていて、ウィンカーを出さずに車線を変更したり、車や人が至近距離に迫ると、コンピュータービジョン[3]を使って警告してくれます。間違いが多く、誤検出も多いので、役に立つというよりは気が散るものですが、何回か救われたこともあります。医用画像システムは、コンピューターが信号を制御して、医師が解釈する画像を生成します。今やフィルムはデジタル画像に置き換えられています。

コンピューターおよびソフトウェアへの依存は、航空管制システムや航行補助システム、電力網や電話網などのインフラストラクチャ（社会基盤）にも当てはまります。

コンピューターを使った投票機には、重大な欠陥がありました。2020年初頭のアイオワ州民主党予備選の投票集計は、コンピューターシステムの不具合で修正に数日を要しました。インターネット投票は、Covid-19によるパンデミックの最中によく話題になったアイデアですが、選挙管理委員会が認識しているよりもはるかに高リスクです。投票の秘密を守りながら、安全に投票できるシステムを作るのは

※2　訳注：2021年初頭より一部航空会社が徐々に運航を再開しています。
※3　訳注：コンピュータービジョンとは、コンピューターで視覚を実現する画像認識技術です。

とても難しいのです。

　兵器や兵站などの軍事システムは、世界の金融システムと同じように、完全にコンピューターに依存しています。サイバー戦争やスパイ活動は現実にある脅威です。2010年に発生したStuxnet（スタックスネット）ワームは、イランのウラン濃縮用遠心分離機を破壊しました。2015年12月にウクライナで発生した大規模停電は、ロシア由来のマルウェアが原因でしたが、ロシア政府は関与を否定しています。その2年後、Petya（ペトヤ）という名のランサムウェアを使った2回目の攻撃が、ウクライナの様々なサービスを妨害しました。2017年に発生したWannaCry（ワナクライ）と呼ばれるランサムウェア攻撃では世界中で数十億ドルの損害が引き起こされましたが、これについて米国政府は北朝鮮が責任を負っていると正式に非難しています。2020年7月には、ロシアのサイバースパイ集団が、Covid-19ワクチン候補に関する情報を盗み出そうとしたとして、複数の国から非難されました。

　国が支援する攻撃や犯罪者による攻撃は、様々なターゲットに対して十分に実行可能です。ソフトウェアが信頼できず堅牢でなければ問題に巻き込まれるという事態は、すでに現実になっています。依存度が増すにつれて、本当に困った事態が起きる可能性も増す一方です。これから見ていくように、完全に信頼できるソフトウェアを書くのは難しい仕事です。ロジックや実装にエラーや見落としがあると、プログラムが正しく動作しなくなる可能性があり、それが通常の使用では問題にならなくても、攻撃者には入口を与えてしまう可能性があるのです。

- 4 -
アルゴリズム

ソフトウェアを説明するためによく使われるのは、料理のレシピに似た比喩です。料理のレシピには、必要な材料、料理人が実行しなければならない一連の作業、予想される結果、が書かれています。同様に、あるタスクを行うプログラムには、動作に必要なデータが何で、そのデータに対して何をすべきか、が詳しく書かれています。

とは言え、実際の料理レシピは、プログラムではあり得ないほど不明瞭で曖昧ですので、上記のような比喩はあまり良くありません。たとえば、チョコレートケーキのレシピには、「オーブンで30分または固くなるまで焼きましょう。手のひらをそっと表面に置いて、それを確かめてください」と書いてあります。確かめる人は何を調べれば良いのでしょう？ 弾力、抵抗、それとも何か別のもの？「そっと」というのは、どれくらい「そっと」なのでしょう？ 焼き時間は少なくとも30分なのでしょうか、それとも30分以下なのでしょうか？

料理レシピに比べると、納税申告書は良い比喩です。そこには何をするべきかに関するうんざりするほどの詳細が書かれています（「29

行目の値から 30 行目の値を引きます。その答がゼロ以下の場合は、0を入力してください。31 行目の値に 25％を掛けてください。……」)。比喩はまだまだ不完全ですが、納税申告書は、料理レシピよりもはるかに「計算的な側面」(訳注：言い換えれば「コンピューターらしさ」でしょうか) を捉えています。納税申告書では、算術が必要とされ、データ値がある場所から別の場所にコピーされ、条件がテストされます。そして一連の計算は、それまでの結果に依存しているのです。

　特に税金に関しては、プロセスは完全でなければなりません。たとえどんな状況であろうとも、常に納税額という結果を生み出さなければなりませんし、曖昧さのないものでなければなりません。同じ初期値から計算を始めたならば、誰もが同じ答にたどり着かなければなりません。さらに、その計算は有限時間内に終わらなければなりません。ただし個人的な経験から言えば、この説明はすべて理想化されたものです。用語は常に明確というわけではないので、計算指示は税務当局が認めようとしているものよりも曖昧ですし、どのデータ値を使えば良いかも往々にして不明確です。

　アルゴリズムは、注意深く、正確で、曖昧さのないように作られたレシピまたは納税申告書のコンピューターサイエンス版と考えられます。その一連のステップをたどれば、結果が正しく計算されることが保証されています。各ステップは、それぞれの意味が完全に定義されている基本操作、たとえば「ふたつの整数を足し合わせる」という形で表現されます。書かれている内容が何を意味するのかについての曖昧さはありません。入力するデータの特性についても与えられています。考えられるすべての状況が網羅されています。アルゴリズムは、次に何をすべきかわからないという状況に遭遇したりはしないのです。

　なお、学問的な風を吹かせたいときには、コンピューター科学者はたいてい、もうひとつ条件を付け加えます。すなわち、「アルゴリズムは最後に停止しなければならない」。この基準に照らし合わせると、シャンプーのボトルに昔から書いてある「泡立てて、すすいで、繰り

122

返しましょう」という説明は、アルゴリズムではありません。

　効率的なアルゴリズムの設計、分析、実装は、学術的なコンピューターサイエンスの中核部分になっていて、非常に重要な実世界のアルゴリズムが存在します。本章ではアルゴリズムを正確に説明したり表現したりするつもりはありませんが、一連の操作を説明していく中で、各操作が何を意味しているのか、そして、それをどのように実行するのかに関して、（たとえ知性や想像力がない機械が実行するとしても）疑いの余地がなくなるくらい、十分に細かく、正確に理解してもらえるようにしたいと考えています。また、アルゴリズムの効率、言い換えれば「計算時間は、処理するデータ量にどのように依存するのか」についても説明します。これらの説明を、よく知られていて理解が容易な、一握りの基本的アルゴリズムを使って行います。

　本章の詳細や時々登場する数式をすべて追う必要はありませんが、考え方はとても重要なのです。

4.1 線形アルゴリズム

　部屋の中で一番背が高い人が誰なのかを知りたいとしましょう。人間なら周りを見回して推測してもよいのですが、アルゴリズムの場合は知性のないコンピューターでも実行できるように、各計算ステップを正確に記述する必要があります。

　基本的なアプローチは、順番に各人に身長について尋ね、それまでに出てきた最も背の高い人の身長を覚えておくやり方です。というわけで、私たちは一人ひとりに質問をしていきます。「ジョン、君の身長を教えてくれるかい？　メアリー、あなたの身長を教えて？」といった具合です。最初に質問したのがジョンなら、その時点ではジョンが一番背の高い人です。続いて、メアリーの方が背が高ければ、今度は彼女が一番背の高い人になりますし、そうでなければジョンが一番背の高い人のままです。いずれにせよ、私たちは続けて3番目の人に質問をします。それぞれの人たちへの質問が終わって、このプロセス

が完了したときには、誰の背が一番高いのかがわかり、その身長がどれくらいだったかがわかります。このアルゴリズムに関してすぐに思いつく類似例は、最もお金持ちの人を見つけること、アルファベット順で最初にくる人を見つけること、あるいは、誕生日が年末に一番近い人を見つけること、などです。

　厄介な問題もあります。たとえば、全く同じ身長の人が2人以上いたときはどのように処理すべきでしょうか？　重複した人のうち、最初または最後のいずれかを報告するのか、あるいはランダムに選ぶのか、それともすべて報告するのか、を選ばなければなりません。「同じ身長の人」すべての名前を覚えておいたり、「一番背が高い、同じ身長の人」のグループを覚えておいたりするのはかなり難しい問題です。誰が最終的にそのリストに入るのかは、入力を最後まで読まなければ、わかりません。この例は「データ構造」が関係してきます。すなわち、計算途中で必要になる情報を、どのように表現するか、という問題が関係します。データ構造については、本章ではあまり詳しく説明しませんが、多くのアルゴリズムにとって重要な検討事項です。

　身長の平均値を計算したいとしたら？　私たちはまず一人ひとりに身長を尋ねて、得た答えを足していきます（おそらく数の列を足し上げるためのトイプログラムを使って）。そして最後に合計値を人数で割ります。たとえばリストとして紙に書かれたN個の身長がある場合、この例をもっと「アルゴリズム的」に次のように書き下せます。

```
1:  set sum to 0
2:  for each height on the list
3:      add the height to sum
4:  set average to sum / N
```

```
1:  sum（合計）を0にする
2:  リストに含まれるそれぞれのheight（身長）ごとに
```

```
3:      height を sum に足し込む
4:  average（平均）を sum/N にする
```

　ただし、コンピューターに仕事を依頼する場合には、もっと注意深く行う必要があります。たとえば、紙に数字が何も書かれていない場合にはどうなるでしょう？　人が仕事をしているのであれば、これは問題になりません。なぜなら、人は、何も仕事がないことがすぐにわかるからです。対照的に、コンピューターは、何も仕事がない可能性をどのようにテストするか、何も仕事がないとわかったときにはどう対処するか、の両方を明確に指示される必要があります。

　このテストと対処が行われないままだと、数字が与えられないときに、sum を 0 で割ろうとしてしまいます。これは算術的に未定義の操作です。アルゴリズムとコンピューターは、起こり得るすべての状況を処理する必要があります。額面が「0 ドル 00 セント」の小切手や、請求額 0 の請求書を受け取った経験があるとしたら、すべてのテストケースをきちんとテストできていない実例を見ていたのです。

　事前にデータがいくつあるかわからないとき（普通はこちらが多いですね）には、どうすればいいでしょう？　そのときには、合計（sum）を計算するときに、同時にアイテム数（N）も数えられます。

```
1:  set sum to 0
2:  set N to 0
3:  repeat these two steps for each height:
4:      add the next height to sum
5:      add 1 to N
6:  if N is greater than 0
7:      set average to sum / N
8:  otherwise
9:      report that no heights were given
```

1: sum（合計）を 0 にする
2: N（アイテム数）を 0 にする
3: 処理すべき height（身長）がある間、以下のふたつのステップ
　　を繰り返す
4:　　　次の height を sum に足し込む
5:　　　N に 1 を足し込む
6: もし N が 0 より大きい場合には
7:　　　average（平均）を sum/N（sum を N で割ったもの）にする
8: そうでない場合は
9:　　　height がひとつも与えられなかったと報告する

　これは、厄介なケースを明示的にテストして、0 による除算の可能性が起きる問題を処理する、ひとつの方法を示しています。

　アルゴリズムで重要なのは、どれくらい効率的に動作するのか、動作が高速か低速か、与えられた量のデータを処理するのにどれくらいの時間がかかるのか、といった特性です。上記の例では、実行すべきステップの数、つまりコンピューターがこのタスクを実行するのにかかる時間は、処理する必要のあるデータの量に正比例します。もし部屋に 2 倍の人数がいた場合、最も背の高い人を見つけたり、平均の高さを算出したりするには、2 倍の時間がかかります。同様に 10 倍の人数がいた場合には、10 倍の時間がかかります。

　計算時間がデータ量に正比例（線形に比例）する場合、そのアルゴリズムは「線形時間」、または単に「線形」と呼ばれます。実行時間をデータ項目数に対してプロットしてみると、グラフは右上に向かう直線になります。私たちが日常出会うアルゴリズムの多くは、線形です。なぜなら、データがひとつ増えるたびに一定量の作業量が比例して増える性質を持つからです。

　多くの線形アルゴリズムは、同じ「基本形」をとります。まず合計を 0 に設定したり、最大身長を適当な小さな値に設定するといった「初期化」があります。それから、各項目が順番に処理されて、単純

な計算が行われます。数えたり、前の値と比較したり、単純な方法で変換したり、印刷したりするのです。最後に、平均値を計算したり、合計値や最大身長を印刷したりするといった、作業を完了するためのステップがあります。もし各アイテムの操作にほぼ同じ時間がかかるなら、必要な合計時間はアイテムの数に正比例します。

4.2 バイナリー探索

線形時間よりもうまくやることはできるでしょうか？ 印刷されたリストまたは名刺の束として、たくさんの名前と電話番号があるとしましょう。名前が特定の順序で並べられていない状態で、マイク・スミスの電話番号を知りたいと思ったら、彼の名前が見つかるまで次々にカードを見ていかなければなりません、もし最後まで見てその名前がなかったら失敗です。しかし、名前がアルファベット順に並んでいる場合は、もっとうまくやることができます。

昔ながらの紙の電話帳で、どのように名前を調べていたかを思い出しましょう。まず、真ん中付近から始めます。探している名前が、開いたページに載っている名前よりもアルファベット順で早いものなら、電話帳の後半は完全に無視できます。次に、電話帳の前半の中ほどのページ（電話帳全体の前から約4分の1のところ）を開きます。探している名前がその後半にあることがわかったら、電話帳の前半は無視して後半の中ほど（電話帳の前半の、前から約4分の3のところ）を開きます。名前はアルファベット順に並んでいるので、各ステップでは次にどちらの半分を見ればよいかわかります。最終的には、探している名前が見つかるか、または存在していなかったことが確実にわかります。

この探索アルゴリズムは「バイナリー探索」（二分探索）と呼ばれます。名前の由来は、名前を確認（比較）するたびにアイテムがふたつのグループに分かれるからです。ふたつのうちの片方は、以降の検討対象から除外されます。これは分割統治と呼ばれる一般的な戦略の

例です。バイナリー検索は、どれくらい速く処理できるのでしょうか？ 各ステップで、残りの項目の半分が削除されていくため、必要なステップ数は、残りひとつの項目になるまで、つまり「元のサイズを 2 で除算できるまでの回数」になります。

　例として、1,024 個の名前で始めるとしましょう（この数は計算を簡単にするために選んだ値です）。1 回の比較で、512 個の名前を削除できます。次の比較では 256 個になり、以後 128、64、32、16、8、4、2 となって、最終的に 1 となります（訳注：これ以上 2 で除算できません）。合計 10 回の比較です。2^{10} が 1,024 であることは、もちろん偶然ではありません。2 の「比較した回数」乗を計算すれば、元の数に戻れます。2 を掛け続けることで、1 から 2、4……というように 1,024 までの値に戻るのです。

　学校で習った対数を覚えているなら（多くの人は覚えていません。そんなこと誰も期待しませんよね？）、ある数の対数（log）は、ある底（この場合は 2）を何乗したらその数になるかを表すものだということを思い出すかもしれません。よって 2^{10} が 1,024 なので、$\log_2 1024$ は 10 になります。比較した回数を求めるという意味では、対数とは 1 になるまでに元の数を何回 2 で割らなければならないかを示す数ですし、あるいは 1 から元の数になるまでに 2 を何回掛けなければならないかを示す数なのです。なお本書では、log は常に底を 2 として扱います。細かい精度や小数は必要ありませんから、おおよその数と整数値だけあれば十分です。こうすれば本当に単純化できます。

　バイナリー探索で重要なのは、データ量が増えても必要な作業量が少ししか増えないことです。アルファベット順に 1,000 個の名前がある場合、特定の名前を見つけるには 10 回名前を比較しなければなりませんが、もし 2,000 個の名前になっても 11 回名前を比較するだけでよいのです。なぜなら最初の名前を調べたらすぐに、2,000 個のうちの 1,000 個が取り除かれてしまうので、1,000 個を見たときの場合（10 回のテスト）と同じになるからです。100 万個の名前がある場合

はどうでしょう。それは 1,000 × 1,000 個です。最初の 10 回のテスト
で 1,000 個に減り、さらに 10 回のテストで 1 個になるので、全部で
20 回のテストが必要ということになります。100 万は 10^6 で、これは
2^{20} に近い数です。よって $\log_2$ 100 万は約 20 になります。

　このことから、10 億個の名前（おそらく全世界の電話帳を合わせ
たものに近いでしょう）から目的の名前を探すのには、たった 30 回
名前を比較すればよいことがわかるでしょう。なぜなら 10 億は約 2^{30}
だからです。これこそが、データ量の増加に比べて作業量は少ししか
増えない理由です。何しろデータが 1,000 倍になっても、作業量は 10
ステップ増えるだけなのですから。

　簡単な検証として、私は友人のハリー・ルイス（Harry Lewis）を
古いハーバード地区の紙の電話帳で検索してみたことがあります。そ
れは 224 ページで約 20,000 個の名前を掲載していました（もちろん
紙の電話帳がなくなってからもう随分経ちます、このため私はもうこ
こに書いた実験を行うことはできません）。私は 112 ページから探し
始めましたが、そこには Lawrence という名前がありました。
「Lewis」はそれよりも後に登場します。つまり後半にあります。そ
こで、次に私は 168 ページを開きました。112 ページと 224 ページの
間です。そこには Rivera がありました。「Lewis」はそれよりは前です。
なので私は 140 ページ（112 ページと 168 ページの間）を開いて、
Morita にたどり着きました。次は 126 ページ（112 と 140 の間）で
Mark を見つけました。次は 119 ページ（Little）、その次は 115 ペー
ジ（Leitner）、その次は 117 ページ（Li）、そして 116 ページにたど
り着きました。このページには約 90 個の名前がありました。同じペー
ジでさらに 7 回の比較を行って、他の同姓の Lewis の中に Harry
を見つけました。この実験には合計 14 回の比較が必要でしたが、そ
れは最初から予想されていたものに近い回数でした。なぜなら 20,000
という数は 2^{14}（16,384）と 2^{15}（32,768）の間にあるからです。

　多くのスポーツで行われている勝ち抜きトーナメントのように、こ

うした二分割は現実世界で使われています。トーナメントは多数の競技者が参加して始まります。たとえば、ウィンブルドンでの男子シングルステニスでは参加者数は 128 人です。各ラウンドは、候補者の半分を排除し、最終ラウンドに 1 組のペアを残し、そこから 1 人の勝者が生まれるのです。128 は 2 のべき乗（2^7）なので、ウィンブルドンには 7 ラウンドあることがわかります。

　世界規模の勝ち抜きトーナメントの想像もできます。70 億人の参加者がいたとしても、勝者を決定するのに必要なのはたったの 33 ラウンドです。もし第 2 章の 2 と 10 のべき乗の話題を思い出したなら、簡単な暗算でこれを確認できます。

4.3 ソート（整列）

　しかし、そもそもどうやって、そうした名前をアルファベット順に並べるのでしょうか？ その最初の段階がなければ、バイナリー探索は使えません。そこで、別の基本的アルゴリズムである「ソート」（整列）が必要になります。ソートは、後に続く探索が素早く実行できるよう、項目を順序に従って並べます。

　後からバイナリー探索を使って効率的に探索できるように、名前をアルファベット順にソートしたいとします。「選択ソート」という名前のアルゴリズムがあります。選択ソートと呼ばれる理由は、まだ整列されていない名前の中から次の名前を選び続けるからです。それは、私たちが以前に学んだ、部屋で最も背が高い人を見つけるためのテクニックに基づいています。

　次に示す 16 個のよく知られている名前をアルファベット順にソートして説明しましょう。

Intel　Facebook　Zillow　Yahoo　Pinterest　Twitter　Verizon
Bing　Apple　Google　Microsoft　Sony　PayPal　Skype　IBM
Ebay

最初の項目から始めます。Intel が 1 番目です。まだひとつしか見ていませんから、今のところ、これがアルファベット順でも 1 番目です。これを次の名前の Facebook と比較しましょう。Facebook はアルファベット順で Intel よりも前にくるので、Facebook が仮の 1 番目になります。その次の Zillow は Facebook の前ではありませんし、その後も Bing が出てくるまではどれも Facebook の前にはなりません。Bing が見つかって Facebook の代わりに 1 番目の項目となります。その後、Bing は Apple によって置き換えられます。残りの名前を調べると、どれも Apple の前になるものはありません。よって Apple がリストの本当の 1 番目の項目になります。Apple を先頭に移動して、残りの名前はそのままにしておきましょう。このときリストは次のようになります。

Apple
――――

Intel　Facebook　Zillow　Yahoo　Pinterest　Twitter　Verizon
Bing　Google　Microsoft　Sony　PayPal　Skype　IBM　Ebay

　今度は 2 番目の名前を見つけるために、まだソートされていないグループの最初の名前である Intel から始めて、同じプロセスを繰り返しましょう。再び Facebook が Intel に取って代わって、また Bing が 1 番目の要素になります。2 回目のプロセスが終わると、結果は次のようになっています。

Apple　Bing
――――

Intel　Facebook　Zillow　Yahoo　Pinterest　Twitter　Verizon
Google　Microsoft　Sony　PayPal　Skype　IBM　Ebay

さらに14回プロセスを繰り返すことで、このアルゴリズムは完全にソートされたリストを作り出します。

　このアルゴリズムは、どのくらいの量の仕事をするのでしょうか？次のアルファベット順の名前を見つけるたびに、残りのアイテムを繰り返し、たどります。名前が16個ある場合、1番目にくる名前を決めるためには16個の名前全部を見る必要があります。2番目の名前を見つけるには15ステップ、3番目の名前を見つけるには14ステップという具合に続きます。最終的には、16 + 15 + 14 + ……+ 3 + 2 + 1で合計136回名前を見なければなりません。もちろん、巧妙なソートアルゴリズムなら名前がすでに順序通りに並んでいることがわかる場合もあるでしょう。しかし、アルゴリズムを研究しているコンピューター科学者は悲観主義で、最悪の場合（つまり近道はなく仕事をすべて行わなければならない場合）を想定する人たちです。

　名前を全部通して見る回数は、元の項目の数に正比例します（この例では16回、一般的にはN回）。とは言え、各繰り返しで見なければならない項目は1個ずつ減っていきます。そのため、一般の場合の仕事量は次にようになります。

$$N + (N - 1) + (N - 2) + (N - 3) + ……2 + 1$$

　この級数の合計は、N × (N + 1) / 2になります（両端からペアで足していくと、この数になることがわかるでしょう）。これは展開すると、$N^2/2+N/2$です。2による割り算を無視すると、仕事量はN^2+Nに正比例します。Nが大きくなるにつれて、N^2は急速にNよりはるかに大きな値となります（たとえば、Nが1,000ならN^2は100万になります）。仕事量はN^2（Nの平方）にほぼ比例します。この成長率は、2次関数的と呼ばれ、2次は線形（1次）よりも悪いものです。実際、2次ははるかに悪いのです。ソートする項目が2倍になると、4倍の時間がかかります。アイテムの数が10倍あると、100倍の時間

がかかります。そして、1,000 倍のアイテムがあると、100 万倍もの時間がかかるのです！これは良くありませんね。

　幸いなことに、もっと速いソートが可能です。1959 年頃に英国のコンピューター科学者トニー・ホアによって考案された「クイックソート」と呼ばれる巧妙なアルゴリズムを見てみましょう（ホアは、クイックソートも含む数々の貢献に対して、1980 年にチューリング賞を受賞しています）。それはエレガントなアルゴリズムであると同時に分割統治の良い例です。

　再び、ソートされていない名前の列を挙げましょう。

Intel　Facebook　Zillow　Yahoo　Pinterest　Twitter　Verizon
Bing　Apple　Google　Microsoft　Sony　PayPal　Skype　IBM
Ebay

　単純化したクイックソートで名前をソートするために、まず一度名前を全部見て、A から M で始まる名前をひとつの山に積み、N から Z で始まる名前を別の山に積みます。この作業で山がふたつできて、それぞれの山には 8 個の名前が積まれています。ここでは、各ステップでおよそ半分の名前がそれぞれの山に入るように、名前の分布がひどく偏ってはいないことを想定しています。結果として得られたふたつの山には、それぞれ 8 個の名前が入っています。

Intel　Facebook　Bing　Apple　Google　Microsoft　IBM　Ebay

Zillow　Yahoo　Pinterest　Twitter　Verizon　Sony　PayPal
Skype

　今度は、A から M までが積まれた山の中を見て、A から F までを

ひとつの山に入れ、GからMをもうひとつの山に入れます。またN
からZの山に対してはNからSをひとつの山に入れ、TからZを別
の山に入れます。この時点で、私たちは名前を2回通して見ています。
そして、それぞれおよそ4分の1の名前が積まれた4つの山を手に入
れています。

Facebook　Bing　Apple　Ebay
Intel　Google　Microsoft　IBM
Pinterest　Sony　PayPal　Skype
Zillow　Yahoo　Twitter　Verizon

　さらに次のパスは、それらの山をそれぞれ通してみて、A-F の山を
ABC と DEF に、G-M を GHIJ と KLM に分け、同様に N-S と T-Z を
それぞれ分割します。この時点で、それぞれふたつの名前を持つ8つ
の山があります。

Bing　Apple
Facebook　Ebay
Intel　Google　IBM
Microsoft
Pinterest　PayPal
Sony　Skype
Twitter　Verizon
Zillow　Yahoo

　もちろん、最終的には名前の最初の文字だけでなく、それ以上の文
字も見なければなりません。たとえば IBM を Intel より前に置き、
Skype を Sony よりも前に置くためには、そうする必要があります。
しかし、あと1、2回全体を通して見れば、私たちはそれぞれひとつ

だけの名前を含む 16 個の「山」が手に入ります。その時点で名前は
アルファベット順に並んでいるのです。

　結局、どのくらいの仕事量だったのでしょう？　各パスでは 16 個の
名前をそれぞれ調べました。もし分割が毎回完全であれば、山に含ま
れる名前は、まず 8 個、次に 4 個、そして 2 個、1 個と減っていきます。
必要なパス数は、16 を 2 で割っていって、1 になるまでの回数です。
それは 16 の 2 を底とする対数、つまり 4 です。したがって、16 個の
名前に対して必要な作業量は 16 $\log_2 16$ 回です。データを 4 回通して
見るためには 64 回操作が必要ですが、選択ソートの場合には 136 回
必要でした。これは名前が 16 個の場合です。もしそれ以上の個数に
なったときには、**図 1** に示すように、クイックソートの優位性はも
っと際立ちます。

　このクイックソートアルゴリズムは常にデータをソートしてくれま
すが、効率が良いのは、それぞれの分割が、ほとんど同じ大きさの山
にグループ分けできるときに限ります。実際のデータでは、毎回ほぼ
同じ大きさのグループに分割できるように、クイックソートは中央の

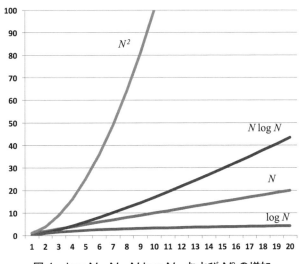

図 1　$\log N$、N、$N \log N$、および N^2 の増加

データ値を推定しなければなりません。実際には、いくつかの項目を
サンプリングすれば、十分な推定が行えます。

　一般に（そしていくつかの微妙な点を無視すれば）、クイックソー
トはN個の項目をソートするのにおよそ $N \log N$ 回の操作を必要と
します。つまり仕事量は $N \times \log N$ に比例します。これは線形より
は悪い（回数が多い）のですが、それほどひどくはありません。そし
てNがとても大きいときには、それは2次（N^2）よりはるかに優れ
ています。

　先に示した図1のグラフは、データ量が増加するにつれて、$\log N$、N、
$N \log N$、および N^2 がどのように増加するかを示したものです。20
個の点をプロットしていますが、2次の曲線はそのうちの10個しか
図中に描かれていません（それ以外の点は天井を突き抜けてしまって
います）。

　実験として、米国の社会保障番号に似た1,000万個の9桁のランダ
ムな数字を生成してから、様々なサイズをソートするのに必要な時間
を、選択ソート（$N^2/2$ 次）、クイックソート（$N \log N$）のそれぞれ
に対して計測しました。その結果を示したのが**図2**です。表中のダッ
シュは実行しなかったケースです。

　短時間だけ実行されるプログラムの実行時間を正確に測定するのは
難しいので、ここに挙げた数字はおおよそと考えてください。とは言
え、クイックソートの予想時間である $N \log N$ の成長カーブを、大ま

数字の数 （N）	選択ソート 時間（秒）	クイックソート 時間（秒）
1,000	0.047	-
10,000	4.15	0.025
100,000	771	0.23
1,000,000	-	3.07
10,000,000	-	39.9

図2　ソート時間の比較

かに見ることはできます。さらに、選択ソートの現実的な実行可能サイズは 10,000 個程度が限界だということもわかります。これでは全く使えたものではありません。すべての段階で、選択ソートはクイックソートに完璧に打ちのめされています。

また、100,000 項目の選択ソート時間が、10,000 個の場合に比べて予想される 100 倍ではなく、約 200 倍になっていることにも気付いたかもしれません。これはおそらくキャッシュ効果です。数字がすべてキャッシュに収まらないため、ソートは遅くなったのです。これは、抽象化された計算作業と、現実のプログラムによる具体的な計算との違いをよく表しています（訳注：キャッシュについては第3章の3.2で説明しています）。

4.4 困難な問題と複雑さ

ここまで、アルゴリズムの「複雑性」もしくは実行時間の観点から、様々な特徴を調べてきました。一方の端には、バイナリー探索で見たように log N があります。これはデータ量が増えても極めて少ししか作業量が増えません。最も一般的なケースは、作業がデータ量に正比例する線形（単純に N）の場合です。

クイックソートのような、N log N のアルゴリズムもあります。これは N よりは悪い（作業量の増加が多い）のですが、対数はとても少しずつ増加するので、N がとても大きな値の場合でも、まだまだ実用的に使えます。そして N²、すなわち 2 次のアルゴリズムがあります。急速に作業量が増加し、苦痛を伴うか、そもそも実用的ではないか、のいずれかになります。

より複雑になる可能性は多々あります。3 次（N³）のように、2 次よりもさらに性能が悪く、その複雑性が予想できるものもあります。専門家しか気にしないような、複雑怪奇なアルゴリズムもあります。

知っておく価値のある複雑さがもうひとつあります。実際に起き得る特に悪いケースであり、しかも重要です。「指数的」（exponential）

複雑さの場合は、2^N（N^2 と同じではありません！）のように悪化します。指数的アルゴリズムでは、作業量はとても急激に増加するので、項目をひとつ追加すると作業量が2倍になります。指数的アルゴリズムは、項目数を2倍にしても1ステップしか増加しない $\log N$ アルゴリズムとは、ある意味では対極にあります。

　指数的アルゴリズムは、事実上すべての可能性をひとつずつ試す必要がある状況で発生します。幸いなことに、この指数的アルゴリズムが必要とされることにより、助かる場合もあります。特に暗号学におけるいくつかのアルゴリズムは、特定の計算タスクを実行するための指数的困難さに基づいています。そうしたアルゴリズムでは、秘密の近道を知らないままでは直接問題を解くのが計算上ほぼ不可能なくらい（とにかく長い時間がかかる）、十分に大きい N が選ばれます。これが外敵に対して保護してくれるのです。暗号化については第13章で見ていきます。

　ここまで読んできて、扱いやすい問題と扱いにくい問題があることを直感的に理解できたのではないでしょうか？　この区別はさらに正確に定義できます。「簡単な」問題とは、複雑さが「多項式的」なものです。つまり、計算時間が N^2 のような多項式で表されるのです。とは言うものの、指数が2以上のときには困難な場合が多くなります（「多項式」が何だったかを忘れてしまっていてもご心配なく。ここでは単に N^2 や N^3 のような、変数の整数乗だけの式を意味しています）。コンピューター科学者は、この種の多項式時間で解ける問題を「多項式的」（polynomial）であるという理由で、P と呼びます。

　実際に起こる多くの問題や実用的な問題の中には、解くために指数的アルゴリズムが必要になる場合もあるようです。つまり、私たちは、その問題を解くための多項式的アルゴリズムを知らないということです。こうした問題は、NP 問題と呼ばれています。NP 問題には、解をすぐに見つけられないという性質がある反面、提案された解が正しいかどうかは素早く検算できる性質があります。NP は「非決定性多

項式」(nondeterministic polynomial) の略です。インフォーマルな定義を述べると、「問題を解く際に複数の選択肢から常に正しいものを選べる理想的なアルゴリズムを使えば、多項式時間内に解ける問題[※1]」になります。実生活では、常に正しく選択できるような幸運は存在しないので、これは理論上のアイデアに過ぎません。

多くのNP問題はとても技術的ですが、簡単に説明できて、実用的な用途を想像できる例があります。その「巡回セールスマン問題」では、セールスマンは自分の住む街から出発し、他の特定の都市を任意の順序で訪問して、最後に帰宅しなければなりません。ここでの目標は、各都市を1回だけ（複数回の訪問はなし）訪問し、移動距離の合計を最も小さくすることです。これは、スクールバスやゴミ収集車の効率的なルーティング（経路選択）に転用できます。はるか昔に私がこの問題に取り組んだときには、様々な用途に応用されました。たとえば、回路基板にドリルで穴を空ける経路とか、メキシコ湾の特定の場所で海水のサンプルを採る船の航路、などです。

図3は、ランダムに生成した10都市の巡回セールスマン問題を、直感に訴える「最も近い隣接都市」解法で解いた例です。これは、ある都市から出発して、最も近い未訪問の隣接都市に行くという手法です。この例では、経路の長さは12.92となります。この手法を用いた最も短い経路が図3です。

巡回セールスマン問題は1800年代に初めて取り上げられて以来、熱心に研究されてきました。大規模な問題を解決するための技法はずいぶん改善されてきましたが、「正解」を見つけるには結局すべての経路を調べてみる必要があります。

最短の経路を**図4**に示します。18万ものすべての経路を調べ尽くした結果です。その長さは11.86で、先に示した「最も近い隣接都市」

※1　訳注：量子コンピューターが注目されるのは、こうした複数の選択肢を「同時」に演算できるために、このような「理想機械」に今よりも近付きやすくなるためです。

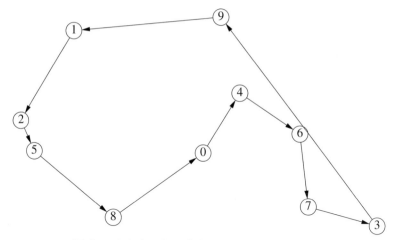

**図3　10都市による「巡回セールスマン問題」を
「最も近い隣接都市」解法で解いた例（長さ 12.92）**

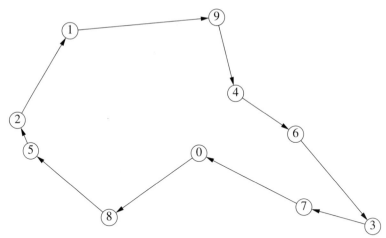

**図4　10都市による「巡回セールスマン問題」を解いた
最も短い経路（長さ 11.86）**

手法に比べると約8% 短くなっています。

　同じことが、他の様々なタイプの問題にも当てはまります。効率的
に解決するための良い方法が、すべての可能性をくまなく探す以外に

見つかっていないのです。アルゴリズムを研究する人々にとって、これは辛い状態です。こうした問題が本質的に難しいのか、それとも、単に愚かでその問題を扱う方法を見出していないだけなのかを、私たちは知りません。とは言え、現在は、「本質的に難しい」側に立つ人の数が増えています。

1971 年にスティーブン・クックによって示された驚くべき数学的成果が[※2]、これらの問題の多くが同等であることを示しました。すなわち、それらのどれかひとつに対して多項式時間アルゴリズム（つまり N^2 程度のもの）を発見できたら、残りの問題すべてに対しても多項式時間アルゴリズムを見つけられることを意味するのです。クックはこの研究によって 1982 年のチューリング賞を受賞しました。

2000 年に、クレイ数学研究所は 7 つの未解決問題を解決した者に対して、それぞれ 100 万ドルの賞金を提供すると発表しました。これらの未解決問題のひとつが、P が NP と等しいか否かの決定、すなわち難しい問題は、本当は簡単な問題と同じ種類なのか否かの決定でした。未解決問題リストに載っている別の問題であるポアンカレ予想（起源は 1900 年代初頭にさかのぼります）は、ロシアの数学者グリゴリー・ペレルマンによって解決され、賞は 2010 年に授与されましたが、ペレルマンは受賞を拒否しました。残されている問題は 6 つだけです。誰かがあなたに先んじて解決しないように、急いだ方が良いでしょう！

この種の複雑さについて留意しておくべきことがいくつかあります。まず、P=NP 問題は重要ですが、これは実用的な問題というよりも、どちらかと言えば、理論的な問題です。コンピューター科学者によって指摘された、複雑な結果のほとんどは、最悪の場合を想定しています。つまり、すべての問題例がそれほど難しいとは限らないものの、

※2　訳注：論文としては、"The Complexity of Theorem Proving Procedures"（定理証明手続きの複雑性）が 1971 年に発表されています。

中には答を計算するのに（理論的に）最大の時間を必要とする例も紛れ込んでいるのです。あるいは N が十分大きな値のときにだけ問題になるようなものです。

　実生活では、N は計算量増加の振る舞いが問題にならないほど、十分に小さいかもしれません。たとえば、ほんの数十あるいは数百の項目をソートしているだけなら、選択ソートは複雑さが 2 次的であっても、つまりクイックソートの $N \log N$ よりも計算上ははるかに悪いとしても、まだ十分に速いかもしれません。10 個の都市を訪問するだけなら、可能性のあるルートすべてを検討できますが、100 都市の場合は現実的ではなく、1,000 になったら事実上不可能です。結局のところ現実的には、近似解で十分であることが多いのです。完全に最適なソリューションは必要ないのです。

　一方、暗号システムのような重要なアプリケーションでは、「この問題は本当に難しいはずだ」という確信^{belief}に基づいています。そのため、その攻撃方法を発見する試みは、短期的には実用的にはならないと思われるものの、重要な意味を持っています。

4.5 まとめ

　コンピューターサイエンスは「どれくらい速く計算できるのか」という課題を長年詳細に分析し追求してきました。実行時間を N、$\log N$、N^2、$N \log N$ といったように、データの量に基づいて表現しようというアイデアは、その成果です。この記法では、あるコンピューターは他のコンピューターよりも速いのか、とか、誰かは他の人よりも優れたプログラマーなのか、といった懸念は無視されます。

　この記法は、問題そのものやアルゴリズムの複雑さを表します。そのため、ある計算が現実的か否かを比較したり判断する良い手段になるのです（問題の本質的な複雑さと、それを解決するためのアルゴリズムの複雑さが同じである必要はありません。たとえば、ソートは $N \log N$ 問題で、クイックソートは $N \log N$ アルゴリズムですが、選択

ソートは N^2 アルゴリズムです)。

　アルゴリズムと複雑さの研究は、理論と実践の両方の観点から、コンピューターサイエンスの主要な部分です。私たちは、何が計算できるのか、何が計算できないのか、そして、必要以上にメモリーを使用せずに高速に計算する方法はどのようなものかとか、あるいは計算速度とメモリーのバランスをとることに、関心があるのです。私たちは根本的に新しくて、良い計算方法を探しています。はるか昔のものではありますが、クイックソートはその良い例なのです。

　多くのアルゴリズムは、これまでに説明した基本的な探索およびソートのアルゴリズムよりも、特殊で複雑です。たとえば、メモリーの占有量を減らすために、MP3 や AAC（音楽）、JPEG（画像や写真）、MPEG（動画）といった圧縮アルゴリズムが利用されています。

　エラーの検出および訂正を行うアルゴリズムも重要です。データは保存されたり、送信されたりするときに、破損する可能性があります。たとえば雑音の多い無線チャンネルや傷の付いた CD などを想像してみればわかります。データに意図的な冗長性を持たせたアルゴリズムにより、いくつかのエラーを検出したり、場合によっては訂正したりできるのです。通信ネットワークにおいて意味があるので、第 8 章でこのアルゴリズムをまた説明します。

　意図した受信者だけが読める秘密のメッセージを送信する暗号化技術は、アルゴリズムに大きく依存します。暗号化については第 13 章で説明します。コンピューターが安全な方法で個人情報を交換する場合に、深く関係するからです。

　Bing や Google などの検索エンジンにおいても、アルゴリズムがとても重要な役割を果たしています。原理的には、検索エンジンが行っていることの大部分は単純です。いくつかのウェブページを収集し、情報を整理し、そして検索しやすくして、効率的に検索するのです。問題はその規模です。毎日何十億ものウェブページと何十億もの問い合わせがある場合、$N \log N$ でも十分ではありません。ウェブの成長

速度や、その上で興味あるものを探す私たちの欲求に追いつくために、多くのアルゴリズムと巧妙なプログラミングが投入されているのです。検索エンジンについては第11章で詳しく説明します。

　アルゴリズムはまた、発話の理解、顔や画像の認識、言語の機械翻訳といったサービスの中核です。これらはすべて、関連する機能のためにマイニング[※3] できる膨大なデータを手に入れられるかどうかに依存します。そのため、アルゴリズムも線形もしくそれ以上に良い必要がありますし、複数の情報を複数のプロセッサー上で同時に処理できるよう、通常は並列化が必要です。第12章でさらに詳しく取り上げます。

※3　訳注：マイニングの意味は採掘で、ここでは「データからの情報抽出」を表します。

− 5 −
プログラミングと
プログラミング言語

> どうやら私の残りの人生の素晴らしい部分は、
> 自分の書いたプログラムの間違い探しに費やされるのだ、
> という強い思いに打ちのめされました

**最初のストアドプログラム方式のデジタルコンピューター
EDSACの開発者、モーリス・ウィルクス、
(Memoirs of a Computer Pioneer=ウィルクス自伝：コンピューターのパイオニアの回想, 1985.**

　ここまではアルゴリズムについてお話ししてきました。アルゴリズムは、細かい点や実用性を無視した、抽象的な、または、理想化した手順です。アルゴリズムは、正確で、曖昧さのないレシピです。アルゴリズムは、その意味が詳細に定義され、公開されている基本操作群を用いて記述されます。考え得るあらゆる状況をカバーしながら、それらの操作を通して一連の手順を詳細に説明し、最後は止まる（停止する）ことが保証されています。

　アルゴリズムとは対照的に、プログラムは抽象的ではありません。プログラムは、タスクを達成するために実際のコンピューターが実行しなければならない、一つひとつの具体的なステップを書き表したものです。アルゴリズムとプログラムの違いは、青写真と実際の建物の違いに似ています。ひとつは理想化されたもの、もうひとつは実物です。

　プログラムを「コンピューターが直接処理できる形式で表現した、

ひとつあるいはそれ以上のアルゴリズム」とみなすこともできます。プログラムでは実用上の問題——メモリー不足、限られたプロセッサー速度、無効な、あるいは悪意のある入力データ、欠陥のあるハードウェア、ネットワークの切断、（背後に潜んで他の問題を悪化させがちな）人間的な弱さ_{human frailty}——について配慮しなければなりません。アルゴリズムが「理想化されたレシピ」であるなら、プログラムは、敵の攻撃を受けながら自軍に毎日食事を用意する調理ロボットのための「詳細な手順の集まり」なのです。

　比喩で話を進めてきましたが、もちろんこの先は、プロになれるほどではないにせよ、何が起きているかを理解してもらえる程度には詳しく、実際のプログラミング（訳注：プログラムを書くこと）を説明します。ただし、プログラミングは難しいものです。正しく行うべき多くの詳細な約束事がありますし、小さな失敗が大きなエラーにつながる可能性もあるからです。それでも、不可能ではありませんし、仕事で使えるスキルであることに加えて、とても楽しいものでもあるのです。

　コンピューターに私たちが望むことや必要なことすべてをやらせるためには、膨大な量のプログラミングが必要です。しかし、十分な数のプログラマーがいません。したがって、コンピューティングにおける継続的なテーマのひとつが、「コンピューター自身をプログラミングの詳細に大きく関わらせること」なのです。このテーマが「あるタスクを実行するために必要な計算工程を、少しでも人間にとってわかりやすく表現できるようにしよう」というプログラミング言語そのものの議論につながっています。

　また、特に現代のハードウェアの複雑さを考えると、コンピューターのリソース（構成要素、資源）管理は大変な作業です。そこで、コンピューター自身を管理するためにも、コンピューターが使われます。これが、オペレーティングシステムへとつながっています。

　プログラミングとプログラミング言語が、本章の話題です。続く第6章ではソフトウェアシステム、特にオペレーティングシステムにつ

いて扱います。第7章では、重要なふたつの言語である JavaScript（ジャバスクリプト）と Python（パイソン）について、さらに詳しく説明します。

　本章に出てくる、プログラミング例の構文に関する詳細は、読み飛ばしても構いません。ただし、計算の表現方法の類似点と相違点に関しては、しっかり見ておく価値があります。

5.1 アセンブリー言語

　史上初の、真にプログラミング可能な電子式コンピューターを使ったプログラミングは、骨の折れる作業でした。プログラマーは、命令とデータを2進数に変換し、カードや紙テープに穴を開けて、それらの数字を機械で読み取り可能にしてから、コンピューターのメモリーにロードする必要がありました。このレベルでのプログラミングは、たとえ小さなプログラムであっても、とても困難でした。何より正しく行うことが難しいのです。さらに、間違いを見つけて変更したり、命令やデータを変更・追加したりするのも困難でした。

　冒頭で引用したモーリス・ウィルクスの言葉に、困難さの片鱗が現れています。ウィルクスは1949年に稼働した、世界初のストアド・プログラム方式のコンピューター EDSAC を設計・実装した人物でした。彼はその業績に対して1967年にチューリング賞を受賞し、2000年にはナイトに叙せられました。

　1950年代の初頭には、プログラムを書く際の決まりきった面倒事を自動的に処理するプログラムが生まれました。これによりプログラマーは、たとえば5ではなく ADD といった意味のある単語を命令として使ったり、14ではなく Sum といった名前を特定のメモリー位置を表現するために使ったりできるようになったのです。この、「他のプログラムを処理するプログラム」という強力なアイデアは、ソフトウェアの最先端の中心に位置してきました。上に挙げた決まりきった面倒事を処理してくれるプログラムは「アセンブラー」と呼ばれます。

なぜなら元々アセンブラーは、すでに他のプログラマーによって書かれたプログラム部品を必要に応じて組み立てる（アセンブル）作業を行うものだったからです。

　ここで使われる言語は「アセンブリー言語」と呼ばれ、このレベルでのプログラミングは「アセンブリー言語プログラミング」と呼ばれます。第2章でトイ・コンピューターの記述とプログラミングに使用していた言語は、アセンブリー言語です。アセンブラーは、プログラマーが命令を加えたり削除したりしてプログラムを変更する作業を、とても簡単にしてくれます。なぜならアセンブラーは、それぞれの命令とデータがメモリーのどこに配置されるかを、プログラマーの手作業を省いて、管理してくれるからです。

　特定のプロセッサーアーキテクチャ向けのアセンブリー言語は、そのアーキテクチャ専用です。アセンブリー言語は通常、プロセッサーの命令と1対1に対応し、命令がバイナリーに変換される際の特定のやり方や、情報がどのようにメモリーに配置されるのか、などを知っています。つまり、ある特定の種類のプロセッサー（たとえばWindows機向けのIntelプロセッサーなど）のアセンブリー言語で書かれたプログラムは、同じタスクのために違うプロセッサー（たとえば携帯電話のARMプロセッサーなど）向けに書かれたアセンブリー言語プログラムとは全く異なるのです。アセンブリー言語プログラムをこれらのプロセッサーの一方から他方向けに変換したい場合には、プログラムを全面的に書き直す必要があります。

　具体的に説明しましょう。以前説明したトイ・コンピューターでは、ふたつの数を足して結果をメモリーに格納するためには3つの命令が必要でした。

```
LOAD X
ADD Y
STORE Z
```

これは、現存する様々なプロセッサーでも同様です。しかし、異なる命令セットを持つCPUの場合には、この計算はアキュムレーターを使用せずにメモリー位置にアクセスするふたつの命令シーケンス（命令列）で実現できます。

```
COPY X, Z
ADD Y, Z
```

トイ・プログラムを2台目のコンピューターで実行できるように変換するには、プログラマーが両方のプロセッサーに精通し、かつ一方の命令セットから他方の命令セットに変換する際に、細心の注意を払わなければなりません。それは大変な仕事です。

5.2 高水準言語

1950年代後半から1960年代初頭にかけて、プログラマーのためにコンピューターにもっと多くの仕事をやらせようとする、新たな試みが始まりました。おそらくそれは、プログラミング史上最も重要なステップでした。特定のプロセッサーのアーキテクチャに依存しない「高水準言語」（訳注：高級言語とも呼ばれます）の開発です。高水準言語は計算処理 computations を、人間が表現するやり方に近い手順として、書き表せるようにしてくれます。

高水準言語で書かれたコードは、変換プログラムにより特定のプロセッサーのアセンブリー言語の命令に変換され、さらにアセンブラーによってビットに変換され、それがメモリーにロードされて実行されます。この変換プログラムは通常、「コンパイラー」（訳注：「編集する者」という意味です）と呼ばれています。これは歴史的な用語ですが、内容をあまり直感的には伝えてくれません。

典型的な高水準言語では、ふたつの数XとYを加算し、その結果を3番目の値Zとして格納する上記の計算は、次のように表現され

ます。

$$Z = X + Y$$

　これが意味するのは、「XとYという名前のメモリー位置から値を取り出して、それらを加算し、その結果をZという名前のメモリー位置に格納する」というものです。なお、ここで使われている演算子「＝」は、「等しい」という意味ではなく、「置換する」または「保存する」ことを意味します。

　トイ・コンピューター向けのコンパイラーは、これを３つの命令シーケンスに変換しますが、前節に挙げた他のコンピューター向けのコンパイラーなら、ふたつの命令シーケンスに変換するでしょう。それぞれのアセンブラーは、アセンブリー言語の命令をビットパターンに変換し、同時にX、Y、そしてZの大きさに応じたメモリー位置を確保します。

　このプロセスを**図１**に示します。図１が示すのは、同じ入力の式が、ふたつの異なるコンパイラーと、それぞれに対応するアセンブラーを通って、ふたつの異なる命令シーケンスになる様子です。

　コンパイラーの多くは、その内部で、「フロントエンド」部と「バックエンド」部に分かれています。フロントエンド部は、高水準言語で書かれたプログラムを中間形式に変換します。バックエンド部は、生み出された共通の中間形式を特定のアーキテクチャのアセンブリー言語に変換します。この構成のコンパイラーは、フロントエンドとバックエンドをそれぞれ使い回わせるので、独立したコンパイラーをプロセッサーごとに作るよりも実現が容易です。同じアーキテクチャ向けの別言語のコンパイラーを作りたければフロント部だけを書き換えれば良く、同じ言語のコンパイラーを別アーキテクチャー向けにしたければバックエンドだけを書き換えれば良いからです。

　高水準言語は、アセンブリー言語に比べて、大きな利点があります。

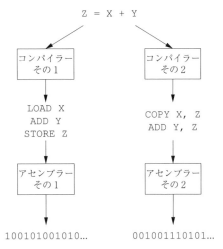

```
                  Z = X + Y

      ┌──────────┐        ┌──────────┐
      │コンパイラー│        │コンパイラー│
      │  その1    │        │  その2    │
      └──────────┘        └──────────┘
            │                   │
            ▼                   ▼
       LOAD  X             COPY  X, Z
       ADD   Y             ADD   Y, Z
       STORE Z

      ┌──────────┐        ┌──────────┐
      │アセンブラー│        │アセンブラー│
      │  その1    │        │  その2    │
      └──────────┘        └──────────┘
            │                   │
            ▼                   ▼
   100101001010...      001001110101...
```

図1　ふたつのコンパイラーによるコンパイルの過程

高水準言語は、人間の考え方に近いため、習得や使用が容易です。高水準言語でプログラムを書くために、特定のプロセッサーの命令セットについて知っておく必要はありません。したがって、高水準言語を使うことで、多くの人が素早く、コンピューターをプログラミングできるようになるのです。

　高水準言語のプログラムは特定のアーキテクチャに依存しません。なので、図1のように異なるコンパイラーでコンパイルするだけで、通常は全く変更を加えることなく、同一のプログラムを異なるアーキテクチャのコンピューター上で実行できます。プログラムは一度書かれるだけで、多くの異なるコンピューター上で実行できるのです。これにより、まだ存在していないアーキテクチャ向けも含め、複数種類のコンピューターに対する開発コストを節約できます。

　また、コンパイルの過程では、スペルミス、対応していない括弧といった構文エラー、未定義の値に対する操作などの、明らかな間違いに対する事前チェックが行われます。実行可能なプログラムを生成するためにプログラマーは、それらを修正しなければなりません。このようなエラーの中には、アセンブリー言語では検出困難なものがあり

ます。なぜなら、アセンブリー言語ではどんな命令の並び方でも、正しいものとして扱われるからです（もちろん、構文的に正しいプログラムだとしても、コンパイラーでは検出できないエラーがたくさん残っている可能性はあります）。高水準言語の重要性は、いくら強調してもしすぎることはありません。

　ここからは同じ内容のプログラムを、Fortran、C、C++、Java、JavaScript、および、Python という、最も重要な6つの高水準言語で紹介します。これにより言語間の類似点と相違点を感覚的に理解できるでしょう。それぞれのプログラムは、第3章でトイ・コンピューターのために書いたものと同じ動作をします。つまり、整数の列を加算していき、0が入力されたら合計を出力して停止する、という動作です。プログラムはすべて同じ構造を持っています。プログラムが使用する数を格納する場所に名前を付け、合計値を表す sum を0に初期化し、0が入力されるまでは数値を読み取ってはそれを合計に加算し続けて、最後に合計を出力します。構文の詳細については心配しないでください。ここでの主目的は、「言語がどのように見えるか」への理解です。私は、それぞれの例がなるべく似た形になるように努めました。そのため、おそらく個々の言語から見ると最善の書き方ではないかもしれません。

5.2.1 Fortran、COBOL、BASIC

　最初の高水準言語は、特定のアプリケーション分野を対象としていました。最も初期の言語のひとつは、FORTRAN と呼ばれています。この名前は「Formula Translation」（訳注：「数式の変換」という意味です）に由来しますが、現在は「Fortran」と表記されます。Fortran は、ジョン・バッカスが率いる IBM のチームによって開発され、科学と工学のための計算を表現するのに大きく成功しました。私を含む多くの科学者やエンジニアが、最初のプログラミング言語として Fortran を学びました。Fortran は今も活発に使われています。1958年以降何

段階かの進化を遂げてきましたが、変わらず同じ言語だとみなせる存在です。バッカスは 1977 年に、Fortran に対する仕事に対してチューリング賞を受賞しました。

図 2 は、一連の数値を合計する Fortran プログラムです。

```
      integer num, sum
      sum = 0
10    read(5,*) num
      if (num .eq. 0) goto 20
      sum = sum + num
      goto 10
20    write(6,*) sum
      stop
      end
```

図 2　数を合計する Fortran プログラム

　これは Fortran 77 で書かれています。それ以前の版や、ずっと新しい Fortran 2018 版では、やや違う形で書かれます。算術式と操作の順序の両者を、どのようにトイ・アセンブリー言語に変換すればよいかは、おそらく想像できるでしょう。もちろん read 操作と write 操作は、GET と PRINT に対応していますし、4 行目は明らかに IFZERO テストです。

　1950 年代後半に登場した、その次に主要な高水準言語は、COBOL（Common Business Oriented Language：共通事務処理用言語）でした。COBOL はグレース・ホッパーが行った、アセンブリー言語を置き換える仕事に強く影響を受けています。ホッパーは、ハワード・エイケンとともに、初期の機械式コンピューターである Harvard Mark I と II、その後は UNIVAC I 上で仕事をしました。ホッパーは高水準言語とコンパイラーの可能性を最初に認識した 1 人です。COBOL は、特にビジネスにおけるデータ処理を目的としていました。在庫の管理、請求書の作成、給与計算などに使用される種類のデータ構造と計算を簡単に表現できる言語機能を備えていたのです。COBOL もまだ使わ

れています。大きく変化はしましたが、それでも中を見れば同じもの
だということがわかります。古い COBOL プログラムは今でも大量に
残っていますが、残っている COBOL プログラマーの数は多くありま
せん。2020 年にはニュージャージー州で、Covid-19 のおかげで増え
続ける申請を、古いプログラムが処理しきれなくなったのですが、ニ
ュージャージー州政府は該当する COBOL プログラムをアップグレー
ドできるだけの経験を持つプログラマーを見つけられませんでした。

　ジョン・ケメニーとトム・カーツによって 1964 年にダートマス大
学 で 開 発 さ れ た BASIC（Beginner's All-purpose Symbolic
Instruction Code：初心者向け汎用シンボリック命令コード）は、当
時現れた、また別の言語です。BASIC はプログラミングを教えるた
めの簡単な言語であることを意図していました。BASIC は特にシン
プルな上に、とても少ないコンピューティングリソースしか必要とし
なかったので、最初のパーソナルコンピューター上で利用可能な、最
初の高水準言語となりました。実際、Microsoft の創業者であるビル・
ゲイツとポール・アレンは、1975 年に Altair マイクロコンピュータ
ー（訳注：Altair 8800 です）用の BASIC コンパイラーを作成すること
から始めましたが、それは彼らの会社の最初の製品でした。今も
Microsoft Visual Basic が、BASIC の主要な系統として積極的にサポ
ートされています。

　コンピューターが高価で、それにもかかわらず速度が遅く能力も制
限されていた初期の頃は、高水準言語で書かれたプログラムは非効率
的過ぎるのではないかという懸念がありました。なぜなら当時のコン
パイラーは、熟練のアセンブリー言語プログラマーが書くような、コ
ンパクトで効率的なアセンブリーコードを生成できなかったからです。
そこでコンパイラーを書く人たちは、手書きと同じくらい良いコード
を生成できるように一所懸命働きました。そのおかげで高水準言語が
定着していったのです。何百万倍も高速なコンピューターと豊富なメ
モリーを手にした現在のプログラマーは、個々の命令レベルでの効率

について心配することはめったにありません。それでも、コンパイラーとコンパイラーの作者は、今でも変わらずに頑張っているのです。

　Fortran、COBOL、BASIC の成功は、特定のアプリケーション分野に重点を置いたことに助けられました。これらの言語は意図的に、万能（どんなプログラミングタスクにも利用できる）だとは主張していなかったのです。

5.2.2 C、C++

　1970 年代には、「システムプログラミング」を意識した、つまりアセンブラー、コンパイラー、テキストエディター、さらにはオペレーティングシステムなどのプログラマー向けツールの記述を意識した言語が作られました。これらの言語で最も成功したのが C です。1973 年にデニス・リッチーによってベル研究所で開発され、今でも人気が高く、非常に広範囲で使われている言語のひとつです。登場以来、C に加えられた変更は大きくありません。現在の C プログラムも、30 〜 40 年前に書かれたものとよく似ています。比較のために、**図 3** に C で書かれた、これまでと同じ「数を合計する」プログラムを示します。

```
#include <stdio.h>
int main() {
    int num, sum;
    sum = 0;
    while (scanf("%d", &num) != EOF && num != 0)
        sum = sum + num;
    printf("%d\n", sum);
    return 0;
}
```

図 3　数を合計する C プログラム

　1980 年代には、非常に大規模なプログラムの管理を助けるために、C++（やはりベル研究所所属の、ビャーネ・ストロヴストルップに

よる）のような言語の開発も行われました。C++ は C から発展した言語で、ほとんどの場合、任意の C プログラムは有効な C++ プログラムでもあります。図 3 の C プログラムも有効な C++ プログラムとみなせます。しかし、その逆はありません。**図 4** は、C++ で数値を合計する例を示しています（示しているのは、それを書くための様々なやり方のひとつです）。

```
#include <iostream>
using namespace std;
int main() {
    int num, sum;
    sum = 0;
    while (cin >> num && num != 0)
        sum = sum + num;
    cout << sum << endl;
    return 0;
}
```

図 4　数を合計する C++ プログラム

　私たちが今日、手元のコンピューター上で使用している主要なプログラムのほとんどは、C または C++ で書かれています。私は本書を Mac で書いており、そのほとんどのソフトウェアは C、C++、そして Objective-C（C の方言のひとつ）で書かれています[※1]。本書の最初のドラフトを書いたのは Microsoft Word で、これは C と C++ で書かれたプログラムです。今日編集し、フォーマットし、そして印刷するのに使ったのも、C および C++ プログラムで書かれたプログラムです[※2]。そして、バックアップコピーを Unix と Linux オペレーティングシステム（どちらも C で書かれたプログラムです）上で行って

※1　訳注：Mac 用アプリを書くための言語としては、Apple の開発した Swift が使われる例が増えています。

※2　訳注：Windows 用アプリを書く言語としては、Microsoft の開発した C# が使われる例が増えています。

いて、一方インターネットを Firefox や Chrome、そして Edge（いずれも C++）でブラウジングしています※3。

5.2.3 Java、JavaScript

1990 年代には、インターネットとワールド・ワイド・ウェブの成長に対応する形で、多くの言語が開発されました。コンピューターのプロセッサーは速くなり、メモリー容量は大きくなり続けました。そして素早くプログラミングできる利便性の方が、マシンの効率よりも重要な観点になったのです。Java や JavaScript といった言語は、こうしたトレードオフを意図的に行いました。

Java は、Sun Microsystems のジェームス・ゴスリングによって1990 年代初頭に開発されました。当初の適用対象は、家電製品や電子機器といった小型の組み込みシステムで、速度はそれほど重要ではないものの、柔軟性が重要な分野でした。Java はウェブページ上で動作するように目標が変更されましたが、そちらの目的ではあまり使われませんでした。しかしウェブサーバー上では広く使われています。たとえば eBay のようなサイトを訪問した際には、あなたの手元のコンピューターは C++ と JavaScript を実行しています。一方 eBay 側は、Java を使ってページを準備し、あなたが使っているブラウザーに向かって送り出しているのです。

Java はまた、Android アプリを書くための主要言語でもあります。Java は C++ よりもシンプルですが（とは言え C++ 同様に複雑さは増し続けています）、C よりは複雑です。さらに Java は、危険な機能をある程度排し、メモリー内の複雑なデータ構造を管理するといった、エラーの発生しやすいタスクを扱えるメカニズムを採り入れているため、C よりも安全です。そうした理由からプログラミング教室で習う最初の言語としても人気があります。

※3　訳注：最新の Firefox は新しく開発された Rust という言語で実装されています。

図5は、Javaによる数値合計プログラムを示しています。このプログラムは他の言語のものに比べると字句が多いのですが、これはJavaプログラム一般に見られがちな特徴です。それでもいくつかの計算式をまとめることで、2、3行は短くできるでしょう。

　複数の書き方があることは、プログラムとプログラミングについての一般的かつ重要な特徴です。特定のタスクを実行するためのプログラムを作成する方法は、たくさんあるのです。この意味で、プログラミングは文芸的創作に似ています。散文を書くときに大切な、言語のスタイルや効果のような関心事は、プログラミングにおいても重要であり、単に優れたプログラマーと真に偉大なプログラマーの違いを生み出します。同じ計算を表現するのに非常に多くの方法があるので、表現には個性が現れます。そのため、他のプログラムからコピーされたプログラムを見つけるのは、難しいことではありません。この点は、どんなプログラミング教室でも最初に強調されるのですが、変数名や行の配置を変えれば、盗作をごまかすのに十分だと考える学生も時折見受けられます。残念ですが、そのやり方はうまくいきません。

```java
import java.util.*;
class Addup {
    public static void main (String [] args) {
        Scanner keyboard = new Scanner(System.in);
        int num, sum;
        sum = 0;
        num = keyboard.nextInt();
        while (num != 0) {
            sum = sum + num;
            num = keyboard.nextInt();
        }
        System.out.println(sum);
    }
}
```

図5　数を合計する Java プログラム

JavaScriptは、Cを起源とする幅広いファミリーに属する言語です

が、多くの違いがあります。1995年に Netscape で、ブレンダン・アイクにより開発されました。JavaScript は、名前の一部が同じというだけで、Java とは何の関係もありません。この言語は最初から、ブラウザーに表示されるウェブページ上で動的な効果を実現するために設計されました。現在ではほぼすべてのウェブページに JavaScriptのコードが含まれています。JavaScript については第7章で詳しく説明しますが、同じ例題を簡単に見比べられるように、**図6**にJavaScript で書いた、数値を合計するプログラムを示します。

```
var num, sum;
sum = 0;
num = prompt("Enter new value, or 0 to end");
while (num != 0) {
    sum = sum + parseInt(num);
    num = prompt("Enter new value, or 0 to end");
}
alert(sum);
```

図6　数を合計する JavaScript プログラム

　JavaScript で実験するのは簡単です。言語自体は単純です。コンパイラーをダウンロードする必要もありません。すべてのブラウザーに組み込まれているからです。計算結果はすぐに表示されます。すぐ後で説明するように、少しばかりの行を足してこの例題をウェブページに掲載すれば、世界中の人に使ってもらえます。

5.2.4 Python
　Python は、アムステルダムの Centrum Wiskunde & Informatica（CWI、国立数学コンピュータ科学研究所）に勤務していたグイド・バン・ロッサムにより 1990 年に開発されました。C、C++、Java、JavaScript と比べて表記の見かけ上最も異なる点は、ステートメントのグループを表すためにカッコではなくインデントを使うことです。
　Python は、開発の初期から読みやすさに主眼をおいて設計されま

した。学びやすい言語で、最も広く使われている言語のひとつになりました。およそ考えられるすべての用途向けに豊富なソフトウェアライブラリが存在します。学んだり教えたりするために言語をひとつだけ選ばなければならないとしたら、私は Python を選びます。詳しくは第 7 章でお話ししますが、ここでは Python で書いた数を合計するプログラムを示しておきます（**図 7**）。

```
sum = 0
num = input()
while num != '0':
    sum = sum + int(num)
    num = input()
print(sum)
```

図 7　数を合計する Python プログラム

　これから言語はどこへ向かって行くのでしょうか？　私の想像では、言語は、私たちを助けるために多くのコンピューターリソースを使って、プログラミングをますます容易にするのではないかと思います。また、プログラマーにとってもっと安全になるように、進化を続けるでしょう。たとえば、C は極めて鋭利なツールであり、手遅れになるまで気が付かないような、うっかりしたプログラミングエラーを容易に生み出してしまいます。気が付いたときには、非道な目的に対して悪用された後だったということもあるでしょう。これに対して、さらに新しい言語では、時には実行を遅くしたり、多くのメモリーを使用したりする犠牲を払いながらも、いくつかのエラーを防いだり、最悪でもエラーを検出したりすることが容易にできるようになっています。ほとんどの場合、これは正しいトレードオフなのですが、それでもまだ世の中には、たとえば車の制御システムや、飛行機、宇宙船、そして武器など、小さくて速いコードがとても重要で、C のような高い効率を発揮する言語が使われるアプリケーションが大量に存在しています。

すべての言語は、チューリングマシンをシミュレートしたり、あるいはチューリングマシンでシミュレートできるという意味では、形式的には同等です。しかし、それらが皆、すべてのプログラミングタスクに対して同等に適しているわけではありません。複雑なウェブページを制御するための JavaScript プログラムの作成と、JavaScript コンパイラーを実装する C++ プログラムの作成との間には、大きな違いがあります。こうした両方の作業に対して、同じように専門性を発揮できるプログラマーは滅多に見つかりません。経験豊富なプロのプログラマーは、多くの言語に慣れ親しんでまあまあ熟達しているかもしれませんが、それらすべてに対して同等のスキルを持っているわけではありません。

　これまで数千種類ものプログラミング言語が発明されてきました。とは言え、広く使われているのは 100 個もないでしょう。それにしても、なぜ、それほどまでに多いのでしょうか？　これまで少しずつお話ししてきたように、それぞれの言語が表しているのは、効率性、表現力、安全性、そして複雑さといった、関心事の間のトレードオフなのです。多くの言語は、それ以前の言語で発見された弱点に対する、直接的な対応が施された結果です。後知恵と強力なコンピューティングパワーを利用し、しばしば言語デザイナーの個人的な好みに強く影響を受けています。新しい応用分野はまた、新しい適用分野に的を絞った新しい言語を生み出します。

　何がどうなろうとも、プログラミング言語はコンピューターサイエンスの重要、かつ、魅力的な分野なのです。アメリカの言語学者であるベンジャミン・ウォーフが語ったように、「言語は私たちの考え方を形作り、私たちが考えられるものを決定する[4]」のです。言語学者は、これが自然言語に当てはまるのかどうかについてまだ議論を続けていますが、コンピューターに対して命令するために作り出した人工言語

---

[4]　訳注：一般に「サピア・ウォーフの仮説」と呼ばれます。

には当てはまるように思えます。

5.3 ソフトウェア開発

　実社会でのプログラミングは大規模になりがちです。その戦略は、本を書いたり他の大きなプロジェクトを請け負ったりするときに採用されるものと似通っています。すなわち、まず何をすべきかを明らかにして、大きな仕様をどんどん小さなピース（部品）へと分解していき、それぞれのピースを、相互の組み合わせを保証しながら、別々に作成していくのです。

　プログラミングでは、個々のピースの大きさは、適当なプログラミング言語を使って1人の人間が正確な計算ステップを書ける大きさになりがちです。異なるプログラマーによって書かれたピース同士が、一緒に機能するようにするのは難しい挑戦です。そして、これを正しく行えないことが、エラーの主たる原因になります。たとえば、1999年の出来事ですが、NASAの火星探査機であるマーズ・クライメイト・オービターの飛行システムのソフトウェアは、メートル法を単位にして推力を計算していました。しかし、軌道修正のデータは、ヤード・ポンド法で入力されていたのです。こうして誤った軌道により、探査機は火星の地表に近付きすぎてしまいました。

　様々な言語を説明するためにこれまで示した例は、大部分が10行以内でした。入門プログラミング講座で書かれるような小さなプログラムは、おそらく数十から数百行のコードになるでしょう。私が生まれて初めて書いた最初の「本物の」プログラム、すなわち多くの人々に使われているという意味で本物のプログラムは、約1,000行のFortranでした。それは私の論文をフォーマットして印刷するためのシンプルなワードプロセッサーでした。ある学生団体に引き継がれて、私が卒業してからもさらに5年ほど使われ続けたのです。ああ、古き良き時代でした！　現在だと、有用なタスクを実行するための、よりしっかりとしたプログラムなら、数千から数万行が必要になるかもし

れません。小さなグループで作業する私のプロジェクトの学生たちは日常的に、8週間から10週間をかけて2〜3千行のコードを生み出します。その期間にはシステムを設計する時間や、ひとつかふたつの新しい言語を学ぶ時間も含まれます。もちろん同時に、他の講座や課外活動にも取り組まなければなりません。そこで生み出されるプログラムの多くは、大学のデータベースに簡単にアクセスするためのウェブサービスや、ソーシャル活動を促進するための携帯電話アプリです。

コンパイラーやウェブブラウザーのためには、数十万から数百万行が必要かもしれません。とは言え、大規模システムでは数百万から数千万ものコードが書かれていて、同時に数百人もしくは数千人の人たちが取り組んでいます。そして、システムの寿命は数十年に及びます。企業は通常、自らのプログラムの規模を明らかにはしたがりませんが、時々信頼できる情報が出てきます。たとえば、2015年のGoogleカンファレンスでの講演によれば、Googleには合計で約20億行のコードがありました。まあ、今では倍の行数にはなっているでしょう。

これくらいの規模のソフトウェアになると、すべてをうまく進行させるためには、スケジュールを立て、締め切りを設定し、階層的なマネジメントと果てしない会議を伴う、プログラマーやテスター、文書管理者のチームが必要です。そうした開発を知る立場にあった同僚は、彼が関わっていたある主要システムに関して、すべての行ごとに1回のミーティングが開かれているとこぼしていました。システムは数百万行もあったので、おそらく彼は誇張していたのだと思いますが、経験豊富なプログラマーなら「でもまあ、それほどひどい誇張でもない」と言うかもしれません。

5.3.1 ライブラリ、インターフェース、そして開発キット

あなたが今、家を建てようとするなら、材木を手に入れるために自分で木を切り倒したり、レンガを入手するために自分で粘土を掘り出したりはしません。代わりに、ドア、窓、配管機材、レンジ、給湯器

などの既製部品を購入します。住宅建築は今でも大仕事ですが、他人が作ってくれた成果を使えますし、力になってくれるインフラストラクチャ（すなわち業界全体）に頼れるので、何とか進められるのです。

　プログラミングについても事情は同じです。重要なプログラムが何もないところから作られることはほとんどありません。他の人によって書かれた多くのコンポーネント（部品）を、棚から取り出して直接使えるのです。たとえば、Windows 用または Mac 用のプログラムを書いているのなら、事前に用意された、メニュー、ボタン、グラフィックス計算、ネットワーク接続、データベースアクセスなどのコードを使えます。

　仕事の大部分は、コンポーネントを理解して、自分自身のやり方で、それらを一緒に組み合わせることです。もちろん、これらのコンポーネントの多くも、他の単純で基本的なコンポーネントを使って構成されています。この階層はしばしば複数のレベルに及びますが、一番下の階層はオペレーティングシステム上で動作しています。オペレーティングシステムとは、ハードウェアを管理し、発生するすべての事象を制御するプログラムです。オペレーティングシステムについては次の章で説明します。

　最も基本的なレベルとして、プログラミング言語は「関数」（ファンクション）というしくみを提供しています。関数のしくみとは、あるプログラマーが便利な操作を実行するコードを書いたときに、他のプログラマーがそれを（内部の詳細を知らなくても）自分のプログラムで使用できるような形式にパッケージ化する手段です。たとえば、数ページ前の C プログラム（図3）には次の行が含まれていました。

```
while (scanf ("%d", &num) != EOF && num != 0)
    sum = sum + num;
printf ("%d\n", sum);
```

このコードは、Cに付属しているふたつの関数を「呼び出し」ます（つまり「使用し」ます）。scanf関数は、トイ・コンピューターのGET命令同様に、入力ソースからデータを読み込みます。printf関数は、PRINT同様に、出力を行います。関数には名前があり、実行に必要な1組の入力データがあります。関数は計算を行い、その結果を、関数を使っている（呼び出している）プログラムに返します。ここで示されている構文やその他の詳細はC特有で、他の言語では異なっているかもしれませんが、考え方は共通です。関数にしておけば、個別に作られたコンポーネントをすべてのプログラマーが必要に応じて使えるようになるのです。

　関連する関数を集めたものは通常、「ライブラリ」と呼ばれます。たとえば、Cにはディスクや他の場所のデータを読み書きするための関数が集められた標準ライブラリがあり、scanfとprintfはそのライブラリの一部です。

　関数のライブラリが提供するサービスは、「API」（Application Programming Interface：アプリケーション・プログラミング・インターフェース）という形でプログラマーに示されます。APIは関数を一覧にしたもので、何をするのか、プログラムの中でどのように利用できるのか、必要な入力データは何か、何を出力するのか、を記述しています。APIはまた、データ構造（やりとりされるデータの構成）や、プログラマーがサービスを要求するために行わなければならない準備、何が結果として計算されるのか、などをまとめて定義しています。こうした記述は「仕様」と呼ばれ、詳細で正確でなければなりません。なぜなら結局のところ、私たちが書いたプログラムは、友好的で親切な人間ではなく、愚かで言われた通りにしか動かないコンピューターによって解釈されるからです。

　APIには、単なる構文上の要求だけでなく、プログラマーがシステムを効率良く使えるようにするための補助的な文書も含まれています。今日の大規模システムには「SDK」（Software Development

Kit：ソフトウェア開発キット）が提供されることが多く、ますます複雑化するソフトウェアライブラリが、SDK のおかげでプログラマーに使いやすくなっています。

たとえば、Apple は iPhone や iPad のコードを書く開発者のために、開発環境と開発支援ツールを提供しています。Google は、Android携帯用に同様の SDK を提供しています。Microsoft は、多様なデバイス用に、様々な言語で、Windows コードを作成するための様々な開発環境を提供しています。SDK 自体も大規模なソフトウェアシステムです。たとえば、Android の開発環境である Android Studio は16GB ありますし、Apple の開発者向けの SDK である Xcode はさらに巨大です。

5.3.2 バグ

残念ですが、本格的なプログラムが最初から動くことはありません。現実はとても複雑で、プログラムもその複雑さを反映しています。プログラミングは、わずかな人しか持ち合わせていない細部への完璧な注意力を要求するのです。したがって、あらゆる規模のすべてのプログラムには、エラーが含まれています。つまり、ある状況下において、プログラムは間違った動作をしたり、間違った答えを生み出したりするのです。こうした欠陥は「バグ」と呼ばれます。

この用語は一般には、前述したグレース・ホッパーに由来するとされています。1947 年に、ホッパーの同僚たちは、彼らが作業していた機械式コンピューターである Harvard Mark II の中で文字通りのバグ（死んだ蛾）を発見しました、そのときにホッパーが、彼らが修理のために機械から「デバッグしている」（虫を取り除いている）と言ったらしいのです。そのバグ（虫）は保存され、不滅の存在となりました。ワシントンにあるスミソニアンのアメリカ歴史博物館で見ることができます（**図 8**）。

しかし、バグという言葉をこのように使い始めたのは、実はホッパ

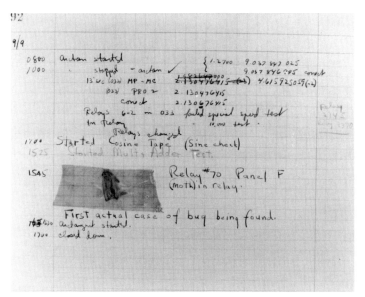

図8　Harvard Mark II から取り除かれた（デバッグされた）虫（バグ）

ーではありません。その起源は 1889 年に遡ります。オックスフォード英語辞典（第 2 版）には次のような説明があります。

バグ。機械、計画などにある欠陥または故障。米国由来。（1889 年3 月 11 日ペル・メル・ガゼット紙より）「私の聞いたところでは、エジソン氏は彼の蓄音機に潜む「バグ」（虫）を見つけようと、それまで 2 晩徹夜していたという。その表現は問題解決の困難さを表現しており、まるで空想上の虫が内部に潜んであらゆる問題を引き起こしていると言いたいかのようだった」

バグは様々な方法で発生するので、バグを説明するには、とても大きな本が必要です（実際、そうした本が本当に存在します）。無限の可能性があるバグの理由を、あえていくつか挙げてみるなら、たとえば、起こり得る場合への対応を忘れた、ある条件を評価するために間

違った論理式あるいは算術テストを書いた、間違った式を利用した、プログラムまたはその一部に割り当てられた範囲外のメモリーにアクセスした、特定の種類のデータに間違った操作を適用した、ユーザーの入力を検証し損なった、などがあります。

　わざとらしい例ですが、**図9**では温度を摂氏から華氏に、そしてその逆の変換を行う、一対のJavaScript関数を示しています（演算子の * と / は、それぞれかけ算とわり算を意味しています）。これらの関数のひとつにエラーがあります。わかるでしょうか？ 答えは少し先でお話しします。

```
function ctof(c) {
    return 9/5 * c + 32;
}
function ftoc(f) {
    return 5/9 * f - 32;
}
```

図9　摂氏（c）と華氏（f）の間の変換を行うふたつの関数

　実際のプログラミングでは、書かれているコードを片端からテストしていく作業が大きな比重を占めます。ソフトウェアがユーザーの手の届く前に、できるだけ多くのバグを見つけられるよう、ソフトウェア会社はしばしば、コードよりも多いテストと、プログラマーよりも多いテスターを抱えています。

　難しいことですが、バグがまれにしか発生しない状態はあり得ます。図9で示した温度変換関数をどのようにテストすれば良いでしょうか？ もちろん、答えがもうわかっている簡単なテストケースを試してみたいと思うでしょう。たとえば、摂氏0度と100度に対応する華氏は、32度と212度であることが事前にわかっています。それらに対してはうまく働きます。

　しかし反対方向、つまり華氏から摂氏へ変換を行おうとすると、あまりうまくいきません。この関数は華氏32度が摂氏-14.2度であり、

華氏212度が摂氏85.8度であるという答を返しますが、これはあまりにもひどい間違いです。実は、華氏の値に5/9を掛ける前に32を引くには、括弧が必要だったのです。ftocの中の式はこう書かれるべきでしょう。

```
return 5/9 * (f - 32) ;
```

　幸いなことに上記はテストが簡単な関数でしたが、失敗がこれほどわかりやすくないときに、何百万行ものプログラムのテストとデバッグにどれだけの作業が必要かを想像してみてください。

　ところで、この対になった関数は、それぞれお互いの逆関数になっています（たとえば2^nと$\log n$のように）。この性質はテストをいくらか簡単にしてくれます。適当な値をまず片方の関数に与えて、得られた結果をもうひとつの関数に与えてみるのです。その結果は最初に与えた値と同じになるはずです。ただし、コンピューターは非整数を完璧な精度では表現できないので、僅かな誤差が生じる可能性はあります。

　ソフトウェアのバグは、攻撃に対してシステムを脆弱にします。多くの場合、攻撃者の悪意あるコードが、メモリー内に上書きされてしまいます。悪用可能なバグを巡っては、活発な活動が行われています。正義のハッカーが問題を修正し、悪意あるハッカーが弱点を攻撃します。中間には、善悪つけがたいグレーな領域もあります。たとえば将来利用したり修正したりすることを目的にセキュリティ上の弱点を収集しているNSA（National Security Agency：米国家安全保障局）のような政府機関があります。

　多くのハッカーの注目を集めるブラウザーのような重要なプログラムが頻繁に更新されるのは、多くの脆弱性に満ちているからです。堅牢なプログラムを書くのは難しいことですし、悪者は常にスキをうかがっています。普通のユーザーなら、常にソフトウェアを最新の状態

にして、セキュリティホールがふさがれているようにしておきましょう。

　現実世界のソフトウェアにおけるまた別の複雑さは、環境が常に変化し、プログラムをそれに合わせて調整しなければならないことです。新しいハードウェアが開発されると、システムの変更に応じた新しいソフトウェアが必要になります。新しい法律や規制の変更により、プログラムの仕様を変える必要も出てきます。たとえば、TurboTax（訳注：税金計算プログラムです）のようなプログラムは、様々な領域で頻繁に行われる税法の変化に対応しなければなりません。コンピューター、ツール、言語、そして物理デバイスは、やがて時代遅れになり、交換されなければなりません。データ形式も時代遅れになります。たとえば、1990年代初頭のWordのファイルは、最新バージョンのWordでは読み込めません。人が退職したり、死亡したり、企業規模の縮小に伴って解雇されることで、専門知識も消え去っていきます。大学で学生が作成したシステムも、学生の卒業によって専門知識が失われてしまうために同じ問題に苦しみます。

　絶え間ない変化に歩調を合わせ続けるのは、ソフトウェア保守にとって大きな負担ですが、必ず成し遂げられなければなりません。そうでなければ、プログラムは徐々に崩壊し、しばらくした後にはもはや動作しなくなるか、アップデートさえできなくなるでしょう。なぜなら、再コンパイルできなかったり、必要なライブラリが変化してしまっていたりするからです。同時にまた、問題を解決したり、新しい機能を追加しようとすると、新しいバグを生み出したり、ユーザーが依存していた動作に変化が生じるかもしれないのです。

5.4 知的財産

　知的財産（intellectual property）という用語は、個々人の発明や著作のような創作活動から生み出された様々な種類の無形財産を指しています。書籍、音楽、絵画、写真なども含まれます。ソフトウェア

も重要な例です。ソフトウェアは無形ながら、価値があります。大量のコードを作成して管理するには、たゆまぬ多大な労力を必要とします。一方、ソフトウェアを無限にコピーして世界中に配布するためのコストは、無視できるほど小さなものです。修正も容易で、最終的に、目には見えないのです。

ソフトウェアの所有権は、法的に難しい問題を引き起こします。その難しさはハードウェアに対しての難しさよりも上回っていると思いますが、それはプログラマーである私のひいき目かもしれません。ソフトウェアはハードウェアよりも新しい分野です。1950 年頃までソフトウェアは存在しませんでしたし、ソフトウェアが独立した経済勢力になったのは、まだほんの 40 年ほどです。その結果、法律、商慣習、そして社会規範が進化するための時間が、まだ足りていないのです。

本節では、いくつかの問題について説明します。ここでは、少なくとも複数の観点から状況を理解できるような十分な技術的背景を、読者に対して説明するつもりです。私はまた、これを米国法の観点から書いています。他の国にも同様のしくみがありますが、多くの点で異なっています。

知的財産を保護するためのいくつかの法的なしくみが、その成果は様々ですが、ソフトウェアに適用されています。具体的には、トレードシークレット（企業秘密）、商標、著作権、特許、そしてライセンスなどです。

5.4.1 トレードシークレット

トレードシークレット（企業秘密）は、最もわかりやすい知的財産です。この財産は、所有者だけの秘密だったり、秘密保持契約のような法的拘束力のある契約の下でのみ他人に開示されます。これは単純で効果的ですが、秘密がいつか明らかになるのなら、あまり頼りになる方法ではありません。他分野の話になりますが、トレードシークレットの典型例は、コカコーラの製造法です。理論的には、その秘密が

一般に知られるようになれば、誰もが同じ製品を作れます。しかし、それを Coca-Cola あるいは Coke と呼ぶことはできません。なぜならそうした名称もまた、別の形の知的財産である商標だからです。ソフトウェアの場合、PowerPoint や Photoshop といったソフトウェアのコードはトレードシークレットです。

5.4.2 商標

商標（trademark）とは、企業が提供する商品やサービスを識別するための言葉やフレーズ、名前、ロゴ、さらには特徴的な色のことです。たとえば、広告に現れるコカ・コーラ（Coca-Cola）の流れるような文字や、昔ながらのコーク（Coke）のボトルの形は、どちらも商標です。マクドナルドのゴールデンアーチ（Golden Arches、黄色い M 型のロゴ）は、他のファストフード企業と区別するための商標です。

コンピューティングの世界も商標だらけです。MacBook 上の Apple の光り輝くリンゴマークや、マイクロソフトの OS、コンピューター、ゲームコントローラーなどに使用されている 4 色のロゴもまた商標の例なのです。

5.4.3 著作権

著作権（Copyright）は、創造的表現を保護します。著作権は、文学、芸術、音楽、映画の分野ではおなじみです。少なくとも理論上では、創造的な作品を他人が無許可でコピーすることは禁じられています。著作者は、作品を一定期間活用する権利を得るのです。米国では、その期間は（更新 1 回を経て）28 年でしたが、現在は作者の死後 70 年に延長されていますし、多くの国では、作者の死後 50 年に延長されています。2003 年に米国最高裁判所は、著者の死後 70 年という期間は「有限の」期間であると裁定しました。これは理屈としては正しいかもしれませんが、事実上「永遠」と大差ありません。米国の権利保

有者は、米国の法律に準拠するように世界中で著作権条項を延長するように強く求めています。

　デジタル素材に対して著作権を強制するのは困難です。オンライン世界では、コストをかけずにいくらでも電子的コピーを作成し、配布できます。これまでの暗号化やその他の方式のデジタル著作権管理（DRM）による著作物保護の試みは、一様に失敗しています。暗号化は通常、突破可能なことが証明されていますし、突破が不可能であったとしても、再生するときに再度記録できます（「アナログの抜け穴」です）。たとえば、劇場内での盗撮が相当します。著作権侵害に対する法的手段は、個人にとってはもちろん、大規模な組織にとっても効果的に追求するのは困難です。第9章ではこの話題をもう一度取り上げます。

　著作権はプログラムにも適用されます。私がプログラムを書いたら、それは私のものです。小説を書いたときと同じです。他の人は私の許可なく、私の著作権で保護されたプログラムを使用できません。これは簡単な話に聞こえますが、いつもながら悪魔は細部に宿っています。あなたが私の書いたプログラムの振る舞いを研究して、あなた自身のバージョンを書くとするなら、私の著作権を侵害しないで、どれくらい似たようなプログラムを作れるでしょうか？ 仮にプログラム内のすべての変数のフォーマットと名前を変更したとしても、それは侵害です。しかし、これほど明白ではない、微妙な変更もあります。この問題は費用のかかる法的手続きによって解決するしかありません。

　あなたが私のプログラムの振る舞いを研究し、徹底的にその振る舞いを理解して、全く新しい実装をするなら、おそらく大丈夫かもしれません。実際、クリーンルーム設計（集積回路製造から借用された用語）と呼ばれる技法では、プログラマーが複製しようとしているコードを見たり（コードに関する）知識を持っていないことを明示的に保証して行います。ここではプログラマーは、オリジナルと同じように振る舞うものの、明らかにコピーしていない新しいコードを書きま

す[※5]。こうすれば法的な問題は、クリーンルームが本当にクリーンだったか、関係者全員が元のコードにさらされて「汚染」されていなかったか、の証明に帰着します。

5.4.4 特許

　特許（Patent）は、発明に対する法的保護を提供します。これは著作権とは対照的です。著作権は（コードがどのように書かれているかといった）表現を保護するだけで、コードが内包しているかもしれないオリジナルなアイデアは保護しません。多くのハードウェアに関係する特許が存在します。たとえば綿繰り機、電話、トランジスタ、レーザー、そしてもちろん、それらに関わる無数の製法、機器、改良なども特許です。

　元々ソフトウェア（アルゴリズムとプログラム）は「数学」であると考えられていたため、特許法に入っておらず、特許にならないものだったのです。しかし、それなりの数学的バックグラウンドを持った私のようなプログラマーの目からは、アルゴリズムは（数学は含んではいても）数学そのものではないと思えます（たとえばクイックソートについて考えてみてください。これは現代なら十分な特許性があるでしょう）。多くのソフトウェア特許はわかりきったものだというまた別の観点もあります。それはコンピューターを使用して、明らかな、あるいは周知のプロセスを実行しているに過ぎず、したがって独創性が欠如しているため特許は受けられないという主張です。私はこの立場に共感していますが、専門家ではなく弁護士でもない者の意見に過ぎません。

　ソフトウェア特許を最も象徴しているのは、Amazon の「ワンクリック」特許かもしれません。1999 年 9 月、米国特許 5,960,411 が

※5　訳注：クリーンルーム設計では、対象を分析して仕様書を作成するチームと、仕様書に基づいて新しい実装を行うチームは完全に分かれています。これにより、実装が元の実装と「関係なく」行われたことが担保されます。

図 10　Amazon の 1-Click®

Amazon.com の創業者で CEO のジェフ・ベゾスを含む 4 人の発明者に付与されました。この特許は「インターネットを介して商品を購入する注文を出すための方法およびシステム」を網羅するものです。主張された新規性は、登録顧客がマウスのワンクリックで注文を行えるようにする、というものでした（**図 10**）。ところで「1-Click」というのは Amazon の商標で、「1-Click®」と表記されます。

　それ以来 20 年以上にわたって、ワンクリック特許は論争と法的闘争の対象でした。多くのプログラマーにとって、そのアイデアはごく当たり前に思えるといっても間違いはないでしょう。しかし法律は、ある発明が行われた時期に「該当技術に対して通常のスキルを持っている人間」にとって「当たり前ではなかった」ということを要求します。この発明が行われたのは 1997 年で、ウェブコマースのごく早い時期でした。米国特許庁は特許の一部の請求項を拒絶しましたが、その他の項目は申し立てを受けて保留されました。

　一方でこの特許は、Apple の iTunes オンラインストアをはじめとする他の会社にライセンスされました。Amazon は同社から許可を得ずにワンクリックを使う企業に対して、裁判所から差止命令を引き出しています。当然、他の国では状況が異なります。幸いなことに、これらはもはや意味がありません、なぜなら特許の保護期間は 20 年なので今では期限切れになってしまったからです。

　ソフトウェア特許の取得が簡単なことに伴う弊害のひとつは、いわゆる「パテントトロール」（軽蔑的ではない用語を使うなら「非実務

実体」）の出現です。パテントトロール※6は、特許の権利を取得して自らは使わずに、他社を特許侵害で訴えます。訴訟は、裁定が原告、すなわちトロール側を支持する傾向がある場所で行われる場合が多いのです。特許訴訟に直接かかる費用は高く、訴訟に負けた場合の費用もとても高くなる可能性があります。特に中小企業にとっては、特許請求の効力が弱く侵害が明確でないとしても、トロールに屈服してライセンス料を支払う方が簡単で安全なのです。

　法的環境はゆっくりではありますが変化しており、この種の特許活動に関わる問題は将来的には減っていくのかもしれません。しかし今のところはまだ大きな問題のままです。

5.4.5 ライセンス

　ライセンス（Licenses）は、製品を使用する許可を与える法的な契約です。ソフトウェアの新しいバージョンをインストールする際に出会う、「エンドユーザー使用許諾契約」または「EULA」には、もうおなじみのはずです。細かな文字が大量に書かれた小さなウィンドウが表示されます。表示されるのは、内容に同意しないうちは先に進めない法的な文書です。たいていの人は、単にクリックしてやり過ごしてしまい、おそらく原則として、契約条件により法的に拘束されます。

　こうした条項をあえて読んでみて、その内容が極めて一方的であることがわかっても、不思議ではありません。サプライヤー（提供側）はすべての保証と義務を放棄しています、実際のところ、ソフトウェアが何かをすることさえ約束していません。以下の抜粋（オリジナル同様にすべて大文字で示しました）は、私のMac上で実行されるmacOS Mojave オペレーティングシステムの EULA のごく一部です。

B. YOU EXPRESSLY ACKNOWLEDGE AND AGREE THAT, TO THE EXTENT
PERMITTED BY APPLICABLE LAW, USE OF THE APPLE SOFTWARE AND

※6　訳注：トロールは元々、神話に出てくる怪物を指します。

ANY SERVICES PERFORMED BY OR ACCESSED THROUGH THE APPLE
SOFTWARE IS AT YOUR SOLE RISK AND THAT THE ENTIRE RISK AS TO
SATISFACTORY QUALITY, PERFORMANCE, ACCURACY AND EFFORT IS
WITH YOU.
C. TO THE MAXIMUM EXTENT PERMITTED BY APPLICABLE LAW, THE
APPLE SOFTWARE AND SERVICES ARE PROVIDED "AS IS" AND "AS
AVAILABLE", WITH ALL FAULTS AND WITHOUT WARRANTY OF ANY
KIND, AND APPLE AND APPLE'S LICENSORS (COLLECTIVELY REFERRED
TO AS "APPLE" FOR THE PURPOSES OF SECTIONS 7 AND 8) HEREBY
DISCLAIM ALL WARRANTIES AND CONDITIONS WITH RESPECT TO THE
APPLE SOFTWARE AND SERVICES, EITHER EXPRESS, IMPLIED OR
STATUTORY, INCLUDING, BUT NOT LIMITED TO, THE IMPLIED
WARRANTIES AND/OR CONDITIONS OF MERCHANTABILITY,
SATISFACTORY QUALITY, FITNESS FOR A PARTICULAR PURPOSE,
ACCURACY, QUIET ENJOYMENT, AND NON-INFRINGEMENT OF THIRD
PARTY RIGHTS.
D. APPLE DOES NOT WARRANT AGAINST INTERFERENCE WITH YOUR
ENJOYMENT OF THE APPLE SOFTWARE AND SERVICES, THAT THE
FUNCTIONS CONTAINED IN, OR SERVICES PERFORMED OR PROVIDED
BY, THE APPLE SOFTWARE WILL MEET YOUR REQUIREMENTS, THAT
THE OPERATION OF THE APPLE SOFTWARE OR SERVICES WILL BE
UNINTERRUPTED OR ERROR-FREE, THAT ANY SERVICES WILL
CONTINUE TO BE MADE AVAILABLE, THAT THE APPLE SOFTWARE OR
SERVICES WILL BE COMPATIBLE OR WORK WITH ANY THIRD PARTY
SOFTWARE, APPLICATIONS OR THIRD PARTY SERVICES, OR THAT
DEFECTS IN THE APPLE SOFTWARE OR SERVICES WILL BE CORRECTED.
INSTALLATION OF THIS APPLE SOFTWARE MAY AFFECT THE
AVAILABILITY AND USABILITY OF THIRD PARTY SOFTWARE,
APPLICATIONS OR THIRD PARTY SERVICES, AS WELL AS APPLE
PRODUCTS AND SERVICES.

【訳注】Apple のサイトに掲載された、同文に対応した日本語訳は以下の通りです。
B. お客様は、適用法が許容する限りにおいて、Apple ソフトウェアおよび Apple ソフトウェア
によって実行またはアクセスされる一切の本サービスを使用する上での危険はお客様のみが負担
し、品質適合性、性能、正確性および努力に関する包括的危険は、お客様にあることを明確に認
識し同意します。
C. 適用法が最大限に許容する限りにおいて、Apple ソフトウェアおよび本サービスは、すべて
の瑕疵 を問わずかつ一切の保証を伴わない「現状渡し」および「提供可能な限度」で提供され、
Apple および Apple のライセンサー (本契約 7 条および 8 条において「Apple」と総称します)
は、Apple ソフトウェアおよび本サービスに関するすべての明示、黙示または法令上の保証およ
び条件を明確に否認します。当該保証および条件には、商品性、品質適合性、特定目的適合性、
正確性、平穏享有権および第三者の権利非侵害性を含みますがこれらに限られません。
D. Apple は、Apple ソフトウェアおよび本サービスの娯楽性の妨害がないこと、Apple ソフトウ
ェアに含まれる機能、または Apple ソフトウェアにより実行または提供される本サービスがお
客様の要求を満足させるものであること、Apple ソフトウェアまたは本サービスが支障なくもし
くは誤りなく作動すること、本サービスが継続して提供されるものであること、Apple ソフトウ
ェアまたは本サービスが第三者のソフトウェア、アプリケーションまたは第三者のサービスと互
換性があること、または Apple ソフトウェアまたは本サービスの瑕疵が修正されることを保証
しません。本 Apple ソフトウェアをインストールされることで、第三者のソフトウェア、アプ
リケーションまたは第三者のサービス、ならびに Apple 製品およびサービスの可用性およびユ
ーザビリティに影響を与える場合があります。

出典：「Software License Agreements」
https://www.apple.com/legal/sla/

EULA のほとんどは、ソフトウェアによって損害が生じても賠償を求めることはできないと宣言しています。ソフトウェアの使用目的には条件があり、リバースエンジニアリングや逆アセンブルを試みないことへの同意が要求されます。また、いくつかの特定の国に出荷することはできませんし、核兵器の開発に使うこともできません（本当です）。私の弁護士の友人は、条項が極めて理不尽でない限り、このようなライセンスは一般に有効で、強制力があると言っています（理不尽とは何かについての疑問は生じますが）。

　特に物理的またはオンラインストアでソフトウェアを購入した場合によく目にすることになる、もうひとつの条項はちょっとした驚きかもしれません。それは次のようなものです。「このソフトウェアはライセンスされたものであり、販売されたものではありません」。これまで一般には、購入した物品は「権利の消尽」（first-sale doctrine）と呼ばれる法原理によって、それを「所有」できていました。たとえば、印刷された本を購入したら、それは買ったあなたのものです。その本を誰かにあげたり売ってしまうのも自由です。もちろん、コピーを作って再配布したりして、著作権侵害をしてはいけません。しかし、デジタル商品のサプライヤーたちは、ほとんどの場合、サプライヤー自身が所有権を保持したまま、購入者が「手にした」コピーに対してできることを制限できるライセンスの下に「販売」しているのです。

　そのわかりやすい例が 2009 年 7 月に起きました。Amazon は、Kindle 電子書籍リーダー向けにたくさんの本を「販売」していますが、実際にはそれらの本はライセンスされたものであり、販売されたものではありません。あるとき、Amazon は許可を得ていない何種類かの本を配布していることに気が付きました。そこで Amazon は、それらの本をすべての Kindle 上で無効にすることで、「販売取消」を行ったのです。皮肉なことに、リコールされた本の 1 冊はジョージ・オーウェルのディストピア小説「1984」でした。私は、オーウェルならこ

の Kindle の逸話を気に入ったに違いないと思っています[7]。

　API もまた、主に著作権に関わる興味深い法的な問題を引き起こします。私が Xbox や PlayStation に似ている、プログラミング可能なゲームシステム（ゲーム機）を製造しているとしましょう。私は、皆に私のゲーム機を買ってほしいと考えます。私のゲーム機向けの優れたゲームがたくさんあれば、目的を達成しやすいでしょう。しかし、優れたソフトウェアすべてを自分では書けないので、プログラマーがゲームを書けるよう適切な API を慎重に定義します。私はゲーム開発者を助けるために、Microsoft の XDK（Xbox 用開発キット）に似た、SDK（ソフトウェア開発キット）を提供するかもしれません。運が良ければ、私はたくさんのゲーム機を売ってお金を稼ぎ、楽隠居できるでしょう。

　API とは、事実上、サービス利用者とサービス提供者との間の契約です。それはインターフェースの両側で何が起こるかを定義します。「どのように実装されているか」の詳細ではなく、それぞれの関数がプログラムの中で使われたときに「何をするか」を厳密に定めたものなのです。すなわち、競合相手のような誰かが私のゲーム機と同じ API を提供できる競合マシンを作成すれば、提供側になれることを意味します。もし彼らがクリーンルーム設計の技法を使っていたなら、私の実装を決してコピーしなかったことが保証されます。彼らがこれをうまくやり遂げて、すなわちすべてが同じように動作するようにした上に、その競合マシンが何か他に優れた点（たとえば安価だとか格好良いデザインであるとか）を持っていた場合には、私をビジネスで打ちのめしてしまうかもしれません。裕福になりたいと願う私にとっては悪い知らせです。

---

[7]　訳注：以下の記事が詳しいです。
　　　https://www.nytimes.com/2009/07/18/technology/companies/18amazon.html
　　　日本語では、以下に記述があります。
　　　https://ja.wikipedia.org/wiki/Amazon.com の論争 #Kindle コンテンツ排除

私の法的権利は何でしょう？　独創的なアイデアではないので、私はAPIの特許化はできません。APIを他者が使えるようにするには公開する必要があるので、トレードシークレットでもありません。ただし、APIの定義が独創的な内容である場合には、著作権で保護できる可能性があります。そうした場合、他の人たちには利用に対するライセンスを行います。SDKを提供する場合も事情は似ています。これで保護としては十分でしょうか？　こうした法的問題や同様の問題は、実際には完全には解決されていません。

　APIの著作権については、仮説上の問題ではありません。Oracleは2010年1月にJavaプログラミング言語の開発会社であるSun Microsystemsを買収し、2010年8月には、GoogleがJavaコードを実行するAndroid携帯電話上でJava APIを違法に使用していたとして、Googleを訴えました。

　複雑な訴訟の結果を大幅に単純化すると、地方裁判所は、APIには著作権が設定できないと判断しました。Oracleは控訴して、その決定は覆されました。Googleは米国最高裁判所に対して、この事件を審理するよう請願しましたが、2015年6月に裁判所は審理を拒絶しました。そして次のラウンドでOracleは、90億ドル（約9500億円）以上の損害賠償を求めました。しかし陪審員たちはGoogleによるAPIの使用は「公正使用」であり、したがって著作権法違反ではないとの評決を下しました。

　私は、この特定のケースでは、ほとんどのプログラマーがGoogle側に同意するだろうと思います。しかし、問題はまだ真に解決されていません（お断りしておきますが、私は電子フロンティア財団が提出したGoogleの立場を支持する意見書に2度署名しています）。さらに多くの法的手続きを経て、最高裁は2020年10月に再びこの事件を審理しました[8]。

5.5 標準

　標準（standard）とは、いくつかの成果物がどのように作られるか、または、どのように機能するのかについての、正確かつ詳細な説明です。Word の .doc や .docx といったファイル形式のような標準は、「事実上の標準」（デファクトスタンダード）と呼ばれます。それらは正式に標準の地位にあるわけではないのですが、誰もが使っているから「事実上の」標準になっています。「標準」という言葉は、政府機関やコンソーシアムなどの準中立的な団体によって開発および管理されている、何かが構築または運営される方法を定義する正式な説明に対して当てはめるのが、最もふさわしいものです。その定義は十分に完全かつ正確であるため、別々の主体同士がそれについて話し合ったり、それぞれ独立した実装を提供したりできます。

　私たちは常にハードウェア標準から恩恵を受けていますが、その数がどれくらいあるのかは気にかけていないかもしれません。新しいテレビを購入した場合は、プラグのサイズと形状、および、電圧に関する標準のおかげで、安心して自宅のコンセントに接続できます（もちろんこれは他の国では成り立ちません。ヨーロッパへバカンスに出かけたときには、私の北米仕様のプラグをイギリスやフランスのコンセントに差し込めるようにする、巧みなアダプターをいくつも持参しなければなりませんでした）。地上波放送やケーブルテレビの標準のおかげで、テレビ自体が信号を受信して画像を表示してくれます。私はHDMI、USB、S-Video などのような標準的なケーブルとコネクターを介して、その他の装置を接続できます。しかし、それぞれのテレビには、独自のリモコンが必要です。なぜならそれは標準化されていないからです。いわゆる「ユニバーサル」リモコンは、ある限られた動作にしか使用できません。

※8　訳注：2021 年 4 月に、最高裁が Google による API の利用はフェアユースであると決定して、この論争には決着がつきました。

互いに競合する標準が存在することさえありますが、（コンピューター科学者のアンドリュー・タネンバウムがかつて、「標準についての素晴らしい点は、選択肢がたくさんあることです」と言ったように）それは往々にして生産性を下げるようです。歴史的な例としては、ビデオテープのベータマックスとVHS、高精細ビデオディスクのHD-DVDとBlu-rayなどが挙げられます。どちらの場合も最後にはひとつの標準が勝ちましたが、米国で2020年頃まで使われたふたつの互換性のない携帯電話技術のように、複数の規格が共存する可能性もあります。

　ソフトウェアの世界にも、ASCIIやUnicodeなどの文字セット、CやC++などのプログラミング言語、暗号化と圧縮のためのアルゴリズム、そしてネットワークを介して情報を交換するためのプロトコルなど、様々な標準が存在します。

　標準は、相互運用性と開かれた競争にとって、とても大切です。標準は、独自に作成されたもの同士が一緒に動作できるようにしてくれますし、プロプライエタリな（権利者によって所有されている）システムがともすると利用者を囲い込もうとするのに対して、複数のサプライヤーが競い合う場所を提供してくれます。当然、プロプライエタリなシステムの持ち主は、利用者の囲い込みを好みます。

　一方、標準には不利な点もあります。標準が劣っていて時代遅れであるにもかかわらず、その使用が全員に強制された場合には、進歩が妨げられる可能性があります。とは言え、これは利点と比べたときには、ささやかな欠点です。

5.6 オープンソースソフトウェア

　プログラマーが書くコードは、それがアセンブリー言語であろうと、高水準言語であろうと（こちらの可能性が高いでしょう）、「ソースコード」と呼ばれます。そのソースコードを、実行するプロセッサーに適した形式にコンパイルした結果は、「オブジェクトコード」と呼ば

れます。こうした区別は、私が他にも行っている区別と同じで、いささか細かすぎるように思えるかもしれませんが、とても大切です。

　ソースコードは、それなりの努力は必要ですが、プログラマー自身が読むことで、研究したり応用したりできますし、ソースコードに含まれているイノベーションやアイデアも目に見えます。対照的にオブジェクトコードは、あまりにも多くの変換を経ているために、オリジナルのソースコードを復元したり、ちょっとした変更を行えるようなコードを抽出したり、そもそもどのように動いているかを理解したりするのは、ほぼ不可能です。

　こうした理由から、ほとんどの商用ソフトウェアはオブジェクトコード形式でのみ配布されています。ソースコードは貴重な秘密であり、比喩的にも、そしておそらく文字通りにも、鍵と錠前でしっかりと守られています。

　オープンソースとは、研究と改善を目的にして、ソースコードを自由に入手できる代替手段を指しています。

　かつては、ほとんどのソフトウェアは企業によって開発され、そのソースコードは入手できませんでした。開発した組織のトレードシークレットだったのです。MIT（マサチューセッツ工科大学）で働いていたプログラマーのリチャード・ストールマンは、自分の使っているプログラムを修正したり拡張できないことに強い不満を持っていました。そうしたプログラムはプロプライエタリなものだったので、彼にはアクセスできなかったのです。

　そこでストールマンは1983年、オペレーティングシステムやプログラミング言語用のコンパイラーといった重要なソフトウェアシステムの自由でオープンなバージョンを開発するために、GNU（GNU's Not Unix、gnu.org）というプロジェクトを始めました。彼はまた、オープンソースをサポートするために、フリーソフトウェア財団（Free Software Foundation）と呼ばれる非営利団体を設立しました。その目的は、非プロプライエタリであると同時に、制限的な所有権に

邪魔されないという意味で永遠に「自由」（フリー）なソフトウェアを作成することでした。これは、GNU General Public License（GNU 一般公衆利用許諾）または GPL と呼ばれる、巧みな著作権ライセンスの下で実装を配布することで達成されました。

GPL の前文では、次のように述べられています。「ソフトウェアやその他の実用的な著作物を対象とするライセンスの大半は、著作物を多くの者で共有したり著作物を変更する自由を奪い去るように作られています。これに対して、GNU 一般公衆利用許諾書は、プログラムのすべてのバージョンを共有し変更できる自由を保証すること、すなわち、ソフトウェアがユーザーすべてにとってフリーであり続けることを保証することを目的としています」[※9]

GPL は、ライセンスを受けたソフトウェアを自由に使用できることを明記していますが、それが他の誰かに再配布される場合には、ソースコードを同じ「何にでも自由に使用できる」ライセンスの下に公開しなければなりません。GPL はとても強力なために、その条項に違反した企業は、裁判所からコードの利用を中止したり、ライセンスされたコードに基づいたソースを配布したりするように命令されています。

多くの会社、組織、そして個人によってサポートされている GNU プロジェクトは、GPL によってカバーされているプログラム開発ツールとアプリケーションの大規模なコレクションを生み出しました。

他のオープンソースプログラムやドキュメントも、同様のライセンスを持っています。たとえば Wikipedia にある多くの画像は、クリエイティブ・コモンズ（Creative Commons）というライセンスに従っています。ソフトウェアにおいては、オープンソース版が標準を設定し、プロプライエタリな商用版のソフトウェアがその標準に追従する

※9　訳注：この訳は情報処理推進機構（IPA）によるものです。詳しくは以下を参照。
https://www.ipa.go.jp/osc/license1.html

場合もあります。ブラウザーの Firefox と Chrome は両方ともオープンソースです。最も一般的なウェブサーバーである Apache と NGINX もオープンソースです。そして、携帯電話用の Android オペレーティングシステムもそうです。

　プログラミング言語とそれをサポートするツールは現在、ほとんどがオープンソースになっています。実際、それらがプロプライエタリであったとしたら、新しいプログラミング言語を世の中に受け入れてもらうのは難しいでしょう。この 10 年間に、Google は Go、Apple は Swift、Mozilla は Rust を、それぞれ開発してリリースし、Microsoft は何年もの間プロプライエタリなソフトウェアだった C# と F# をリリースしました。

　Linux オペレーティングシステムは、おそらく最も目にとまるオープンソースプロジェクトの成果です。個人や、インフラストラクチャ全体を Linux で運営する Google のような大企業によって広く使用されています。Linux オペレーティングシステムのソースコードは、The Linux Kernel Archives（kernel.org）から無料でダウンロードできます。ダウンロードしたソースコードは自分の目的のために利用したり、望むままにどのような修正を加えても構いません。しかし、修正したソースコードを何らかの形で、たとえばオペレーティングシステムを備えている新しいガジェットとして配布するなら、修正したソースコードを同じ GPL の下で公開しなければなりません。私の2台の車（メーカーは異なります）は Linux を実行しています。オンスクリーンメニューの奥深くには、GPL のステートメントとリンクが置かれています。そのリンクを使って、ソースコードをインターネットから（車からではありません！）ダウンロードできましたが、それは 1GB ほどもある Linux のソースコードでした。

　オープンソースは興味深い存在です。ソフトウェアを配ってどうやってお金を稼げばよいのでしょうか？　なぜプログラマーは自発的にオープンソースプロジェクトに貢献するのでしょうか？　ボランティ

アによって書かれたオープンソースは、統率された専門家の大規模チームによって開発された、プロプライエタリなソフトウェアよりも優れたものになり得るのでしょうか？ ソースコードの入手可能性は国家安全保障にとって脅威でしょうか？

　これらの質問は経済学者や社会学者の興味を惹き続けていますが、いくつかの答えは明確になっています。たとえば、Red Hat は 1993 年に創業し、1999 年にはニューヨーク証券取引所に株式を公開した企業です。2019 年に Red Hat は IBM に 340 億ドル（約 3 兆 9000 億円）で買収されました。同社はウェブ上にて無料で入手できる Linux のソースコードを配布していますが、サポート、トレーニング、品質保証、インテグレーション、その他のサービスに課金して収益を上げています。多くのオープンソースプログラマーは、オープンソースを使用し、かつ、貢献している企業の正社員です。IBM、Facebook、Google は注目に値する例ですが、決して例外的ではありません。最近では、Microsoft は、オープンソースソフトウェアプロジェクトに対する最大の貢献者のひとつです。これらの企業は、プログラムの進化を導く手助けをしたり、他の人にバグの修正や機能強化をしてもらうことで、恩恵を受けられるのです。

　すべてのオープンソースソフトウェアが必ずしも最善のものであるとは限りませんし、一部のソフトウェアのオープンソース版が、それらがモデルとしている商用システムより遅れていることはよくあります。とは言え、コアとなるプログラマーツールやシステムに関しては、オープンソースのものを打ち負かすのは難しいでしょう。

5.7 まとめ

　プログラミング言語は、コンピューターに何をすべきかを伝える手段です。アイデアをあれこれと詰め込むことは可能ですが、自然言語とコードの記述を容易にするために発明された人工言語の間には、類似点があります。

明らかな類似点のひとつは、自然言語同様、数多くのプログラミング言語があることです。おそらく、それなりに使われる程度のプログラミング言語の数は数百もなく、現在運用されているプログラムの大部分は、2 ダース程度以下の種類の言語で書かれているでしょう。もちろん、プログラマーはしばしば、どの言語が最適であるかについての強い意見を持っています。しかし、これほどまでに多くの言語がある理由のひとつは、すべてのプログラミングタスクに適した理想言語が存在しないからです。

　適切な新しい言語があれば、プログラミングはこれまでになくずっと簡単で生産的になるのに、という感覚あるいは予感は常にあります。着実に増加してきたハードウェアリソースを利用するように、言語も進化してきました。その昔、プログラマーは、プログラムを利用可能なメモリーに押し込むために、一所懸命に努力しなければなりませんでした。今では大きな問題ではありません。言語がメモリーの使用を自動的に管理するしくみを備えるため、プログラマーはメモリー管理についてあまり考える必要はないのです。

　ソフトウェアに関する知的財産権は、特にトロールが強い負の勢力として振る舞う特許の世界では、とても難しい問題です。まだ著作権の方が状況は単純に見えますが、それでも、API に関する主要な法的問題は未解決です。よくあることですが、法律は新技術に迅速に対応しておらず（おそらくできません）、対応が行われたとしても、その内容は国によって異なるのです。

- 6 -
ソフトウェアシステム

プログラマーは、詩人と同じように、純粋な思考から
わずかにすくい上げられたものを相手に仕事をします。
彼は想像力を行使して創造を行い、空気の中から空中へと、
自らの城を作り出します。これほど柔軟で、
洗練とやり直しが容易で、かつ壮大な概念構造を
簡単に実現できる創造的メディアは多くありません

フレデリック・ブルックス、The Mythical Man-Month＝人月の神話, 1975.

　本章では、「オペレーティングシステム」と「アプリケーション」
という2種類の主要なソフトウェアについて説明します。後で説明す
るように、オペレーティングシステムとは、コンピューターのハード
ウェアを管理し、他のプログラム（アプリケーション）を実行できる
ようにするソフトウェア基盤です。

　自宅、学校、またはオフィスでコンピューターを利用するとき、多
くのプログラムが使われます。たとえばブラウザー、ワードプロセッ
サー、音楽および映画プレイヤー、税務ソフトウェア（ああ！）、ウ
イルススキャナー、たくさんのゲームなどです。ファイルの検索やフ
ォルダーの表示といった日常的な仕事用のツールなどもおなじみでし
ょう。細かい内容は異なりますが、この事情は携帯電話でも似たよう
なものです。

　こうしたプログラムを意味する専門用語がアプリケーションです。

おそらく「このプログラムは、コンピューターをある仕事のために適用（アプリケーション）したものです」という言い回しからきたのでしょう。多かれ少なかれ自己完結していて、ひとつの仕事を行うプログラムを表現する用語なのです。かつてはコンピュータープログラマーが使う用語でしたが、iPhoneで実行されるアプリケーションを販売するAppleのApp Storeが大成功を収めたことで、短縮形のapp（アプリ）は誰もが知る言葉となりました。

　新しいコンピューターまたは携帯電話を購入すると、そのようなプログラムがすでにたくさんインストールされていて、その後に利用者が購入またはダウンロードをすると新しいアプリが追加されていきます。こうした意味でアプリは、ユーザーである私たちにとって重要で、いくつかの技術的観点からも興味深い性質を持ちます。本章では、いくつかのアプリケーションを簡単に説明した後、特定のアプリケーション、すなわちブラウザーに注目します。ブラウザーは誰もがよく知っている代表的なアプリケーションですが、オペレーティングシステムとの予想外の類似性など、いくつもの驚きを秘めています。

　とは言え、まずはアプリケーションの使用を可能にしてくれる裏方プログラムであるオペレーティングシステムの話から始めましょう。この先を読み進めるときには、ほとんどすべてのコンピューター、すなわちノートパソコン、携帯電話、タブレット、メディアプレイヤー、スマートウォッチ、カメラ、その他のガジェットなどには、ハードウェアを管理するために何らかのオペレーティングシステムが搭載されていることを、心に留めておいてください。

6.1 オペレーティングシステムの役割

　1950年代初頭には、アプリケーションとオペレーティングシステムの間に区別はありませんでした。コンピューターの能力はとても限られていたため、一度にひとつのプログラムしか実行できず、そのプログラムがマシン全体を独占していました。プログラマーがコンピュ

ーターを使ってプログラムを実行するには、事前に予約しておく必要がありました（哀れな学生の身分だったとしたら、使えるのは夜中でした）。コンピューターが高度になるにつれて、素人がプログラムを実行するのはとても手間がかかり非効率になったため、その仕事は職業オペレーターに任されるようになりました。オペレーターの仕事はプログラムを実行して結果を配ることでした。オペレーティングシステムは、こうした人間のオペレーターが行うタスクを自動化するプログラムとして始まったのです。

　ハードウェアの進化に歩調を合わせて、オペレーティングシステムは着実に精巧になりました。ハードウェアが強力で複雑になるにつれ、その制御に対して多くのリソースを投入するのが当然になったのです。

　最初に広く利用されたオペレーティングシステムは、1950年代後半から1960年代初頭に登場しました。通常は、ハードウェアを製造した同じ会社により提供され、アセンブリー言語で記述されていたためにそのハードウェアと緊密に結びついていました。こうしてIBMや、それよりは小さな企業だったDEC（Digital Equipment）、DG（Data General）といった会社が、自社のハードウェア向けの独自のオペレーティングシステムを提供していたのです。本章の冒頭で引用したフレッド・ブルックスはIBMのSystem/360シリーズコンピューターと、そのコンピューター向け旗艦オペレーティングシステムであるOS/360の開発を1965年から1978年にかけて指揮しました。ブルックスは、コンピューター・アーキテクチャ、オペレーティングシステム、そしてソフトウェアエンジニアリングへの功績に対して、1999年にチューリング賞を受賞しました。

　オペレーティングシステムは、大学や企業の研究所でも盛んに研究されていました。MITは先駆者のひとつで、1961年にCTSS（Compatible Time-Sharing System：互換性のあるタイムシェアリングシステム）と呼ばれるシステムを開発しました。当時としては特に先進的で、しかも産業界の競合相手のシステムとは違い、使うのが楽

しいものでした。

Unix オペレーティングシステムは、ベル研究所に在籍したケン・トンプソンとデニス・リッチーによって、1969 年から開発が始められました。彼らは Unix の開発以前は、CTSS の後続システムの Multics を使って仕事をしていました。Multics は CTSS よりもさらに精巧なシステムでしたが、あまり成功はしませんでした。現在、Microsoft のものを除くほとんどのオペレーティングシステムは、ベル研究所のオリジナルの Unix、または互換性はあるものの独自に開発された Linux の子孫です。リッチーとトンプソンは、Unix 開発の功績によって、1983 年にチューリング賞を受賞しました[1]。

現代のコンピューターは、確かに複雑なモンスターです。第 1 章の図 2 で見たように、プロセッサー、メモリー、二次ストレージ、ディスプレイ、ネットワークインターフェースなどの、多くの部品でできています。これらのコンポーネントを効果的に使用するには、複数のプログラムを同時に実行する必要があります。たとえば、何かが起こるのを待っている（例：ウェブページのダウンロードを待つ）プログラム、すぐに応答を要求する（例：マウスの動きを追跡する、ゲームプレイ中のディスプレイを更新する）プログラム、他のプログラムと干渉する（例：すでに過密なメモリーにさらにスペースを必要とする新しい）プログラムなどがあります。それはもう大混乱です。

この高度なジャグリングを何とかこなすには、そのための専用プログラムを使うしかありません。これもまた、コンピューターに自らを支援させる例のひとつです。こうした仕事を行うプログラムが、オペレーティングシステムと呼ばれます。自宅や職場のコンピューターで使われているオペレーティングシステムとしては、様々なバージョンのある Microsoft Windows が、最も一般的なオペレーティングシス

※ 1　訳注：なお Unix という名称は、Multics よりも単純なものというニュアンスを表現するために、本書の著者であるブライアン・カーニハンによって与えられました。

テムです。日常生活で見られるデスクトップパソコンおよびノートパソコンのおそらく 80% から 90% で使われています。一方、Apple のコンピューターは macOS を実行します。また、裏方にある多くのコンピューターは（そして、表に出てくるいくつかのコンピューターも）、Unix または Linux を実行します。

　携帯電話もオペレーティングシステムを備えています。元々はそれぞれ独自のシステムを採用していましたが、現在は多くの場合、Unix あるいは Linux の縮小版が使われています。たとえば、iPhone と iPad は、macOS から派生したオペレーティングシステムである iOS を実行します[※2]。macOS は本質的には Unix の変種です。一方、Android 携帯電話は Linux を実行しますが、同様に私のテレビや TiVo、Amazon の Kindle 端末、そして Google Nest なども同じく Linux を実行します[※3]。Android 携帯電話の場合には、端末にログイン（接続）して基本的な Unix コマンドを実行することさえ可能です。

6.1.1 プロセッサーの管理
　オペレーティングシステムは、コンピューターのリソースの制御および割り当てを行います。

　まず、プロセッサーを管理し、現在使用中のプログラムがいつ実行されるかを決めるスケジューリングと調整を行います。スケジューリングとは、ある瞬間に、実際に計算を行っているどのプログラムに対して、プロセッサーの注意を振り向けるかを切り替えることです。切り替え対象のプログラムには、表に見えているアプリケーションだけでなく、アンチウイルスソフトウェアのようにバックグラウンドで実行されているものなど、すべてが含まれます。たとえばユーザーがダイアログボックスをクリックするのを待っているようなプログラムは、

※2　訳注：iPad は 2019 年以降、iOS からさらに派生した iPadOS を使っています。
※3　訳注：TiVo は学習型テレビ録画装置、Kindle は電子書籍端末、Google Nest は Google の家電ブランドです。

その上でイベント（クリック）が起きるまで、オペレーティングシステムによって実行が中断されます。また、オペレーティングシステムは、個々のプログラムがリソースを浪費するのを防ぎます。あるプログラムがプロセッサー時間を過度に要求した場合には、それ以外のプログラムが合理的な実行時間を得られるように、オペレーティングシステムはそのプログラムを抑制します。

　一般的なオペレーティングシステムは、同時に数百のプロセス（プログラムの実行単位）またはタスクを実行しています。ユーザーによって実行が開始されるプログラムもありますが、ほとんどは一般ユーザーには見えないシステムタスクです。macOSのアクティビティモニターや Windows のタスクマネージャー、あるいは携帯電話上の似たようなプログラムを使えば、何が行われているかがわかります。**図 1** は現在私が入力している Mac の上で実行されている 300 個のプロセスの一部を示します。ほとんどのプロセスはお互いに独立してい

Activity Monitor (All Processes)						
CPU	Memory	Energy	Disk	Network		Q Search
Process Name	% CPU	Real Mem	Rcvd Bytes	Sent Bytes	CPU Time	Threads
WindowServer	18.8	72.2 MB	0 bytes	0 bytes	1:34:44.28	10
Activity Monitor	10.6	192.0 MB	0 bytes	0 bytes	3:39:50.44	5
hidd	6.8	6.0 MB	0 bytes	0 bytes	9:28.23	6
kernel_task	5.0	2.53 GB	4.7 MB	951 KB	4:58:20.23	225
AppleUserHIDDrivers	3.1	2.2 MB	0 bytes	0 bytes	21.84	3
Dock	2.2	15.8 MB	0 bytes	0 bytes	34.92	5
Microsoft Edge Helper (R...	1.9	99.1 MB	0 bytes	0 bytes	13:29.42	24
Firefox	1.6	1.04 GB	25 KB	10 KB	36:40.77	68
FirefoxCP WebExtensions	1.5	381.4 MB	0 bytes	0 bytes	18:37.99	37
launchservicesd	1.3	5.4 MB	0 bytes	0 bytes	4:26.46	7
sysmond	1.2	4.9 MB	0 bytes	0 bytes	3:22:03.58	3
Microsoft Edge	1.2	89.5 MB	5 KB	3 KB	15:57.75	76
corespotlightd	0.6	10.6 MB	0 bytes	0 bytes	37.78	5
tccd	0.4	6.1 MB	0 bytes	0 bytes	14.34	3
launchd	0.4	14.2 MB	0 bytes	0 bytes	1:22:21.27	4
loginwindow	0.3	27.3 MB	0 bytes	0 bytes	2:15.00	5

		CPU LOAD		
System:	3.34%		Threads:	1,955
User:	5.28%		Processes:	414
Idle:	91.38%			

図 1　macOS のアクティビティモニター

るので、マルチコアアーキテクチャに適しています。

6.1.2 メモリーの管理

　第二に、オペレーティングシステムは一次メモリーも管理します。

　オペレーティングシステムは、命令の実行を開始できるように、プログラムをメモリーに読み込みます。そのときに実行しているプログラムすべてをまかなえる十分なメモリー容量がない場合には、現在実行していないプログラムがメモリー上で占めている部分を一時的にディスクに書き出して、余裕ができたときに再びメモリーに読み込みます。

　オペレーティングシステムは、あるプログラムが、他のプログラムまたはオペレーティングシステム自身にすでに割り当てられたメモリーにアクセスできないようにして、プログラム同士が互いに干渉するのを防いでいます。これは正常な動作を維持するという意味もありますが、安全対策でもあります。不正なプログラムやバグのあるプログラムが、本来手を出してはならない場所を突き回すのは望ましくないからです（かつて Windows でよく見られた「死のブルースクリーン」は、主に適切な保護を提供できなかったために引き起こされていました）。

　一次メモリーを効果的に使用するには、優れたエンジニアリングが必要です。そのためのひとつの手法として、必要なときにプログラムの一部のみをメモリーに取り込み、アクティブでなくなったらそれをディスクにコピーして戻すというやり方がとられます。これはスワッピング（訳注：swapping ＝入れ替えという意味です）と呼ばれるプロセスです。このしくみのおかげでプログラムを、あたかもコンピューター全体を専有して無限大のメモリーを持っているかのように、書くことができます。

　ソフトウェアとハードウェアの組み合わせによって提供されるこの抽象化により、プログラミングが大幅に簡単になっています。オペレ

ーティングシステムは、プログラムの一部を読み書きして、このイリ
ュージョンを助けているのです。このときにオペレーティングシステ
ムは、ハードウェアの力を借りて、プログラム内のメモリーアドレス
を、実際のメモリーの実際のアドレスへと、変換します。このメカニ
ズムは「仮想記憶」と呼ばれます。「仮想」という言葉の多くの使用
例と同様、現実そのものではなく現実のように見える錯覚を与えるこ
とを意味します。

　図2は、私のコンピューターがメモリーをどのように使用してい
るかを示します。プロセスは、使用しているメモリーの量でソートさ
れています。この図では、ブラウザーのプロセスがメモリー使用量の
大半を占めていますが、これは典型的なブラウザーがメモリーを大量
に消費するアプリケーションだからです。一般的に、メモリーが多け
れば多いほど、コンピューターの動作は速くなります。これは、メモ
リーと二次ストレージの間でスワップを行う時間が短くなるためです。

Process Name	Memory	Real Me... ⌄	Private Mem	Shared Mem	VM Compressed
kernel_task	144.2 MB	2.53 GB	0 bytes	0 bytes	0 bytes
Firefox	1.16 GB	1.04 GB	903.7 MB	318.4 MB	123.5 MB
FirefoxCP WebExtensions	372.2 MB	398.2 MB	208.6 MB	207.9 MB	101.1 MB
Activity Monitor	161.2 MB	237.3 MB	96.5 MB	34.3 MB	13.1 MB
Microsoft Edge Helper (Renderer)	183.7 MB	169.8 MB	37.7 MB	187.8 MB	89.1 MB
CrashPlanService	621.9 MB	108.5 MB	123.9 MB	4.0 MB	519.5 MB
Preview	88.3 MB	106.4 MB	44.2 MB	62.3 MB	30.7 MB
FirefoxCP Web Content	140.4 MB	106.4 MB	13.1 MB	286.4 MB	45.7 MB
Microsoft Edge Helper (Renderer)	78.5 MB	99.1 MB	23.8 MB	189.2 MB	33.9 MB
Terminal	112.8 MB	97.8 MB	32.0 MB	99.9 MB	25.1 MB
Microsoft Edge	159.9 MB	89.5 MB	56.5 MB	221.7 MB	87.2 MB
softwareupdated	49.4 MB	83.2 MB	35.3 MB	11.2 MB	11.0 MB
WindowServer	540.2 MB	73.0 MB	31.7 MB	138.5 MB	73.0 MB
Safari	38.7 MB	69.1 MB	33.5 MB	25.3 MB	0 bytes
FirefoxCP Web Content	23.9 MB	56.4 MB	22.0 MB	205.6 MB	0 bytes
syspolicyd	51.0 MB	40.3 MB	30.9 MB	4.3 MB	20.0 MB

Activity Monitor (All Processes)

CPU | Memory | Energy | Disk | Network | Q Search

MEMORY PRESSURE

Physical Memory:	16.00 GB		
Memory Used:	7.82 GB	App Memory:	3.85 GB
Cached Files:	6.77 GB	Wired Memory:	2.81 GB
Swap Used:	725.8 MB	Compressed:	1.15 GB

図2　macOS のメモリー利用状況を表示するアクティビティモニター

コンピューターをさらに速く走らせたいのであれば、一次メモリーを
増やすのが最も費用対効果の高い手段でしょう。とは言え、通常増設
できる容量には物理的な上限がありますし、アップグレードできない
コンピューターもあります。

6.1.3 二次ストレージの管理

　第三に、オペレーティングシステムは二次ストレージに保存された
情報を管理します。

「ファイルシステム」と呼ばれるオペレーティングシステムの主要な
コンポーネントが、コンピューターの使用時に見られるおなじみのフ
ォルダーとファイルの階層を提供します。ファイルシステムには、幅
広い議論ができる興味深い特性があるので、本章の後半で再びファイ
ルシステムの話題を取り上げます。

6.1.4 デバイスの管理

　最後に、オペレーティングシステムはコンピューターに接続されて
いるデバイス（周辺機器）の動作を管理、調整します。

　ひとつのプログラムは、自分自身が専有している、重なり合ってい
ない複数のウィンドウを持っていると想定できます。オペレーティン
グシステムは、ディスプレイ上の複数のウィンドウを管理する複雑な
タスクを実行し、適切な情報がきちんと適切なウィンドウに表示され
て、ウィンドウが移動、リサイズ、あるいは表示の後に再表示された
際には、適切に復元されるようにします。オペレーティングシステム
は、キーボードとマウスからの入力を、待ち構えているプログラムへ
と振り分けます。また有線／無線にかかわらず、ネットワーク接続へ
の送受信を処理します。またプリンターにデータを送信し、スキャナ
ーからデータを取り込みます。

6.1.5 大規模化、複雑化するオペレーティングシステム

ここで、「オペレーティングシステムはプログラムである」と前述したことに着目してください。オペレーティングシステムもまた、前の章で紹介したような、同じ種類の言語（ほとんどの場合、Cまたは C++）で書かれたプログラムに過ぎません。初期の頃はメモリーも少なく、仕事も単純だったので、オペレーティングシステムも小さなものでした。最も初期のオペレーティングシステムは、一度にひとつのプログラムしか実行しなかったので、スワッピングの必要性は限られていました。割り当てられるメモリーは多くなく、100KB 未満でした。扱わなければならない外部のデバイスも多くありませんでした。もちろん現在のようなバラエティに富んだデバイスはありません。現在のオペレーティングシステムは、様々な込み入ったタスクを実行しているために、数百万行に及ぶ巨大なものとなり、複雑化しています。

比較のために挙げておくと、現代の多くのシステムの祖先である Unix オペレーティングシステム第6版は、1975 年の時点で、9,000 行のCとアセンブリー言語で書かれていました。しかもそれを書いたのは、ケン・トンプソンとデニス・リッチーという、たった2人だったのです。現在、Linux の規模は 1,000 万行を超えていますが、これは数千人が数十年にわたって取り組んできた成果です。また、公式なサイズは公開されていませんが、Windows 10 は約 5,000 万行あると推定されています。とは言え、こうした数字は直接比較できません。なぜなら現代のコンピューターははるかに洗練されていて、しかもはるかに複雑な動作環境と多くのデバイスを扱うからです。そしてオペレーティングシステムに含まれているとみなされるものの間にも違いがあります。

オペレーティングシステムも単なるプログラムであるため、理屈としては新たに書くことが可能です。実際 Linux は、フィンランドの大学生だったリーナス・トーバルスが独自の Unix をゼロから書くことを 1991 年に決めたとき、始まりました。彼は初期のドラフト（わ

ずか1万行弱に過ぎませんでした）をインターネットに投稿して、他の人にそれを試して助けてもらえないかとお願いしました。その後、Linuxはソフトウェア業界の主要な勢力となり、多くの大企業や、膨大な数の小規模な開発者によって採用されています。前章で述べたように、Linuxはオープンソースなので、誰でも使用して貢献（コントリビュート）ができます。現在では、何千人もの貢献者（コントリビューター）がいて、その中核はフルタイムの開発者です。トーバルズは今でも全体的なコントロールを行っており、かつ技術的決定の最終裁定者です。

手元のハードウェア上で、元々意図されていたものとは異なるオペレーティングシステムを実行させることもできます。たとえば元々はWindowsの実行を想定していたコンピューター上でLinuxを実行するのが良い例です。複数のオペレーティングシステムをディスクに保存しておいて、コンピューターの電源を入れるたびに実行するオペレーティングシステムを選ぶこともできます。こうした「マルチブート」機能は、たとえばAppleのブートキャンプ（Boot Camp）として実現されています。これにより、Mac上でmacOSの代わりにWindowsを起動できるわけです[4]。

6.1.6 仮想オペレーティングシステム

あるオペレーティングシステムを、別のオペレーティングシステムの管理下で、「仮想オペレーティングシステム」として実行できます。VMware、VirtualBox、Xen（これはオープンソースです）といった仮想オペレーティングシステムを実行可能にするプログラムを使用すると、たとえばmacOSなどのホストオペレーティングシステム上で、WindowsやLinuxなどのオペレーティングシステムを仮想的なゲストオペレーティングシステムとして実行できるのです。

※4　訳注：ただしBoot Campが利用できるのはIntelのプロセッサーを搭載したMacのみです。

図3　仮想オペレーティングシステムの構成

　ホストオペレーティングシステムは、ゲストオペレーティングシステムによって発行された、システム権限を必要とする（たとえばファイルシステムやネットワークアクセスなどに関係する）リクエストを横取りします。ホストは横取りした操作を実行して、結果をゲストへと戻します。ホストとゲストがどちらも同じハードウェア向けにコンパイルされている場合には、ゲストシステムは大部分をハードウェアの能力と同じ速さで実行できます。このため、まるでマシンの上で直接実行した場合に近い反応の良さを感じられます。

　図3は、仮想オペレーティングシステムがホストオペレーティングシステム上でどのように実行されているかを概念的に示します。ホストオペレーティングシステムから見る限り、ゲスト（仮想）オペレーティングシステムは通常のアプリケーションのひとつに過ぎません[5]。

　図4は、私のMacでVirtualBoxを起動し、その上でふたつのゲストOSを起動したときのスクリーンショットです。左側がLinux、右側がWindows 10です。

　第11章で再び取り上げるクラウドコンピューティングは、仮想マシンに依存します。クラウドサービスプロバイダーは、膨大なストレージとネットワーク帯域幅を持つ多数の物理コンピューターを所有し、それを使って顧客にコンピューティングパワーを提供します。各顧客は、少数の物理マシンでサポートされたいくつかの仮想マシンを使用

---

[5]　訳注：ホスト上で動作している仮想オペレーティングシステムをインスタンスと呼びます。

図4 Windows（右）と Linux（左）の仮想マシンを実行する macOS

します。ひとつの物理パッケージ内に複数のプロセッサーコアを持つマルチコアプロセッサーは、こうした複数の仮想マシンの運用に便利なのです。

Amazon Web Services（AWS）はクラウドコンピューティングの最大手であり、Microsoft Azure と Google Cloud Platform が続いています。AWS は特に成功していて、Amazon の営業利益の半分をはるかに超える額を生み出しています。これらはいずれも、負荷の変化に応じて利用する容量を増減できるサービスを提供しており、個々のユーザーが瞬時にスケールアップやスケールダウンを行えるような十分なリソースが確保されています。Netflix のような大企業を含む多くの企業は、スケールメリット、負荷の変化への適応性、社内スタッフの必要性の少なさから、自社でサーバーを運用するよりもクラウドコンピューティングの方が、コスト効率が高いと判断しているのです。

仮想オペレーティングシステムは、所有権に関する興味深い疑問を生み出します。たとえば、ある会社が1台の物理コンピューター上で

多数の仮想Windowsインスタンスを実行する場合には、Windowsライセンスを何個Microsoftから購入すればよいのでしょう？ 法的な問題を無視できるとすれば答えは1個になりますが、Microsoft Windowsライセンスは、追加のコピー分を支払わずに仮想インスタンスを実行することを許してくれません。

ここで、「仮想」（virtual）という言葉の別の使用法について触れておく必要があります。コンピューターをシミュレートするプログラムも（対象がリアルなものでも、トイ・コンピューターのような「なんちゃって」なものであっても）、しばしば「仮想マシン」（virtual machine）と呼ばれています。すなわち、まるでハードウェアであるかのように動作を模倣する、プログラムとしてのみ存在するコンピューターです。

このような仮想マシンは広く使われています。ブラウザーには、JavaScriptプログラムを解釈して実行する仮想マシンと、おそらくJavaプログラム用にまた別の仮想マシンが用意されています。Android携帯電話にはJava仮想マシンも内蔵されています。物理的な機器を製造して出荷するよりも、プログラムを記述して配布する方が簡単で柔軟性があるために、仮想マシンはよく使用されます。

6.2 オペレーティングシステムのしくみ

プロセッサーは、コンピューターの電源がオンになったときに、永続メモリー[6]に格納された数少ない命令群を実行して起動するように作られています。その数少ない命令群は、小さなフラッシュメモリー（書き換え可能な不揮発性メモリー）からさらに別の命令群を読み込みます。読み込まれたそれらの命令群を使って、さらにディスクやUSBメモリー、あるいはネットワーク接続先からまた別の命令群を読み込むのです。

※6　訳注：これは不揮発性メモリーなので、電源を供給しなくても記憶を保持します。

そうして読み込まれた命令群は、有用な仕事ができるようになるまで、命令群の読み込みをさらに続けます。この開始プロセスは、元々「ブートストラッピング」と呼ばれていました。この言葉は、ブーツの履き口にあるつまみ革（ブートストラップ）を引っ張って自分の体を持ち上げる[7]という古い言い回しからきていました。現在は単に「ブーティング」（あるいはブート）と呼ばれています。実際の詳細は異なりますが、基本的な考え方は変わりません。少ない命令群をまず読み込んで、それらを使ってさらに多くの読み込みを行うのです。

　このブートプロセスの一部には、ハードウェアに問い合わせを行って、コンピューターに接続されているデバイス（たとえばプリンターやスキャナーがあるか、など）を判定する作業も含まれます。メモリーおよびその他のコンポーネントは、それらが正しく機能しているか否かをチェックされます。ブートプロセスでは、接続されたデバイスをオペレーティングシステムが使えるように、「ドライバー」と呼ばれるソフトウェアコンポーネントの読み込みも行われます。このプロセスには時間がかかるので、コンピューターが役に立つ仕事を始めるのを今か今かと待ちわびることになります。コンピューターは以前よりもはるかに高速になりましたが、それでもブートするのに1〜2分かかる場合もあります。

　オペレーティングシステムは一度実行を始めてしまうと、実行可能な、あるいは対応が必要なアプリケーションを順番に処理していくという、とても単純なサイクルへと落ち着きます。私がワードプロセッサーでテキストを入力し、メールをチェックし、ランダムにウェブサーフィンを行い、バックグラウンドで音楽を再生しているときにオペレーティングシステムは、これらの各プロセスにプロセッサーを次々に割り当てて処理しています。各プログラムには短い実行時間が割り

---

[7]　訳注：pull oneself up by one's bootstraps という英語表現で「自力でやり遂げる」という意味です。

当てられますが、ひとつのプログラムがシステムサービスを要求したり、割り当てられた時間を使い切ると、そのプログラムの実行は終了して、次のプログラムが実行されます。

システムは、音楽の終わり、メールの到着やウェブページの表示、キー入力などのイベント（出来事）に応答します。それぞれのイベントに対応して、必要な動作を行いますが、多くの場合には、そのイベントを処理する責任があるアプリケーションに対して、何かが発生したという事実を伝えます。たとえば、私が画面上のウィンドウを並べ替えようとするとき、オペレーティングシステムはディスプレイに対してどこにそのウィンドウを置くべきかを伝え、次にそれぞれのアプリケーションに対して、どのアプリケーションのウィンドウのどの部分が見えるようになったかを伝えます。この通知によってアプリケーションはウィンドウの中身を再表示できるのです。

アプリケーションのメニューから［ファイル］−［終了］を選ぶか、ウィンドウの上の隅にある小さな×印をクリックしてアプリケーションを終わらせようとしたときには、システムはアプリケーションに対して、終了させられようとしていることを通知します。通知を受け取ったアプリケーションには、終了前の後始末を行うチャンスが与えられます。たとえばユーザーに対して「ファイルを保存しますか？」と尋ねたりできます。その後、オペレーティングシステムは、プログラムが使用していたリソースを回収し、新しくウィンドウが表示されるようになったアプリに対して画面を再描画する必要があると通知します。

6.2.1 システムコール

オペレーティングシステムは、ハードウェアとソフトウェア間のインターフェース（接点、仲立ち）を提供します。このインターフェースによって、ハードウェアが実際に提供するものよりも高レベルのサービスが提供されているように見えるため、プログラミングが簡単に

なります。この分野の専門用語を使うなら、オペレーティングシステムは、アプリケーションを構築できる「プラットフォーム」を提供します。これは、実装の不規則性や無関係な詳細を覆い隠すインターフェース（あるいはサーフェス）を提供する、抽象化の別の例です。

　オペレーティングシステムは、アプリケーションプログラムに提供する一揃いの操作を定義します。たとえばファイルへのデータの保存、ファイルからのデータの取得、ネットワーク接続の確立、キーボード入力の取得、マウスの動きやボタンクリックの報告、そしてディスプレイへの描画などです。

　オペレーティングシステムはこれらのサービスを、標準化または合意された方法で利用できるようにします。アプリケーションプログラムはこのサービスへの要求を、特定の命令の実行を通して行います。この特定の命令を呼ぶとオペレーティングシステムの中の特定の場所に制御が移動します。システムはその要求を受け入れて仕事を行ったあと、制御と結果をアプリケーションに戻します。こうしたシステムへのエントリーポイントは「システムコール」と呼ばれ、その詳細な仕様が、オペレーティングシステムが何であるかを定義します。最新のオペレーティングシステムは通常、数百ものシステムコールを備えています。

6.2.2 デバイスドライバー

「デバイスドライバー」とは、オペレーティングシステムと、プリンターやマウスといった特定の種類のハードウェアデバイスとの間の架け橋として機能するコードです。ドライバーのコードには、特定のデバイスに対して必要な動作をさせるための詳細な情報が埋め込まれています。たとえば、特定のマウスやトラックパッドの動きやボタン情報にアクセスする方法、集積回路や回転する磁気表面から情報を読み書きする方法、プリンターを使って紙の上に印を付ける方法、あるいは、特定の無線チップを使って無線信号を送受信する方法、などに関

する情報です。

　ドライバーは、特定のデバイスの独自の性質を、システムの残りの部分から隔離します。たとえばキーボードのような特定のカテゴリーに属するデバイスはすべて、オペレーティングシステムが利用するための基本的な共通の性質と操作を持っています。ドライバーインターフェースが個々のデバイスの独自性を覆い隠して、オペレーティングシステムに対してデバイスへの一様なアクセス手段を提供してくれるので、デバイスの交換が簡単に行えるのです。

　プリンターを考えてみましょう。オペレーティングシステムは、一般的な要求を行おうとします。たとえば、ページ上のこの位置にこのテキストを印刷したい、この画像を描画したい、次のページに移動したい、プリンターの機能を説明してほしい、プリンターの状態を報告してほしい、といった要求について、すべてのプリンターに適用できる一様なやり方で行いたいのです。しかし、プリンターの能力は様々です。たとえば、カラー印刷、両面印刷、複数の用紙サイズなどをサポートするかどうかなどや、インクを用紙に転写する方法のメカニズムなども、異なります。特定のプリンターのドライバーは、オペレーティングシステムからの要求を、プリンター自身の独自の操作へと変換する責任があります。たとえば、デバイスが白黒プリンターの場合には、ドライバーはカラーをグレースケールに変換します。

　オペレーティングシステムは抽象化または理想化されたデバイスに対して一般的な要求を行い、ドライバーはそれを特定のハードウェア用に変換します。1台のコンピューターに複数のプリンターが接続されている場合には、このメカニズムを目で確認できます。印刷時のダイアログボックスを見ると、異なるプリンターに対して、異なるオプションが提供されていることがわかるからです。

　汎用のオペレーティングシステムには、多くのドライバーが用意されています。たとえばWindowsは、消費者が使用する可能性のある膨大な種類のデバイス用のドライバーがあらかじめインストールされ

て出荷されています。また、すべてのデバイスメーカーは、新しいド
ライバーやアップデートされたドライバーをダウンロードできるウェ
ブサイトを用意しています。

　ブートプロセスの一環として、現在使用可能なデバイスのドライバ
ーが実行中のシステムにロードされます。デバイスの数が多いほど、
ロードには時間がかかります。また、新しいデバイスがふいに現れる
こともよくあります。たとえば、外部ディスクがUSBソケットに差
し込まれると、オペレーティングシステムはその新しいデバイスを認
識し、それがUSB接続されたディスクであると判断して、その後の
アクセスのためにUSBディスクドライバーをロードします。通常は、
このために新しいドライバーを探す必要はありません。メカニズムは
極めて標準化されているために、オペレーティングシステムにはすで
に必要なものが備わっており、特定のデバイスを動作させるための特
定のコードは、デバイス自身のプロセッサーの中に埋め込まれている
のです。

　図5は、オペレーティングシステム、システムコール、ドライバー、
およびアプリケーション間の関係を示します。この構成は、Android
やiOSのような携帯電話システムでも同様です。

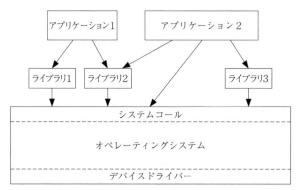

**図5　オペレーティングシステム、システムコール、
およびデバイスドライバーのインターフェース**

6.3 その他のオペレーティングシステム

　これまで以上に電子機器が安価になり小型化しているおかげで、ひとつのデバイスにこれまでよりも多くのハードウェアを詰め込めるようになっています。その結果、多くのデバイスがかなりの処理能力とメモリーを備えています。デジタルカメラを「レンズ付きのコンピューター」と呼んでも、それほど的外れではありません。処理能力とメモリーが増加するにつれて、カメラはさらに多くの機能を備えるようになっています。私が最近手に入れた安価なスナップ用カメラは、HD 動画の録画が可能で、Wi-Fi を使って画像や動画をコンピューターや携帯電話へとアップロードできます。携帯電話自身もまた別の素晴らしい例です。言うまでもなく、カメラと電話は一体化しつつあります。現在のどんな携帯電話でも、私が最初に買ったデジタルカメラに比べて、レンズの品質は別として、はるかに多くのメガピクセル数を誇っているのです。

　このような結果として、全体としては多くのデバイスが、第 1 章で説明したような汎用コンピューターへの道を歩んでいます。それらには強力なプロセッサー、大量のメモリー、カメラのレンズやディスプレイなどのような周辺機器が備わっています。洗練されたユーザーインターフェースを備えている場合もあれば、全く備えていない場合もあります。多くの場合、そうしたデバイスはネットワーク接続を使用して他のシステムと通信できます。携帯電話は電話ネットワークとWi-Fi を利用して、ゲームコントローラーは赤外線と Bluetooth を使用して、そして多くのデバイスは一時的な接続に USB を使用します。「IoT」（モノのインターネット）も同様のデバイスに基づいています。サーモスタット、照明、セキュリティシステムなどは、組み込みコンピューターによって制御され、インターネットにつながります。

　汎用化の傾向が続いていることで、独自のオペレーティングシステムを作成するよりも、普通に手に入るオペレーティングシステムを使用する方が理にかなうようになっています。利用環境が非常に珍しい

場合を除いて、独自の特殊なシステムを開発したり、高価な商用製品をライセンスして使うよりも、堅牢で適応性があり、移植性があり、そして無償の、必要最小限版の Linux を使う方が安上がりなのです。難点のひとつは、GPL のようなライセンスの下では、成果物のコードの一部を公開しなければならない場合がある点です。このことはデバイスの知的財産をどのように保護すればよいかという問題を引き起こす可能性があります。しかし、Kindle や TiVo、その他多くの例を見ればわかるように、そうした課題は克服可能です。

6.4 ファイルシステム

ファイルシステムは、オペレーティングシステムの一部を構成していて、ディスク、CD、DVD、その他のリムーバブルメモリーデバイスを、ファイルやフォルダーの階層のように見せる働きをします。

このファイルシステムは、論理構成と物理実装の違いを示してくれる素晴らしい例です。ファイルシステムは情報を様々な種類のデバイスの上で整理し保存しますが、オペレーティングシステムはそのすべてに対して同じインターフェースを提供します。

ファイルシステムが情報を保存する方法は、実用的だけではなく法的な影響を受ける可能性があります。また、ファイルシステムを学んでおくべきもうひとつの理由は、「ファイルの削除」が必ずしもその内容が永遠に失われるという意味ではないことを理解するためです。

ほとんどの読者は、Windows でファイルエクスプローラーを、または macOS でファインダーを使うので、最上位から始まる階層が表示されます（たとえば、Windows の C: ドライブなど）。ひとつのフォルダーには、他のフォルダーやファイルの名前が含まれます。その中のひとつのフォルダーを調べると、さらに多くのフォルダーとファイルが見つかります（なお Unix システムでは伝統的に、フォルダーの代わりにディレクトリという用語を使用します）。フォルダーは組織的な構造を提供し、ファイルはドキュメント、写真、音楽、スプレ

ッドシート、ウェブページなどの実際の内容（コンテンツ）を保持します。コンピューターが保持するすべての情報はファイルシステムに保存されていて、その中を見て回ることができます。これにはデータだけでなく、WordやChromeなどの実行可能形式のプログラム、ライブラリ、構成情報、デバイスドライバー、およびオペレーティングシステム自体を構成しているファイルが含まれます。その量は驚くべき多さです。調べてみたら、それほど重装備ではない私のMacBookに90万個以上のファイルがあったことには驚きました。友人のひとりは彼のWindowsコンピューター上に80万個以上のファイルがあると言っています。図6に示すのは、私のコンピューター上で、私のホームディレクトリ下にある画像へ至る5階層です。

　macOSのファインダー（発見者）とWindowsのエクスプローラー（探検者）は、その名前とは裏腹に、ファイルのありかがわかっているときに最も役に立ちます。そのときはいつでも、ファイルシステム階層のルートもしくはトップからファイルにたどり着けます。しかし、ファイルのありかがわからない場合は、macOSのスポットライト（Spotlight）のような検索ツールを使う必要があるかもしれません。

　ファイルシステムはこのすべての情報を管理し、アプリケーションやオペレーティングシステムから読み書きができるようにします。アクセスが効率的に実行され、お互いに干渉しないように調整している

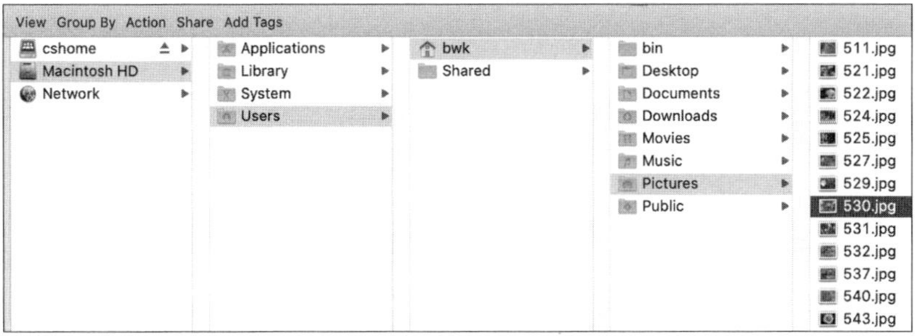

図6　ファイルシステム階層

のです。データが物理的にどこに置かれているのかを追跡し、データ同士がきちんと分離されて、電子メールの内容がスプレッドシートや税金還付申告書の内容と入り混じって、わけのわからない内容になってしまわないことを保証します。複数のユーザーをサポートするシステムでは、情報のプライバシーとセキュリティを強化して、あるユーザーが許可なく別のユーザーのファイルにアクセスできないようにし、各ユーザーが使用できるスペースの量に割当制限（クォータ）をかける場合もあります。

　ファイルシステムサービスは、もっとも下位レベルのシステムコールを通して提供されますが、通常は一般的な操作を簡単にプログラミングできるように補完的なソフトウェアライブラリが一緒に提供されています。

6.4.1 二次ストレージファイルシステム

　ファイルシステムは、様々な物理システムを「フォルダーの階層とファイル」という一様な論理的構造で見せられることを示した素晴らしい例です。それはどのように動作するのでしょうか？

　500GB のドライブは 5,000 億バイトを保持しますが、ドライブを扱うソフトウェアはこれを、しばしば 5 億個に分割された 1,000 バイト単位のチャンク（塊）もしくはブロックとして表現します（実際のコンピューター内では、これらのサイズは 2 のべき乗になりますが、関係をわかりやすくするためにここでは 10 進数を使用します）。2,500 バイトのファイル（たとえば小さなメールメッセージ）はこうしたブロックを 3 つ使って保存されます。ふたつでは足りませんが、3 つあれば十分です。ファイルシステムは、あるファイルのバイトを別のファイルのバイトと同じブロックには保存しません。このため、もし最後のブロックが完全に一杯にならないなら、常にある程度の無駄が発生します。上の例では最後のブロックの 500 バイト分は使われていません。これは、特に二次ストレージが非常に安価であることを考える

と、管理作業を簡素化するためには支払ってもよい、ほどほどのコストです。

　フォルダー内に書かれたこのファイルに対応するエントリーには、その名前、2,500バイトというサイズ、作成または変更された日時、およびその他の細々した事実（許可、種類などなど、オペレーティングシステムによって異なります）が書かれています。こうした情報はすべて、エクスプローラーやファインダーなどのプログラムを介して表示できます。

　フォルダーエントリーには、ファイルがドライブ上のどこに保存されているか、という情報も含まれます。つまり5億ブロックのうちのどのブロックが、そのファイルのバイトを含んでいるかについての情報です。その位置情報を管理するためには、様々なやり方があります。フォルダーエントリーにブロック番号のリストを持たせることもできます。あるいはそのリストは、それ自身がブロック番号のリストを含むブロックを参照しているかもしれません。または、最初のブロックの番号を含むものかもしれません。そして、最初のブロックが2番目のブロックの場所を示し、その次へと続けていくやり方です。**図7**は、ブロックのリストを参照するブロックを持つ構成の概念図です。ここでは従来のハードドライブのように見える図で示します。

　ひとつのファイルを構成するブロック同士は、ハードドライブ上で

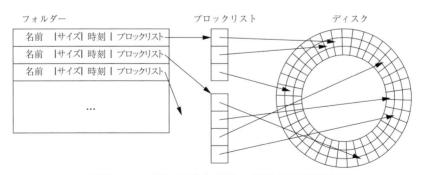

フォルダー　　　　　　　　　　　ブロックリスト　　　　　ディスク

名前　｜サイズ｜時刻｜ブロックリスト

名前　｜サイズ｜時刻｜ブロックリスト

名前　｜サイズ｜時刻｜ブロックリスト

…

図7　ハードディスク上のファイルシステム階層

物理的に隣接する必要はありません。実際、少なくとも大きなファイルの場合には、通常は隣接しません。1MBの大きさのファイルは1,000ブロックを占有して、それらはある程度分散するはずです。この図には示していませんが、フォルダーとブロックリスト自身も同じドライブ上のブロックに保存されます。

半導体ディスク（SSD：solid state disk）の実装は、これとは全く異なりますが、基本的なアイデアは同じです。前にも書いたように、ますます多くのコンピューターがSSDを利用するようになりました。1バイトあたりのコストは割高ですが、従来のものよりもサイズは小さく、信頼性は高く、重量は軽く、そして電気の消費量も少ないなどの特徴が、SSDが選択される理由です。エクスプローラーやファインダーなどのプログラムから見たときの違いは全くありません。

ただし、SSDデバイスには異なるドライバーが必要で、デバイス自身はどこに情報が実際に置かれているかを記憶するために、さらに洗練されたコードを利用します。こうなっている理由は、SSDデバイスのそれぞれの場所の使える回数に制限があるからです。ドライブ内のソフトウェアは、各物理ブロックの使用量を追跡して、各ブロックが大体同じ量で使用されるようにデータを移動します。このプロセスは「ウェアレベリング」（摩耗度の平準化）と呼ばれます。

ひとつのフォルダーは、他のフォルダーやファイルがどこに置かれているか、という情報を含んだファイルです。ファイルの内容と構成に関する情報は完全に正確で一貫している必要があるので、ファイルシステムはフォルダーの内容を管理および保守する権利を自分自身で握っています。ユーザーとアプリケーションプログラムは、ファイルシステムに対しての要求を通してのみ、間接的にフォルダーの内容を変更できます。

ある観点から見れば、フォルダーもファイルそのものです。それが保存されているやり方に違いはありません。ただしフォルダーの内容に関してはファイルシステムが完全に責任を持っていて、アプリケー

ションは直接それを変更する手段を持っていません。しかし、最下位のレベルでは、それはブロックに過ぎず、すべて同じメカニズムで管理されています。

プログラムがすでにあるファイルにアクセスしようとする場合、ファイルシステムはファイルシステム階層のルート（根元）からファイルを検索し、ファイルパス名のそれぞれの構成要素に対応するフォルダーを探していかなければなりません。つまり、もし探しているファイルが Mac 上の /Users/bwk/book/book.txt というファイルの場合、ファイルシステムはまず、ファイルシステムのルートで Users フォルダーを検索し、次にそのフォルダーの中で bwk を検索し、次に bwk の中で book を検索し、さらに book の中で book.txt を検索します。Windows では、名前は C:\My Documents\book\book.txt のようになって、同じような検索が行われることになります（訳注：日本語版の Windows では \ は ¥ で表されます）。

パスの各コンポーネント（フォルダー）によって、検索がそのフォルダー内にあるファイルとフォルダーに絞り込まれ、他のすべては排除されるので、これは効率的な戦略です。したがって、パスの一部が同じ名前のコンポーネントになるファイルが複数存在できます。唯一の要件は、フルパス名（完全なパス名）が一意であることです。実際には、プログラムとオペレーティングシステムが現在使用中のフォルダーを追跡しているので、毎回ルートから検索を開始する必要はありません。またシステムは操作を高速化するために、頻繁に使用されるフォルダーもキャッシュします。

プログラムが新しいファイルを作成する場合、ファイルシステムに対して要求を行います。その要求により、適切なフォルダーの中に新しいエントリーが書き込まれます。書き込まれる情報は名前、日付などです。新しいファイルにはブロックが割り当てられていないので、サイズはゼロです。その後、プログラムがそのファイルにデータを書き込むとき、たとえばメールメッセージのテキストが追加されたなら、

ファルシステムは要求された情報を書き込むのに十分な大きさの未使用もしくは「フリー」ブロックを探し出し、データをその中に転写して、それらのブロックをフォルダーのブロックリストに挿入し、アプリケーションに戻します。

　これは、ドライブ上の現在使用されていないすべてのブロック（すなわちどのファイルの一部にもなっていないブロック）のリストを、ファイルシステムが保守していることを意味します。新しいブロックの要求は、フリーブロックリスト（未使用ブロックリスト）からブロックを取り出すことで実現されます。このフリーリストもファイルシステムブロックに保持されていますが、アプリケーションプログラムからはアクセスできず、オペレーティングシステムからのみアクセスできます。

6.4.2 ファイルの削除

　ファイルが削除されるときには、逆のことが起こります。ファイルのブロックがフリーリストに戻され、そのファイルのフォルダー内のエントリーが消されるため、表面的にはファイルがなくなったように見えます。しかし実際には、本当に消えているわけではありません。そこに多くの興味深い意味が横たわっているのです。

　ひとつのファイルは Windows または macOS 上で削除されると、「ごみ箱」（Recycle Bin）または「ゴミ箱」（Trash）に移動します[8]。これらはわずかに異なる性質を持つものの、基本的には単なる別のフォルダーのように見えます。実際、それはまさにゴミ箱のような役割を果たします。ファイルを削除するときには、そのフォルダーエントリーとフルネームが現在のフォルダーからごみ箱またはゴミ箱と呼ばれるフォルダーのエントリーとしてコピーされ、元のフォルダーのエ

---

[8]　訳注：「ごみ箱」（Recycle Bin）は Windows の用語、「ゴミ箱」（Trash）は Mac の用語です。以下両者を翻訳上区別しない場合もあります。

ントリーは消去されます。このときファイルそのもののブロック、す
なわちその内容は、全く変更されないのです！ゴミ箱からファイルを
復元するときには、このプロセスが逆になり、エントリーが元のフォ
ルダーへと復元されます。

「ゴミ箱を空にする...」という操作は最初に説明したものに近く、
「ごみ箱」または「ゴミ箱」の中のエントリーが消されて、対応する
ファイルのブロックが実際にフリーリストに追加されます。これは、
ゴミ箱を意識的に空にしたときにも、ファイルシステムが空きスペー
ス不足を検知して黙ってゴミ箱の中を消去したときにも、同様です。
「ごみ箱を空にする」または「ゴミ箱を空にする」をクリックして、
ゴミ箱を意識的に空にしたとしましょう。これにより、リサイクルフ
ォルダーの中のエントリーが消去され、ファイルに使われていたブロ
ックがフリーブロックリストに追加されます。しかし、その段階でも、
内容はまだ削除されていません。元のファイルのそれぞれのブロック
の中のすべてのバイトは、手付かずのまま残っているのです。それら
は、そのブロックがフリーリストから取り出されて、新しいファイル
に与えられるまで、新しい内容で上書きされることはありません。

　このような実際の削除の遅れが意味しているのは、削除されたと思
った情報がまだ存在していて、それを見つける方法を知っていれば、
すぐにアクセスできるということです。ファイルシステム階層を通さ
ずに、直接ドライブの物理ブロックを読み込むプログラムなら、古い
内容が何であったかを見ることができます。2020年の中頃、
Microsoftが、まさにそのようなリカバリーを様々なファイルシステ
ムやメディアに対して行うWindows File Recoveryという無料のツ
ールを発表しました。

　このやり方には潜在的な利点があります。ディスクに何か問題が発
生した場合に、ファイルシステムが混乱していたとしても、情報を回
復できるかもしれないのです。その反面、データが本当に削除された
という保証を得ることはできません、それは（たとえばプライベート

な理由だったり、悪事を計画していたりしたりして）本当にその情報を削除したいと思っているときには困った事態です。優秀な敵対者や法執行機関なら、情報を回復するのに苦労はしないでしょう。極悪非道な計画を練っていたり、単なる誇大妄想の気があるのなら、フリーブロック上の情報を消去するプログラムを使わなければなりません[9]。

　実際には、もっとうまくやらなければならないかもしれません。多くのリソースを持つ真に専門的な敵対者なら、たとえ新しい情報が上書きされていたとしても、情報の痕跡を抽出できるかもしれないからです。軍事レベルでのファイル消去では、ランダムな1と0のパターンでブロックを何度も上書きします。

　さらに良いのは、ハードディスクを強力な磁石の近くに置いて消磁してしまうやり方です。最善の方法は、物理的に破壊してしまうことです。それがコンテンツを確実に削除する唯一の方法です。しかし、もしデータが（私のマシンのように）自動的にバックアップされていたり、あるいはファイルが自分の所有するドライブではなく、ネットワークファイルシステムや「クラウド」のどこかに置かれていたなら、そうした破壊でもまだ十分ではないかもしれません（古いコンピューターや携帯電話を売ったり誰かに譲ったりするときには、すべてのデータが確実に回復不能なものになるようにしたいはずです）。

　フォルダーエントリー自身にも、同じような事情が当てはまります。ファイルを削除すると、ファイルシステムは、そのフォルダーエントリーがもはや有効なファイルを指し示していないことを書き込みます。単に「このエントリーは現在使用されていない」という意味のビットをフォルダーにセットするだけです。このため、そのフォルダーエントリーそのものが再利用されるまでは、再割り当てされていないブロ

※9　訳注：古いmacOSには「確実にゴミ箱を空にする」というメニューがあって、ブロックをフリーリストに追加する前に、ランダムなビットでその内容を上書きしていました。

ックの内容を含む、元のファイルの情報が復元可能なのです。このメカニズムは、1980年代のMicrosoft MS-DOSシステム向けの商用ファイル復元ソフトウェアが主に利用していました。当時のMS-DOSはファイル名の最初の1文字を特別な値と置き換えることで、削除されたエントリーであることを表現していたのです。以上のような理由から、復元がファイル削除後に十分早く行われたなら、ファイル全体を容易に回復できました。

作成者が自分ではファイルを削除したつもりでも、ファイルの内容が長く生き残れるという事実は、開示や文書保存といった法的手続きに影響を及ぼします。たとえば、何らかの意味で恥ずかしかったり証拠となる、古い電子メールメッセージが表面化することはよくあります。そのような記録が紙だけで存在している場合には、慎重に細断すればすべてのコピーが破壊される可能性が十分にあります。その一方で、デジタル記録は増殖し、リムーバブルデバイスに簡単にコピーされ、多くの場所に隠されるかもしれません。「電子メールから明らかに」とか「漏洩した電子メール」といったフレーズを検索すると、膨大な数の結果がヒットします。その結果を見た人なら、メールに書く内容や、そして実際には、コンピューター上に載せるものならどんな情報であれ、注意深くしようと思うに違いありません。

6.4.3 その他のファイルシステム

ここまで、二次ストレージ上の従来のファイルシステムについて説明してきました。多くの情報が存在する場所であり、所有しているコンピューターで最もよく見られるものだからです。しかし、ファイルシステムの抽象化は他のメディアにも適用されます。

たとえば、CD-ROMとDVDも、やはりフォルダーとファイルの階層を持つファイルシステムであるかのように、情報へのアクセスを提供します。USBならびにSD（Secure Digital、**図8**）ドライブ上のフラッシュメモリーファイルシステムはあらゆる場所に登場します。

図8　SDカードのフラッシュメモリー

Windows コンピューターに接続すると、フラッシュドライブは追加のディスクドライブとして表示されます。このディスクドライブは、ファイルエクスプローラーを使って探索でき、ファイルを他と全く同じように読み書きできます。唯一の違いは、おそらく容量が小さく、アクセスがある程度遅い可能性があることです[10]。

　同じデバイスが Mac に接続された場合には、それもフォルダーとして表示され、ファインダーで探索したりファイルを読み書きできます。Unix や Linux を搭載したコンピューターへの接続もできて、やはりそこでもファイルシステムとして表示されます。ソフトウェアが、様々なオペレーティングシステム上で、フォルダーとファイルという同じ抽象化を使用して、物理デバイスをファイルシステムのように見せているのです。内部的には、その構造は広く使用されている事実上の標準であるMicrosoft FATファイルシステムの可能性がありますが、はっきりとはわかりませんし、また知る必要もありません。この抽象化は完璧です（FAT は File Allocation Table の略で、実装品質に関する属性ではありません）。ハードウェアインターフェースとソフトウェア構造の標準化によって、抽象化が可能になっています。

　私の最初のデジタルカメラは、写真を内部のファイルシステムに保

※10　訳注：2022 年 3 月の時点では一般消費者でも 1TB クラスの SSD を比較的安価に入手できます。

存していました。写真を取り出すためには、カメラをコンピューターに接続して、専用のソフトウェアを実行する必要がありました。やがてすべてのカメラは、図8に示したようなリムーバブル SD メモリーカードを持つようになりました。このメモリーカードをカメラからコンピューターに移動させれば写真をアップロードできました。このやり方は従来よりもはるかに高速でしたし、また予期していなかったおまけの恩恵として、カメラメーカーが提供していたとんでもなく厄介で不安定なソフトウェアから私を解放してくれました。標準メディアと、慣れ親しんで統一されたインターフェースは、不格好で独自なソフトウェアとハードウェアを置き換えてくれました。メーカー側もまた、専用のファイル転送ソフトウェアを提供する必要がなくなって満足しているでしょう。

　同じアイデアに基づくもうひとつの方法にも触れておく価値があります。それは、学校や企業でよく使われているネットワークファイルシステムです。ソフトウェアが、他のコンピューター上のファイルシステムを、まるで自分のマシン上にあるかのようにアクセスできるようにします。ここでもまた、ファイルエクスプローラー、ファインダー、その他のプログラムを使用して情報にアクセスが可能です。遠隔（リモート）にあるファイルシステムは同じ種類（たとえば両方とも Windows コンピューターであるとか）でも、macOS や Linux などの何か別の種類のシステムでも構いません。フラッシュメモリーデバイスと同様に、ソフトウェアが違いを隠し、統一されたインターフェースを提供するため、ローカルマシン上の通常のファイルシステムのように見えるのです。

　ネットワークファイルシステムは、多くの場合、主要なファイルストレージとして使われるだけでなく、バックアップにも使用されます。古いファイルをアーカイブメディアにコピーして、複数の異なるサイトに保存できます。これにより、唯一の重要な記録のコピーがランサ

ムウェア^{※11} や火災で失われてしまうような災害から守れるのです。

RAID（redundant array of independent disks：独立したディスクの冗長構成）と呼ばれる技術に依存するディスクシステムも存在します。この手法では、エラー修正アルゴリズムを使用して複数のディスクにデータを書き込み、いずれかのディスクに障害が発生した場合でも情報を復元できます。当然ながら、このようなシステムでは、すべての情報の痕跡を確実に消去するのも難しくなります。

第11章でさらに詳しく説明するクラウドコンピューティングシステムも、ある程度同じ性質を持っていますが、通常クラウド上のコンテンツはファイルシステムのインターフェースでは提供されません^{※12}。

6.5 アプリケーション

「アプリケーション」とは、オペレーティングシステムをプラットフォームとして使用して何らかのタスクを実行する、あらゆる種類のプログラムまたはソフトウェアシステムを表す幅広い用語です。アプリケーションには、小さいものもあれば、大きいものもあります。特定のタスクにフォーカスしたものもあれば、幅広いタスクに対応するものもあるでしょう。有料のものもあれば、無料のものもあります。そのコードは厳しく独占されていたり、オープンソースとして自由に利用できたり、あるいは何の制限も加えられていなかったりします。

アプリケーションには、たったひとつのことを実行する小さな自己完結型のプログラムから、Word や Photoshop などの複雑な操作群を実行する大規模プログラムまで、様々なサイズがあります。

単純なアプリケーションの例として、現在の日付と時刻を単に出力

※11　訳注：ランサムウェアは、ファイルを暗号化して読めなくしてしまい、再び読むために身代金（ランサム）を支払うことを要求する、悪意あるプログラムです。
※12　訳注：Dropbox や OneDrive、Google Drive などのようなクラウドストレージを使えばローカルのパソコンのファイルシステムを透過的に同期することができます。

する date という Unix プログラムを考えてみましょう。

```
$ date
Fri Nov 27 16:50:00 EST 2020
```

　date プログラムは、macOS を含む Unix に似たシステムでは同じように動作しますし、Windows の上でも同様です。date の実装はごく小さなものです。これは、内部形式で現在の日付と時刻を提供するシステムコール（time）と、日付の書式設定用（ctime）と表示用（printf）のコードライブラリを使って構築されているおかげです。どれだけ短いのかを確認できるように、C の完全な実装を以下に示します。

```
#include <stdio.h>
#include <time.h>
int main() {
    time_t t = time(0);
    printf("%s", ctime(&t));
    return 0;
}
```

　Unix システムには、あるフォルダー（ディレクトリ）内のファイルとフォルダーの一覧を表示する ls という名前のプログラムがあります。それは Windows のファイルエクスプローラーや macOS のファインダーをテキストだけで表示させたものに似ています。他には、ファイルをコピー、移動、改名するプログラムもありますが、そうした操作に相当するものはファインダーやエクスプローラーでも視覚的な操作として与えられています。これらのプログラムも同様に、フォルダー内の基本情報を提供するシステムコールを使用していて、情報

の読み取り、書き込み、フォーマット、および表示を行うライブラリに頼っているのです。

Word のようなアプリケーションは、ファイルシステムを探索するプログラムよりもはるかに大きくなります。しかし当然ですが、ユーザーがファイルを開いてその内容を読み、ドキュメントをファイルシステムに保存できるように、探索プログラムに含まれるものと同様のファイルシステムのコードを含める必要があります。また、たとえばテキストの変更に応じて表示を連続的に更新するなどの、高度なアルゴリズムが Word のようなアプリケーションには含まれています。それらはプログラムの主要部分を占め、情報を表示し、サイズ、フォント、色、レイアウトなどを調整する方法を提供する、複雑なユーザーインターフェースをサポートします。

Word やその他の高い商業的価値を持つ大規模なプログラムは、新しい機能が追加されるにつれて、継続的な進化を遂げていきます。Word のソースコードがどれほど大きいかはわかりませんが、もしそれが Windows、Mac、携帯電話、ブラウザー向けのバリエーションを含んでいる場合には、仮に 1,000 万行の C、C++、その他の言語コードで書かれていると言われても驚きはしないでしょう。

6.5.1 ブラウザー

ブラウザーは、また別の、非常に複雑で、巨大で、無料で、そしてオープンソースなものもある、アプリケーションの例です。きっと皆さんも Firefox、Safari、Edge、あるいは Chrome の少なくともひとつを使用した経験があるはずですし、多くの人々が日常的にいくつものブラウザーを使用しています。第 10 章では、ウェブそのものと、ブラウザーが情報を取得する方法について詳しく説明しますが、ここでは、これらの大きくて複雑なプログラムの基本的な考え方に焦点を当てたいと思います。

外部から見たときにブラウザーは、リクエストをウェブサーバーに

送信し、それらのサーバーから情報を取り出して表示します。どの部分に複雑さがあるのでしょうか？

　まずブラウザーは、「非同期イベント」、つまり、予想できないタイミングに決まっていない順序で発生するイベントを扱わなければなりません。たとえば、リンクがクリックされて、ブラウザーがページのリクエストを送信したときを考えてみましょう。ブラウザーは、何もせずにただその返信を待っているわけにはいきません。たとえリクエストしたページが到着している最中であったとしても、ユーザーが現在のページをスクロールしたり、「戻る」ボタンを押してリクエストを中断したり、あるいはまた別のリンクをクリックしたりしたときに備えて、反応できるようにしておかなければならないからです。データが到着している最中に、ユーザーがあれこれとウィンドウの大きさを変えた場合には、おそらく連続的にディスプレイを更新し続けなければなりません。ページにサウンドまたはムービーが含まれている場合には、ブラウザーはそれらも管理する必要もあります。非同期システムのプログラミングは常に難しい仕事ですが、ブラウザーは多くの非同期性に対処する必要があるのです。

　ブラウザーは、静的テキストから、ページの内容を変更するインタラクティブなプログラムに至るまで、多くの種類のコンテンツをサポートする必要があります。こうしたものの一部はヘルパープログラムに委任できます。これはPDFやムービーなどの標準形式を扱う際には普通のことです。ただし、ブラウザーはそうしたヘルパーを起動し、データとリクエストを送受信し、結果を表示に統合する仕掛けを提供しなければなりません。

　ブラウザーは、複数のタブや複数のウィンドウを管理し、それぞれが現在進行中のタスクを実行している場合があります。ブラウザーはまた、ブックマーク、お気に入りなどのデータとともに、同時に行われている操作それぞれの履歴を保持します。さらに、アップロード、ダウンロード、そして画像のキャッシングを行うために、ローカルフ

ァイルシステムにアクセスします。

　ブラウザーは、QuickTime などのプラグイン、JavaScript 用の仮想マシン、Adblock Plus や Ghostery といったアドオンなど、いくつかのレベルで拡張機能のプラットフォームを提供します。拡張機能は、モバイルデバイスを含む、複数のオペレーティングシステムの複数のバージョンで動作する必要があります。

　こうした複雑なコードのすべてが原因で、ブラウザーは、自身のバグまたは関連プログラムのバグを突く攻撃に対して脆弱になっています。また同時に、何が起こっているのか、リスクが何であるのかについてほとんど理解していない、ほとんどのユーザー（本書の読者に幸あれ）の能天気さ、無知、不適切な振る舞いによっても危険に晒されています。簡単な話ではありません。

　このセクションの説明を振り返ってみたとき、何かを思い出さないでしょうか？　ブラウザーはオペレーティングシステムにとてもよく似ています。リソースを管理し、同時に発生するアクティビティを制御してまとめ、複数のソースからの情報を保存および取得し、アプリケーションプログラムを実行できるプラットフォームを提供するのです。

　長年の間、ブラウザーをオペレーティングシステムとして使用することで、基盤となるハードウェアを制御するオペレーティングシステムに依存しないようにできるはずだと思われてきました。これは素晴らしいアイデアでしたが、10 年前、あるいは 20 年前には実用上のハードルが多すぎました。現在では、そのアイデアは、実現可能な代替案です。すでに多くのサービスがブラウザーインターフェースを介してアクセスされています。メール、音楽、動画、ソーシャルネットワークなどがわかりやすい例です。そして、この流れは今後も続きます。

　Google は主にウェブベースのサービスに依存する、Chrome OS という名のオペレーティングシステムを提供しています。Chromebook は、Chrome OS のみを実行するコンピューターです。ほとんどのス

トレージにウェブを利用して、限られた量のローカルストレージしか持っていませんし、Google Docs のようなブラウザーベースのアプリケーションだけが実行されます。第 11 章でクラウドコンピューティングについて説明するときに、このトピックに戻ります。

6.6 ソフトウェアのレイヤー

ソフトウェアは、コンピューティングにおける他の多くの要素と同様に、地質学における地層に類似したレイヤー（層）として構成されており、ひとつの関心事を別の関心事から分離します。レイヤー化は、プログラマーが複雑さを管理するときに役立つ、重要なアイデアです。各レイヤーはその実装を通して、上のレイヤーが各種サービスにアクセスするための、抽象化を提供します。

レイヤーの一番下にあるのは、少なくとも私たちに直接関係するのは、ハードウェアです。これは、ほぼ不変です（システムの実行中であってもデバイスを追加および削除できるバスを除いてですが）。

ハードウェアのひとつ上のレベルは、オペレーティングシステムです。多くの場合、その中心的な機能を示唆する「カーネル」（中核）という名で呼ばれています。オペレーティングシステムは、ハードウェアとアプリケーションの間のレイヤーです。ハードウェアがどのようなものであっても、オペレーティングシステムはその特定のプロパティ（特性）を隠し、特定のハードウェアの詳細の多くを覆い隠すインターフェースまたはファサード（外面）をアプリケーションに提供します。このインターフェースが適切に設計されていれば、異なる種類のプロセッサー上で動く同じオペレーティングシステムが実現でき、異なるサプライヤーから提供される可能性が高くなります。

これは、Unix および Linux オペレーティングシステムのインターフェースにも当てはまります。Unix および Linux は、あらゆるプロセッサーで実行され、それぞれが同じオペレーティングシステムサービスを提供します。オペレーティングシステムは実質的に、ありふれ

た日用品になりました。その下のレイヤーにあるハードウェアは価格とパフォーマンスを除いてそれほど重要ではなく、その上で実行されるソフトウェアはハードウェアに依存しません（これを明らかに示すひとつの例は、私がしばしば Unix と Linux を同じものとして扱っていることです。なぜならほとんどの目的に対して、区別に意味がないからです）。プログラムを新しいプロセッサーに移植するために必要なのは、注意深く適切なコンパイラーで行うコンパイル作業だけです。もちろん、プログラムが特定のハードウェアの性質に密接に結びつけられているほど、この仕事は難しくなりますが、大部分のプログラムは簡単に移植可能です。

　大規模な移植例は、Apple が 2005 年から 2006 年かけて行った、1年以内の期間でそのソフトウェアを IBM PowerPC プロセッサー向けから Intel プロセッサー向けへと移植した作業です。そして 2020 年半ばに、Apple は再び同じことをすると発表しました、以後、すべての携帯電話、タブレット、コンピューターに、Intel のプロセッサーではなく、ARM のプロセッサー[13] を使用すると発表したのです。これは、ソフトウェアが特定のプロセッサー・アーキテクチャからどれほど独立できるのかを示す、もうひとつの例なのです。

　これは、Windows にはあまり当てはまりません。Windows は、1978 年に Intel 8086 プロセッサーで始まった Intel アーキテクチャと、それ以降の多くの進化的なステップに長年の間密接に結びついてきたからです（長年に渡って Intel のプロセッサーには 80286、80386、80486 といった、86 で終わる番号が与えられていたので、そのプロセッサーファミリーはしばしば x86 と呼ばれます）。両者の関係はとても緊密だったため、Intel 上で実行される Windows は Wintel（ウィンテル）と呼ばれたこともあります。しかし現在では、Windows も ARM プロセッサー上で実行できるようになりました。

※13　訳注：Apple 特製のこの ARM プロセッサーは Apple シリコンと呼ばれています。

オペレーティングシステムの上のレイヤーは、一群のライブラリで
す。こうしたライブラリは、個々のプログラマーが汎用的で有用なサ
ービスをいちいち再開発しなくてもよいように提供されています。

　各ライブラリには、それぞれの API を介してアクセスできます。
基本的な機能（たとえば平方根や対数などの数学関数の計算や、前述
した date コマンドで使われる日付と時間の計算など）を扱う低レベ
ルのライブラリもありますし、はるかに複雑な機能（暗号化、グラフ
ィックス、圧縮など）を扱うものもあります。グラフィカルユーザー
インターフェースのコンポーネント（ダイアログボックス、メニュー、
ボタン、チェックボックス、スクロールバー、タブ付きペインなど）
には、多くのコードが含まれますが、ライブラリを用いれば、誰でも
使用でき、統一されたルックアンドフィールを確保できます。これが、
ほとんどの Windows アプリケーション、少なくともその基本的なグ
ラフィカルコンポーネントが互いにとても似ている理由です。Mac
でも同じことが言えます。ほとんどのソフトウェアベンダーにとって、
ユーザーインターフェースを再発明して再実装するのは大変な作業で
すし、無意味に異なるビジュアルはユーザーを混乱させてしまいます。

6.6.1 レイヤーの境界

　ソフトウェアコンポーネントの作成と結合には多くのやり方がある
ため、カーネル、ライブラリ、そしてアプリケーションの区別が、こ
こで説明したようには明確ではない場合もあります。たとえば、カー
ネルは少数のサービスだけを提供し、その上のレイヤーのライブラリ
にほとんどの作業を依存することもできます。または、ライブラリへ
の依存度を下げて、カーネル自身がタスクそのものを多く引き受ける
こともできます。オペレーティングシステムとアプリケーションの境
界は明確に定義されていません。

　何が境界線でしょう？　完全ではないものの、役に立つガイドライ
ンは、「あるアプリケーションが別のアプリケーションに干渉しない

ようにするために必要なものは、すべてオペレーティングシステムの一部である」とすることです。実行時に RAM 上のどこにプログラムを配置するかを決定するメモリー管理は、オペレーティングシステムの一部です。同様に、二次ストレージ上のどこに情報を保存するかを決めるファイルシステムは、オペレーティングシステムの中心的な機能です。デバイスの制御も同様です。ふたつのアプリケーションが同時にプリンターを動かしたり、お互いの調整なしでディスプレイに書き込んだりはできません。そしてプロセッサーの制御はオペレーティングシステムの中心機能です。これは、他のすべての振る舞いがきちんと行われるために必要だからです。

ブラウザーはオペレーティングシステムの一部ではありません。共有リソースや制御を妨げることなく、任意のブラウザーまたは複数のブラウザーを同時に実行できるからです。技術的な些事のように聞こえるかもしれませんが、大きな法的影響があります。1998 年に始まり 2011 年に終了した司法省と Microsoft の独占禁止法訴訟は、Microsoft の Internet Explorer ブラウザー（IE）がオペレーティングシステムの一部であるか、単なるアプリケーションであるかに関するものでした。Microsoft が主張したように、もしそれがシステムの一部であるとしたなら、合理的に削除できず、Microsoft は IE の使用を要求する権利があることになります。しかし、もしそれが単なるアプリケーションであるなら、Microsoft は、必要のないときに他の人が IE を使用することを、違法に強制しているとみなされる可能性がありました。

当案件はもちろん、上記の説明よりももっと複雑でしたが、境界線をどこに引くかについての論争が重要な部分でした。記録のために書いておくと、裁判所は、ブラウザーはアプリケーションであり、オペレーティングシステムの一部ではないと判断しました。トーマス・ジャクソン判事の言葉を引用すると、「ウェブブラウザーとオペレーティングシステムは別々の製品です」ということです。

6.7 まとめ

　オペレーティングシステムが、プロセッサー使用時間や、メモリー、二次ストレージ、ネットワーク接続、その他のデバイスなどの調整役と交通整理役を引き受けて、アプリケーションが資源を効率的かつ公平に共有し、しかもお互いに干渉しないようにしてくれるおかげで、アプリケーションは仕事を遂行できます。基本的に、現在のすべてのコンピューターは、オペレーティングシステムを持っています。そして、専用品を使うよりも、Linux のような汎用品を使う傾向にあります。なぜなら、よほど変わった状況でもない限り、新しいコードを書くよりも既存のオペレーティングシステムを使った方が簡単で安くなるからです。

　本章での議論の多くは、消費者向けのアプリケーションを使って説明していますが、多くの大規模なソフトウェアシステムは、ほとんどのユーザーの目には触れません。そうした大規模ソフトウェアシステムには、電話網、送電網、輸送サービス、金融および銀行システムといった、社会基盤を支えるプログラムが含まれます。飛行機や航空管制、自動車、医療機器、武器などはすべて、大規模なソフトウェアシステムによって運用されています。実際、現在利用されている重要な技術において、大きなソフトウェアコンポーネントを持たないものを想像することはできません。

　ソフトウェアシステムは大きく、複雑で、しばしばバグがあり、これらすべては絶え間ない変化によって悪化していきます。大きなシステムにどれだけのコードが含まれているかを正確に見積もることは困難ですが、私たちが依存している主要なシステムは、いずれも少なくとも数百万行のコードを含んでいる可能性があります。したがって、悪用される可能性のある重大なバグが潜んでいるのは間違いありません。システムが複雑になるにつれて、この状況は改善するどころか、ますます悪化する可能性が高くなります。

– 7 –
プログラミングを学ぶ

携帯電話で遊ぶだけじゃなく、プログラムを書こう！
バラク・オバマ大統領、2013年12月[※1]

　私の講義では、少しだけプログラミングも教えています。情報通の人が、プログラミングについて知ることは重要だと思っているからです。おそらく、「非常にシンプルなプログラムを適切に動かすことさえ、驚くほど難しい」と知るだけでも意味があります。講義では、コンピューターと戦うのではなく、初めてプログラムが動いたときの素晴らしい達成感の片鱗を味わえます。

　また、誰かが「プログラミングが簡単だ」とか「プログラムにエラーがない」と言ったときに慎重になれる程度のプログラミング経験を持つことにも価値があります。10行ばかりのコードを動かすのに丸々一日の苦労を味わったならば、「100万行のプログラムを予定通りにバグのない状態で完成できる」と言う人の言葉を、合理的に疑えるようになるでしょう。その一方で、たとえばコンサルタントを雇おうとするときなど、すべてのプログラミングの仕事が難しいわけではないことを知っておけば、役立つ場合があります。

　無数の言語がありますが、どのプログラミング言語を最初に学ぶべ

※ 1　訳注：オバマ前大統領のこの演説は以下から聞けます。
　　　https://www.youtube.com/watch?v=6XvmhE1J9PY

きでしょうか？　オバマ大統領（当時）が勧めたように、自分の携帯電話をプログラミングしたいなら、Android には Java、iPhone には Swift が必要です。どちらも初心者でも扱えますが、気軽に使用するのは難しい言語です。その上、電話機能のプログラミングにも多くの詳細な事柄がつきまといます。MIT が提供しているビジュアルプログラミングシステムの Scratch（スクラッチ）は、特に子供用として優れていますが、大規模なプログラムや複雑なプログラムを作るには不向きです。

　本章では、JavaScript（ジャバスクリプト）と Python（パイソン）というふたつのプログラミング言語について簡単に説明します。どちらの言語もアマチュアならびにプロフェッショナルなプログラマーの多くに使われています。入門レベルで学びやすく、大規模なプログラムにも対応し、様々な用途に適用可能です。

　JavaScript はすべてのブラウザーにあらかじめ組み込まれているので、別のソフトウェアをダウンロードする必要はありません。もしプログラムを書いたなら、それを自分のウェブページ上で使用して、友人や家族に見せられます。言語自体はシンプルで、経験が少なくても、ちょっとしたプログラムが実装できるのです。

　同時に、とても柔軟です。ほとんどすべてのウェブページには JavaScript が含まれていて、そのコードはウェブブラウザーでページのソースを調べれば見られます。とは言え、その場所に正しくたどり着くには、いくつかのメニューを選んでいかなければなりません。ブラウザーは、本来あるべき姿よりも、コードの発見が難しくなっています。Google Docs をはじめとして、多くのサイトから提供されるウェブページの多くの機能や表現、効果などが、JavaScript によって実現されています。JavaScript は、Twitter、Facebook、Amazon などのウェブサービスによって提供されている API を使うための言語でもあります。

　JavaScript には、欠点もあります。言語には不格好な部分もありま

すし、驚くような振る舞いに出会うこともあります。ブラウザーのインターフェースは、利用者が期待するほど標準化されていないため、プログラムが異なるブラウザーで常に同じように動作するとは限りません。そうは言っても、今説明しているレベルでは、これは問題ではなく、プロのプログラマーにとっても状況は良くなり続けています。JavaScript プログラムは通常、ウェブページの一部として実行されますが、ブラウザー以外での使用が急速に増えています[2]。

　ブラウザー上で JavaScript を使う場合には、ウェブページのレイアウトを記述するための言語である HTML（Hyper Text Markup Languages）を、少しは学習する必要があります（簡単な内容は第 10 章で説明します）。こうした小さな欠点はあるものの、JavaScript を多少なりとも学ぶ価値は十分にあります。

　もうひとつの言語は Python です。Python は、多くの分野のプログラミングに適用可能な、優れた言語です。ここ数年で Python は、プログラミング入門の授業をはじめ、データサイエンスや機械学習に焦点を当てた講座の標準的な言語になっています。Python は通常、自分のコンピューターで実行しますが、最近では Python のプログラムを実行できるウェブサイトもあるので、何かをダウンロードしたり、コマンドラインインターフェースの使い方を学んだりする必要もありません。私が、初めて言語を学ぶ人向けのプログラミング講座を開くとしたら、Python を使うでしょう。

　本章で説明する内容に従ってある程度経験を積めば、少なくともとても基礎的なレベルで、プログラムを書く方法を学べます。プログラミングは、身に付ける価値のあるスキルです。習得した知識は他の言語にも引き継がれて、それらを学習しやすくしてくれます。さらに深く掘り下げたいときには、ウェブの上で「JavaScript チュートリア

※2　訳注：たとえば Node.js という JavaScript のライブラリは、ブラウザー側ではなく、サーバー側で使われます。

ル」もしくは「Python チュートリアル」といった検索を行えば、役に立つサイトが数多く見つかります。Codecademy や Khan Academy、W3Schools などをはじめとした多数のサイトでは、JavaScript を用いたプログラミングを本当の初心者に対して教えています[3]。

とは言うものの、本章の内容をざっと読んで、構文（文の構造）の詳細は無視しても構いません。その詳細に依存している他の章はありません。

7.1 プログラミング言語の概念

プログラミング言語は皆、基本的な考え方を共有しています。プログラミング言語とは、計算を一連のステップ（手順）として書き綴るための表記法だからです。したがって、すべてのプログラミング言語は、入力データの読み取り、計算の実行、計算途中での値の保存と取得、それまでの計算に基づいた処理の進め方の決定、途中結果の表示、計算が終了したときの保存、などを行う方法を提供します。

言語には「構文」（シンタックス）、つまり、文法的に正しいものとそうでないものを定義するための規則があります。プログラミング言語は、文法という意味では気難しい代物です。正しい構文で書かなければ、文句を言われます。プログラミング言語には、「意味」（セマンティクス）もあります。つまり、きちんと意味が定義されているものなら何でも、その言語で伝えることができるのです。

理想としては、ある特定のプログラムが構文的に正しいか否かは曖昧であってはなりませんし、構文的に正しくても意味が曖昧であってはなりません。残念ながら、この理想はいつでも達成できるとは限りません。通常、言語は単語（ワード）を使って定義され、自然言語を使う他の文書と同様に、定義には曖昧さがあり、異なる解釈が可能で

※3　訳注：日本でも、ドットインストール、Progate、Udemy など、日本語で学べる多くのサイトがあります。

す。その上、実装者は間違いを犯す可能性があり、言語も時間ととも
に進化します。その結果、JavaScript の実装は、ブラウザーごとに、
さらには同じブラウザーのバージョンごとに多少異なります。

　同様に、Python にもふたつのバージョン（バージョン 2 とバージョン 3）があります、これらのバージョンは、ほぼ互換性があるものの、苛立ちを覚えるほどの違いもあります。幸いなことに、バージョン 2 は廃止され、バージョン 3 に取って代わられる予定なので、この問題はなくなるでしょう[※4]。

　多くのプログラミング言語には、3 つの側面があります。

　第 1 に、言語そのものの側面です。算術計算、条件のテスト、計算の繰り返しをコンピューターに指示するための文（ステートメント）があります。

　第 2 に、自分のプログラムの中で利用できる、他人の作成したコード（ライブラリ）があります。ライブラリは、自分で書く必要のない、すでに作成済みの部品です。典型例は、数学用関数、カレンダー計算用関数、テキスト検索・編集用関数です。

　第 3 に、プログラムが実行される環境へのアクセスです。ブラウザー上で実行される JavaScript プログラムは、ユーザーから入力を取得し、ユーザーがボタンを押したりフォームに入力したりするようなイベントに反応して、ブラウザーに異なるコンテンツを表示させたり、別のページに移動させたりできます。Python のプログラムは、ブラウザー上で動作する JavaScript のプログラムでは禁止されている、動作しているコンピューターのファイルシステムへのアクセスが可能です。

※4　訳注：2022 年 3 月の時点では、バージョン 3 の利用が圧倒的です。これから始めるなら
　　　バージョン 3 が良いでしょう。

7.2 初めてのJavaScriptプログラム

　ここでは、まず JavaScript から始めて、その後に Python を説明します。JavaScript で学んだ知識は、Python の理解にも役立ちますが、逆の順番で読んでも大丈夫でしょう。一般に、ひとつの言語を習得すると、他の言語も理解しやすくなります。なぜなら、コンセプトを理解して、新しい構文に対応付ければよいからです。

　最初の JavaScript の例は、可能な限り小さなコードです。ウェブページがロードされると、Hello, world と記されたダイアログボックスがポップアップするだけです。

　以下に示すのは、HTML（HyperText Markup Language：ハイパーテキストマークアップ言語）で書かれた完全なページです。HTMLについては、第 10 章で World Wide Web（ワールド・ワイド・ウェブ）を取り上げるときに説明します。ここでは <script> と </script> の間に強調表示されている JavaScript コードの 1 行に注目します。

```html
<html>
  <body>
    <script>
      alert("Hello, world");
    </script>
  </body>
</html>
```

　これらの 7 行を hello.html というファイルに入れて、そのファイルをブラウザーにロードすると、**図 1** のような結果が表示されます。

　画像は、Chrome、Edge、Firefox、Safari のものです。ブラウザーによって振る舞いが異なるのがわかるでしょう。Safari は「Close」（閉じる）を表示しますが、ボタンとしては表示されていないことに注意してください。Edge は Chrome の実装をベースに作られている

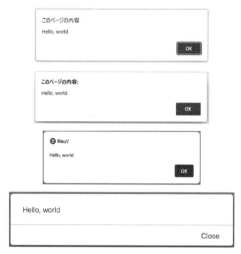

図 1 Chrome、Edge、Firefox、Safari での表示

ため、Chrome とほぼ同じ動作です。

　alert 関数は、ブラウザーと対話するための JavaScript ライブラリの一部です。ファイルが読み込まれると、引用符（"）の間に書かれたテキスト（"Hello, world"）を表示するダイアログボックスがポップアップし、ユーザーが OK または Close を押すのを待ちます。ところで、自分で JavaScript プログラムを書くときは、普通の文書に使われているいわゆる「スマートクォート」（""）ではなく、（"）のような標準の二重引用符を使用する必要があります。これは、構文規則の簡単な例です。HTML ファイルを作成するためには Word のような文書作成ソフトを使用しないでください。メモ帳（Windows）やテキストエディット（Mac）などのテキストエディターを使用して、たとえファイル名の拡張子が .html であっても、ファイルをプレーンテキスト（フォーマット情報のないファイル、つまり普通のテキスト）で保存してください。

　この例を動かせたら、さらに興味深い処理を実行できます。なお、以下の例では、読みやすさのために、HTML の部分は繰り返して示

さずに、<script> と </script> の間に書かれる JavaScript の部分のみを示します。

7.3 2番目のJavaScriptプログラム

次のプログラムは、ユーザーに名前を尋ねてから、その人に挨拶します。

```
var username;
username = prompt("What's your name?");
alert("Hello, " + username);
```

このプログラムには、いくつかの新しい構成要素と対応するアイデアが含まれています。まず、var という単語は、「変数」（variable）を定義または宣言します。変数は一次メモリーの中に置かれ、プログラムは実行時に値を保存できます。プログラムの実行結果によってその値を変えられるため、変数と呼ばれます。

変数の宣言は、トイ・アセンブリー言語で行った、メモリーの場所の名前付けに相当する、高水準言語の機能です。比喩的にいうならば、変数宣言は演劇の「登場人物一覧表」を指定することに似ています。私は、プログラムの変数に、username（ユーザーの名前）という名前を付けました。username は、その変数のプログラムの中での役名を表します。

次に、プログラムは prompt（訳注：「促す」という意味です）という名の JavaScript のライブラリ関数を使用しています。alert に似ていますが、ユーザーに入力を求めるダイアログボックスをポップアップ表示します。ユーザーが入力したテキストはすべて、prompt 関数で計算された値として、プログラムから利用可能です。その値は、この行で変数 username に割り当てられます。

```
username = prompt("What's your name?");
```

　等号の＝は、「右辺の操作を行い、その結果を左辺の名前の変数に
保存する」という操作を意味します。これはトイ・アセンブリー言語
でアキュムレーターの値をメモリーに保存するのに似ています。等号
＝をこのように解釈するのがセマンティクスの例です。この操作は
「代入」と呼ばれます。＝は、「等しいこと」を意味しません。意味す
るのは、値のコピーです。ほとんどのプログラミング言語は、数学の
等号と誤解する可能性があるにもかかわらず、等号＝を代入の意味で
使用します。

　最後に、alert ステートメントではプラス記号＋が使用されています。

```
alert("Hello, " + username);
```

　この＋は、Hello という単語（とそれに続くコンマ "," と空白 " "）と、
ユーザーが入力した名前（username の中身）を結合します。やはり
誤解を招く可能性がありますが、このコンテキストでは＋は数値の加
算ではなく、ふたつの文字列の連結を意味します。

　このプログラムを実行すると、**図２**（Firefox の例です）に示すよ
うに、何かを入力できるダイアログボックスを prompt 関数が表示し
ます。

　ダイアログボックスに、Joe と入力して OK ボタンを押すと、**図３**
に示すようなメッセージボックスが表示されます。

　姓と名を別々に入力できるようにコードを変更するのは簡単でしょ

図２　入力待ちのダイアログボックス

図 3 ダイアログボックスに応答した結果

う。他にも練習として、いろいろと試せます。注意してほしいのは、
My name is Joe（私の名前はジョーです）と入力したら、結果は
Hello, My name is Joe になってしまうことです。コンピューターに
スマートな振る舞いを期待する場合には、それを自分でプログラムす
る必要があります。

7.4 ループと条件

すでに第5章の図6で、一連の数値を加算するプログラムの
JavaScript バージョンを示しました。**図4**にもう一度示しますので、
元のページに戻る必要はありません。

```
var num, sum;
sum = 0;
num = prompt("Enter new value, or 0 to end");
while (num != '0') {
    sum = sum + parseInt(num);
    num = prompt("Enter new value, or 0 to end");
}
alert(sum);
```
図4 数値を加算する JavaScript プログラム

思い出してほしいのですが、このプログラムはゼロが入力されるま
で数値を読み取り続けて、最後に合計を出力します。すでにこのプロ
グラムで使われている、宣言、代入、prompt 関数といった、いくつ
かの言語機能は説明しました。最初の行は、プログラムが使用するふ
たつの変数 num（数値）と sum（合計）の宣言です。2番目の行は
sum をゼロに設定する代入ステートメントで、3番目の行は num を

ユーザーがダイアログボックスに入力する値に設定します。

　重要な新機能は、4 〜 7 行目の while ループです。コンピューターは、命令のシーケンスを何度も繰り返してくれる素晴らしいデバイスです。ここでの疑問は、プログラミング言語の中でその繰り返しをどのように表現するか、です。トイ・アセンブリー言語では、GOTO 命令を導入しましたが、これは次の命令ではなくプログラム内の指定された場所に分岐します。さらにアキュムレーターの値がゼロのときにだけ分岐する IFZERO 命令も導入しました。

　これらのアイデアは、while ループと呼ばれるステートメントとして、ほとんどの高水準言語に現れます。while ループは、一連の操作を繰り返すための、整然とした方法を提供します。小括弧 ( ) の中に書かれた条件をテストして、条件が真の場合には中括弧 {……} の間にあるすべてのステートメントを順番に実行します。その後、戻って条件を再度テストします。条件が真である間、このサイクルは続きます。条件が偽になると、ループの終わりの中括弧に続くステートメントから実行が継続されます。

　これは、第 3 章のトイ・プログラムで IFZERO と GOTO を使用して記述したプログラムとほぼ完全に一致しますが、while ループではラベルを作る必要がなく、テスト条件は真または偽が決まるものなら何でも構いません。この例で行っているテストは、変数 num の値が '0' という文字と「等しくない」か否か、です。演算子 != は「等しくない」ことを意味します。while ステートメントと同様に、これは C から継承されました。

　これらのサンプルプログラムが処理するデータの種類については、表面的には気軽に扱っていますが、内部ではコンピューターが 123 などの数値と Hello などの文字列を厳密に区別しています。プログラマーにその区別を慎重に行うように要求する言語もありますが、プログラマーの意図を推測する言語もあります。JavaScript は後者の立場に近い言語なので、言語側の誤った推測によって間違いが起きないよう

に、処理するデータのタイプと値の解釈方法を、人間がはっきり指定する必要があります。

関数 prompt は、文字（テキスト）を返し、その後に続くテストは返されたものが文字の 0 であるか否かを判断しています。なお、文字の 0 であることは引用符 ' で囲むことで表現されています、引用符がなければ数字の 0 となります。

関数 parseInt は、テキストを整数演算に使用できる内部形式に変換します。言い換えると、123 が入力された場合に、その入力データは 10 進数字の 3 つの文字が並んだ文字列としてではなく、整数（123）として扱われます。parseInt を使用しないと、prompt 関数によって返されるデータはテキストとして解釈され、+ 演算子はそれを前のテキストの最後に追加します。結果は、ユーザーが入力したすべての数字を文字として連結したものになります。それはおそらく、面白いかもしれませんが意図した結果ではありません。

図 5 に示す例は、少し違う処理をします。これは入力されたすべての数字の中で、最大の値を見つけるプログラムです。制御に関するもうひとつのステートメントである if-else を導入するための例題でもあります。if-else は、すべての高水準言語に何らかの形で提供されている、判断を行うためのしくみです。実際には、IFZERO の汎用版なのです。なお、JavaScript の if-else バージョンは C と同じです。

```
var max, num;
max = 0;
num = prompt("Enter new value, or 0 to end");
while (num != '0') {
    if (parseInt(num) > max) {
        max = num;
    }
    num = prompt("Enter new value, or 0 to end");
}
alert("Maximum is " + max);
```
図 5　与えられた数列の中から一番大きな数を見つけるプログラム

if-else ステートメントにはふたつの形式があります。図5に示されている形式には、else の部分はありません。小括弧 ( ) で囲まれた条件が真の場合、中括弧 { } で挟まれたステートメントが実行されます。条件が真でも偽でも、閉じ中括弧 } の後に続くステートメントへと実行が続きます。一般的な形式では、条件が偽の場合に実行される一連のステートメントをまとめた、else 部分が与えられます。else 部分があってもなくても、実行は if-else 全体の次のステートメントへと続きます。

　例題プログラムが構造を強調するためにインデント（字下げ）を使っているのに気が付いた人もいるでしょう。図では while や if で制御されるステートメントがインデントされています。これは、while や if のような他のステートメントを制御するステートメントのスコープ（範囲）を一目で確認できるので、良い習慣です。

　ウェブページから実行してこのプログラムをテストするのは簡単ですが、プロのプログラマーはその前に、実際のコンピューターが行うように、心の中でプログラムのステップをひとつずつ進めてシミュレーションを行い、チェックします。たとえば、入力シーケンス 1、2、0 と 2、1、0 を試してみましょう。あるいは、最も単純なケースが適切に機能することを確認するために、シーケンス 0 から始めて次に 1、0 を試すこともできます。それを行うことで（どのように機能するかを確実に理解するための良い習慣です）、入力された数値列に対してプログラムが機能すると結論付けられるのです。

　でも、本当にこれで結論付けて良いのでしょうか？　入力に正の数が含まれる場合は問題なく動作しますが、すべてが負の数である場合はどうなるでしょう？　試してみると、プログラムは常に "Maximum is 0"（最大値は 0）と表示するのがわかります。

　その理由を少し考えてみてください。プログラムは、max と呼ばれる変数を使い、これまでに入力された最大値を保存しています（部屋の中で一番背の高い人を見つけるのと同じやり方です）。変数は、

後続の数値と比較する前に何らかの初期値を持っている必要があります。そのため、ユーザーが数値を入力する前に、プログラムはこの変数を最初にゼロに設定します。身長の場合のように、少なくともひとつの入力値がゼロより大きい場合は、これで問題ありません。しかし、すべての入力が負の場合、プログラムは最大の負の値を出力せずに、その代わりに一度も変更されなかった max の元の値（この場合はゼロ）を出力します。

　このバグを取り除くのは簡単です。JavaScript の議論の最後に解決策のひとつを示しますが、良い練習ですので自分でも解決策を考えてみてください。

　この例がもうひとつ教えてくれるのは、テストの重要性です。テストを行うには、プログラムにランダムに入力を投入する以上のやり方が必要です。優れたテスターは、問題が起こる可能性、すなわち奇妙な入力や無効な入力、データが全くないか、ゼロによる除算などの「エッジ」または「境界」の場合がないか、などを真剣に考え抜きます。良いテスターなら、入力がすべて負になる可能性を考えるでしょう。

　問題は、プログラムが大きくなるにつれて、人間が関与する場合、特にランダムな順序で、ランダムな値を、ランダムなタイミングで入力する可能性のある人間が関与する場合です。なぜなら、すべてのテストケースを考えるのがますます難しくからです。この問題に対する完璧な解決策はありませんが、最初の段階からプログラムの一貫性と健全性チェックを行うような、慎重なプログラム設計と実装が役立ちます[5]。こうしておけば、何かがうまくいかない場合には、プログラム自身によって早期にキャッチされる可能性が高くなります。

※5　訳注：多くのプログラミング言語は、assert（表明）という関数を用意しています。この関数は、プログラムの特定の場所における内部状態の一貫性をチェックします。

7.5 ライブラリとインターフェース

　JavaScript は、洗練されたウェブアプリケーションを実現するしくみとして、重要な役割を果たしています。Google マップは良い例です。マップ操作をマウスクリックだけでなく JavaScript プログラムで制御できるように、ライブラリと API が提供されています。このため、誰でも、Google が提供する地図上に情報を表示する JavaScript プログラムを書けます。API は使いやすいものです。たとえば、**図 6** のコードを用いて、さらに HTML の数行と Google から取得した認証キーを追加しさえすれば、**図 7** の地図画像が表示されます（読者の中には、いつかここに住む人もいるでしょう）。

```
function initMap() {
  var latlong = new google.maps.LatLng(38.89768, -77.0365);
  var opts = {
    zoom: 18,
    center: latlong,
    mapTypeId: google.maps.MapTypeId.HYBRID
  };
  var map = new google.maps.Map(
    document.getElementById("map"), opts);
  var marker = new google.maps.Marker({
      position: latlong,
      map: map,
  });
}
```

図 6　Google マップを使用する JavaScript のコード

　第 11 章で説明するように、ウェブの世界では、Google マップのようなプログラミング可能なインターフェースを提供する JavaScript の使用が増えています。ひとつ困った点は、ソースコードの公開を余儀なくされた場合には、知的財産の保護は困難だというのに、JavaScript を使用している場合は、必然的にソースコードを公開しなければならないことです。ブラウザーを使用すれば、誰でもページのソースを見ることが可能です。とは言え、一部の JavaScript プログ

図7　いつかここに住むことがあるかも?

ラムは、意図的に、または速くダウンロードできるようにコンパクト
にした副作用として難読化されていて、本気で取り組まない限りその
内容を完全には理解できません。

7.6 JavaScriptのしくみ

　第5章で説明した、コンパイラー、アセンブラー、命令、を思い出
してください。JavaScript プログラムも似たやり方で実行可能な形式
に変換されますが、詳細は大きく異なります。ブラウザーは、ウェブ
ページで JavaScript プログラムを検出すると(たとえば、<script>
タグが現れると)、プログラムのテキストを JavaScript コンパイラー
に渡します。コンパイラーは、プログラムのエラーをチェックし、ト
イ・アセンブリー言語に類似したマシン・アセンブリー言語の命令に
コンパイルします。その命令の種類はトイ・アセンブリー言語よりも

豊富です。JavaScript のアセンブリー言語を動かすのは、前章で説明した仮想マシンなのです。

　次に、JavaScript プログラムに実行が期待されている動作を処理するために、トイ・プログラムのようなシミュレーターを実行します。シミュレーターとブラウザーは密接に相互作用します。たとえば、ユーザーがボタンを押すと、ブラウザーはボタンが押されたとシミュレーターに通知します。シミュレーターがダイアログボックスのポップアップのような動作をしたい場合には、alert や prompt を呼び出してブラウザーに作業を要求します。

　JavaScript についての説明はここまでとしますが、さらに興味がある場合は、優れた書籍やオンラインチュートリアルがありますし、その場で JavaScript プログラムを編集してすぐに結果を表示できるサイトもあります。プログラミングはイライラする作業になるかもしれませんが、とても楽しい経験でもあります。その上、かなり良い生活を得ることさえ可能です。

　誰でもプログラマーになれます。もしあなたが、詳細に目を向け、ズームインして細かいポイントを確認し、再び全体像へとズームアウトできるなら、プログラマーになる際に役立つでしょう。また、細かいところを正しく仕上げる作業に、少しばかり注意深くなるのにも役立ちます。何しろ注意を怠ると、プログラムはうまく機能しないか、あるいは全く動かないのですから。そして、多くの活動と同様、アマチュアと真のプロの間には大きなギャップがあるのです。

　数ページ前の、プログラミングの質問に対する解のひとつを次に示します。

```
num = prompt("Enter new value, or 0 to end");
max = num;
while (num != '0') ……
```

max に、ユーザーが提供する最初の数値を設定します。これは、その値が正か負かに関係なく、そこまでに見た最大の値になります。他は何も変更する必要はなく、（ゼロが入力されたら、その時点で終了はしますが）プログラムはすべての入力を処理します。この場合、ユーザーが値を全く指定しなくても適切に処理してくれますが、より適切に処理するには、prompt 関数について詳しく学ぶ必要があります。

7.7 初めてのPythonプログラム

ここからは、本章のこれまでの内容を、特に JavaScript との違いに着目しながら、Python で再現していきます。数年前との大きな違いは、Python プログラムをブラウザーから簡単に実行できるようになったことです。つまり、JavaScript と同様に、自分のコンピューターに何かをダウンロードする必要がないのです。他人のコンピューター上でプログラムを実行するので、アクセスできる内容や利用できるリソースには制約がありますが、スタートするには十分な内容です。

もし、自分のコンピューターに Python がインストールされていれば、macOS や Windows のターミナルを使ってコマンドラインから実行できます。最初のプログラムでは、Hello, world と表示するのが伝統的なやり方です。そのときのターミナルでの操作は次のようになります。

```
$ python
Python 3.7.1 (v3.7.1:260ec2c36a, Oct 20 2018,
03:13:28) [Clang 6.0 (clang-600.0.57)] on darwin
Type "help" [...] for more information.
>>> print("Hello, world")
Hello, world
>>>
```

入力した文字は太字のイタリック体で表示され、コンピューターから出力された文字は通常の等幅フォントで表示されています。>>> は Python 自身が表示するプロンプトです。

　コンピューターに Python がインストールされていない場合や、オンラインで代替手段を試したい場合は、ウェブブラウザーから Python を実行できる様々なサービスがあります。Google の Colab（colab. research.google.com）は最も簡単なもののひとつです。便利なことに、様々な機械学習ツールにもアクセスできます。ここでは機械学習については説明しませんが、Colab は Python を使い始めるためにも適しています（訳注：Google にログインしている必要があります）。

　Colab のウェブサイトにアクセスして、メニューを File（ファイル）、New notebook（ノートブックを新規作成）の順に選択して、"+ Code"（＋ コード）で表示される箱にプログラムを入力します。任意で "+ Text"（＋ テキスト）を押して表示される箱にテキストを入力できます。この時点で**図8**のように表示されているはずです。図8は、最初のプログラムを実行する直前の状況を示していますが、例題が何であるかを説明するテキストが一行表示されていて、その次にコードそのものが表示されています。

　三角形のアイコンをクリックすると、プログラムのコンパイルと実行が行われ、**図9**のような結果が得られます。

　テキストエリアには任意の説明ドキュメントを書き込めますし、コードエリアには好きなだけコードを追加できます。また、システムを

図8　Hello world を実行する前の Colab の画面

図 9　Hello world を実行した後の Colab の画面

発展させながら、テキストやコードのエリアを増やすことも可能です。Colab は、Jupyter notebook という名の広く使われているインタラクティブツールのクラウド版です。Jupyter notebook は、アイデア、説明、実験、コード、データなどを書き込める、物理的なノートを真似たコンピューター版のノートです。ひとつのウェブページにすべてを書き込めて、後から編集・更新・実行したり、他の人へ配布できます。さらに詳しい情報は jupyter.org をご覧ください。

7.8 2番目のPythonプログラム

　次に示すプログラムは、一連の数字を加算して最後にその合計を表示するもので、第5章ですでに紹介しています。図 10 のバージョンは、合計値と一緒にメッセージを表示しますが、それ以外は同じです（入力関数の呼び出しがすぐに解釈されてしまうので、ターミナルで実行中の Python にコピー＆ペーストしただけでは、このプログラムは動作しません。たとえば内容をaddup.pyのような別のファイルにし、そのファイルを指定して Python を実行する必要があります）。

```
sum = 0
num = input()
while num != '0':
    sum = sum + int(num)
    num = input()
print("The sum is", sum)
```

図 10　数字の合計を求める Python プログラム

これを Colab のノートブックに追加してみましょう。**図 11** は、実行開始直後のコードとプログラムの状態を示します。sum=0 の左側にある「三角印」を押すと現れる青い四角は入力を行う場所で、JavaScript で使用した入力のためのダイアログボックスに相当します。

　図 12 は、数字の 1、2、3、4 と、ループを終了させる 0 を入力した後の結果です。このバージョンのプログラムには、出力結果を説明するテキストメッセージは含まれていますが、各入力の前にプロンプトは表示されません。その機能を追加してみるのは、簡単で有益なエクササイズです。

　次の例（**図 13**）は、入力した数列の中の最大値を計算するプログラムです。

　図 14 は、一連の数字を入力した後の結果です。たとえ入力がすべて負の値だったとしても、プログラムが正しい答えを返しているところに注目してください。

```
sum = 0
num = input()
while num != '0':
    sum = sum + int(num)
    num = input()
print("The sum is", sum)
```

図 11　Addup を実行する前の Colab の入力

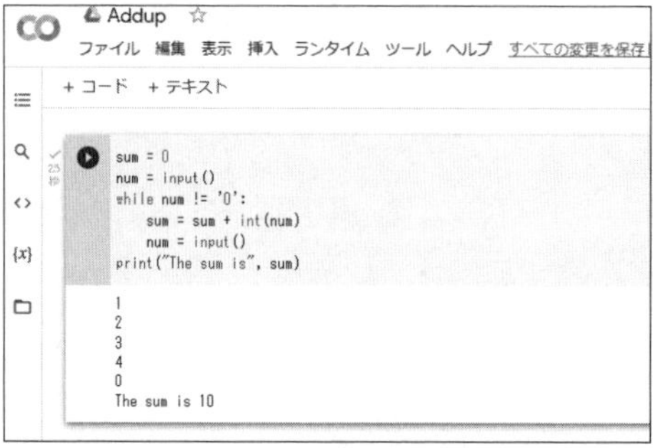

図 12　Addup を実行した後の Colab の画面

```
num = input()
max = num
while num != '0':
    if int(num) > int(max):
        max = num
    num = input()
print("The maximum is", max)
```

図 13　Max を実行する前の Colab の入力

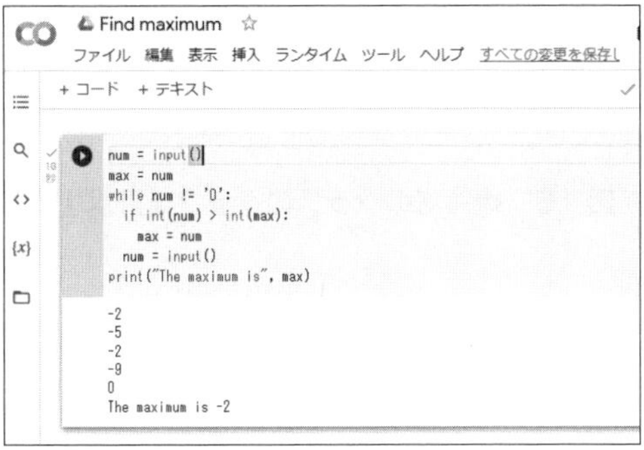

図 14　Max を実行した後の Colab の画面

　ちょっとした変更を試してみましょう。整数値ではなく浮動小数点数、つまり 3.14 のような小数部を持つ可能性のある数値を使用するようにプログラムを変更してみるのです。必要な変更は、入力テキストを数値の内部表現に変換している行で int を float に置き換えるだけです。

7.9 Python のライブラリとインターフェース

　Python の大きな強みは、Python プログラマーが利用できる膨大なライブラリの存在です。ある分野のアプリケーションを検討するときには、おそらく、その分野のプログラムを容易に書ける Python ライブラリが見つかるでしょう。

　簡単な例として、グラフを描くための matplotlib ライブラリを紹介します。データ量に比例して実行時間が長くなる様子を示した第 4 章

```
import math
import matplotlib.pyplot as plt
log = []; linear = []; nlogn = []; quadratic = []
for n in range (1,21):
  linear.append(n)
  log.append(math.log(n))
  nlogn.append(n * math.log(n))
  quadratic.append(n * n)
plt.plot(linear, label="N")
plt.plot(log, label="log N")
plt.plot(nlogn, label="N log N")
plt.plot(quadratic[0:10], label="N * N" )
plt.legend()
plt.show()
```

図 15　複雑さのクラスのグラフを計算する

の図1を再現してみます。この図は元々 Excel で作成したものですが、Python でも Colab ノートブックを使って簡単に同じ図を描画できます。

　図 15 のコードでは、いくつかの新しい機能が使われています。ふたつの import 文は、Python コードのライブラリである math（数学）ライブラリと描画を行う plot（プロット、描画）ライブラリにアクセスするために使われています。後者（matplotlib.pyplot）は名前が長いので、慣習的に plt という短い別名を与えています。計算され描画される値は、4つのリストに格納されます。これらのリストは、最初は何も入っていません。以下の行がそれを示しています

```
log = []; linear = []; nlogn = []; quadratic = []
```

　その後のステートメントでは、変数 n に1から20までの値を設定しながらループを実行し、計算されたそれぞれの値をリストに追加しています（範囲の上限は最後のひとつ先の値で、ループ制御を簡単にするための Python の慣習です）。

ループの終了後、（現在はそれぞれ 20 個のアイテムを含む）各リストは plot 関数に渡せば描画できる状態になっています。そして、実際に plot 関数に渡されてグラフが描かれ、凡例にラベルが追加されます。例外がひとつあります。二次関数（N * N）はリストの最初の 10 項目だけがプロットされています。これは、値が急激に大きくなってしまい、他のグラフが押し下げられてわかりにくくなってしまうからです。[0:10] という表記は、0 から 9 までの番号が付いた、リストの最初の 10 個分の部分リスト切り出し（スライス）を意味します、

legend 関数は、各曲線のラベルを表示する凡例を設定し、show 関数は、**図 16** に示すようなグラフを実際に生成します。matplotlib にはさらに多くの機能があります。どれだけ労力を減らせるのかを知るために、このライブラリを探求してみましょう。

ここまでのプログラム例は、数字を多く扱っていましたので、数字を操作するのがプログラミングだと思っているかもしれません。しかし、もちろんそうではありません。世の中に数字を扱う以外の面白いアプリケーションがたくさんあることがその証拠です。

Python のライブラリを使えば、テキストを扱うアプリケーションの実験も簡単にできます。**図 17** のコードは、Python の requests ラ

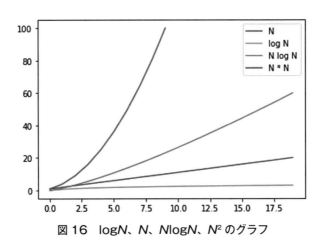

図 16 logN、N、NlogN、N² のグラフ

```
import requests
url = "https://www.gutenberg.org/files/1342/1342-0.txt"
pandp = requests.get(url).text
start = pandp.find ("It is a truth")
pandp = pandp[start:]
end = pandp.find(".")
print (pandp[0:end+1])

It is a truth universally acknowledged, that a single man in
       possession of a good fortune, must be in want of a wife.
```

図 17　Python からインターネットデータにアクセスする

イブラリを用いて、Gutenberg.org に置かれた Pride and Prejudice（邦
訳『高慢と偏見』）のコピーにアクセスし、有名な冒頭文を印刷します。
冒頭には本文とは関係のないかなりの量の定型文が置かれているので、
それらをスキップしています。関数 find を使えば、テキスト中のあ
る特定の文字列が最初に出現する位置を求められるので、それを利用
して切り出すテキストの開始位置と終了位置を求められます。

```
pandp = pandp[start:]
```

と書かれた行は、最初の pandp を、pandp の位置 start から始まり文
字列の最後までを含んだ部分文字列に置き換えます。

　次に、再び find を使って、最初の文の最後にあるはずの、最初の
ピリオドの位置を特定し、位置ゼロから始まる部分文字列を表示しま
す。なぜ、end+1 なのでしょうか？　実は変数 end が示しているのは "."
の手前の位置なので、ピリオドそのものを出力に含めるには、1 だけ
伸ばす必要があるのです。

　最後のいくつかの例では、基本的な考え方を最小限に示すために、
あまり説明せずにかなりの量のコードを投入しています。これだけの
サンプルコードがあれば、簡単な実験が可能です。たとえば、平方根
（sqrt）や N^3、あるいは 2^N といった、他の関数値をプロットできます。

そのためには、データの範囲を変更する必要があります。ここで紹介した以上の機能を提供する matplotlib を、いろいろと試してみるのもいいでしょう。"Pride and Prejudice" やその他のテキストをもっとダウンロードして、その内容を NLTK や spaCy のような自然言語処理のための Python パッケージで探究できます。

　私の経験では、既存プログラムを用いた実験は、プログラミングをさらに深く学ぶ効果的な方法ですし、Colab が提供するノートブックのような仕掛けは、実験内容を一個所にまとめておくのに便利です。

7.10 Pythonのしくみ

　第5章で説明したコンパイラーとアセンブラーと命令や、数ページ前で説明した JavaScript のしくみを思い出してください。Python のプログラムも同様の方法で実行可能な形式に変換されますが、詳細は大きく異なります。Python を実行する際には、コマンドライン環境で python コマンドを直接実行した場合でも、ウェブページで何かをクリックして暗黙的に実行した場合でも、プログラムのテキストが Python コンパイラーに渡されます。

　コンパイラーは、プログラムにエラーがないか否かをチェックし、トイ・プログラムに似てはいますが、さらに豊富な命令の種類を持つ架空のマシン（第6章で説明した仮想マシン）用のアセンブリー言語命令へとコンパイルします。import ステートメントがある場合は、そこで指定したライブラリのコードも取り込まれます。

　そして、コンパイラーは、Python プログラムで期待されたアクションを実行するために仮想マシンを起動します。仮想マシンは、キーボードやインターネットからデータを読み込んだり、画面に出力したりといった操作を行います。

　コマンドライン環境で Python を実行する場合は、高機能な計算機として使うこともできます。Python ステートメントをひとつずつ入力するたびに、それぞれがその場でコンパイルされて、実行されます。

これにより、直ちに実験したり、基本的な関数が何をするのかを簡単に把握できます。Jupyter や Colab のノートブックなどで Python を使うと、こうした探究がさらに簡単に行えます。

7.11 まとめ

過去数年間において、有名で影響力のある人々が時流に乗って、誰もがプログラミングを学ぶべきだと奨励するようになりました。

プログラミングは小学校や高校で必修コースになるべきでしょうか？ 大学で求められるべきでしょうか？（私の学校で時折繰り返される質問です）

私の立場は、プログラムを書く方法を知っているのは誰にとっても良いことだ、というものです。プログラミングスキルを知っていれば、コンピューターができることとその動作原理を完全に理解するのに役立ちます。プログラミングは、満足できて見返りもある時間の使い方になり得ます。問題解決に際してプログラマーとして使う思考やアプローチは、人生の様々な局面でとても役立ちます。そしてもちろん、プログラミングの方法を知れば新しい機会が開かれます。プログラマーとして素晴らしいキャリアを得て、十分な報酬を得ることさえ可能になるのです。

そうは言っても、プログラミングは万人向けではありません。本当に必須である、読み、書き、算術とは異なり、全員にプログラミングの学習を強制するのは、理にかなっていないと考えます。最善なのは、プログラミングの考え方を魅力的なものにし、簡単に始められるようにして、多くの機会を提供し、できるだけ障壁を取り除き、あとは、自然に進路を選んでもらうことでしょう。

プログラミング教育の話が出るときには、コンピューターサイエンスをどこまで教えるべきか、という話題も頻繁に登場します。コンピューターサイエンスはプログラミングだけに関わるものではありませんが、プログラミングはその重要な一部です。アカデミックな世界で

のコンピューターサイエンスには、アルゴリズムやデータ構造の理論的および実践的な研究も含みます。これについては、第4章で少し説明しました。

　コンピューターサイエンスには、アーキテクチャ、プログラミング言語、オペレーティングシステム、ネットワーク、さらに、他分野と重なる幅広い応用分野が含まれます。繰り返しになりますが、コンピューターサイエンスが役立つ人もいますし、その多くのアイデアは広い適用範囲を持ちます。それでも、すべての人に正式なコンピューターサイエンス講義の受講を要求するのは、やり過ぎでしょう。

ソフトウェアのまとめ

　第2部の4つの章では、豊富な話題を取り上げてきました。ここでは、最も重要なポイントをまとめてみます。

　アルゴリズム。アルゴリズムは、あるタスク（仕事）を実行して停止する、正確で曖昧さのないステップ（手順）のシーケンス（列、一続きのもの）です。実装の詳細には依存しない計算方法を記述します。各手順は、明確に定義された単純操作または基本操作に基づいています。多くのアルゴリズムがありますが、第2部では探索やソート（並び替え）など、最も基本的なものに注目しました。

　複雑さ。アルゴリズムの複雑さとは、どのくらいの計算量が必要かを、抽象的に記述したものです。複雑さは、データ項目を調べたり、ひとつのデータを他のデータと比べたりする、基礎的な操作の回数として測られます。そして、データ項目の数に対して、どのくらいの数の操作が必要か、という形で表現されるのです。これは複雑さの程度につながります。第2部の例では、対数（アイテムの数を2倍にしても、操作の数はひとつしか増えません）から始まり、線形（アイテムの数を2倍にすると、操作の数も2倍になります）を経て、指数（ひとつのアイテムを追加すると、操作の数が2倍になります）へと至る複雑さを示しました。

プログラミング。アルゴリズムは抽象的です。しかしプログラムは、実際のコンピューターに、完全かつ現実のタスクを実行させるために必要な、すべてのステップを具体的に表現したものです。プログラムは、限られたメモリーと時間、数値の有限の大きさと精度、ひねくれていたり悪意があったりするユーザー、そして絶え間なく変化する環境に対処する必要があります。

プログラミング言語。プログラミング言語とは、すべてのステップを、人が快適に書ける形式で表現するための表記法です、それでいて、最終的にはコンピューターが利用できるように、バイナリー表現へと変換できる必要があります。変換の方法はいくつかありますが、最も一般的なケースでは、コンパイラーが（おそらくアセンブラーを併用して）、Cなどの言語で書かれたプログラムを、実際のコンピューター上で実行するバイナリーに変換します。プロセッサーの種類ごとに、命令のレパートリー（種類）と表現が異なるため、それぞれ別のコンパイラーが必要になりますが、それらの一部は共通している場合もあります。インタープリターまたは仮想マシンは、コンパイルしたコードを実行できるようにする、実際のコンピューターまたは仮想的なコンピューターをシミュレートするプログラムです。JavaScriptやPythonプログラムは通常、インタープリターまたは仮想マシンで動作しています。

ライブラリ。実際のコンピューター上で実行するプログラムを作成するには、基本的な操作を複雑に組み合わせる必要があります。ライブラリとそのしくみは、プログラマーが自分のプログラムを作成する際に使用できる、事前作成済みのコンポーネント（部品）を提供します。このおかげで、すでに作られた部品に基づいて新しい作品を作成できます。

現在のプログラミングは、多くの場合、独自のコードを書くのと同じくらい、既存のコンポーネント同士をつなぎ合わせて行います。コンポーネントは、JavaScript や Python の例で見たようなライブラリ関数だったり、または Google マップやその他ウェブサービスのような大きなシステムだったりします。ライブラリはオープンソースのものが多いので、プログラマーならコードを読んで理解して、改良できます。場合によってはプロプライエタリな（権利者によって占有されている）コードのために読めないかもしれません。ただし、そこにあるコードはすべて、これまで説明してきた言語やそれに似た言語で詳細な命令を書くプログラマーによって書かれたものなのです。

　インターフェース。インターフェースあるいはアプリケーション・プログラミング・インターフェース（API）は、2者間の契約です。つまり、あるサービスを提供するソフトウェアとそのサービスを使うソフトウェア間の契約なのです。ライブラリは、API を介して、そのサービスを提供します。オペレーティングシステムは、システムコールインターフェースを通して、ハードウェアを規則的でプログラミング可能なものに見せています。

　抽象化と仮想化。抽象化は、ハードウェアから大規模なソフトウェアシステムまで、あらゆるレベルのコンピューティングに登場する基本的な概念です。抽象化は、ソフトウェアの設計と実装において特に重要です、なぜなら抽象化を使えば、「あるコードが何をするか」についての関心と、「それがどのように実装されるべきか」の関心を分離できるからです。ソフトウェアを使用して、実装の詳細を隠したり、別のものであるようなふりをさせられます。例としては、仮想メモリー、仮想マシン、インタープリター、さらにはクラウドコンピューティングなどがあります。

バグ。コンピューターはミスを許してくれません。それゆえにプログラミングは、過ちを犯しやすい生き物であるプログラマーに、一定レベルで持続する、間違いのない振る舞いを要求します。こうした事情から、すべての大きなプログラムはバグを抱えており、意図した通りには動きません。

単に煩わしいだけのバグもあります。本当のエラーというよりも、出来損ないのデザインと呼べるようなものです（「それはバグではありません。仕様です」というのはプログラマーがよく使う言い回しです）。非常に稀で普通ではない状況でしか発生しないバグもあります。そうしたバグは再現できないだけでなく修正もできません。

少ないながらも、本当に深刻なバグも存在します、そうしたバグはセキュリティ、安全性、さらには命にさえ関わる重大な結果を招く可能性があります。

特に、重要なシステムがこれまで以上にソフトウェアに依存するようになるにつれて、信頼性は今まで以上に問題になっていくでしょう。パーソナルコンピューティングの世界で見られる「そのまま使うか、さもなければ使わなくて結構、保証はありません」というモデルは、おそらくハードウェアの世界で見られるような、合理的な製品保証と消費者保護に置き換えられるでしょう。

これまでの経験から学んだことから考えれば、プログラムが実証済みのコンポーネントから作成され、既存のバグが追い出されていくにつれて、原理的には次第にエラーはなくなっていくはずです。しかし、そうした進展がある一方で、コンピューターや言語の進化に伴ってシステムが新たな要求に応えたり、マーケティングや消費者による欲求が新機能に対する容赦ない圧力をかけたりするために、絶え間ない変化が生み出され、新たな問題が生み出されるのです。それらがさらに多くの、そして大きなプログラムを生み出す結果になります。残念ながら、私たちはバグと付き合い続けなければなりません。

コミュニケーション

コミュニケーションの話題は、4部構成の本書において、ハードウェアとソフトウェアに続く3番目の主要部分です。様々な意味で、物事が本当に面白くなり始めるのはここからです（「面白い時代に住んでいる」という意味も含めて）。なぜならコミュニケーションには、互いに通信し合うすべての計算デバイスが関わっているからです。それらデバイスは、多くの場合で役に立ちますが、ろくでもないことが目的の場合もあります。現在のほとんどの技術システムは、ハードウェア、ソフトウェア、そしてコミュニケーションの組み合わせで成り立つため、これまで議論してきたすべての部分が第3部でひとつになります。

コミュニケーションシステムはまた、多くの社会問題が発生する場所でもあります。プライバシー、セキュリティ、および、個人・企業・政府間の権利が競合する、難しい問題が表面化します。

第3部では歴史的な背景を少し説明し、ネットワークテクノロジーについて触れてから、インターネットを説明します。インターネットは、世界中のコンピューターからコンピューターへの情報移動のほとんどが行われている、ネットワークの集合体です。

インターネットの説明に続いて、ワールド・ワイド・ウェブの話が

登場します。これこそが 1990 年代の中頃に、インターネットを少数の技術的なユーザーのものから、万人のためのユビキタス（「あらゆる場所に存在する」という意味です）サービスへと変貌させたものなのです。その後、メール、オンラインコマース、ソーシャルネットワークといったインターネットを使用するアプリケーションのいくつかを、それらに対する脅威や対抗手段とともに説明します。

創意工夫に満ちた情報移動の歴史

　記録に残る歴史の最初からすでに、多くの創意工夫と驚くほど多様な物理的メカニズムを使用して、人々は長い距離間のコミュニケーションを行ってきました。どの例にも、それぞれを独立した本にする価値のある、魅力的な物語が伴っています。

　長距離ランナーは何千年もの間、メッセージを運んできました。紀元前 490 年には、フィリッピデスが戦場であるマラトンからアテネまでの 26 マイル（約 42 キロメートル）を走り、ペルシャに対するアテナイの大勝利のニュースをもたらしました[1]。少なくとも伝説によれば、彼は「喜べ、我らは勝利せり」と喘ぎながら言うと、残念ながら息絶えたそうです。

　ヘロドトスは、ちょうどその頃、ペルシャ帝国全体にメッセージを運んだ運搬人のシステムについて記述しています。彼の書いたその描写はニューヨーク市 8 番街にある、1914 年に建立された元郵便局の碑文として刻まれています。それはこのようなものです。"Neither snow nor rain nor heat nor gloom of night stays these couriers from the swift completion of their appointed rounds."（雪も、雨も、暑さも、そして夜の暗さも、運搬人の定められた巡回の、迅速な完了を妨げない）。また、馬に乗った人間が、郵便物をミズーリ州セントジョセフとカリフォルニア州サクラメント間の 3,000 キロを運んだポニーエク

※1　訳注：名前はフィリッピデスではなくエウクレスだったとの説もあります。

スプレス（The Pony Express）は、アメリカ西部の象徴です（とは言え運行されていたのは 1860 年 4 月から 1861 年 10 月までの 2 年弱だけです）。

　信号灯や火、鏡、旗、太鼓、伝書鳩、人間の声さえもが長距離通信に使われています。「stentorian」（大声の）という単語は、狭い谷を超えて大声でメッセージを伝えた人間を表す、ギリシャ語の「stentor」（Στέντωρ）に由来しています。

視覚通信

　初期の機械システムのひとつは、その価値に比べて世間に知られていません。それはフランスのクロード・チャッペとスウェーデンのアブラハム・エデルクランツ[2]が、それぞれ独自に発明した視覚通信（optical telegraph）です。視覚通信は、機械的シャッターもしくは、**図 1** に示すようなタワーに取り付けられた腕木を使った信号システムを使っていました[3]。

　通信オペレーターは、隣接するタワーから送られてきた信号を読み取り、それを別の方向の次のタワーへと中継します。腕木またはシャッターは、決まった数の形状しかとれなかったので、視覚通信は真にデジタルな手法でした。1830 年代までには、ヨーロッパの大部分と米国の一部に、こうしたタワーの広範なネットワークができていました。タワー同士は約 10 キロメートル離れていました。伝達速度は 1 分あたり数文字で、ある報告によれば、1 文字を約 10 分で 230km 離れたリールからパリへ送信できました。

　現代の通信システムで発生する問題は、1790 年代でもすでに現れていました。情報の表現方法、メッセージの交換方法、そしてエラー

---

[2]　訳注：これらは英語読みから日本に入ってきたものです。それぞれ現地語では「クルード・シャップ」、「アーブラハム・イエデルチャンツ」といった発音になります。

[3]　訳注：日本語では腕木を使ったものも、シャッターを使ったものも、まとめて「腕木通信」と呼ばれる場合があります。

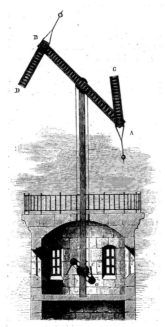

Fig. 19. — Télégraphe de Chappe.

図 1　視覚通信局

の検出方法と回復方法には、標準化が必要でした。情報の素早い送信
は常に問題でしたが、フランスの一方の端からもう一方の端に短いメ
ッセージを送信するのには、数時間しかかかりませんでした。

　セキュリティとプライバシーの問題も発生しました。1844 年に出
版されたアレクサンドル・デュマの『モンテ・クリスト伯』第 61 章は、
伯爵が通信オペレーターを買収してパリに虚偽のメッセージを送り、
邪悪な銀行家であるダングラール男爵の経済的破滅を引き起こした様
子を描いています。これは中間者攻撃の完璧な例です。

電気通信

　視覚通信には、運用上の大きな問題が少なくともひとつありました。
視界が良好なときにしか利用できないのです。夜間や悪天候では使え

ませんでした。1830 年代にサミュエル・F・B・モールスによって発明された電気通信（電信）は、1840 年代には成熟して、10 年以内に視覚通信を駆逐しました。

　商業電信サービスはすぐに米国の主要都市をつなぎました。1844年にボルチモアとワシントンの間に引かれたのが最初で、1858 年には最初の大西洋横断電信ケーブルが敷設されました。電気通信は、1990 年代後半の初期のインターネットブームとドットコムの破綻がもたらしたものと似た、多くの希望、野望、そして失望を引き起こしました。幸運がもたらされ、そして失われ、詐欺が行われ、楽観主義者は世界の平和と相互理解の到来を予測し、現実主義者は、詳細は異なるものの、それらのほとんどが昔にも見られた現象だと正しく認識していました。「今度こそこれまでとは違う」という主張が正しいことは滅多にないのです。

　伝えられるところでは、1876 年にアレクサンダー・グラハム・ベルは、ほんの数時間の差でエリシャ・グレイに先んじて、彼の発明である電話を米国特許庁へ届け出ました（ただし、出来事の正確な時系列に関しては、依然として不明な点が残っています）。電話は次の100 年にわたって進化を続け、通信に革命をもたらしましたが、世界の平和も相互理解ももたらせませんでした。電話は、人々同士が、特に専門知識も不要で、直接話せるようにしました。そして電話会社同士の標準と合意によって、世界中のほぼすべての電話同士をつなげられるようになったのです。

　電話システムは、長期間にわたって比較的安定した利益を享受しました。それは人間の声だけを運んでいました。普通の会話は 3 分間ほど続いたため、接続の準備に数秒かかったとしても問題にはなりませんでした。電話番号は、地理的な場所をかなり明確に示す一意的な識別子でした。そのユーザーインターフェースは質素で、ロータリーダイヤルを備えた簡素な黒い電話でしたが、今ではほとんどがその姿を消しました。今日では、「電話をダイヤルする」（dialing the phone）

といった言い回しなどに残されているだけです。こうした電話は現在のスマートフォンの対極にあるものでした。すべての情報はネットワーク内に置かれていて、ユーザーができることは、電話が鳴ったときに応答するか、番号をダイヤルして電話をかけるか、あるいは複雑なサービスを人間のオペレーターに依頼するしかありませんでした。長い間標準的に使われていたロータリーダイヤル電話を**図2**に示します。

　これらは皆、電話システムがふたつのコアバリュー、つまり高い信頼性と保証されたサービス品質の実現に集中できたことを意味します。50年もの間、誰かが受話器を持ち上げれば、ダイヤルトーン（これもまた、言葉の名残です）が聞こえていました。電話をかければいつでも相手が呼び出され、通話先の人の声は、はっきりと聞き取れました。そして、どちらかが電話を切るまでその状態が維持されていたのです。おそらく私は、電話システムについて過度に楽観的な見方をしていると思います。何しろ30年以上にわたってAT＆Tの一部であったベル研究所で働いていたのですから。電話事業の中心からは遠く離れていましたが、多くの変化を内側から眺めていたのです。そして

図2　ロータリーダイヤル電話（ディミトリ・カレトニコフ提供）

私は、携帯電話時代以前の、ほぼ完璧な信頼性と明快さが失われたことをとても残念に思っています。

インターネット

　電話システムにとって、20世紀の最後の四半世紀は、技術、社会、そして政治の急速な変化の時代でした。1980年代にファックス機が一般的になると、トラフィックモデル（情報の流れのモデル）が変わりました。ビットを音声に変換したり逆の変換をしたりするモデムを使ったコンピューター間のコミュニケーションも一般的なものになっていきました。モデムもファックス機と同様に、アナログ電話システムにデジタルデータを流すために音声を利用していました。技術の進展によって通話の接続はますます早くなり、多くの情報の送信が可能になって（特に国内と海洋を横断する光ファイバーケーブルの利用によって）、すべての情報のデジタル化が可能になりました。携帯電話は利用パターンをさらに劇的に変化させました。今や携帯電話は、多くの人に家庭の有線固定電話を捨てさせてしまうほど、電話の世界を支配しています。

　政治的に見れば、通信業界の支配者が、厳しく規制された企業や政府機関から、規制緩和された民営企業に移行する世界的な革命がありました。これは広く開かれた競争を解き放ちました。この結果、既存の有線電話会社の収益は下向きのスパイラルに落ち込んで、多くの新しいプレイヤーが登場し、またしばしば没落もしていきました。

　現在の通信会社は、主にインターネットを基盤とする新しいコミュニケーションシステムによって引き起こされた、収益とマーケットシェアの減少という脅威との闘いを続けています。その脅威のひとつはインターネット電話です。インターネットを介してデジタル音声を送信するのは簡単です。Skypeのようなサービスはこれをさらに押し進め、無料のコンピューター間通話やビデオ通信を提供するだけでなく、従来の電話会社が請求する通常価格よりもはるかに安い価格でインタ

ーネットから従来の電話に電話をかける手段をも提供しています。悪い予兆は随分前からありましたが、誰もがそれに気が付いていたわけではありません。AT＆Tが国内長距離通話に対して1分10セント以上を請求していた1990年代の初頭に、国内長距離通話の価格はやがて1分1セントに落ちるだろうとAT＆Tの経営層に対して言った私の同僚の言葉が、当時は笑い飛ばされていたことを思い出します。

　同様に、Comcastのようなケーブルテレビ会社は、Netflix、Amazon、Googleなど、インターネットを利用したストリーミングサービスに脅かされていて、今やケーブルテレビ会社は他人のビットを運ぶだけの存在になってしまいました。

　当然ながら、既存の企業は、技術的、法的、そして政治的な面から、収益と実質的な独占を維持するために戦っています。ひとつのアプローチは、住宅内の有線電話へのアクセスを行う競合他社に課金するやり方です。もうひとつのアプローチは、インターネットやその他のサービスを利用した電話サービス（インターネットを使うものはvoice over IPまたはVoIPと呼ばれます）を提供する競合他社の経路に、帯域幅制限やその他の速度低下手段を加える方法です。

ネットワーク中立性

　こうした手段は、「ネットワーク中立性」と呼ばれる一般的な問題に関連します。インターネットサービスプロバイダーは、効率的なネットワーク管理に関連する純粋に技術的な理由以外で、トラフィックへの干渉、品質低下、あるいはブロックが許されるべきでしょうか？電話会社とケーブルテレビ会社は、すべてのユーザーに同じレベルのインターネットサービスを提供するように要求されるべきでしょうか、それともサービスとユーザーを様々なレベルで扱えるようになるべきでしょうか？　そうだとしたら、どんな理由で？　たとえば、VonageのようなVoIP会社からのトラフィックを、競合相手だという理由で既存の電話会社が遅くするのは許されるべきでしょうか？　Comcast

のようなケーブルテレビおよびエンターテインメント企業は、競合する Netflix のようなインターネット映画サービスのトラフィックを、遅くすることを許されるべきでしょうか？ サービスプロバイダーは、その所有者が賛成していない社会的または政治的見解を支持するサイトのトラフィックを、妨げることを許されるべきでしょうか？ いつもながら、どちらにも言い分があります。

　ネットワーク中立性の問題に対する解決策は、インターネットの将来に大きな影響を与えるでしょう。これまでのところ、インターネットは、干渉や制約なしにすべてのトラフィックを運ぶ中立的なプラットフォームを提供してきました。これはすべての人に利益をもたらしてきました。この状況を維持していくことはとても望ましいと、私個人は考えています※4。

　一方でインターネットは、誤報、フェイクニュース、偏見と女性差別、ヘイトスピーチ、陰謀論、名誉毀損、および、その他多くの望ましくない活動のためのフォーラムを提供する、多種多様なサイトをサポートしています。少なくとも米国で続いている議論は、次のようなものです。TwitterやFacebookは、電話会社が電話を使う人々の話す内容に責任を負わないのと同様、コミュニケーションの単なるプラットフォームであってインターネット上でホストする内容に責任を負わなくて良い存在なのか、それとも、新聞のように自分のサイトに掲載された内容に何らかの責任を負わなければならない出版社のようなものなのか――。当然のことながら、どのような問題を避けようとしているかによって立場は異なりますが、ほとんどの場合、ソーシャルメディアサイトは出版社としてみなされることを望んでいません。

※4　訳注：2017年12月にFCC（米連邦通信委員会）はネットワーク中立性を義務付けた規制の撤廃を可決し、2018年6月には規制が一度撤廃されました。しかし、その後2018年12月に米国最高裁判所は、ネットワーク中立性の規制を認めた2016年の控訴審の判決を支持し、規制撤回を求める共和党からの上告を棄却しました。その後各州での動きもあって2021年2月にはFCCの長官がネットワーク中立性の維持を宣言しました（もちろん技術的合理性がある場合には速度規制などの例外的な処理を行うことが許されます）。

– 8 –
ネットワーク

　本章では、日常生活で直接触れるネットワーク技術について説明します。電話、ケーブルテレビ、イーサネットといったこれまでの有線ネットワーク、そして、Wi-Fiと携帯電話に代表されるワイヤレスネットワークが話題です。これらは、現在ほとんどの人がインターネット（第9章のトピックです）に接続するために使っている方法です。

　すべてのコミュニケーションシステムは、基本的な特性を共有しています。まず、送信元（ソース）では、情報を何らかのメディアを介して送信できる表現形式に変換します。そして、送信先（デスティネーション）では、その表現形式を自分が利用可能な形式に戻します。

　帯域幅（バンド幅）は、ネットワークの最も基本的な特性です。ネットワークが単位時間あたりどれくらいの量のデータを送れるかを表します。ここには、厳しい電力制約もしくは環境制約の下で動作する毎秒数ビットしか送れないものから、大陸や大洋を横断して毎秒テラビット以上のインターネットトラフィックを運ぶ光ファイバーネットワークまでの、幅広いシステムが含まれます。ほとんどの人にとって、帯域幅は最も重要な特性です。十分な帯域幅があれば、データは素早くスムーズに流れます。そうでなければ、コミュニケーションは止まったり足踏みしたりといったイライラした体験になってしまいます。

レイテンシ（遅延）は、特定の情報の塊がシステムを通過するのにかかる時間を測ったものです。高レイテンシは低帯域幅を必ずしも意味していません。ディスクドライブを荷物として満載して国を横断するトラックは、高レイテンシですが帯域幅も巨大です。

　ジッター（遅延の変動性）も、一部の通信システム、特に音声とビデオを扱う通信システムでは重要です。

　レンジ（到達範囲）は、与えられた技術を使った場合に、ネットワークがどれくらい地理的に大きなものになれるかを定義します。一部のネットワークは極めてローカルでせいぜい数メートルのレンジですが、他のネットワークは文字通り世界に広がっています。

　他の特性としては、あるネットワークが、（ラジオのように）複数の受信者が1人の送信者を聞けるようにするブロードキャストなのか、それとも特定の送信者と受信者を組み合わせてコミュニケーションするポイントツーポイントなのかといった違いもあります。ブロードキャストネットワークは本質的に盗聴に対して脆弱で、セキュリティに影響を及ぼす可能性があります。また、どのような種類のエラーが発生して、どのように処理されるかを心配する必要があります。ハードウェアとインフラストラクチャのコスト、送信されるデータの量など、考慮すべき他の要因もあります。

8.1 電話とモデム

　電話ネットワークは、音声トラフィックの伝送から始まって、最終的にはかなりのデータトラフィックを伝送するように進化した、大規模な世界的ネットワークです。家庭用コンピューターが普及し始めた頃は、ほとんどのユーザーは電話回線を使ってオンライン接続をしていました。

　住宅レベルでは、有線電話システムは今でも、データではなく、ほぼアナログ音声信号を伝送しています。そのため、デジタルデータを送るためには、デジタルデータをアナログサウンドに変換し、それを

またデジタルデータに戻せるデバイスが必要です。ある信号に対して、情報を載せたパターンを加える処理は変調（モジュレーション）と呼ばれます。そして、もう一方の端では、パターンを元の形式に戻す必要があります。これは復調（デモジュレーション）と呼ばれます。変調と復調を行うデバイスは、モデム（modem：“mod”ulation と “dem”odulation から）と呼ばれます。電話モデムは、以前は大きく独立した、高価な電子機器の箱でしたが、現在はシングルチップになり、実質的にはタダのような値段です。それにもかかわらず、現在はインターネットに接続するための有線電話の使用は一般的ではなく、モデムを内蔵したコンピューターはほとんどなくなってしまいました。

　データ接続への電話利用には、大きな欠点があります。専用の電話回線が必要なので、家に電話回線が1本しかない場合は、電話をネットワークに接続するか、音声通話に利用できるようにするか、のどちらかを選択する必要があります。しかし、それ以上にほとんどの人にとって重要なのは、電話で情報を送信する速度に課せられた厳しい制限です。最大速度は約56Kbps（1秒あたり56,000ビットという意味。小文字のbはビットを表します。なお対照的に大文字のBはバイトを表します）で、これは1秒あたり7KBという速度です。したがって、20KBのウェブページのダウンロードには3秒かかり、400KBの画像のダウンロードには60秒近くかかります。動画を転送したりソフトウェアを更新しようとすれば、すぐに数時間、場合によっては数日かかってしまいます。

8.2 ケーブルとDSL

　アナログ電話回線による信号伝送速度が56Kbpsに制限されているのは、デジタル電話システムへの移行が始まった60年前になされた当時の設計の工学的決定に起因します。これに対して、少なくともその100倍の帯域幅を多くの人々に提供できる代替手段の技術がふたつあります。

8.2.1 ケーブルの技術

　ひとつは、多くの家庭にテレビ番組を届けているケーブルテレビの
ケーブルの利用です。このケーブルは、数百のチャネルを同時に伝送
できます。十分な余剰容量があるため、家庭からのデータのやりとり
にも利用可能です。ケーブルシステムの速度は様々ですが、通常数百
Mbps 程度のダウンロード速度を（様々な料金で）提供します[※1]。ケ
ーブルからの信号をコンピューター用のビットに変換し、またその逆
変換を行うデバイスは、電話モデムと同様に変調と復調の両方を行う
ためケーブルモデムと呼ばれます。

　この速さはある意味、錯覚です。テレビの場合は、視聴されている
かどうかに関係なく、すべての家に同じテレビ信号が送られます。一
方、ケーブルそのものは共有媒体ですが、私の家に行くデータは私だ
けのものであり、あなたの家に行くものと同じにはならないので、双
方の家が同じコンテンツを共有する方法はありません。データの「帯
域幅」は、ケーブルのデータユーザー間で共有されるので、私が多く
の帯域幅を使用した場合には、あなたは多く使うことはできません。
おそらくは、どちらも使える量が少なくなります。幸い、お互いに盛
大に干渉し合うことはそれほどありません。たとえて言うなら、航空
会社やホテルが意図的に行っているオーバーブッキング状態のコミュ
ニケーション版のようなものです。そうした企業は、顧客全員が同時
にはやってこないのを知っているので、リソースをオーバーブッキン
グしても大丈夫なのです。このやり方はコミュニケーションでもうま
くいきます。

　これ以外にも、別の問題があります。契約者全員が、同じテレビ信
号を同時に目にする可能性がありますが、その一方で、あなたは私の
家にあなたのデータを送りたくないでしょうし、私もあなたの家に私

※1　訳注：2022 年 3 月の時点では、日本国内では最大 10Gbps 程度の速度を提供するサービ
　　スもあるようです。

のデータを送りたくはありません。何しろ、データは個人的なものなのですから。そこには、私のメール、オンラインショッピングや銀行の情報、そしておそらく、私が他人に知られたくない個人的な娯楽の好みさえも含まれます。これは暗号化によって対処できます。暗号化により、他人が私のデータを読み取れなくなるのです。暗号については第13章で詳しく説明します。

　さらに別の問題もあります。最初のケーブルネットワークは一方向でした。信号はすべての家庭に同時に放送されていたのです。簡単に構築できましたが、顧客からケーブル会社に情報を送り返す方法はありませんでした。ケーブル会社は、顧客からの通信を必要とするペイパービューやその他のサービスを可能にするために、とにかく情報の送り返しに対処する方法を見つける必要がありました。こうして、ケーブルシステムは双方向になり、コンピューターデータの通信システムとして使用できるようになりました。しかし、トラフィックのほとんどはダウンロードであるため、消費者からケーブル会社へ向かうアップロード速度はダウンロード速度よりはるかに遅いのが一般的です。

8.2.2 電話回線の技術
　家庭で使用するために使えるもうひとつの適度に高速なネットワーク技術は、通常はすでに家庭に導入済みのシステムである電話を使います。この技術は、デジタル加入者線またはDSL（Digital Subscriber Loop）と呼ばれます（家庭へ送る帯域幅が、家庭から戻す帯域幅よりも大きいため「非対称」（asymmetric）を頭に付けてADSLと呼ばれる場合もあります）。DSLはケーブルとほぼ同じサービスを提供しますが、その裏にはいくつかの重要な違いがあります。

　DSLは、音声信号に干渉しない技術を使って電話線にデータを送信するため、ネットサーフィン中にも電話で会話が可能ですし、お互いに影響を与えません。これはうまく機能しますが、残念ながら一定の距離までしか使えません。多くのユーザーが該当しますが、地元の

電話会社の交換局から約3マイル（約4.8km）以内に住んでいる場合にはDSLを使用できます。それ以上遠い場合には、運がなかったと諦めましょう。

DSLのもうひとつの良い点は、共有媒体ではない点です。それは自宅と電話会社との間に引かれた専用線を使用します。他の誰もその線を使わないので、隣人と容量を分け合うことにはなりませんし、自分のビットが隣の家に行くこともありません。自分の家にある特別な箱（これもまたモデムです）は電話会社の局舎にある別のモデムと対応して働き、信号を電話線に乗せて送れる正しい形式に変換します。それ以外の点に関しては、ケーブルとDSLは、見かけも使い勝手もほぼ同じです。少なくとも競争があるときは、価格もほぼ同じ程度になる傾向があります。しかし、伝えられるところでは、米国でのDSLの利用は減少しています[※2]。

技術は進歩し続けており、現在では古い同軸ケーブルや銅線ではなく、家庭用の光ファイバーサービスに置き換えられつつあります。たとえば、Verizon（ベライゾン）は最近、私の家への老朽化した銅線接続を光ファイバーに置き換えました。光ファイバーは維持費が安く、インターネット接続などの追加サービスを提供できます。私の立場からすると、唯一の欠点は（工事中にうっかりケーブルを切ってしまい、数日間サービスが受けられなかったことを除けば）長時間の停電が発生した場合、電話が使えなくなる点です。昔は、電話会社の施設にあるバッテリーや発電機から電力を得ていたので、停電が続いても電話は使えたのですが、光ファイバーケーブルの場合はそうではありません。

光ファイバーシステムは、他の方式よりはるかに高速です。信号は、極めて純度が高く損失の少ないグラスファイバーの中を、光のパルスとして送られます。減衰して再び元の強度にまで増幅される必要が出

※2 訳注：実際日本でも2016年6月末でADSLの新規加入は終了していて、2021年の段階では、家庭では光ファイバーのネットかケーブルテレビが利用されています。

るまでには何キロメートルも伝送できます。1990年代初頭、私は「家庭用光ファイバー」の研究実験に参加し、10年間自宅を160Mbpsで接続していました。思い切り自慢できる話でしたが、実際のところそれほどは自慢の種にはなりませんでした。何しろ当時はその十分な帯域幅を活かせるサービスが何もなかったからです。現在は、地理的偶然によって、私の自宅には再びギガビット光ファイバー接続が来ています（Verizonのものではありません）。しかし自宅の無線ルーターの制約によって、実質的な速度はせいぜい30M〜40Mbps程度です。オフィスのワイヤレスネットワークでは、ノートパソコンが約80Mbpsでつながりますが、同じ部屋のEthernet接続のコンピューターは500M〜700Mbpsでつながります。こうした接続速度は、たとえばspeedtest.netを使ってテストできます。

8.3 ローカルエリアネットワークとイーサネット

電話やケーブルは、コンピューターをより大きな、通常はそれなりに遠い場所にあるシステムに接続するネットワーク技術です。歴史的には、現在最も一般的なネットワーク技術のひとつであるイーサネットの登場へとつながった、別の系統の開発がありました。

1960年代後半から1970年代初頭にかけて、ゼロックスのパロアルトリサーチセンター（Xerox PARC）が、非常に革新的で他の多くの革新にもつながっていった、パーソナルコンピューターAlto（アルト）を開発しました。史上初のウィンドウシステムとビットマップディスプレイを有していたそのシステムは、文字だけの表示には制約されていませんでした。Altoは現在の意味でいうパーソナルコンピューターとしては高価すぎるものでしたが、PARCのすべての研究者が1台ずつ所有していました。

課題のひとつは、Alto同士を相互に接続する方法、あるいはプリンターのような共有リソースに接続する方法でした。その中で、1970年代初頭にボブ・メトカーフとデビッド・ボッグスによって発明され

た解決策が、イーサネット（Ethernet）と呼ばれるネットワーク技術でした。

　イーサネットは、1本の同軸ケーブルに接続されたすべてのコンピューター間で、信号の伝送を可能にします。同軸ケーブルは、今の家庭でケーブルテレビをつないでいるものと物理的に似ています。信号は、強度または極性がビット値をエンコードした電圧のパルスでした。最も単純な形式は、1のビットに正の電圧を使用し、0のビットに負の電圧を使用するものでした。各コンピューターは、一意の識別番号を持つデバイスを介してイーサネットに接続されていました。あるコンピューターが別のコンピューターにメッセージを送信する場合は、まず他のコンピューターが現在送信を行っていないことを確認します。その後同軸ケーブル上に、メッセージを送信先の識別番号と一緒にブロードキャスト（一斉送信）するのです。ケーブルに接続されたすべてのコンピューターがそのメッセージを受信できますが、メッセージの送信先として指定されたコンピューターだけがメッセージを読み取って処理します。

8.3.1 イーサネットアドレス

　すべてのイーサネットデバイスには、イーサネットアドレスと呼ばれる、お互いに他のすべてのデバイスとは異なる48ビットの識別番号が割り当てられています。これにより、全部で2^{48}（約2.8×10^{14}）個のデバイスが接続可能です。コンピューターのイーサネットアドレスは、コンピューターの下部に印刷されていたり、WindowsのipconfigやMacのifconfigといったプログラムでも表示できたり、システム環境設定や設定でも表示できるので、簡単に調べられます。イーサネットアドレスは1バイトあたり2桁の16進数を使い、全部で12桁の16進数として表されます（合計6バイト）。それはたとえば、00:09:6B:D0:E7:05のような形で16進数が並んだものです（コロン：はあってもなくてもよいです）、この識別子は私のノートパソコンのア

ドレスなので、皆さんのお手元のコンピューターではこの数字は異なります。

　前述のケーブルシステムの説明から、イーサネットにもプライバシーと限られたリソースによる競合の問題が、ケーブル同様に起こることが想像できるでしょう。

　競合は、巧妙な仕掛けによって処理されます。ネットワークインターフェースが送信を開始したものの、他の誰かも送信していることを検出した場合には、始めた送信を中止し、短時間待機してから、再試行します。待機時間がランダムで、失敗が続くたびに徐々に待ち時間を伸ばしていけば、最終的にすべてが送信できます。これは、パーティでの会話に似ています。2人の人間が同時に話し始めたときには、両者は一度黙り、どちらか一方がもう片方が話し出す前に、口を開くのです。

8.3.2 イーサネット上を流れる情報

　当初は、プライバシーは懸念されていませんでした。何しろ全員が同じ会社の従業員で、同じ小さな建物で働いていたからです。しかし、今では、プライバシーは大きな問題です。ソフトウェアはイーサネットインターフェースを「何でも取り込むモード」にできます。そのモードでは自分宛てのメッセージだけではなく、ネットワーク上のすべてのコンテンツを読み込んでしまうのです。すなわち、暗号化されていないパスワードといった興味深いコンテンツを簡単に探せてしまいます。このような「スニッフィング」(「臭いをかぐ」という意味です)は、かつて大学寮のイーサネットネットワークでは一般的なセキュリティ問題でした。解決策のひとつはケーブル上を流れるパケット(後述します)の暗号化ですが、現在はほとんどのトラフィックがデフォルト(初期設定)で暗号化されています。

　Wiresharkと呼ばれるオープンソースのプログラムを使えば、スニッフィングを試せます。これは、無線を含むイーサネットトラフィッ

クに関する情報を表示します。学生が講師の私よりもノートパソコンや携帯電話に注意を向けているように思えるときには、教室で時折Wireshark をデモンストレーションします。このデモは、ちょっとの間だけですが、しっかり注目を集めます。

　イーサネット上を流れる情報は、パケット単位で送信されます。ひとつのパケットは、厳密に定義された形式の情報を含んだビットまたはバイトのシーケンスなので、送信時に情報をパックして、受信時にそれを展開できます。パケットを、送信者のアドレス、受信者のアドレス、コンテンツ、およびその他の情報を含む、標準的な形式の封書（あるいはハガキの方がふさわしいかも）と考えることは、かなり良い比喩です、FedEx のような配送会社によって使われている標準的なパッケージと思ってもよいでしょう。

　パケットの形式と内容の詳細は、ネットワークによって大きく異なります。ひとつのイーサネットパケット（**図1**）には、6 バイトの送信元アドレスと送信先アドレス、その他の情報など、最大約 1,500 バイトのデータが含まれています。

送信元 アドレス	送信先 アドレス	データ長	データ (48 〜 1518 バイト)	エラー チェック

図1　イーサネットパケットのフォーマット

　イーサネットはとても成功した技術です。最初に商用化されて以来（最初の製品化は、ゼロックスではなく、メトカーフが設立した3Com がしました）、無数のイーサネットデバイスが多数のベンダーによって販売されてきました。最初のバージョンの通信速度は3Mbps でしたが、現在のバージョンは100Mbps から10Gbps といった様々な速度で動作します[3]。モデムと同様に、最初のデバイスはか

※3　訳注：2022 年 3 月現在、100Gbps を超えるものも珍しくありません。

さばって高価でしたが、イーサネットインターフェースは現在、安価なひとつのチップになっています。

　イーサネットの到達範囲は限られていて、普通は数百メートル以内です。オリジナルバージョンで用いられていた同軸ケーブルは、現在は標準コネクター（RJ45）を備えた8芯ケーブルで置き換えられました。この標準コネクターを使って、入力データを他の接続デバイスにブロードキャストする「スイッチ」または「ハブ」に接続します。通常、デスクトップコンピューターには、この標準コネクターを挿し込めるソケットが備わっています。無線LANアクセスポイント、イーサネットの動作をシミュレートするケーブルモデムなどのデバイスにも、このソケットが備わっています。しかし、ワイヤレスネットワークに依存する最近のノートパソコンでは、このソケットはなくなりました。

8.4 無線

　イーサネットには重大な欠点があります。物理的な配線が必要なのです。壁、床下、そして時には廊下を横切って階段を下り、ダイニングルームとキッチンを通り抜けて居間につながるといった具合です（ここでは、個人的な経験をお話しています）。イーサネットに接続されたコンピューターは、簡単には移動できません。ノートパソコンを膝の上に置いてゆっくり使おうと思っても、イーサネットケーブルが邪魔になります。

　幸い便利な手段があります。無線（ワイヤレス）を使う方法です。無線システムは、電波を使用してデータを伝送するため、十分な強度の信号があれば、どこからでもコミュニケーションができます。無線ネットワークの到達範囲は通常、数十メートルから数百メートルです。テレビのリモコンに使用される赤外線とは異なり、無線は、すべてではないものの一部の素材を通過できるため、見通しが良い必要はありません。金属製の壁やコンクリートの床は電波を妨害するため、実用

上は、屋内では屋外の場合よりも範囲が狭くなることがあります。一般に他の条件が同じ場合には、高い周波数の方が低い周波数の電波よりも吸収されやすい性質があるのです。

　無線システムは、電磁放射を利用して信号を伝送します。ここでの電磁放射とは、ラジオ局の103.7MHzのように、Hz（ヘルツ）（日常的に触れる可能性が高いのはMHzまたはGHzです）で表現される、特定の周波数の電波です。変調プロセス（モジュレーション）を適用して、この電波（搬送波と言います）に情報信号を乗せます。たとえば、振幅変調（AM：amplitude modulation）は情報を伝えるために搬送波の振幅または強度を変更し、周波数変調（FM：frequency modulation）はその中心値の付近で搬送波の周波数を変更します。受信信号強度は、送信機の出力レベルに直接影響を受け、送信機から受信機までの距離の2乗に反比例します。したがって、他の受信機よりも2倍送信機から離れた受信機は、4分の1の強度の信号しか受信できません。

　無線システムは、利用できる周波数の範囲（スペクトル）や、送信に使える出力に対して厳しい規制が課せられています。多くの競合する要求が常に存在しているため、スペクトルの割り当ては物議をかもしやすいプロセスになります。スペクトルは、米国では連邦通信委員会（FCC：Federal Communications Commission）などの政府機関によって割り当てられ、国際合意は、国連の機関である国際電気通信連合（ITU：International Telecommunications Union）によって調整されます。米国の場合、新しいスペクトルが利用可能になった場合（たいていの場合非常に高い周波数の周波数帯です）には、FCCが主催する公開オークションによって割当が行われます。

8.4.1 無線規格

　コンピューターの無線規格には、IEEE 802.11といったキャッチーな名前が付いていますが、さらによく目にするのはWi-Fiという表記

です。これは業界団体であるワイファイアライアンス（Wi-Fi Alliance）の登録商標です。米国電気電子学会（IEEE：Institute of Electrical and Electronics Engineers）がワイヤレスを含む幅広い電子システムの標準を制定している専門家団体です。802.11は規格の番号で、異なる速度や使われている技術に応じて、10以上の細かい規格に分かれています。スピードの公称値は1Gbpsに迫っていますが、これは実際の条件下で達成可能なスピードに比べると誇張されています。

　無線デバイスは、デジタルデータを電波で運ぶのに適した形式にエンコードします。典型的な802.11システムは、イーサネットのような動作を行うように構成されています。到達範囲は似ていますが、扱わなければならない物理的な線はありません。

　無線イーサネットデバイスは、2.4G～2.5GHz、5GHz、あるいはそれ以上の高い周波数で動作します。無線デバイスがすべて同じ狭い周波数帯域を使用する場合には、明らかに競合が起きる可能性があります。さらに厄介なことに、一部のコードレス電話、医療機器、さらには電子レンジといったデバイスさえもが、この同じ過密帯域を使用します。

　広く使用されている3つのワイヤレスシステムについて、簡単に説明します。まずは、デンマークの王であるハラール・ブルートゥース（AD935-985）にちなんで名付けられたBluetoothです。Bluetoothは、短距離かつ一時的なコミュニケーションを対象としていて、802.11無線と同じ2.4GHz周波数帯域を使用します。到達範囲は、出力レベルに応じて1～100メートルで、データレートは1M～3Mbpsです。Bluetoothは、テレビのリモコン、ワイヤレスマイク、イヤフォン、キーボード、マウス、およびゲームコントローラーなどの低消費電力が重要な場所で使われています。また、携帯電話のハンズフリー使用のために車内でも使用されています。

　RFID（radio-frequency identification：無線周波数を使った識別技

術）は、電子ドアロック、様々な商品の ID タグ、自動通行料システム、ペットへの埋め込みチップ、さらにはパスポートなどの文書でも使用されている、低電力無線技術です。RFID で使われるタグは、基本的に小さな無線送受信機で、自分自身の識別情報をビットストリームとしてブロードキャストします。パッシブタグはバッテリーを内蔵していませんが、RFID センサーによってブロードキャストされた信号を、アンテナから電力として受信します。チップが十分にセンサーの近く（数センチ程度）にあるときには識別情報を送り返します。RFID システムは様々な周波数を使用しますが、13.56MHz が一般的です。RFID チップを使えば、物や人のいる場所を目立たないように監視可能です。また、ペットへの RFID チップの埋め込みは人気があります。私の猫には迷子になったときに備えてチップを埋め込んでいます。そしてご想像の通り、人間にもそうした埋め込みをしようとする提案もなされています（その目的は良いものもあれば悪いものもあります）。

　全地球測位システム（GPS：Global Positioning System）は、自動車や電話のナビゲーションシステムとしてよく目にする、重要な一方向無線システムです。GPS 衛星は正確な時間と位置情報をブロードキャストし、GPS 受信機は 3 つまたは 4 つの衛星から信号が到着するのにかかる時間を使用して、地上の位置を計算しています。しかし、戻りのパスはありません。

　GPS が何らかの形でユーザーを追跡しているというのはよくある誤解です。数年前には ニューヨーク・タイムズ紙がこうした誤解を記事にしていました。「一部の（携帯電話）は GPS に依存します。GPS は、ユーザーの現在位置をほぼ正確に特定できる信号を衛星に送信します」という内容でしたが、これは明らかに間違っています。GPS ベースの追跡を行うためには、場所を中継するための携帯電話などの地上システムが必要です。一方、次に説明するように、携帯電話会社は携帯電話がオンになっている場合には、あなたのいる正確な位置を把握できます。位置情報サービスを有効にすると、その情報は

アプリにも読み取り可能になります[4]。

8.5 携帯電話

　ほとんどの人にとって最も一般的な無線コミュニケーションシステムは携帯電話です。現在は単に「セル」(cell) または「モバイル」(mobile) と呼ばれます[5]。携帯電話の技術は 1980 年代にはほとんど存在しませんでしたが、現在は世界の全人口の半分以上が使用しています。携帯電話は、本書で扱っているトピックのケーススタディ（研究事例）のひとつです。興味深いハードウェア、ソフトウェア、そしてもちろんコミュニケーション、それに関連する多くの社会的、経済的、政治的、そして法的問題があります。

　最初の商用携帯（セル）電話システムは、1980 年代初期に AT&T によって開発されました。当時の電話は重くてかさばるものでした。当時の広告を見ると、ユーザーがアンテナを搭載した車の隣に立ち、バッテリー用の小さなスーツケースを持ち歩いている様子が示されています。

　ところで、なぜ「セル」(cell：「細胞」という意味です) なのでしょう？ スペクトルと無線範囲はどちらも有限であるため、まず地理的領域が**図 2** に示すような想像上の六角形の「セル」に分割されて、各セルに基地局が設置されました。それぞれの基地局は通常の有線電話システムに接続されています。携帯電話は最も近い基地局と通信し、あるセルから別のセルに移動すると、進行中の通話が古い基地局から新しい基地局に引き継がれます。ほとんどの場合には、ユーザーはこれが起きたことに気が付きません。

　受信強度は距離の 2 乗に比例して低下するため、割り当てられたス

---

[4]　訳注：最新の iPhone では、位置情報をどのアプリケーションから利用できるかを細かく選べます。

[5]　訳注：ご存知のように現在の日本では「ケータイ」「スマホ」といった呼び方が多く、昔の携帯電話は「ガラケー」と呼ばれたりしています。

図2　セルの概念図

ペクトル内の同じ周波数帯域を、隣接していないセル同士でなら大き
な干渉なしで利用できます。これは、限られたスペクトルの効果的な
使用を可能にした知見でした。図2の中で、1に置かれた基地局は、
2〜7に置かれた基地局とは同じ周波数を使いませんが、8〜19とは
同じ周波数を使えます（なぜなら干渉を防げるくらい十分に距離が離
れているからです）。実際の詳細は、アンテナパターンなどの要因に
依存します。図は理想化されたものに過ぎません。

　セルのサイズは、交通量、地形、障害物などに応じて、半径数百メー
トルから数十キロメートルのものまで、様々です。

　携帯電話は通常の電話ネットワークの一部ですが、有線ではなく基
地局を介して無線で接続されています。携帯電話の本質はモビリティ
（移動性）です。電話機は、しばしば高速で長距離を移動します。長
いフライトの後に再び電源を入れたときのように、何の前触れもなし
に新しい場所に出現する可能性もあります。

　携帯電話は、情報を伝達する能力が限られた、狭い無線周波数スペ
クトルを共有します。携帯電話機はバッテリーを使用するため、低い
無線電力で動作する必要もあります。また、送信出力は他者との干渉
を避けるため、法律によって制限されています。バッテリーが大きい
ほど、充電が必要になる間隔は長くなりますが、携帯電話が大きくな
り、重くなります。これは、設計者が考慮しなければならない、また

別のトレードオフです。

　携帯電話システムは、世界中の様々な地域で、様々な周波数帯域を使用します。通常は900MHzと1900MHz付近を使いますが、5Gなどの新しい規格はさらに高い周波数を使います。各周波数帯域は複数のチャネルに分割され、ひとつの通話は受信送信それぞれの方向にそれぞれひとつのチャネルを使用します。こうした音声チャネルとは別のシグナリングチャネルは、セル内のすべての電話で共有されます。一部のシステムでは、このチャネルをテキストメッセージやデータにも使用します。

　各携帯電話機には、イーサネットアドレスのような国際移動体装置識別番号（IMEI）と呼ばれる、一意の15桁の識別番号（ID番号）が割り当てられています。携帯電話の電源がオンになると、ID番号がブロードキャストされます。最寄りの基地局がその番号を受信し、中央システムを使ってその正しさを検証します。携帯電話が移動すると、その位置は中央システムに報告を行う基地局によって最新の状態に保たれます。誰かが電話をかけたとき、中央システムは、現在どの基地局が特定の電話機に接続しているかを認識しています。

　携帯電話は、まず最も強い信号で基地局と通信します。そして徐々に出力レベルを調整し、基地局に近付くほど電力を使わないようになります。これにより電話機自体のバッテリー消費が抑えられ、他の電話機への干渉も少なくなります。基地局と接続を確認するために必要な電力は、通話に必要な電力よりもはるかに少ないです。これが、待受が「日数」で数えられ、通話が「時間」で数えられる理由です。もし携帯電話が電波の弱い、または圏外エリアに置かれた場合には、あてもなく基地局を探し続けるために、バッテリーを早く使い果たしてしまいます。

　すべての携帯電話がデータ圧縮を使用して信号を可能な限り少ないビットに圧縮し、干渉やノイズの多い無線チャネルでデータを送信する際に避けられないエラーに対処するために、エラー訂正を追加して

います。この話題は、すぐにまた取り上げます。

8.5.1 携帯電話にまつわる問題

　携帯電話は、政治的および社会的に難しい問題を引き起こします。スペクトルの割り当ては、明らかにそのひとつです。米国では、それぞれの周波数帯に対して政府が最大2社にしか割り当てを行いません。このように、スペクトルはとても貴重なリソースなのです。2020年にSprintとT-Mobileモバイルが合併した理由のひとつは、両社が別々に保有している周波数帯を有効に活用するためでした。

　基地局の場所も、また別の問題となり得ます。基地局のタワーは、屋外構造物として見たときに、決して美しいものではありません。たとえば**図3**は、中途半端に樹木に偽装された携帯電話のタワーです（「フランケン松」と呼ばれています）。多くのコミュニティがこのよ

図3　（不完全に）樹木に偽装された携帯電話のタワー

うな建造物を受け入れたくないと思っています。もちろんその一方で、高品質の携帯電話サービスを受けたいとも思っているのですが。

　携帯電話のトラフィックは、StingRayという名の製品にちなんだ、一般に「スティングレイ」と呼ばれるデバイスを使った標的攻撃に対して脆弱です。スティングレイは携帯電話のタワーになりすまして近隣の携帯電話とコミュニケーションを行います。これは、携帯電話の受動的な監視や能動的な関与（中間者攻撃）に使用できます。携帯電話は、最も強い信号を届けてくる基地局とコミュニケーションするように設計されています。このためスティングレイは、近隣の基地局タワーよりも強い信号を届けられる狭いエリアで機能するのです。

　米国の地元警察によるスティングレイデバイスの利用件数は増加しているようです。しかし、その利用は秘密裏に行われていますし、少なくとも目立たないように行われています。潜在的な犯罪行為に関する情報を収集するために、それらを使用することが合法であるかどうかは、はっきりしていません。

　社会レベルで携帯電話は、生活の多くの面で革命をもたらしました。スマートフォンは会話のために使われるよりも、その他のあらゆる目的のために使われています。携帯電話は、小さな画面ではあるものの、ブラウジング、メール、ショッピング、エンターテインメント、ソーシャルネットワークを提供することで、インターネットアクセスの主要な手段となったのです。実際、ノートパソコンと携帯電話は、後者が高い携帯性を維持したままより強力になるにつれて、どんどんその差が縮まっています。携帯電話はさらに、時計やアドレス帳、カメラ、GPSナビゲーター、フィットネストラッカー、ボイスレコーダー、音楽や映画のプレイヤーに至るまで、他のデバイスの様々な機能も取り込み続けています。

　映画を携帯電話にダウンロードするには、大きな帯域幅が必要です。携帯電話の利用が拡大するにつれて、既存の施設への負荷は増加する一方です。米国では、通信事業者はデータプランで制限される帯域幅

と、従量制の料金を課しています。表向きは映画全編をダウンロードする帯域幅を圧迫するような連中を制限するとなってはいますが、トラフィック量がそれほど多くないときにもこうした制限は適用されています。

　また、携帯電話をホットスポットとして利用すれば、携帯電話のセルラー回線を通じてパソコンをインターネットに接続することも可能です。これは、「テザリング」と呼ばれる場合もあります。ホットスポットは多くの帯域幅を使用する可能性もあるため、通信事業者は制限や追加料金を適用する場合があります。

8.6 帯域幅

　ネットワーク上のデータは、最も遅い部分のリンクが許す速度よりも、速くは流れません。トラフィックは多くの場所で遅くなる可能性があります。リンク自身や途中のコンピューターでの処理がボトルネックになりがちです。

　光の速度も制限要因です。信号は、真空中で3億メートル/秒で伝播し（グレース・ホッパーがよく口にしていたようにこれは1ナノ秒あたり1フィート＝約30センチ進む速さです）、電子回路の中ではやや遅くなります。このため他に遅れる要因がなかったとしても、ある場所から別の場所へ信号を届けるのには時間がかかります。真空中の光の速度では、米国の東海岸から西海岸までの到達時間（2,500マイルまたは4,000km）は約13ミリ秒です。比較のために挙げておくならば、同じルートでの一般的なインターネット所要時間は約40ミリ秒です。パリは約50ミリ秒、シドニーへは110ミリ秒、そして北京へは140ミリ秒かかります。かかる時間は必ずしも物理的距離と比例しません。

　日々の生活では、様々な帯域幅に出会っています。私の最初のモデムは110ビット/秒（bps）で動作しました。これは、機械的なタイプライターのような機械に追いつくのには十分な速さでした。802.11

を実行するホームワイヤレスシステムは、理論上最大600Mbpsで動作可能ですが、実際のレートははるかに低くなります。有線イーサネットは通常1Gbpsです。自宅とインターネットサービスプロバイダー（ISP）間のケーブル接続は、光ファイバーを使用すると数100Mbps程になります。どちらのサービスも、ダウンストリームよりもアップストリームの方が遅くなります。契約先のISP自身は、基本的に100Gbps以上の速度を提供できる光ファイバーを介して、インターネット全体と接続されている場合が多いでしょう。

　電話の技術は非常に複雑で、広帯域化を求めて絶えず変化しています。携帯電話はとても複雑な環境で動作しているため、その実効帯域を評価するのは困難です。現在、ほとんどの携帯電話は4G（第4世代）と呼ばれる規格を使用しており、業界では5Gと呼ばれる次世代規格への移行が進んでいます。3G携帯はまだ存在しますが、米国では絶滅危惧種になりつつあるようです。私のキャリアから最近受け取ったメッセージでは、1年以内に私の携帯のひとつが使えなくなると警告されています。

　4G携帯は、車や電車など動いている環境では約100Mbps、止まっていたりゆっくり動いている場合には1Gbpsを提供する、とされています。ただし、この速度は、現実的というよりは願望であって、楽観的な広告の結果だと言えるでしょう。とは言え、私の4G携帯は、メールや時折のブラウジング、インタラクティブなマップ閲覧などの控え目な使い方には十分な速度です。

　4G LTEという言葉を目にすることもあるでしょう。LTEはLong-Term Evolution（長期的進化）の略で、規格ではなく、3Gから4Gへのロードマップのようなものです。その道のりの途中にある携帯電話は、少なくとも4Gに向かっていることを示すために「4G LTE」と表示する場合があります[6]。

　5Gの最初の展開は2019年に始まりました。5G規格を使用する携帯電話は、少なくとも適切な距離で適切な機器に接続された場合には、

これまでよりも大きな帯域幅を持ちます。そのときの公称速度の範囲は、50Mbps から最大 10Gbps までです。5G の携帯電話は最大 3 つの周波数帯を使用しますが、そのうち下位ふたつは既存の 4G 携帯電話でも使用されているため、5G はこれらのふたつの帯域では 4G と同等です。5G は短距離（約 100m）接続のために、高い周波数帯を使用し、高速化を実現します。5G はまた、一定のエリア内で 4G よりも多くの機器を使用できるため、Internet of Things（IoT）機器が 5G を使用するようになれば、その恩恵を受けられるでしょう。

8.7 圧縮

利用可能なメモリーと帯域幅を有効に活用する方法のひとつは、データの圧縮です。圧縮の基本的な考え方は、冗長な情報を保存したり送信したりするのを避けることです。冗長な情報とは、コミュニケーションの相手側で読み出されたり受信されたりした、別のデータから再生成できたり推測できるような情報を指します。

圧縮の目標は、同じ情報をオリジナルよりも少ないビットでエンコードすることです。一部のビットは、何の情報も持っていないので、完全に削除できます。また一部のビットは、他のビットから計算できます。さらに一部のビットは、受信者にとって必要ではなく、捨ててしまっても問題ありません。

本書（原書）が書かれているような、英語のテキストを考えてみてください。英語では、各文字は同じ頻度では出現しません。e が最も一般的で、その後に t、a、o、i、そして n が、ほぼこの順序で続きます。逆に出現頻度が少ない方を見てみると、z、x、そして q が並びます。テキストの ASCII 表現では、各文字は 1 バイトまたは 8 ビッ

※6　訳注：このあと俗に第 3.9 世代と呼ばれた LTE を経て、LTE-Advanced と WirelessMAN-Advanced（いわゆる WiMAX2）と呼ばれた第 4 世代の技術に移行しましたが、どちらもスペクトラム拡散を基本にした技術です。スペクトラム拡散方式が使われる理由は、帯域幅の利用効率が良いためです。

トを占有します。ちょっとばかり節約するためのひとつの方法は、7ビットだけ使うやり方です[7]。

左端にある8番目のビットは米国のASCIIでは常にゼロなので、何の情報も運んでいません。最も一般的な文字を表すビット数を少なくし、必要に応じて出現がまれな文字を表すビット数を増やせば、総ビット数を大幅に削減できて、さらなる改善が可能です。これは、モールス符号が採用しているアプローチと似ています。モールス符号は最も頻度の高い文字eを「・」、tを「—」で表現します。反対に頻度の低いqは「——・—」で表現します。

さらに具体的に説明しましょう。文学作品『高慢と偏見』（Pride and Prejudice）は英語で121,000ワード、もしくは680,000バイトをいくらか超える大きさです。最も出現頻度の高い文字は、実は単語間のスペースです。作品には110,000個近くのスペースが含まれています。次に最も頻度の高い文字は、e（68,600回）、t（45,690回）、そしてa（31,200回）です。一方、Zの出現は3回だけ、Xは1回も出現しません。最も頻度の低い小文字は、jが551回、qが627回、そしてxが839回です。

明らかにスペース、e、t、そしてaにそれぞれ2ビット[8]を使用すれば、データを大幅に節約できます。そして、X、Z、およびその他の頻度の低い文字に、8ビット以上を使用しなければならなかったとしても、問題ではありません。ハフマン符号化（Huffman coding）と呼ばれるアルゴリズムは、これを体系的に行い、個々の文字をエンコードできる可能な限り最適な圧縮を見つけます。このアルゴリズムを使うと『高慢と偏見』は44%圧縮され、その大きさは390,000バイトになります、つまり平均すると1文字あたり4.5ビットしか使っていません。

※7　訳注：「ちょっとばかり節約する」の原文は save a bit でした。直訳すれば「1ビット節約する」とも解釈できるので、これは一種の駄洒落です）。

※8　訳注：2ビットを使うことで、4つの文字を区別できます。

たとえば、単語全体やフレーズ全体など、単一の文字よりも大きな塊を圧縮し、ソースドキュメントの特性に適合させれば、さらに圧縮を改善できます。いくつかのアルゴリズムがこれを上手に行います。広く使用されている Zip 圧縮アルゴリズムは、例題に挙げている本を64 パーセント圧縮し、249,000 バイトの大きさにします。bzip2 と呼ばれる Unix プログラムは、原文を 175,000 バイトに圧縮します、元のサイズのわずか 4 分の 1 です。

　画像もまた圧縮が可能です。一般的な形式は GIF（Graphics Interchange Format）と PNG（Portable Network Graphics）で、主にテキスト、線画、単色のブロックからなる画像を対象にしています。GIF は 256 色しかサポートしていませんが、PNG は最低でも 1600 万色に対応しています。どちらも写真画像向けではありません。

　これらの技術は、すべてロスレス圧縮を行います。この圧縮では情報が失われないため、圧縮を解除するとオリジナルの情報が正確に復元されます。直観に反するように思えるかもしれませんが、元の入力を正確に再現する必要がない場合もあります、つまり近似バージョンで十分な場合です。そうした状況下では、ロッシー（非可逆）圧縮技術を使うことでさらに良い圧縮を行えます[9]。

　ロッシー圧縮は、人間が見たり聞いたりするコンテンツに最もよく使用されます。デジタルカメラの画像を圧縮する場合を考えてみてください。人間の目は、互いに似通った色を区別できないため、入力の正確な色を保持する必要はありません。もっと少ない色で十分ですし、少ないビットでエンコードできます。同様に、細かい部分を捨ててしまうこともできます。結果の画像は元の画像ほど鮮明ではありませんが、人間の目では気が付きません。明るさの細かいグラデーションにも同じです。

---

[9]　訳注：ロスレス（lossless）の意味は「失われない」、反対にロッシー（lossy）の意味は「失われる」です。

広く使われている、ファイル拡張子が.jpgの画像を生成するJPEG圧縮アルゴリズムは、この手法を用いて、目に見えるほどの劣化なしに、一般的な画像を10分の1以下の大きさに圧縮します。JPEGを生成するほとんどのプログラムは、圧縮率をある程度制御できます。そうした場合の「高品質」とは、圧縮率の低さ（すなわち次に展開したときの劣化が少ない）を意味します。

　図4に再掲したRGBピクセルの画像は、PNG圧縮に向いています。元のサイズは幅約2インチ（5cm）で、約10キロバイトを占めています。JPEG版は25キロバイトで、近くで見ると、オリジナルにはない明らかな視覚的ノイズが見られます。一方、写真については、JPEGの方が、圧縮率が高くなります。

　映画やテレビを圧縮するために使われるMPEGアルゴリズム群も、人間の知覚を利用した技術です。個々のフレームはJPEGのように圧縮されますが、さらに、あるフレームから次のフレームにかけてあまり変化しない一連の部分を圧縮できるのです。また、動きの結果を予測し、変化のみをエンコードすることも可能です。さらに、動いている前景を静的な背景から分離して、後者のビット数を少なくすることもできます。

　MP3とその後継のAACは、MPEGの音声部分です。それらは、音を圧縮するために人間の知覚を利用したコーディングアルゴリズムです。特に大きな音は柔らかい音を覆い隠し、人間の耳は約20KHzを超える周波数を聞きとれない（歳をとるにつれてその限界周波数は低くなっていきます）という性質が利用されています。このエンコー

赤緑青

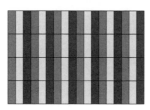

図4　RGBピクセル

ドによって、標準の CD オーディオは約 10 分の 1 に圧縮されます。

　携帯電話は大幅な圧縮を行っています。人間の声に的を絞れば、任意の音よりもさらに大幅に圧縮できます。なぜなら、声は狭い周波数に収まっていますし、個別の話者ごとにモデル化できる声道から生まれているからです。個人の特徴を使えば、さらに良い圧縮が可能になります。

　あらゆる形式の圧縮における基本的な考え方は、情報内容を全く伝えていないビットを削減もしくは排除すること、頻度の高い情報をなるべく少ないビットでエンコーディングすること、頻繁に出現するシーケンスの辞書を作ること、そして繰り返しを回数でエンコーディングすることです。ロスレス圧縮では、オリジナルを完全に再構築できますが、ロッシー圧縮では、受信者が必要としない一部の情報が破棄されます。これは、品質と圧縮率のトレードオフになります。

　その他のトレードオフも考えられます、たとえば「圧縮速度と複雑さ」対「展開速度と複雑さ」などです。デジタルテレビの画像がブロックに分割されて表示されたり、音声が不明瞭になり始めたときは、展開アルゴリズムが何らかの入力エラーから復帰できなかったから……おそらくデータが十分な速度で到着しなかったからでしょう。最後に、アルゴリズムが何であれ、圧縮されない入力もあります。これはアルゴリズムにその出力を繰り返し適用する場合を想像してみればわかるでしょう。実際入力より出力が大きくなってしまう場合もあります。

　想像しがたいとは思いますが、圧縮はエンターテインメントの材料にさえなり得ます。2014 年に初回が放送され、その後 6 シーズンにわたり 53 話まで放送された HBO のテレビシリーズ「シリコンバレー」は、斬新な圧縮アルゴリズムの発明と、そのアイデアを盗もうとする大企業から自身のスタートアップ企業を守ろうとする発明者の苦闘を題材にしています。

8.8 エラーの検出と訂正

　圧縮が冗長な情報を削除するプロセスだとすると、エラーの検出と訂正は、慎重に制御された冗長性を追加するプロセスです。冗長性があることで、エラーの検出や訂正さえもが可能になるのです。

　一部の「共通番号」は、冗長性を備えていないので、エラーが発生してもそれを検出できません。たとえば、米国の社会保障番号（SSN：Social Security Number）は9桁の数字ですが、ほとんどすべての9桁の並びが有効な番号になり得ます（これは誰かが、本当は不要なのにあなたの番号を聞いてきたときに役立ちます。適当に答えてしまえばよいからです）。しかし、いくつかの余分な数字が追加されていたり、またはいくつかのあり得る値が除外されていた場合には、エラーの検出が可能になります。

　クレジットカードとキャッシュカードの番号は16桁ですが、16桁のすべての番号が有効なカード番号ではありません。それらの番号では、1954年にIBMのハンス・ピーター・ルーンが発明したチェックサムアルゴリズムを使用して、1桁のエラーと、2桁が入れ替わる転置エラーの多くを検出します。これらは、実際に最もよく発生する種類のエラーなのです。

　そのアルゴリズムは簡単です。右端の桁から開始し、連続する各桁に交互に1または2を掛け算します。結果が9より大きい場合は、9を引きます。結果の各数字を足していきます。こうして求まった合計は10で割り切れる必要があります。ご自分のカードと、4417 1234 5678 9112の両方で確認してみてください。後者は一部の銀行が広告で使用している番号です。後者を計算してみるとその結果は69となり、10で割り切れないので、これは有効な数字ではありません。しかし最後の桁を3に変更すると有効なものになります。

　書籍についている10桁または13桁のISBNもまた、同様のアルゴリズムを利用して、似たような種類のエラーを防ぐチェックサムを持っています。

これらのアルゴリズムは特別な目的のために用いられていて、10進数を対象としています。

　パリティコードは、ビットの並びに適用される、汎用エラー検出の最も単純な例です。単一の追加パリティビットが、各ビットグループに付加されます。パリティビットの値は、たとえば、グループ内の1のビットの総数が偶数になるように選択されます。こうすれば、シングルビットエラーが発生した場合には、受信者は1のビットが奇数個あることに気が付き、何かが破損していることを認識できます。もちろん、これはどのビットがエラーであったかは特定しませんし、2カ所エラーが起きた場合も検出できません。

　たとえば**図5**は、バイナリーで書かれた、ASCIIの最初の6個の大文字を示しています。偶数パリティの列では、未使用の左端のビットを、パリティを偶数にするパリティビットで置き換えます（各バイトが偶数個の1のビットを持ちます）。一方、奇数パリティ列では、各バイトの1のビットは奇数個になります。これらのいずれかのビットが反転した場合、結果のバイトのパリティが正しくなくなるために、エラーを検出できます。さらに数ビットを使用すれば、コードでシングルビットエラーを訂正できます。

　エラーの検出と訂正は、コンピューティングとコミュニケーションで広く利用されています。任意のバイナリーデータに対してエラー訂正コードが使用できますが、起きがちな様々なエラーに対して異なる

文字	オリジナル	偶数パリティ	奇数パリティ
A	01000001	01000001	11000001
B	01000010	01000010	11000010
C	01000011	11000011	01000011
D	01000100	01000100	11000100
E	01000101	11000101	01000101
F	01000110	11000110	01000110

・・・

図5　偶数および奇数パリティビットを付加した ASCII 文字

図6　QRコードの例（http://www.kernighan.com を示す）

アルゴリズムが使用されます。たとえば、メモリーはパリティビットを使用して、ランダムな場所で起きるシングルビットエラーを検出しています。CDやDVDは、破損したビットの長い列を訂正できるコードを使用します。携帯電話は短いノイズのバーストに対処できます。**図6**で示すようなQRコードは、大規模なエラー訂正機能を備えた2次元バーコードです。圧縮と同様に、エラー検出はすべての問題を解決することはできません。また、常に一部のエラーは難しすぎて、検出または訂正できません。

8.9 まとめ

周波数スペクトルは、無線システムにとって重要なリソースであり、すべて需要を満たすだけの量はありません。多くの団体がスペクトル空間をめぐって競合し、放送や電話会社などの既存勢力が変更に抵抗しています。対処方法のひとつは、既存のスペクトルのさらなる効率的な利用です。元々の携帯電話はアナログエンコーディングを使用していましたが、このシステムはずっと昔に段階的に廃止され、はるかに少ない帯域幅を使用するデジタルシステムが採用されました。

既存のスペクトルが再利用される場合もあります。2009年に行われた米国でのデジタルテレビへの切り替えでは、スペクトル空間の大きなブロックが解放されました。これにより、他のサービスがその空間を奪い合っています。さらに高い周波数の使用も可能ですが、その場合は通常、到達距離が短くなります。

無線はブロードキャストメディアなので、誰でも受信可能です。暗号化が、アクセスを制御して転送中の情報を保護する唯一の方法です。802.11 ネットワークにおけるワイヤレス暗号化の昔の標準（WEP：Wired Equivalent Privacy）には重大な弱点が判明しました。現在主流の WPA（Wi-Fi Protected Access）などの暗号化標準の方が優れています。

　今でもオープンネットワーク、つまり暗号化が全く行われていないネットワークを運用している人たちがいます。この場合、近隣にいる人なら誰でも内容を傍受できるだけでなく、その無線サービスを無償で使えてしまいます。「ウォードライビング」（War driving）という言葉は、オープンネットワークの場所を探し回る行為を指しています。伝えられるところでは、オープンネットワークの数は、盗聴や無線タダ乗りの危険性に人々が敏感になっているために、数年前よりははるかに少なくなっています。

　コーヒーショップ、ホテル、空港などでの無料 Wi-Fi サービスは例外です。たとえば、コーヒーショップでは、顧客がノートパソコンを使用しながら長居して（そして高価なコーヒーを買って）くれるのを期待しています。ただし、これらのネットワークを通過する情報は、ユーザーが暗号化を使用しない限り、すべての人に公開されています。すべてのサーバーが、要求すれば暗号化に対応してくれるわけではありません。また、すべてのオープンなワイヤレスアクセスポイントが、真っ当なものとは限りません。情報に疎いユーザーを罠にかけようとする明確な意図を持って設定されているアクセスポイントも存在します。パブリックネットワークを介して機密性の高い操作を行うべきではありません。知らないアクセスポイントの使用には、特に注意すべきです。

　有線接続は、特に高帯域幅と長距離に対しては、舞台裏で常に主要な役割を果たすネットワークコンポーネントです。とは言うものの、周波数スペクトルと帯域幅の制限にもかかわらず、無線は未来のネッ

トワーキングを代表する顔となるでしょう。

— 9 —
インターネット

LO

1969年10月29日にUCLA（カリフォルニア大学ロサンゼルス校）からスタンフォードに送信された
最初のARPANETメッセージ。LOGINと表示されるはずだったが、システムがクラッシュした。

　前の章では、イーサネットや無線といったローカルネットワーク技
術について説明しました。電話システムは、世界中の電話同士を接続
しています。では、コンピューター同士は、同じことをどのように行
えばよいでしょうか？　どのようにローカルネットワークを、また別
のローカルネットワークに接続していけばよいのでしょうか？　建物
内のイーサネットを全部つなぐには、自宅にあるコンピューターを隣
町のビルのコンピューターと接続するには、あるいは、カナダの企業
のネットワークをヨーロッパの企業のネットワークとつなぐには、ど
うすればよいのでしょう？　基盤となるネットワーク同士が異なるテ
クノロジーを採用している場合には、どのように接続すればよいので
しょうか？　多くのネットワークと多くのユーザーがつながり、距離
が長くなり、機器と技術が時間とともに変化していっても、優雅に拡
張できるようにするにはどうすればよいのでしょうか？

　インターネット（The Internet）が、これらの問いかけに対する答
えのひとつです。多くの目的に対して、インターネットが解決策にな
ってきました。

　インターネットは、巨大なネットワークではなく、巨大なコンピュ

ーターでもありません。インターネットは、複数のネットワークの、緩やかな、構造化されていない、混沌とした、アドホック（その場限り）な集合体です。ネットワーク同士は、ネットワークとコンピューターがどのようにコミュニケーションすればよいかを決めた規格を使って接続されています。

　光ファイバー、イーサネット、そして無線など、物理的特性が異なり、互いに遠く離れているネットワーク同士を接続するには、どうすればよいのでしょう？　ネットワークとコンピューターを識別するには、名前とアドレスが必要です。これらは、電話帳の名前と電話番号に相当するものです。直接つながっていないネットワーク間のルートを見つける必要があります。情報が動き回るときに、どのような形式にするべきかについて、合意する必要があります。そして、エラー処理、遅延、過負荷といった、あまり直感的に明らかではない多くの問題に関しても、同様に合意が必要です。それらの合意がなければ、コミュニケーションは困難どころか、下手をすれば不可能なものになるでしょう。

　データ形式や、誰が最初に発話しどのような反応が続くのか、エラーはどのように扱われるのか、などに関する合意は、どのようなネットワークにおいても規定されています。特にインターネットの場合には、プロトコルを使って規定されています。この「プロトコル」は、通常の会話に対して使われてる意味と同じです。すなわち、他人とやりとりをする際のルール集です。しかし、ネットワークプロトコルの場合は、技術的考察に基づいて決められていますし、どんな厳格な社会構造と比べてもはるかに正確です。

　あまり明白ではないかもしれませんが、インターネットは厳密なルールを必要としています。参加者すべてが、情報の形式、コンピューター間での交換方式、コンピューターの識別方法と認証方法、そして、問題が起きたときに何をすべきかに関する、プロトコルと標準規格に合意しなければなりません。

プロトコルと標準規格に関する合意は、込み入ったものになりがちです。なぜなら、多くの利害関係が、機器を製造したりサービスを販売したりする企業、特許や秘密を保持する組織、国境を越えたり市民間でやりとりされる情報を監視・制御したい政府、の間にあるからです。

　不足しているリソースもあります。無線サービスのスペクトル（周波数帯）は、わかりやすい例のひとつです。ウェブサイトの名前は、無政府状態では扱えません。誰がそうしたリソースを、どのような基準で割り当てればよいのでしょうか？　限られたリソースの使用に対して、誰が誰に対して何を支払えばよいのでしょう？　誰が避けられない紛争を裁定すればよいのでしょう？　紛争を解決するためには、どんな法的システムが使われるのでしょうか？　一体、誰がルールを作れるのでしょう？　これらを決めるのは、政府、企業、業界コンソーシアム、そして国連の国際電気通信連合（ITU）のような、名目上利害の絡まない、もしくは中立の団体になるかもしれません。いずれにせよ最終的には全員が規則に同意する必要があります。

　こうした課題が解決できることはわかっています。何しろ、電話システムは世界中で機能し、様々な国の異なる機器を接続しているのですから。これに比べてインターネットは、新しく、大きく、はるかに無秩序で、急速に変化していますが、事情は同じです。従来の電話会社（ほとんどが政府の独占企業または厳しく規制された会社のいずれかでした）の管理された環境と比較すると、全員に対して開かれています。しかし、政府と商用圧力の下で、インターネットはかつてに比べて自由に動けなくなり、制限され続けています。

9.1 インターネットの概要

　インターネットの詳細を説明する前に、全体像を示します。

　インターネットは1960年代に、地理的に離れた場所にあるコンピューター同士を接続できるネットワークを構築しようとする試みから

始まりました。この仕事の多くの資金は、米国防総省の国防高等研究計画局（ARPA：Advanced Research Projects Agency）から提供され、生まれたネットワークはARPANETと呼ばれるようになりました。最初のARPANETメッセージは、1969年10月29日にUCLAのコンピューターから約550km（350マイル）離れたスタンフォード大のコンピューターに送信されました。このため、この日をインターネットの誕生日と呼べるでしょう（最初の失敗の原因となったバグはすぐに修正されて、次の試みはうまくいきました）。

　ARPANETは最初から、ネットワークを構成するコンポーネントのいずれかが故障しても、問題を迂回してトラフィックを送信するように設計されていました。オリジナルのARPANETコンピューターとその技術は、時間の経過とともに置き換えられていきました。ネットワーク自体は元々、大学のコンピューターサイエンス部門と各研究機関を接続していましたが、1990年代には商用世界に広がり、その途上で「インターネット」（the Internet）になりました。

　インターネットは現在、緩やかにつながった、数多くの独立したネットワークで構成されます。近くにあるコンピューター同士は、ローカルエリアネットワーク（多くの場合は無線イーサネット）で接続しています。個々のネットワークは、他のネットワークと、ゲートウェイまたはルーターを使って、順次接続しています。ゲートウェイまたはルーターは、情報のパケットをひとつのネットワークから次のネットワークへとルーティングする（経路を決めて送る）特別なコンピューターです（ウィキペディアによれば、ゲートウェイは一般的なデバイスを指していて、ルーターはそれよりも特殊なものを指すと書いてありますが、そうした使い方は普遍的ではありません）。ゲートウェイは互いに、少なくともローカルな範囲で、何がつながっていて到達可能なのかを知るために、ルーティング情報を交換しています。

　各ネットワークは、家庭や、オフィス、寮の部屋などにある、コンピューターや携帯電話などの、多くのホストシステムに接続できます。

家庭内にある個々のコンピューターは、ルーターへの接続に無線を使う場合が多く、ルーターはケーブル回線もしくは DSL を通してインターネットサービスプロバイダー（ISP）に接続しています。オフィスのコンピューターは有線のイーサネットを使っているかもしれません。

前の章で述べたように、情報はパケットと呼ばれる単位で、ネットワーク内を移動します。パケットは、特定の形式を持つバイト列です。異なるデバイスは、異なるパケット形式を使用します。パケットには、パケットの送信元と送信先を示すアドレス情報が含まれます。パケットのその他の部分には、パケットの長さなどのパケット自体に関する情報が含まれていて、当然ながら運ばれる情報そのもの（ペイロード）も含まれています。

インターネットでは、データは IP パケットとして運ばれます（IP は Internet Protocol：インターネットプロトコルの略です）。IP パケットはすべて同じ形式を持ちます。どんなネットワークでも、IP パケットはひとつ、またはそれ以上の数の物理パケットで転送されます。たとえば、大きな IP パケットは複数の小さなイーサネットパケットに分割されるかも知れません。これはイーサネットにおけるパケットの最大サイズ（約 1,500 バイト）が、IP パケットの最大サイズ（約 65,000 バイト以上）よりもはるかに小さいからです。

各 IP パケットは複数のゲートウェイを通過します。各ゲートウェイは、受け取ったパケットを最終的な目的地により近いゲートウェイに送信します。ひとつのパケットが「こちら」から「あちら」に移動するときには、複数の異なる企業や組織によって所有される 20 ものゲートウェイを通過しているかもしれません、さらに、それらが異なる国に置かれている場合も珍しくありません。トラフィックは最短パスをたどる必要はありません。利便性とコストによって、パケットは長いルート（経路）でルーティングされる可能性があるのです。送信元と送信先の両方が米国外である多くのパケットが、米国を通過する

ケーブルを使用します。この事実を利用して、NSA は世界中のトラフィックを記録するのです。

9.1.1 インターネットの基本用語

インターネットがうまく機能するためには、いくつかのしくみが必要です。

アドレス：各ホストコンピューターには、インターネット上のすべてのホスト間で、（電話番号のように）一意に識別できるアドレスが必要です。この識別番号である IP アドレスは、32 ビット（4 バイト）または 128 ビット（16 バイト）のいずれかです。

短い方のアドレスは、インターネットプロトコルのバージョン 4（IPv4）用で、長い方のアドレスはバージョン 6（IPv6）用です。IPv4 は長年使用されていて、依然として支配的ですが、使用可能なすべての IPv4 アドレスが割り当てられてしまったため、IPv6 への移行が加速しています。

IP アドレスはイーサネットアドレスに似ています。IPv4 アドレスは、慣例的にピリオド（.）で区切られた、4 バイトの 10 進数で書かれています。たとえば 140.180.223.42 です（これは、www.princeton.edu のアドレスです）。この奇妙な表記法は、ドット区切り 10 進数と呼ばれます。これは、純粋な 10 進数や 16 進数よりも人間にとって覚えやすいために使用されています。**図 1** は、ドット区切り 10 進数、バイナリー、そして 16 進数で表した IP アドレスを示しています。

IPv6 アドレスは、慣習的に、16 バイトの 16 進数を 2 バイトずつ

10 進数	140	.180	.223	.42
バイナリー	10001100	10110100	11011111	00101010
16 進数	8C	B4	DF	2A

図 1　IPv4 アドレスのドット区切り 10 進数表記

コロン (:) で区切った形式で書かれています（たとえば
2620:0:1003:100c:9227:e4ff:fee9:05ec など）。

ドット区切り 10 進数が一番直観的なので、本節からの説明では
IPv4 を使用します。自身の IP アドレスは、macOS のシステム環境
設定または Windows 上の類似の設定アプリケーションから、あるい
は Wi-Fi を使用している場合は携帯電話の設定メニューから調べられ
ます。

中央の管理機関が、連続した IP アドレスのブロックを、ひとつの
ネットワークの管理者に割り当てます。ネットワーク側では、与えら
れたアドレスをネットワーク上のそれぞれのコンピューターに割り当
てるのです。このように、各ホストコンピューターは、それが接続さ
れているネットワークに応じてローカルに割り当てられる、一意のア
ドレスを持ちます。このアドレスはデスクトップコンピューターでは
永続的かもしれませんが、ノートパソコンなどのモバイルデバイスで
は動的なもので、少なくともデバイスがインターネットに再接続する
たびに変更されます。

名前：人が直接アクセスしようとするホストは、人間が使用するた
めの名前を持つ必要があります。たとえドット区切り 10 進数で表現
されていたとしても、任意の 32 ビットの数字を覚えるのが得意な人
は多くないからです。名前は、ドメイン名と呼ばれる www.nyu.edu
とか ibm.com といったおなじみの形式で表します。インターネット
インフラストラクチャの重要な構成要素であるドメインネームシステ
ム（DNS）は、名前と IP アドレスの間の変換を行います。

ルーティング：各パケットに対して、送信元から送信先への経路を
見つけるしくみが必要です。このしくみは、先に触れたゲートウェイ
により提供されます。ゲートウェイは「何が、何に、つながっている
か」に関するルーティング情報を相互に交換し続け、ルーティング情

報を使用して各着信パケットを最終的な送信先により近いゲートウェイへと転送します。

　プロトコル：最後に、あるコンピューターから別のコンピューターに情報が正しくコピーされるよう、以上のしくみすべてと他のコンポーネントがどのように相互動作するかを正確に説明したルールと手順が必要です。

　IP（Internet Protocol）と呼ばれる核となるプロトコルは、転送中の情報に対する統一送信のしくみと共通形式を定義します。IPパケットは、独自のプロトコルを有する様々な種類のネットワークハードウェアを介して運ばれます。

　IPの上では、TCP（Transmission Control Protocol）と呼ばれるプロトコルが、送信元から送信先に任意の長いバイトシーケンスを伝達するための、信頼できるしくみを提供しています。

　TCPよりも上位のプロトコルは、TCPを使用して、ブラウジング、メール、ファイル共有といった、私たちが「インターネット」と考えるサービスを提供します。他にも多くのプロトコルがあります。たとえば、IPアドレスの動的な変更は、DHCP（Dynamic Host Configuration Protocol：動的ホスト構成プロトコル）と呼ばれるプロトコルによって処理されます。これらすべてのプロトコルが、一体となって、インターネットを定義しています。

　これらの各トピックについて、順に説明していきましょう。

9.2 ドメイン名とアドレス

　誰がルールを作るのでしょう？　誰が名前と番号の割り当てを管理しているのでしょう？　責任者は誰でしょう？　長年にわたって、インターネットは小規模な技術専門家グループ同士の非公式な協力によって管理されてきました。インターネットの核となる技術の多くは、インターネットエンジニアリングタスクフォース（IETF）という名の

緩い連合体によって開発され、仕掛けがどのように動作すべきかを定めたデザインとドキュメントが作られてきました。技術仕様は、定期的な会議と、最終的には標準規格となる RFC（Requests for Comments：コメントを求む）と呼ばれる多数の出版物によって合意されてきました（今もそうです）。RFC はウェブ上で入手できます（約 9,000 あります）。すべての RFC が生真面目なものとは限りません。1990 年 4 月 1 日に公開された RFC-1149「鳥類キャリアによる IP」を読んでみるとよいでしょう[※1]。

　インターネットのその他の側面は、ICANN（Internet Corporation for Assigned Names and Numbers、icann.org）が管理しています。ICANN はインターネットの技術的な調整役です。調整の対象になるものには、ドメイン名、IP アドレス、一部のプロトコル情報など、インターネットが機能するために一意でなければならない名前と番号の割り当ても含まれます。

　また、ICANN はドメイン名レジストラを認定し、レジストラはドメイン名を個人および組織に割り当てます。ICANN は米国商務省の機関として始まりましたが、現在はカリフォルニアに本拠を置く独立した非営利組織で、主にレジストラからの支払いとドメイン名登録費用により資金を賄っています。

　当然ながら、複雑な政治的問題が ICANN を取り巻いています。一部の国々は、ICANN の起源と本拠地に不満を抱いており、米国政府の道具だと主張します。また、制御が容易になるように、国連や別の国際機関の一部になった方がよいと考える官僚もいます。

　2020 年初頭、謎のプライベート投資グループである Ethos Capital が .org レジストリの買収に乗り出し、ICANN は売却に合意しました。やがてこの買収の目的が、経営権を獲得した後、顧客データを売りな

※1　訳注：RFC-1149「鳥類キャリアによる IP」は、日本語では以下から読めます。
https://ja.wikipedia.org/wiki/鳥類キャリアによる IP

がら価格を引き上げることだと明らかになりました。幸いにも、カリフォルニア州の司法長官でさえ行動を起こすと警告するほど世論の大きな反発があり、ICANN は手を引いて取引は中止されました。

9.2.1 ドメインネームシステム

ドメインネームシステム（DNS：Domain Name System）は、berkeley.edu とか cnn.com といった、見慣れた階層的命名スキームを提供します。.com、.edu などの名前、および .us や .ca などの 2 文字の国コードは、トップレベル（最上位）ドメインと呼ばれます。最上位ドメインは、管理作業とさらなる名前付けの責任を、下位レベルへと委任します。たとえば、プリンストン大学は princeton.edu の管理を担当し、配下に古典学の classics.princeton.edu やコンピューターサイエンス学科の cs.princeton.edu などのサブドメイン名を定義できます。それらはさらに、www.cs.princeton.edu などのドメイン名を定義できます。

ドメイン名は論理構造を表現しますが、地理的な意味を持つ必要はありません。たとえば、IBM は多くの国で営業していますが、所属するコンピューターはすべて ibm.com 配下に含まれます。1 台のコンピューターが、複数のドメインにサービスを提供することも可能です。これは、ホスティングサービスを提供する企業では一般的です。逆にFacebook や Amazon のような大規模なサイトで見られるように、単一のドメインが多数のコンピューターで処理される場合もあります。

地理的制約がないために、興味深い結果が生まれます。たとえば、ハワイとオーストラリアの中間にある南太平洋の小さな島の集まりであるツバル（人口 11,000 人）の国コードは .tv です。ツバルは、国コードの権利を商用組織にリースしており、そうした組織が .tv ドメイン下の名前を利用者に売っています。あなたが取得したいと考えている名前が、商業的価値を持つ場合には（たとえば news.tv とか）、おそらく取得に気前よく支払う必要があるでしょう。一方、kernighan.

tv は年間 30 ドル未満で取得できます。言語的偶然に恵まれた国の例としては、モルドバ共和国の .md（医師にアピールします）や、play.it のようなサイト名を提供できるイタリアなどが挙げられます。通常、ドメイン名は 26 文字の英語、数字、ハイフンに制限されていますが、2009 年に ICANN は次のような国際化されたトップレベルドメイン名を承認しました。

. 中国

これは中国の .cn の代替として使われるものです。

. مصر

これはエジプトの .eg に加えて承認されたものです。

2013 年頃には、ICANN は .online や .club といった多数の新しいトップレベルドメインの承認を開始しました。長期的にどの程度成功するかは明らかではありませんが、.info や .io などは人気があるようです。.toyota や .paris のような商用および政府関連ドメインも有償で入手できるので、そのようなドメインは必要なのか、それとも単に収益を増やす方法なのか？ という疑問が ICANN の動機に対して投げかけられています。

9.2.2 IPアドレス

各ネットワークと、それにつながっている各ホストコンピューターには、他のユーザーと通信できるように IP アドレスが必要です。

IPv4 アドレスは、一意になる 32 ビットの数値です。全インターネット上で一度にひとつのホストのみがその値を使用できます。アドレ

スは ICANN によってブロック単位で割り当てられ、ブロックはそれ
らを受け取った機関によって、下位への割り当てが行われます。たと
えば、プリンストン大学は 128.112.ddd.ddd と 140.180.ddd.ddd の、
ふたつのブロックを所有しています（各dddは0〜255の10進数です）。
これらの各ブロックには、最大 65,536（2^{16}）台のホスト、双方の合
計で約 131,000 台のホストの割当が許されます。

　これらのアドレスのブロックには、数値的または地理的な意味は全
くありません。数値的には隣接している米国市外局番の 212 と 213 が、
北米大陸内で離れているニューヨークとロサンゼルスの番号であるよ
うに、隣接する IP アドレスのブロックが物理的に近くのコンピュー
ターを表していると期待する理由はありません。そして、IP アドレ
ス自体から地理的情報を推測する手段はありません。とは言え、多く
の場合、他の情報を使えば、ある IP アドレスがどこにあるかを推定
できます。たとえば、DNS は逆引き（IP アドレスから名前を引くこ
と）をサポートしていて、140.180.223.42 が www.princeton.edu であ
ると報告するため、それがニュージャージー州プリンストンにあると
推測するのは合理的です（ただし、サーバーが完全に別の場所にある
可能性はあります）。

　whois.icann.org のウェブから、または Unix のコマンドラインプロ
グラムとして利用できる whois サービスを使用して、あるドメイン
名を使っているユーザーの詳細を取得できる場合があります。

　利用可能な IPv4 アドレスは 2^{32} 個しかなく、その数は約43億個です。
これは地球上のすべての人間の数よりも、少ない数です。人々がます
ます多くのコミュニケーションサービスを使用していく勢いを考える
と、何かが不足する結果になります。実際、状況は思ったよりも悪く
なっています。IP アドレスはブロックで渡され、したがって期待さ
れるようには効率的に使用されないためです（プリンストン大学で
131,000 台のコンピューターが同時にアクティブになる場合はあるで
しょうか？）。いずれにせよ、わずかな例外を除き、すべての IPv4 ア

ドレスは世界のほとんどの地域で割り当てが終わっています。

　複数のホストを単一のIPアドレスに詰め込む（ピギーバッキングする）技術によって、ある程度の余裕が生まれます。通常、ホーム無線ルーターはネットワークアドレス変換（NAT）技術を使用します。この技術を使うと、単一の外部IPアドレスで複数の内部IPアドレスに対応できます。NATを使用している場合、外部から見るとすべての機器が同じIPアドレスを持っているように見えます。ルーターデバイスのハードウェアとソフトウェアが、双方向の変換を処理しています。たとえば、私の家には、IPアドレスを必要とするコンピューターやその他のガジェットが少なくとも10台はあります。これらのIPアドレスはすべて、ひとつの外部アドレスを持つNATを使って提供されています。

　世界が128ビットアドレスを使用するIPv6に移行すれば、アドレス数の枯渇というプレッシャーはなくなります。2^{128} 個（約 3×10^{38}）個のアドレスが手に入るので、すぐには枯渇しないでしょう。

9.2.3 ルートサーバー

　DNSサービスにとって重要な仕事は、名前からIPアドレスへの変換です。トップレベルドメインは、すべてのトップレベルドメイン（たとえば、mit.edu）のIPアドレスを知る一群のルートネームサーバーによって処理されています。www.cs.mit.edu のIPアドレスを決定するには、まず mit.edu のIPアドレスをルートサーバーに要求します。これで、MITに到達できます。mit.edu に着いたら今度はMITのネームサーバーに対して cs.mit.edu のアドレスを要求し、それが www.cs.mit.edu を知るネームサーバーへとつながります。

　このように、DNSは効率的なアルゴリズムを用いて検索を行います。トップレベルでの最初の問い合わせ（クエリー）で、多くのアドレスがそれ以降の検索対象から除外されます。検索がツリーを降下していくにつれて、各レベルで同じことが繰り返されます。これは、以前に

説明した階層ファイルシステムと同じ考えです。

　実際には、ネームサーバーは最近検索されて返答された名前とアドレスのキャッシュを保持しているので、新しいリクエストは遠くのサーバーまで問い合わせに行かずに、ローカルに保存されている情報を用いて応答されることがよくあります。kernighan.com にアクセスした場合は、最近他にアクセスした人はいない可能性が高いので、ローカルのネームサーバーはルートサーバーに対してその IP アドレスを要求する必要があるでしょう。とは言え、もし私が同じ名前をもう一度すぐに問い合わせた場合には、その IP アドレスは近くにキャッシュされており、問い合わせは素早く終わるでしょう。実際に試してみると、最初の問い合わせには 0.25 秒かかりましたが、数秒後同じ問い合わせを行ってみると 10 分の 1 以下の時間で終わりました。数分後にもう一度出した問い合わせも同様でした。

　nslookup などのコマンドを使用して、自分で DNS 実験を行えます。以下の Unix コマンドを試してみてください。

```
nslookup a.root-servers.net
```

　原理的には、単一のルートサーバーがあると想像するかもしれませんが、そうすると単一障害点[※2]（single point of failure）になってしまうので、重要なシステムの場合には複数のサーバーを用意した冗長な構成が採られます。全世界には 13 個のルートサーバーが置かれていますが、約半分は米国にあります。これらのサーバーは、単一のコンピューターのように機能するものの、大部分は地理的に広い場所に分散した複数のコンピューターで構成されています。ただしそうした場合でも、リクエストはグループ内の一番近いメンバーに送られるよう

※2　訳注：一般に、単一障害点あるいは単一故障点と呼びます。ある一点に障害が起きると、システム全体の動作が止まってしまうような個所を指します。

なプロトコルが使われています。

　これらのルートサーバーは、様々な種類のハードウェア上で様々な
ソフトウェアシステムを使って実現されているため、統一された構成
の場合よりもバグやウイルスに対する脆弱性が低くなります。それで
も、常に協調攻撃にさらされています。様々な状況が重なることで、
すべてが停止してしまう可能性もあります。

9.2.4 独自ドメインの登録

　独自のドメイン名は、使いたい名前がまだ使われていない場合、簡
単に登録できます。ICANN は世界中に数百以上のレジストラを認定
しているので、レジストラのひとつを選択し、ドメイン名を選択して
支払いを行えば、そのドメイン名はあなたのものです（毎年更新を行
う必要はありますが）。登録できる名前にはいくつかの制限がありま
すが、（いくつか試してみればすぐにわかるように）猥褻表現に対す
るルールはないようですし、個人攻撃に関するルールもないようです。
このため、企業や公人は自己防衛のために bigcorpsucks.com[3] のよ
うなドメインを、先回りして取得しておくことを余儀なくされていま
す。

　名前は 63 文字までで、通常は文字、数字、ハイフンのみを含みま
すが、ユニコード文字も使えます。ただし、ASCII 以外の文字があ
る場合は、Punycode（ピュニコード）という標準エンコーディング
で文字 - 数字 - ハイフンのサブセットに変換し直します。

　独自サイトを運用するには、サイト用のホストコンピューター、つ
まり、サイトが訪問者に表示するコンテンツを、保持して提供するコ
ンピューターが必要です。また、誰かがあなたのドメイン内で IP ア
ドレスを見つけようとしたときに、ホストの IP アドレスを応答して
くれるネームサーバーが必要です。これは（ホストとは）別のコンポ

※3　訳注：bigcorpsucks は、「大企業くたばれ」といったような意味です。

ーネントですが、通常はレジストラ自身が、サービスを提供するか、サービス提供者への容易なアクセス手段を用意してくれます。

　独自ドメインにかかる価格は、市場競争によって下がり続けています。通常、.com の登録費用は 10 ドルまたは 20 ドルで、以降 1 年あたり同様の費用で維持可能です。ホスティングサービスは、少量のカジュアルな使用なら月に 5 〜 10 ドルほどです。汎用的なページでドメインを維持しておくだけなら、無料で済むかもしれません。無料のホスティングサービスも存在しますし、あまり負荷をかけず大した作業もしない場合や、短いお試し期間の間は、わずかな費用しかかからないものもあります。

　ドメイン名の所有者は誰でしょう？　紛争はどのように解決されるのでしょうか？　他の誰かが kernighan.com を登録した場合にはどうすればよいのでしょう？　最後の疑問の答は簡単です。対象となっているドメイン名の購入を申し出る以外には、取れる手段はほぼありません。mcdonalds.com や apple.com などの商業的価値のある名前の場合、裁判所と ICANN の紛争解決ポリシーは、世の中に対して影響力のある側の当事者を支持する傾向にあります。あなたの名前が本当に McDonald や Apple だったとしても、ドメイン名を彼らから奪い取れる可能性はほとんどありませんし、最初に取得したのがあなただったとしても、それにこだわればトラブルを招くでしょう。2003 年、マイク・ロー（Mike Rowe）というカナダの高校生が彼のささやかなソフトウェアビジネスのためにウェブサイト mikerowesoft.com を開設しました。これは、似たような名前の比較的大きな企業から、法的措置の脅威を招きました。最終的にこの事案は解決し、ロー氏は異なるドメイン名を選択しました。

9.3 ルーティング

　ルーティング（送信元から送信先への経路検索）は、大規模ネットワークでは重要な問題です。比較的小規模なネットワークなら、すべ

ての送信先に対して、経路中の次のステップを教えてくれる、静的な
ルーティングテーブルを使う手もあります。しかし、インターネット
でルーティングを静的テーブルで扱おうとすると、規模の大きさと流
動性が問題になります。このため、インターネットのゲートウェイは、
隣接するゲートウェイとの情報交換を通して、ルーティング情報を継
続的に更新し続けています。これにより、可能なパスと望ましいパス
に関する情報が、常に最新に保たれます。

　規模が膨大なインターネットでは、階層構造を使ってルーティング
情報を管理する必要があります。最上位レベルでは、数万の自律シス
テムが、それぞれを含むネットワークに関するルーティング情報を提
供します。通常、この自律システムは、大規模なインターネットサー
ビスプロバイダー（ISP）が担当しています。単一の自律システム内
では、ルーティング情報はローカルで交換されますが、統合ルーティ
ング情報を外部システムに知らせています。

　正式なものでも厳密なものでもありませんが、物理的な階層のよう
なものもあります。利用者はISPを介してインターネットにアクセ
スします。ISPは、また別のISPに接続する企業または組織です。小
さなISPもあれば、巨大なISP（たとえば電話会社やケーブル会社に
よって運営されているもの）もあります。企業、大学、あるいは政府
機関によって運営されるものもありますし、アクセスを有料で提供す
るものもあります（電話会社やケーブル会社が典型例です）。個人は、
ケーブル（住宅サービスでは一般的です）または電話でISPに接続
します。企業や学校はイーサネットまたはワイヤレス接続を提供して
います。

　ISPは、ゲートウェイを介して相互に接続しています。大手通信事
業者間で大規模な通信を行うために、複数の企業からのネットワーク
接続が合流し、ネットワーク間での物理接続が行われるインターネッ
トエクスチェンジポイント（IXP）が存在します。このしくみのおか
げで、あるネットワークのデータが別のネットワークへ効率的に渡さ

れます。大規模なエクスチェンジポイントでは、あるネットワークから別のネットワークに毎秒テラビットのデータが渡されます。たとえば、世界最大級のエクスチェンジポイントである DE-CIX フランクフルト IXP では、現在、平均 6Tbps 近くが流され、ピーク時には 9Tbps を超えることもあるそうです。

図 2 は 5 年間のトラフィックのグラフです。この図から、着実な成長を読み取れますし、2020 年初頭から始まった Covid-19（新型コロナウィルス感染症）危機で多くの人がリモートワークを余儀なくされた際に、トラフィックが大幅に増加したことも観察できます。

一部の国では、国内へのアクセスまたは国外へのアクセスを提供するゲートウェイの数が比較的少ないために、これらを使用して、政府が望ましくないとみなすトラフィックを監視およびフィルタリングできるようになっています。

Unix システム（Mac も含まれます）では traceroute、Windows で

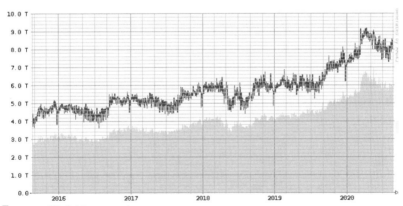

☐ average traffic in bits per second
■ peak traffic in bits per second
Current 5902.4 G
Averaged 3945.5 G
Graph Peak 9168.5 G
DE-CIX All-Time Peak 9168.55
Created at 2020-08-22 15:23 UTC
Copyright 2020 DE-CIX Management GmbH

図 2　DE-CIX フランクフルト IXP におけるトラフィック
（DE-CIX の許諾済み）

は tracert と呼ばれるプログラムを使用してルーティングを調べられます。ウェブを使うバージョンもあります。**図 3** は、プリンストン大学からオーストラリアのシドニー大学のコンピューターまでの経路を示したものです（ページの都合上編集されています）。各行に示されているのは、ホスト名、IP アドレス、そして経路上の次のステップへの往復時間（ラウンドトリップ時間）です。

ラウンドトリップ時間を見ると、米国を横断する蛇行が示され、その後太平洋を横断してオーストラリアに向かうふたつの大きなホップが示されています。不可解な略語の名前から、様々なゲートウェイがどこにあるのかを調べてみるのは楽しいことです。ある国から別の国への接続は、他の国の（多くの場合、米国を含む）ゲートウェイを簡単に通過できます。これはトラフィックの性質や関係する国によっては、びっくりするようなことで、おそらく望ましくない場合もあるでしょう。**図 4** に示す海底ケーブルの地図は、アメリカ、ヨーロッパ、アジアで光ファイバーケーブルがどの程度陸地に届いているかを示しています。この図には陸上のケーブルは示されていません。

```
$ traceroute sydney.edu.au
traceroute to sydney.edu.au (129.78.5.8),
         30 hops max, 60 byte packets
 1 switch-core.CS.Princeton.EDU (128.112.155.129) 1.440 ms
 2 csgate.CS.Princeton.EDU (128.112.139.193) 0.617 ms
 3 core-87-router.Princeton.EDU (128.112.12.57) 1.036 ms
 4 border-87-router.Princeton.EDU (128.112.12.142) 0.744 ms
 5 local1.princeton.magpi.net (216.27.98.113) 14.686 ms
 6 216.27.100.18 (216.27.100.18) 11.978 ms
 7 et-5-0-0.104.rtr.atla.net.internet2.edu (198.71.45.6) 20.089 ms
 8 et-10-2-0.105.rtr.hous.net.internet2.edu (198.71.45.13) 48.127 ms
 9 et-5-0-0.111.rtr.losa.net.internet2.edu (198.71.45.21) 75.911 ms
10 aarnet-2-is-jmb.sttlwa.pacificwave.net (207.231.241.4) 107.117 ms
11 et-0-0-1.pe1.a.hnl.aarnet.net.au (202.158.194.109) 158.553 ms
12 et-2-0-0.pe2.brwy.nsw.aarnet.net.au (113.197.15.98) 246.545 ms
13 et-7-3-0.pe1.brwy.nsw.aarnet.net.au (113.197.15.18) 234.717 ms
14 138.44.5.47 (138.44.5.47) 237.130 ms
15 * * *
16 * * *
17 shared-addr.ucc.usyd.edu.au (129.78.5.8) 235.266 ms
```

**図 3　ニュージャージー州のプリンストン大学から
オーストラリアのシドニー大学までの traceroute の結果**

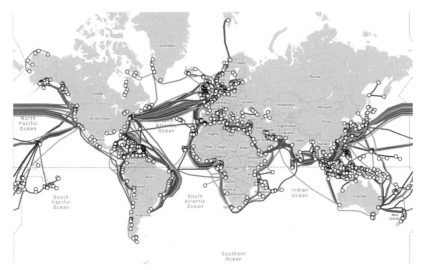

図4　海底ケーブル（submarinecablemap.com より）

　残念ながら、セキュリティ上の懸念により、traceroute が機能する
のに必要な情報を提供しないサイトが増えています。そのため、
traceroute が提供できる情報量は時間の経過とともに少なくなってい
ます。たとえば、一部のサイトは名前や IP アドレスを公開していま
せん。こうしたサイトは、図中ではアスタリスク（*）で示されます。

9.4 TCP/IPプロトコル

　プロトコルとは、当事者 2 人が互いにどのようにやりとりをすれば
よいかを定めた規則です。たとえば握手をするべきか、どのくらい深
くお辞儀するべきか、誰がドアを最初に通るのか、道のどちら側を通
行すべきか、などの決まりです。日常生活におけるほとんどのプロト
コルは非公式なものですが、道路のどちら側を通行すべきかについて
は法律で決められています。日常生活とは対照的に、ネットワークプ
ロトコルは非常に精密に決められています。

　インターネットには多くのプロトコルがありますが、本当に基本的
なものはふたつです。IP（Internet Protocol：インターネットプロト

コル）は、個々のパケットがどのようにフォーマットされ、送信されるかを定義します。TCP（Transmission Control Protocol：伝送制御プロトコル）は、IPパケットをデータストリームとして結合し、サービスに接続する方法を定義します。これらふたつを合わせて、TCP/IPと呼びます。

　ゲートウェイはIPパケットをルーティングしますが、各物理ネットワークはIPパケットを運ぶための独自の形式を持ちます。各ゲートウェイは、パケットが出入りするときにネットワーク形式とIPの間の変換を行う必要があります。

　IPの上位レベルにあるTCPが、信頼性の高いコミュニケーションを提供するので、ユーザー（実際にはプログラマー）はパケットレベルについて考える必要はなく、単に情報のストリームだけを考慮すればよいだけです。私たちが「インターネット」として思い浮かべるサービスのほとんどは、TCPを使用しています。

　さらに上位には個々のサービスを提供するアプリケーションレベルのプロトコルがあり、ほとんどがTCP上に構築されています。ウェブ、メール、ファイル転送などがその例です。このように、プロトコルにはいくつかの層があり、それぞれが下のサービスに依存し、上の層にサービスを提供しています。これは、第6章で説明したソフトウェアの階層化の素晴らしい例です。プロトコル階層を示すために慣習的に使われる**図5**は、階層化されたウェディングケーキのように見えます。

　UDP（User Datagram Protocol：ユーザーデータグラムプロトコ

図5　プロトコル階層

ル）は、TCP と同じレベルの別のプロトコルです。UDP は TCP よ
りもはるかに単純で、双方向のストリームを必要としないデータ交換
に使用されます。いくつかの追加機能を備えた効率的なパケット配信
のみを行います。DNS は UDP を使用しますが、ビデオストリーミン
グ、Voice over IP、および一部のオンラインゲームも同様に UDP を
使います[4]。

9.4.1 IP（Internet Protocol：インターネットプロトコル）

IP（Internet Protocol：インターネットプロトコル）は、信頼性の
低いコネクションレスパケット配信サービスを提供します。「コネク
ションレス」とは、各 IP パケットは自己完結型であって、他の IP パ
ケットとは関係がないという意味です。IP には、状態も記憶もあり
ません。次のゲートウェイに渡されてしまったパケットについて、プ
ロトコルは何も記憶しておく必要はないのです。

「信頼性の低い」とは、見かけよりも良かったり悪かったりするとい
う意味です。IP は「ベストエフォート[5]」のプロトコルであり、パケ
ット配信の品質を保証しません。何か問題が発生した場合、パケット
は、失われたり、破損したり、順序通りに配信されなかったり、到着
するのが速すぎて処理が間に合わなかったり、到着が遅れて役に立た
なかったり、するのです。

実際の運用では、IP は十分に信頼に足ります。ただし、パケット
が紛失したり破損したりした場合、回復は試みられません。たとえる
なら、知らない場所のポストに葉書を投函するようなものです。途中
で破損する可能性はありますが、おそらく葉書は配達されるでしょう。
ただ、全く届かない場合もあれば、予想よりはるかに時間がかかる場

---

[4] 訳注：ビデオストリーミングは、様々な技術革新により、TCP ベースのものも増えてい
　　ます。

[5] 訳注：ベストエフォートは、言い換えれば、「やれるだけはがんばります」という意味で
　　す。

合もあります（葉書では起き得ない、IP特有の障害もあります。IPパケットは複製できるので、受信者は複数のコピーを受け取る場合もあるのです）。

IPパケットの最大サイズは約65KBです。したがって、長いメッセージは、別々に送信される小さな塊に分割され、受信者の場所で再び組み立てられる必要があります。IPパケットは、イーサネットパケットのように、特別な形式を持ちます。**図6**は、IPv4のパケット形式の一部を示しています。IPv6のパケット形式は類似していますが、送信元アドレスと送信先アドレスはそれぞれ128ビット長になります。

バージョン	タイプ	ヘッダー長	全体長	TTL	送信元アドレス	送信先アドレス	エラーチェック	データ（最大65KB）

図6　IPv4のパケット形式

パケットの興味深い部分のひとつは、生存時間（time to live：TTL）フィールドです。TTLは1バイトの大きさのフィールドで、パケットの送信元によって初期値（多くの場合40前後）に設定され、パケットを扱うゲートウェイを通過するごとに1ずつ減少していきます。このカウントがゼロになると、パケットは破棄され、エラーパケットが送信者に送り返されます。インターネット上の典型的な経路は15～20のゲートウェイを経由するのが普通なので、255回[6]もホップして届かないパケットは明らかにおかしなものです。おそらくループに陥っているのでしょう。TTLフィールドはループを排除するためのものではありませんが、個々のパケットが永久に生き続けることを防ぎます。

IPプロトコル自体は、データの流れの速さを保証しません。ベストエフォート型のサービスとして、速さはもちろん、情報が到着する

※6　訳注：1バイトで表現できる正の整数は、0から255です。

ことさえ約束しないのです。インターネットは、物事を動かし続ける
ためにキャッシングを広範囲に使用します。キャッシングはネームサ
ーバーの議論でもすでに見ました。ウェブブラウザーも情報をキャッ
シュしているので、最近見たページや画像にアクセスしようとすると、
ネットワークからではなくローカルキャッシュから取得できる場合が
あります。

　主要なインターネットサーバーも、キャッシュを使用して応答を高
速化します。Akamai（アカマイ）などの企業は、Yahoo のような他
の企業にコンテンツ配信サービスを提供します。これは、受信者に近
い場所でのコンテンツのキャッシングに相当します。検索エンジンも、
ウェブのクロール[7]中に見つかったページの巨大なキャッシュを維
持します。これは第 11 章のトピックです。

9.4.2 TCP（Transmission Control Protocol：伝送制御プロトコル）

　高レベルのプロトコルは、信頼性の低い基礎レイヤーを使って信頼
性の高いコミュニケーションを組み上げています。こうしたプロトコ
ルで最も重要なのは、TCP（伝送制御プロトコル）です。TCP は、
ユーザーに信頼性の高い双方向ストリームを提供します。一方の端に
データを投入すると、もう一方の端にデータが出力されますが、遅延
はあまりなく、エラーが起きる可能性もあまりありません。まるで両
者の間に直接配線が行われているかのように見えます。

　TCP がどのように機能するかについては（煩雑なので）詳しく説
明しませんが、基本的な考え方は単純です。バイトストリームは断片
に分割されて、TCP パケット（またはセグメント）に入れられます。
TCP セグメントには、実際のデータだけでなく、シーケンス番号な
どの制御情報を含む「ヘッダー」も含まれるため、受信者は各パケッ

---

[7]　訳注：クロールは、水泳の「クロール」と同じで、元々の意味は「這いながら進む」です。
　　ネット上を「這い回る」様子からこのように呼ばれます。

トがストリームのどの部分に相当するかがわかります。こうした方法で、失われたセグメントが認識されて、再送が行われます。エラー検知情報が含まれるため、セグメントが破損している場合には検知される可能性が高くなります。各 TCP セグメントは IP パケットを使って送信されます。**図 7** は、データとともに IP パケットで送信される、TCP セグメントヘッダーの内容を示しています。

送信元ポート	送信先ポート	シーケンス番号	確認応答	エラーチェック	その他の情報

図 7　TCP セグメントヘッダー形式

　各セグメントは、受信者によって、肯定的にせよあるいは否定的にせよ、確認される必要があります。私が相手に対して送るセグメントごとに、相手は受け取ったことを示す確認応答（acknowledgment：アクノリッジメント）を、私に送り返さなければなりません。十分な時間が経過しても確認応答が得られない場合には、セグメントが失われたと想定して、私はセグメントを再度送信します。同様に、特定のセグメントを期待しているのに受信できていない場合は、受信者（相手）は否定応答（「セグメント 27 が到着していません」など）を送る必要があり、受け取った私は再送信する必要があることを知るのです。

　もちろん、確認応答そのものが失われた場合には、状況はさらに複雑になります。TCP には、何かが間違っていると仮定する前にどのくらい待てばよいかを決定する、多数のタイマーがあります。ある操作に時間がかかりすぎる場合は、回復を試みることができますし、どうしようもないときには、最終的に接続は「タイムアウト」し、破棄されます（おそらく、応答しないウェブサイトで遭遇したことがあるでしょう）。これらはすべて、プロトコルの一部です。

　プロトコルには、上記を効率的に機能させるしくみもあります。たとえば、送信者は前のパケットの確認応答を待たずにパケットを送信

できますし、受信者はパケットのグループに対して確認応答をひとつ送信できます。トラフィックがスムーズに流れている場合、これは確認応答によるオーバーヘッドを削減します。ただし、渋滞が発生してパケットが失われ始めた場合には、送信者はすぐに送信レートを落とし、再びゆっくりと上げていきます。

ふたつのホストコンピューター間で TCP 接続が行われるときには、接続は単に特定のコンピューターにつながるのではなく、特定のコンピューターの特定のポートに対して行われます。各ポートは、個別の対話に用いられます。ポートは 2 バイト（16 ビット）の数字で表されるので、65,536 個の割当可能なポートがあります。このため、原則として 1 台のホストは、65,536 の個別の TCP によるコミュニケーションを同時に行えます。これは、ひとつの電話番号を持つ会社と、それぞれの内線番号を持つ従業員の関係に似ています。

100 個ほどの「よく知られた」（well known）ポートは、標準サービスへの接続用に予約されています。たとえば、ウェブサーバーはポート 80 を使用し、メールサーバーはポート 25 を使用します。あるブラウザーが www.yahoo.com にアクセスする場合には、Yahoo のポート 80 に TCP 接続を確立しますし、メールプログラムはポート 25 を使用して Yahoo のメールサーバーにアクセスします。送信元ポートと送信先ポートは、データと一緒に送られる TCP ヘッダーの一部です。

さらに多くの詳細がありますが、基本的なアイデアはこの程度です。TCP と IP は、1973 年頃に、ヴィントン・サーフとロバート・カーンによって設計されました。TCP/IP プロトコルは改良されてきましたが、ネットワークのサイズとトラフィックの速度が何桁も増大した今も、基本は同じままです。元の設計が非常によくできていたために、現在は TCP/IP がインターネット上のほとんどのトラフィックを処理しています。

9.5 高レベルプロトコル

　TCP は、2 台のコンピューター間でデータをやりとりするための、信頼できる双方向ストリームを提供します。インターネットサービスやアプリケーションは、情報を伝達するために TCP を使用しますが、TCP の上に各々のタスクを処理するための、固有の独自プロトコルを持ちます。たとえば、HTTP（Hypertext Transfer Protocol）は、ウェブブラウザーとウェブサーバーで使用される、特に単純なプロトコルです。私がリンクをクリックすると、ブラウザーがウェブサーバー（たとえば amazon.com だとしましょう）のポート 80 に TCP/IP 接続を開き、特定のページを要求する短いメッセージを送信します。**図 8** では、ブラウザーは左上のクライアントアプリケーションです。メッセージはプロトコルチェーンを下り、インターネットを通過し（通常はさらに多くのステップを経て）、その後送信先のサーバーアプリケーションへとたどり着きます。

　Amazon 側は、サーバーがページを準備し、そのページのデータを少量の追加データ（たとえばページのエンコードに関する情報など）とともに送り返します。戻り経路は、行きの経路と同じである必要はありません。私のブラウザーはこの応答を読み取り、内容を利用してコンテンツを表示します。

図 8　TCP/IP 接続と情報の流れ

9.5.1 TelnetとSSH:リモートログイン

インターネットが情報の輸送手段であるならば、それを使って何ができるのでしょう。本節では、1970年代初頭に開発され、インターネット初期から現在まで使用されているTCP/IPアプリケーションを、そのデザインと有用性に感謝の意を込めて、いくつか紹介します。

そうしたアプリケーションはコマンドラインプログラムで、ほとんどが簡単に使えるものです。カジュアルなユーザー向けではなく、どちらかと言えば、専門家を対象としたアプリケーションです。

Telnetコマンドを使えば、たとえばAmazonにアクセスできます。Telnetは他のマシンへのリモートログインセッションを確立してくれるTCPサービスのひとつです。通常、ポート23を使用しますが、他のポートを使うこともできます。次の行をコマンドラインウィンドウに入力してみましょう。

```
$ telnet www.amazon.com 80
GET / HTTP/1.0
    [さらに余分な空白行を入力]
```

すると、ブラウザーがページを表示するために使用するたくさんの文字が返されてきます。

GETは、数少ないHTTPリクエストのひとつです。GETに続く / は、サーバーのデフォルトファイルを要求する指示です。HTTP/1.0は、プロトコル名とバージョンを指定します。次の章では、HTTPとウェブについてさらに詳しく説明します。

Telnetは、リモートコンピューターに対して、直接つながっているかのようなアクセスを提供します。クライアントからのキーストロークを受け取り、直接入力されたかのようにサーバーに渡します。サーバーの出力を受け取ると、クライアントに送り返します。適切なアクセス許可を持っていれば、Telnetを使用することで、インターネ

ット上の任意のコンピューターをローカルマシンであるかのように使用できます。他の例題として、検索する場合を示しましょう。

```
$ telnet www.google.com 80
GET /search?q= 検索文字列
   [さらに余分な空白行を入力]
```

これにより、大量の出力（大部分は JavaScript とイメージ）が返されますが、注意深く見ると検索結果が出力されています。

Telnet は、セキュリティを提供しません。リモートシステムがパスワードなしでログインを受け入れる場合、何も要求されません。一方、リモートシステムがパスワードを要求した場合には、Telnet はクライアントのパスワードを平文（プレーンテキスト）で送信します。このためデータの流れを監視している人は誰でもパスワードが読めます。このセキュリティの完全な欠如が、セキュリティが重要ではない特別な状況を除いて、Telnet が現在ほとんど使用されない理由のひとつです。その代わり、後継である SSH（Secure Shell）が広く使用されています。双方向のすべてのトラフィックを暗号化し、情報を安全に交換できるからです。SSH はポート 22 を使用します。

9.5.2 SMTP：シンプルメール転送プロトコル

2番目のプロトコルは、SMTP（Simple Mail Transfer Protocol）です。利用者は通常、メールをブラウザーまたは独立したプログラムで送受信します。しかし、インターネット上の他の多くのものと同様に、この見かけの下にはいくつかの層があって、それぞれがプログラムとプロトコルによって動作しています。

メールには、ふたつの基本的なプロトコルが含まれます。SMTP は、他のシステムとメールを交換するために使います。受信者のメール用コンピューターのポート 25 に TCP/IP 接続を確立し、プロトコルを

```
$ telnet localhost 25
Connected to localhost.
220 davisson.princeton.edu ESMTP Postfix
HELO localhost
250 davisson.princeton.edu
mail from:liz@royal.gov.uk
250 2.1.0 Ok
rcpt to:bwk@princeton.edu
250 2.1.0 Ok
data
354 End data with <CR><LF>.<CR><LF>
Subject: knighthood?

Dear Brian --

Would you like to be knighted?  Please let me know soon.

ER
.
250 2.0.0 p4PCJfD4030324 Message accepted for delivery
quit
```

図 9　SMTP を使用したメールの送信例

使用して送信者と受信者を識別して、メッセージを送信します。
SMTP はテキストベースです。どのように動作するのかを見たいと
きには、ポート 25 に対して、Telnet を使って実行できます。しかし、
様々なセキュリティ上の制限があるため、ローカルコンピューターに
対してさえ試せない可能性が高いです[8]。

　図 9 は、ローカルシステムと行った実際のセッションのサンプル
ダイアログ（コンパクト化のために編集してあります）です。あたか
も他人からのように、自分自身にメールを送信しています（実質的に
スパムですね）。私の入力部分は太字で示されています。

　この無意味な（少なくともありそうもない）メッセージは、図 10
に示すように、私のメールボックスに期待通りに配信されました。

　SMTP では、メールメッセージを ASCII テキストにする必要があ

---

[8]　訳注：実際自分で完全に管理している Unix マシンなどがない場合には試すことは難しい
　　でしょう。

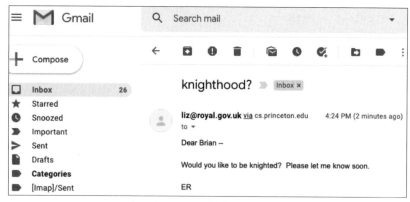

図 10　メールが受信された！

ります。このため様々な種類のデータをテキストに変換し、複数の断
片をひとつのメールメッセージとしてまとめる方法を説明した、
MIME（Multipurpose Internet Mail Extensions：多目的インターネ
ットメール拡張）と呼ばれる別のプロトコルが存在します。MIME は、
写真やビデオなどのメール添付ファイルを取り込むために使用される
しくみですが、HTTP でも使用されています。

　SMTP はエンドツーエンドのプロトコルですが、TCP/IP パケット
は通常、送信元から送信先への途中で、15 ～ 20 ものゲートウェイを
通過します。この経路に置かれたゲートウェイが、通過するパケット
を検査したり、ゆっくり吟味するためにコピーしたりすることは、何
の苦労もなく行えます。SMTP 自体もコンテンツのコピーを作成で
きて、メールシステムがコンテンツとヘッダーを追跡しています。コ
ンテンツを非公開にしたい場合には、発信元で暗号化する必要があり
ます。ただしコンテンツを暗号化しても、送信者と受信者の身元は隠
されないことに注意してください。トラフィック分析により、誰が誰
と通信しているかが明らかになります。こうしたメタデータは、多く
の場合、実際のコンテンツと同じくらい役に立ちます。この件につい
ては第 11 章でまた議論します。

SMTP は、送信元から送信先にメールを配送しますが、配送後は
メールへのアクセスには関係しません。メールはターゲットコンピュ
ーターに到着すると、通常は最終的な受信者に読まれるまで待機しま
す。よく使われるのは、IMAP（Internet Message Access Protocol：
インターネットメッセージアクセスプロトコル）と呼ばれる別のプロ
トコルです。IMAP を使うとメールはサーバー上に残り、複数の場所
からアクセスできます。IMAP は、パソコン上のブラウザーと携帯電
話の両方からメールを扱っている場合のように、複数のメールクライ
アントが同時に存在する場合でも、メールボックスが常に一貫した状
態になるようにします。メッセージのコピーを複数作成したり、コン
ピューター間でコピーして回ったりする必要はありません。

　Gmail や Outlook.com などのように、メールがシステムの「クラウ
ド内」で処理されることはよくあります。それらの下では、転送に
SMTP が使われ、クライアントアクセスのために IMAP のような動
作が行われています。クラウドコンピューティングについては、第
11 章で説明します。

9.5.3 ファイル共有とピアツーピア・プロトコル

　1999 年 6 月、ノースイースタン大学の新入生だったショーン・フ
ァニングは、MP3 形式で圧縮された音楽を人々が本当に簡単に共有
できるプログラム、Napster（ナップスター）をリリースしました。
ファニングのタイミングは完璧でした。ポピュラー音楽のオーディオ
CD は、どこにでもあるものの高価でした。当時のパーソナルコンピ
ューターは MP3 エンコードおよびデコードを十分な速さで処理でき
て、そのアルゴリズムは広く利用可能でした。特に学生寮のイーサネ
ットを使用する大学生の場合には、帯域幅が十分に大きかったために、
MP3 形式の曲をネットワーク経由でまあまあ迅速に転送できました。
ファニングの設計と実装が優れていたために、Napster は山火事のよ
うに広がりました。

1999 年半ばには Napster サービスを提供する会社が設立され、ピーク時には 8,000 万人のユーザーがいると宣伝されていました。著作権で保護された音楽の大規模な窃盗を申し立てた最初の訴訟は、1999年後半に起こされ、2001 年半ばまでに裁判所の判決により Napsterの事業は廃止されました。わずか 2 年間で、ゼロから 8,000 万人のユーザーに増え、そしてまたゼロに戻った出来事は、当時の流行語である「インターネットタイム」を鮮明に描き出しました。

　Napster を使用するには、Napster クライアントプログラムをダウンロードして自分のコンピューターで実行する必要がありました。クライアントプログラムは、共有可能なファイル用の、ローカルフォルダーを作成しました。クライアントが Napster サーバー（中央サーバー）にログインすると、共有可能なファイルの名前が自分のコンピューターからアップロードされて、Napster はそれらを現在利用可能なファイル名の、中央ファイル一覧表に追加しました。この中央ファイル一覧表は、継続的に更新されました。新しいクライアントが接続されると、ファイル名が追加され、クライアントが問い合わせに応答できなかった場合には、そのファイル名は一覧表から削除されました。

　ユーザーが中央ファイル一覧表で曲のタイトルまたはパフォーマーを検索すると、Napster は、それらのファイルを共有するつもりのある、オンライン中のユーザーのリストを提供しました。ユーザーが提供者を選択すると、Napster が IP アドレスとポート番号の情報を提供して接触をアレンジし（マッチングサービスのようなものです）、ユーザーのコンピューター上のクライアントプログラムが、提供者のプログラムと直接接触して、ファイルを取得しました。提供者とクライアントは Napster にステータスを報告していましたが、Napster はそれ以上には「関与していません」でした。なぜなら中央サーバーは、音楽データそのものには一切触れなかったからです。

　私たちはブラウザー（クライアント）がウェブサイト（サーバー）に対して何かを要求する、クライアントサーバーモデルに慣れていま

す。Napster はこれとは別のモデルの例でした。Napster は、現在共有可能な音楽の一覧表を提供しましたが、音楽そのものはユーザーマシンのみに保存され、ファイルが転送されるときには、中央サーバーを経由することなく、Napster ユーザーから別のユーザーへと直接移動しました。このため、この形態はピアツーピア（1 対 1）と呼ばれ、共有者同士がお互いに交換相手になりました。音楽自体は相手のコンピューターのみで保存され、中央サーバーには保存されていませんでした。これにより Napster は著作権の問題を回避したいと考えていましたが、法廷はそうした法的に微妙な点に納得しませんでした。

　Napster プロトコルは TCP/IP を使用していたので、実質的にHTTP や SMTP と同じレベルのプロトコルを使っていました。ファニングのきっちりとした仕事に対して決して文句を言いたいわけではありませんが、インターネット基盤や TCP/IP、MP3、そしてグラフィカルユーザーインターフェース（GUI）作成ツールが整った状況の下では、Napster はシンプルなシステムです。

　現在のほとんどのファイル共有は、合法かどうかはさておき、BitTorrent（ビットトレント）と呼ばれるピアツーピア・プロトコルを使用します。BitTorrent はブラム・コーエンにより 2001 年に開発されました。映画やテレビ番組といった、サイズの大きな、人気のあるファイルの共有に特に適しています。大きなファイルは小さな部分に分けられて複数のサイトから同時にダウンロードされるので効率的ですが、このときダウンロードしている側のサイトも他のサイトからのリクエストに応えて、リクエストされた部分をアップロードしなければなりません。こうすることで人気のあるファイルほど配布サイトがねずみ算式に増えて全体としてのスループットが向上します。

　BitTorrent では、分散ディレクトリを検索してファイルを発見できます。小さな「トレントファイル」が、誰がどのブロックを送受信したかというトラッキング記録を保持しています。BitTorrent ユーザーは検知に対して脆弱です。BitTorrent プロトコルは、ダウンロ

ードを行う側もアップロードを行う必要があるため、著作権の侵害が疑われるコンテンツを扱えば簡単に識別されるからです。

　もちろんピアツーピア・ネットワークには、合法性が疑わしいファイル共有以外の用途があります。第13章で簡単に説明する、デジタル通貨で支払いシステムを兼ねるビットコインは、ピアツーピア・プロトコルを使用しています。

9.6 インターネット上の著作権

　1950年代には、本やオーディオを丸ごとコピーすることは現実的ではありませんでした。しかし、コピー作成はどんどん安くなり、1990年代には、本やレコードのデジタルコピーが簡単に作れるようになりました。コピーを大量に作って、インターネットを通じて高速かつゼロコストで他人に送れるようになったのです。

　エンターテインメント業界は、著作権で保護された素材の共有を阻止する活動を、アメリカレコード協会（RIAA）やアメリカ映画協会（MPAA）といった業界団体を通じて、飽きることなく続けています。そうした活動には、多数の著作権侵害が疑われる者に対する、訴訟や法的な警告はもちろん、そのような侵害活動を違法なものにするための立法を目指す、活発なロビー活動も含まれます。権利侵害行為はなくなることはないでしょうが、一定の品質に対して合理的な課金を行えば、侵害行為の影響を大幅に減らしつつ事業収益を挙げることは可能だと思われます。Appleの iTune ミュージックストアや、Netflixや Spotify のようなストリーミングサービスはそうしたやり方の成功例です。

　米国におけるデジタル著作権問題のための主な法律は、1998年に成立したデジタルミレニアム著作権法（DMCA：Digital Millennium Copyright Act）です。この法律により、デジタルメディアにおける著作権保護技術の回避は、違法行為になりました。インターネット上で著作物を配布する行為も、同じく違法です。他の国にも同様の法律

があります。DMCA は、エンターテインメント業界が著作権侵害者を追跡するために使用している法的なしくみです。

DMCA は、インターネットサービスプロバイダー（ISP）に「セーフハーバー」（安全な港）条項を提供します。この条項は、もし正当な著作権所有者が、ISP に対して特定のユーザーが著作権を侵害していることを通知した場合に、ISP がその権利侵害者に対して問題の著作物を削除するように要求したときには、ISP 自身の責任は問われないというものです。このセーフハーバー条項は、学生と教員のための ISP である大学にとって重要です。したがって、すべての大学には、侵害の申し立てに対処するための職員がいます。**図 11** はプリンストン大学の DMCA 通知です。

To report copyright infringements involving Princeton University information technology resources or services, please notify [...], the agent designated under the Digital Millennium Copyright Act, P.L. 105-304, to respond to reports alleging copyright infringements on Princeton University website locations.

プリンストン大学の情報技術リソースまたはサービスに関連する著作権侵害を報告するには、［…］デジタルミレニアム著作権法（公法 105-304）の下で指定された代理人に、プリンストン大学のウェブサイト上における著作権侵害報告に対応するように通知してください。

図 11　ウェブページ上にある DCMA 通知情報

DMCA は、均等な相手との法廷闘争でも（双方から）使われます。2007 年に、大手の映画およびテレビ会社である Viacom（バイアコム）が、Google を 10 億ドルで訴えました。Google のサービスである YouTube 上で、著作権で保護された素材が入手可能な状態になっていたからです。Viacom は、DMCA は著作権で保護された素材の大規模な盗難を可能にすることを意図したものではないと述べました。Google による反論の一部は、DMCA 削除通知が適切に提示されていれば適切に対応していたのに、Viacom はそうしてこなかった、というものでした。2010 年 6 月に判事が Google に有利な裁定を下しまし

たが、控訴裁判所が判決の一部を覆し、さらに別の判事がYouTube
はDMCA手続きを適切に行っているという理由で再びGoogleに有
利な裁定を下しました。両者の争いは2014年に示談になりましたが、
残念ながら示談の条件は公表されませんでした。

　2004年、Googleは主に研究図書館が所蔵する多数の書籍をスキャ
ンするプロジェクトを開始しました。2005年に全米作家協会
（Authors Guild）が提訴し、Googleが著作権を侵害して利益を得て
いると主張しました。この紛争は非常に長い間続きましたが、2013
年に下された決定は、Googleは無罪とするものでした。Googleは、
何もしなければ失われる可能性のある本を保存し、学問のためにデジ
タル形式で利用できるようにして、さらには著者と出版者に収益をも
たらす機会さえ生み出した、というのがその理由でした。控訴裁判所
は、Googleが各書籍の限られた量だけをオンラインで利用できるよ
うにしたという事実も理由の一部として、2015年後半にこの決定を
支持しました。全米作家協会は最高裁判所に上訴しましたが、2016
年に最高裁判所はこの事件の審理を拒否し、事実上紛争は終結しまし
た。これは、双方の当事者から合理的な主張を聴ける事例のひとつで
す。

　研究者としての私は、他の方法では見られない、あるいは知ること
さえできないような本の中を検索できるようにしたいと思います。し
かし、著者としての私は、海賊版をダウンロードするのではなく、自
分の本の正規のコピーを買ってもらいたいと思うのです。

　DMCAへの苦情は簡単に行えます。私は、この本の初版の違法ア
ップロードされたコピーについてScribd[9]に苦情を送りました。彼
らは24時間以内に違法コピーを削除しました。とは言え残念ながら、
ほとんどの本のほとんどの違法コピーは、基本的に削除不可能です。

　DMCAは、当初の意図には含まれていなかったと思われる、反競

※9　訳注：Scribdは、電子書籍などをホストする米国のプラットフォームです。

争的なやり方で利用される場合があります。たとえば、メーカーの
Philips は、コントローラーを使って明るさと色を調整できる「スマート」なネットワーク接続電球を製造しています。2015 年後半に
Philips は、自社のコントローラーで制御できるのは自社の電球のみ
になるように、ファームウェアを書き換えると発表しました。サード
パーティの電球を使えるようにするために、他の誰かがソフトウェア
をリバースエンジニアリングするのを DMCA は禁じています。かな
りの数の抗議があり、Philips はこのケースについては計画を取り下
げましたが、他社は DMCA を使用して競合を制限し続けています。
たとえば、正規品でないと動作しないプリンターやコーヒーメーカー
の交換カートリッジなどがその例です。

9.7 モノのインターネット(IoT)

スマートフォンは、標準の電話システムを使用できるコンピュータ
ーにすぎませんが、最新の電話はすべて、携帯電話キャリアもしくは
Wi-Fi を通して、インターネットにアクセスできます。こうしたアク
セシビリティにより、電話ネットワークとインターネットの区別は曖
昧になり、最終的には区別は消えていく可能性があります。

今日、携帯電話を世界に広く普及させているのと同じ力が、他のデ
ジタルデバイス上でも働いています。前述したように、多くのガジェ
ットやデバイスには、強力なプロセッサー、メモリー、そして多くの
場合、ワイヤレスネットワーク接続も備わっています。このようなデ
バイスをインターネットに接続したいと思うのは自然です。必要なし
くみはすべて整っており、増分コストはゼロに近いため、実現は容易
です。こうして、Wi-Fi や Bluetooth を使って写真をアップロードで
きるカメラ、場所とエンジンテレメトリーをアップロードしながらエ
ンターテインメントをダウンロードする自動車、環境を測定し制御し
て不在の住宅オーナーに報告するサーモスタット、子供や乳母やドア
ベルを押した人物を遠隔モニターするビデオモニター、Alexa のよう

な音声応答システム、先ほど話題にしたネットワーク接続される電球、などが実現しています。これらすべてがインターネット接続を利用しています。こうしたデバイスすべてを指す流行語が、モノのインターネット（IoT：Internet of Things）です。

　多くの点で、IoT は素晴らしいアイデアですし、将来はますます増えるのは確実です。しかし、大きな欠点もあります。これらの特殊デバイスは、汎用デバイスよりも様々な問題に対して脆弱なのです。ハッキングされる、侵入される、損傷を与えられる、などの可能性は高く、実際、モノのインターネットのセキュリティとプライバシーへの関心は、パーソナルコンピューターと携帯電話のような最新技術に比べれば遅れをとっているため、問題が起きる可能性はさらに高くなります。驚くべき数のデバイスが、製造された国のサーバーに向かって情報を送っているのです。

　豊富な事例から適当に選んだものをひとつ示すと、2016 年 1 月にあるウェブサイトが、「保護されていないために画像を表示できてしまう」ウェブカメラを検索できるようにしました。このサイトは、「マリファナ農園、銀行の従業員専用部屋、子供、キッチン、リビングルーム、ガレージ、前庭、裏庭、スキー場、プール、大学や学校、研究所、小売店のレジカメラ」の画像を提供します。単純な覗き見から、はるかに悪い用途までが想像できます。

　子供のおもちゃには、インターネットに接続できるものもあり、その場合はまた別の危険性があります。ある調査によると、いくつかのおもちゃには、子供の追跡に使用できる分析コードや、攻撃手段としておもちゃを使用できる安全でないしくみが含まれることが判明しました（一例は、インターネットにつながった水筒です。水分補給をモニターするものだったようです）。こうした追跡の可能性は、COPPA（児童オンライン・プライバシー保護法）やおもちゃに記載されたプライバシーポリシーに違反します。

　上記のウェブカメラのような消費者向け製品は、メーカーが十分な

セキュリティを提供していないため、脆弱である場合が多いのです。対応するにはコストがかかりすぎる、もしくは消費者にとって複雑すぎる、と判断されたからかもしれませんし、単に実装が悪いだけかもしれません。たとえば、2019 年末、あるハッカーが 50 万台の IoT デバイスの IP アドレスと Telnet パスワードを投稿しましたが、これはポート 22 で応答するデバイスをスキャンして "admin" と "guest" といったデフォルトのアカウントとパスワードの組み合わせを試した結果、発見したものでした。

　電力、通信、交通など様々なインフラシステムが、保護に十分な注意を払わないまま、インターネットに接続されてきました。一例を挙げると、2015 年 12 月に、ウェブ対応の管理インターフェースを備えていたあるメーカーの風力タービンが、発電中の電力を簡単に遮断できてしまう（単に URL を編集するだけ）攻撃が可能であることが報告されました。

9.8 まとめ

　インターネットの背後にある基本的なアイデアは、ほんの少ししかありません。どれほど少ないしくみで、どれほど多くのことが達成できるかには驚くしかありません（もちろん多大なエンジニアリングの努力は必要ですが）。

　インターネットはパケットのネットワークです。情報は標準化された個別のパケットとして送信され、それらのパケットは大規模で変化するネットワークのコレクションの中を動的にルーティングされます。これは、電話システムの回線ネットワークとは異なるモデルです。電話システムでは、各会話に専用の回線が割り当てられ、概念的には 2 人の通話者間に個別の電線が引かれます。

　インターネットは、現在接続されている各ホストに一意の IP アドレスを割り当てます。同じネットワーク上のホストは、共通の IP ア

ドレスプレフィックス[※10]を共有します。ノートパソコンや携帯電話などのモバイルホスト（コンピューター）は、ネットワークに接続されるたびに異なるIPアドレスを持つ可能性が高く、ホストが別の場所に移動するとIPアドレスが変わる可能性があります。ドメインネームシステムは、名前をIPアドレスに、または逆方向に変換する、大規模な分散データベースです。

　ネットワーク同士はゲートウェイで接続されています。ゲートウェイは、パケットが送信先に到達できるように、あるネットワークから次のネットワークへパケットをルーティングする特別なコンピューターです。ゲートウェイは、ルーティングプロトコルを使用してルーティング情報を交換しています。そのため、ネットワークトポロジーが変化して接続や切断が行われたとしても、パケットが目的地に近付けるよう、どのように転送すればよいかを把握しています。

　インターネットは、プロトコルと標準規格によって実現され、維持されています。IP（インターネットプロトコル）は共通のしくみ、情報交換のための共通語です。イーサネットやワイヤレスシステムなどの特定のハードウェア技術は、IPパケットをカプセル化しますが、実際に使われている特定のハードウェアがどのように機能しているのかは、IPレベルではわかりません。TCPはIPを使用して、ホスト（コンピューター）の特定のポートに接続された、信頼できるストリームを生成します。さらに高レベルのプロトコルは、TCP/IPを使用してサービスを提供します。

　プロトコルはシステムを階層（レイヤー）に分割します。各階層は、直下の階層によって提供されるサービスを使用し、すぐ上の階層にサービスを提供します。すべてを行おうとする階層はありません。このプロトコルの階層化は、インターネット運用の基本です。階層化は、実装に不要な詳細を隠しつつ、複雑さを整理し制御する方法なので

※10　訳注：プレフィックスは、「接頭辞」の意味です。

す。各階層はそれぞれが知っているやり方を愚直に繰り返しているだけです。ハードウェアネットワークは、ネットワーク上の、あるコンピューターから他のコンピューターへとバイトを運びます。IP は、個別のパケットをインターネット横断で送信します。TCP は、信頼できるストリームを IP から合成します。そしてアプリケーションプロトコルは、ストリーム上でデータを送受信するのです。各階層が提供するプログラミングインターフェースは、第 5 章で説明した API のよい例です。

　こうしたアプリケーションプロトコルは、コンピュータープログラム間での情報移動を定義します。プログラムはインターネットを、途中でデータを解釈または処理することなく、あるコンピューターから別のコンピューターに効率的にコピーするだけの、「ダムネットワーク」（愚直なネットワーク）として使用します。

「データをコピーするだけ」は、インターネットの重要な特性です。データをそのままにして内容に関知しないという意味で「ダム」（愚直）なのです。差別的でない言葉使いを選ぶなら、「エンドツーエンドの原則」としても知られています。知的な動作は両端、すなわちデータを送受信するプログラムが行うのです。従来の電話ネットワークとは対照的です。電話ネットワークでは、知的な動作はすべて、ネットワークの中で行われていました。両端はたとえば旧式の電話機のような、真の意味で「ダム※11」な装置で、ネットワークに接続して声を転送する以外の機能はほとんど持っていませんでした。

「ダムネットワーク」は、とても生産性の高いモデルです。なぜなら優れたアイデアを持っている人なら誰でも、スマートな末端装置を作成し、ネットワークをあてにしてバイトを伝送できるからです。一方、電話会社やケーブル会社がよいアイデアを実装またはサポートしてくれるのを待つやり方はうまくいきません。想像できるように、（電話

※11　訳注：この場合のダムには、「愚か者」というニュアンスが混ざっています。

会社などの）キャリアは自分で多くの制御を行いたがるからです。特にイノベーションのほとんどが他の場所からもたらされるモバイル領域ではなおさらです。

　iPhone や Android 端末などのスマートフォンは、インターネットの代わりに、主に電話網を介してやりとりするコンピューターです。キャリアは、自社サービスでお金を稼ぎたいと考えていますが、基本的にはデータを運ぶことからしか収入が得られません。初期の頃、ほとんどの携帯電話では、データサービスが月額定額性でしたが、少なくとも米国ではかなり以前から、多くのデータ利用に比例して高い料金を請求する制度に変わりました。映画のダウンロードのような大量のデータ転送が必要なサービスに対して高い価格を設定したり、本当に使いすぎケースに制限を加えるのは合理的でしょう。しかし、SMS送信のような帯域幅が本当に狭くてほとんどコストがキャリアにかからないサービスに関しては、高額な利用料は正当化できないと思います。

　最後に、初期に生まれたプロトコルとプログラムが、いかにユーザーを信頼していたかに注目してください。Telnet プログラムはパスワードを平文で送信します。長い間、SMTP は送信者または受信者を制限することなく、誰からでも、そして誰にでも、メールを中継していました。この「オープンリレー」サービスはスパマーにとって最高でした。直接返信を貰う必要がない場合には、送信元アドレスについて嘘をつけますし、詐欺やサービス拒否攻撃※12 を容易にします。インターネットで使われているプロトコルと、それらに基づいて構築されたプログラムは、元々は信頼できる当事者間の、誠実で、協力的で、善意あるコミュニティのために設計されました。当時のインターネットは現在とは全く異なっていたのです。そのため、現在では、

※12　訳注：サービス拒否攻撃（Denial of Service）は、不正に大量のリクエストを送りつけられてサーバーが本来のサービスを行えなくなるような攻撃です。

様々な面から、情報セキュリティと認証を実現しようとしているのです。

　後の章でさらに説明するように、インターネットのプライバシーとセキュリティは困難な課題です。まるで攻撃側と防御側の間の軍拡競争のように感じられますが、攻撃側が勝利する局面がよく見受けられます。データは、世界中に散在する、共有され、規制されていない、多様なメディアやサイトを通過します。その経路において、行政上や商業上、あるいは犯罪上の目的で、記録、検査、妨害される可能性があります。経路において、アクセスを制御し情報を保護するのは困難です。多くのネットワーク技術は、盗聴に対して脆弱なブロードキャストを使用しています。有線式のイーサネットや光ファイバーへの攻撃には、ケーブルを見つけて物理的に接続する必要がありますが、無線への攻撃には物理的なアクセスは必要ありません。ただ近付くだけです。

　インターネット全体の構造と開放性は、情報の出入りをブロックまたは制限する、国家レベルのファイアウォールによる政府の干渉に対して脆弱です。同様に、インターネットガバナンスへの圧力も高まっており、官僚的統制が技術的考慮を打ち負かす危険性があります。こうした課題が増していくほど、世界のネットワークが分断され、究極的には有用性が失われていくリスクが高まるのです。

- 10 -
ワールド・ワイド・ウェブ

WorldWideWeb（W3）は、ドキュメントという
広大な宇宙への普遍的なアクセスを目的とした、
広域ハイパーメディア情報検索構想です

史上最初のウェブページ（info.cern.ch/hypertext/WWW/TheProject.html、1990年）より

インターネットで最も目立つのは、ワールド・ワイド・ウェブ（World Wide Web、今では単に「ウェブ（web）」と呼ばれます）です。世間では、インターネットとウェブは一緒のものとして見られがちですが、それらは違うものです。第9章で見たように、インターネットは、世界中の無数のコンピューターが簡単に情報交換できるようにする、「コミュニケーションインフラ」（通信基盤）です。一方、ウェブは、情報を提供するコンピューター（サーバー）と、あなたや私が持っているような、情報を求めるコンピューター（クライアント）をつなぎます。ウェブは、インターネットを介してつながり、情報を伝達します。同時に、インターネット上のサービスにアクセスするためのインターフェースを提供します。

多くの素晴らしいアイデアと同様、ウェブは基本的にシンプルです。大前提として、広い範囲をカバーし、効率的で、オープンかつ原則無料のネットワークインフラがある前提で考えると、重要なのは以下の4点だけです。

346

まず第1は、URL（Uniform Resource Locator）です[1]。URL は、http://www.amazon.com といった形式で、情報源の名前を指定します。

　第2は、HTTP（HyperText Transfer Protocol）です。HTTP は、前の章で高レベルのプロトコルの一例として簡単に説明しました。HTTP クライアントは特定の URL を使って要求を行い、サーバーは要求された情報を送り返します。

　第3は、HTML（HyperText Markup Language）です。HTML は、サーバーから返される情報の形式や表現方法を記述する言語です。繰り返しますが、HTML は単純で、基本的な使い方をするだけなら知るべきことはほとんどありません。

　最後は、ブラウザーです。ブラウザーは、手元のコンピューター上で実行され、URL と HTTP を使ってサービスに対する要求を発行し、サーバーから送り返される HTML を受け取って表示するプログラムです。ブラウザーには、Chrome、Firefox、Safari、Edge などがあります。

　ウェブが産声をあげたのは、イギリス人でコンピューター科学者のティム・バーナーズ＝リーが CERN（ジュネーブの近くにあるヨーロッパ物理学研究センター）で働いていた 1989 年のことでした。そのとき彼は、科学文献や研究結果を、簡単にインターネット上で入手できるようなシステムの構築を始めました。彼の設計には、URL、HTTP、HTML が含まれていて、入手可能なドキュメントを表示するための、テキストのみが表示可能なクライアントプログラムが用意されていました。なお、CERN のウェブサイト http://info.cern.ch/hypertext/WWW/TheProject.html に、その最初のバージョンの復元ページが置かれています。

---

[1]　訳注：Uniform Resource Locator は、「統一形式でリソースの場所を示すもの」という意味です。

この最初のクライアントプログラムは 1990 年まで使用されていました。動いている様子を見たのは、1992 年 10 月にコーネル大学を訪問したときです。告白するのは恥ずかしいのですが、そのとき、私はあまり感心しませんでした。半年も経たないうちに、世界初のグラフィカルブラウザーが世界を変えてしまうなんて、思ってもいませんでした。未来は、私の想像できる範囲をはるかに超えていたのです。

　世界初のグラフィカルブラウザーである Mosaic は、イリノイ大学の学生たちによって開発されました。1993 年 2 月に公開されてから急速に普及し、わずか 1 年後には最初の商用ブラウザーである Netscape Navigator が利用可能になりました。Netscape Navigator は初期の成功例となり、インターネットへの関心の高まりは、ネットに対して無関心だった Microsoft の注意を喚起しました。目を覚ました Microsoft は、即座に競合製品である Internet Explorer（IE）を生み出しました。IE は最も広く使われるブラウザーとして、大きなシェアを獲得したのです。

　Microsoft によるパソコン市場の支配によって、いくつかの分野で独占禁止法違反の懸念が高まり、同社は 1998 年に米司法省から訴えられました。IE はその訴訟の一部に含まれていました。なぜなら Microsoft は、支配的な立場を利用して Netscape を廃業に追い込んだと申し立てられたからです。Microsoft はこの訴訟に破れ、ビジネスのやり方を一部変えざるを得なくなりました。

　現在、ノートパソコンやデスクトップパソコン、携帯電話で最も広く使われているブラウザーは Chrome で、Safari と Firefox の人気は落ちています。2015 年、Microsoft は IE に代わる新しい Windows 10 のブラウザーとして、Edge をリリースしました。Edge は、当初は Microsoft 独自のコードを使用していましたが、2019 年からは Google がオープンソースで開発する Chromium ブラウザーをベースにしています。Edge のシェアは Firefox よりも低く、IE はさらに低くなっ

ています※2。

　ウェブの技術的進化は、非営利団体である World Wide Web Consortium（W3C、w3.org）によって管理（あるいは少なくともガイド）されています。W3C の創設者で、現在はディレクターであるバーナーズ＝リーは、彼の成果で実現したウェブというお神輿に飛び乗って大金持ちになった人が大勢いたにもかかわらず、自身は発明から利益を得ようとはせず、寛大にも、誰でも自由にウェブが使えることを望みました。彼は 2004 年に女王エリザベス 2 世からナイトに選ばれました。

10.1 ウェブのしくみ

　ウェブの技術的なしくみを注意深く眺めてみましょう。まず、URL と HTTP から始めます。

　お気に入りのブラウザーで簡単なウェブページを表示するところを想像してください。ページのテキストの一部は、青い色で下線が引かれています。そのテキストをクリックすると、現在見ているページが、その青いテキストのリンク先である新しいページに置き換えられます。このようにリンクされたページ同士は「ハイパーテキスト」（超越テキスト_{more than text}）と呼ばれます。これは古くからのアイデアですが、ブラウザーによりすべての人が経験できるようになったのです。

　あるページ内に、リンクとして W3C home page（W3C のホームページ）が表示されているとしましょう。マウスをリンクの上に動かすと、ブラウザーウィンドウの一番下にあるステータスバーには、多くの場合、そのリンクが指し示す URL が表示されます（おそらく http://w3.org といった URL が、ドメイン名の後に何らかの情報を伴って表示されるでしょう）。

※2　訳注：2021 年 12 月時点での日本国内のブラウザーシェア（PC モバイルを含む）は、Chrome 48.94%、Safari 30.45%、Edge 10.2%、Firefox 4.23%、IE 2.18% となっています。出典 https://gs.statcounter.com/

このリンクをクリックすると、ブラウザーはドメイン w3.org のポート 80 への TCP/IP 接続を開き、URL の残りの部分で指定されたサイトへの HTTP リクエストを送信します。たとえばリンクが http://w3.org/index.html だったら、サイトに送られるリクエストはファイル index.html を要求します。

　リクエストを受信した w3.org のサーバーは、リクエストに対して何をするかを決めます。リクエストがサーバー上の既存のファイルを要求していたら、サーバーはそのファイルを送り返して、クライアント（ブラウザー）がそれを表示します。サーバーから返されるテキストは、ほとんどの場合、HTML です。HTML は、ページの中身（コンテンツ）とその表示方法（どのように整形または表示すればよいかを示す書式設定情報）を組み合わせた書式です。

　実際のウェブページは、上記のように単純な場合もあるものの、通常は、より複雑です。このプロトコルは、ブラウザーからのクライアントリクエストとともに、数行の追加情報を送信できます。サーバーからの返信においても、多くの場合、どんな種類でどれくらいの大きさのデータが送られてくるかを示す、追加情報が含まれます。

　URL 自体も、情報をエンコード（符号化）しています。URL の冒頭にある http の個所は、使用するプロトコルを指定します。HTTP がよく使われますが、それ以外も目にします。たとえば、（ウェブからではなく）ローカルマシンから情報を読み込む場合の file や、HTTP の安全な（暗号化された）バージョンで多く使われ始めた https[※3] などです。これについては少し先で説明します。

　URL にある :// の後にくるのがドメイン名で、サーバーの名前を指定します。ドメイン名の後には、スラッシュ（/）と文字列が続きます。文字列はサーバーにそのまま渡されて、サーバーは好きなように処理

※3　訳注：2018 年 7 月発表の Chrome ブラウザーからは https を使っていないと警告が出るようになったこともあり、急速に https の利用が進んでいます。

できます。最も単純なケースでは、サーバーは単に index.html のようなデフォルトページ（標準設定あるいは初期設定のページ）を返します。ファイル名が指定された場合には、ファイルの内容がそのまま返されます。疑問符（?）を含む文字列を指定された場合には通常、サーバーが疑問符の前の部分の名前を持つプログラムを実行し、同時に残りのテキスト（疑問符の後ろの部分）をそのプログラムに渡します。これは、ウェブページ上の入力フォームで情報が処理される方法のひとつです。たとえば、Bing 検索なら、

```
https://www.bing.com/search?q=funny+cat+pictures
```

という内容をブラウザーのアドレスバーに直接入力して、動作を確認できます[4]。

　ドメイン名に続く文字列は、空白と英数字以外のほとんどの文字を除外した、制限された文字セットで記述しなければならないため、エンコードされる必要があります。上記の例のように、空白はプラス記号（+）にエンコードされますし、他の文字は%記号と 2 桁の 16 進数にエンコードされます。たとえば、URL フラグメントの一部に 5%2710%22%2D6%273%22 と表現されていたら、5'10"-6'3" を意味します。なぜなら 16 進数の 27 は一重引用符（'）、16 進数 22 は二重引用符（"）、16 進数 2D はマイナス記号（−）を表すからです。

10.2 HTML

　サーバーからの応答は通常、コンテンツと書式設定情報の組み合わせである HTML 形式のデータです。HTML はとてもシンプルなので、お気に入りのテキストエディターでウェブページを簡単に作成できま

---

[4]　訳注：この場合は、search が実行されるプログラム名で、"funny cat pictures" が検索文字列です。

す（Microsoft Word のようなワードプロセッサーを使う場合には、編集したウェブページをデフォルトの docx 形式ではなく、拡張子に .html を使うようなプレーンテキスト形式で保存する必要があります）。書式設定情報はタグで提供されます。タグは、コンテンツを表現し、ページ領域の開始点（と、多くの場合に終了点）を示します。

　最小限のウェブページを示す HTML の例が**図 1** です。この HTML は、**図 2** のようにブラウザー上に表示されます。

　デフォルトでは、画像ファイルは元のファイルと同じ場所から取得

```
<html>
  <title> My Page </title>
  <body>
    <h2> A heading </h2>
    <p> A paragraph... </p>
    <p> Another paragraph ... </p>
      <img src="wikipedia.jpg" alt="Wikipedia logo" />
      <a href="http://www.wikipedia.org">link to Wikipedia</a>
      <h3> A sub-heading </h3>
        <p> Yet another paragraph </p>
  </body>
</html>
```

図 1　単純なウェブページの HTML の例

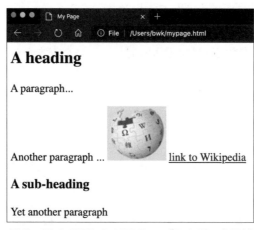

図 2　図 1 で示した HTML のブラウザー表示例

されますが、実際にはウェブ上のどこからでも取得できます。イメージを指定するタグで指示されたファイルにアクセスできない場合には、ブラウザーはその場所に何らかの「壊れた」イメージを表示します。alt＝属性は、画像自体を表示できないときに代わりに表示されるテキストを指定します。これは、視覚や聴覚に障害のある方にも役立つウェブページの作成技法の一例です。

　<img>などのように自己完結型のタグもあれば、<body>と</body>のように、開始と終了を持つタグもあります。<p>のように、厳密な定義上は閉じるためのタグ（</p>）が必要なのに、実用上は書かなくて済むタグもあります（図1では</p>も書いています）。インデント（行下げ）や改行は必要ありませんが、使うことで読みやすくなります。

　ほとんどのHTMLドキュメントは、CSS（Cascading Style Sheets：カスケーディングスタイルシート）という別の言語で書かれた情報も含みます。CSSを使えば、見出しの形式といったスタイル属性を1カ所で定義するだけで、すべての出現個所に適用できます。たとえば、次に示すCSSを使用すると、すべてのh2およびh3の見出しを赤の斜体で表示できます。

```
h2, h3 { color: red; font-style: italic; }
```

　HTMLとCSSは、どちらも言語ですが、プログラミング言語ではありません。正式な文法と解釈方法は定義されていますが、ループと条件はありません。そのため、HTMLやCSSを使ってアルゴリズムを表現することはできません。

　本節の要点は、ウェブページがどのように機能するかをわかりやすく説明するためだけに、必要十分なHTMLを示すことです。商用サイトで見られるような洗練されたウェブページを作成するには、かなりのスキルが必要です。それでも、基本はとても単純なので、数分間

の学習だけでも慎ましい自分のページが作成できます。1ダースほど
タグを知っていれば、テキストのみのほとんどのウェブページが作成
できます。さらにもう1ダースのタグを知っていれば、普通のユーザ
ーが関心を寄せる程度なら、ほとんどが実現可能です。

　手作業でページを作成するのは簡単です。ワードプロセッサーには、
「HTMLを作成」といったオプションがあります。プロ並みのウェブ
ページを作れるプログラムもあります。本格的なウェブデザインを行
う場合には、このようなツールが必要ですが、ツールの舞台裏のしく
みを理解しておくのは良いことです。

　HTMLは元々、ブラウザーが表示するプレーンテキスト（普通の
テキスト）のみを扱っていました。しかし、まもなくブラウザーは、
GIF形式のロゴやスマイリーフェイスなどのシンプルなアートワーク、
JPEG形式の写真といった、画像を表示する機能を追加しました。ウ
ェブページは、入力フォームやプッシュボタン、ポップアップしたり
フォームを置き換える新しいウィンドウを提供しました。サウンド、
アニメーション、さらには動画も、それらを素早くダウンロードでき
る帯域幅と表示できるだけの十分な計算能力が手に入るようになると、
すぐに利用されるようになりました。

　また、クライアント（ブラウザー）からサーバーに、たとえば名前
とパスワード、検索文字列、あるいはラジオボタンやドロップダウン
メニューによる選択肢などの情報を渡すために、直感的ではない名前
を持つCGI（Common Gateway Interface）という単純なしくみも用
意されています。このしくみはHTMLの <form>…</form> タグで
提供されます。

　<form> タグ内には、テキスト入力エリア、ボタン、チェックボッ
クスなどの一般的なユーザーインターフェース要素を置けます。「送
信[5]」ボタンがある場合、このボタンを押すことで、フォーム内のデ

※5　訳注：送信ボタンは、英語ページでは Submit という名前のボタンです。

ータがサーバーに送信され、そのデータを使用して特定のプログラム
を実行するリクエストが送信されます。

フォームでできることは多くありません。数種類のインターフェース
要素のみがサポートされているだけです。フォームで入力されたデ
ータは、JavaScript コードを記述するか、サーバーに送信して処理し
ない限り、検証できません。入力された文字をアスタリスク（＊）に
置き換える、パスワード入力フィールドがあるものの、パスワードは
内部では暗号化されずに送信されてログに保存されるため、セキュリ
ティは全く提供されません。それでも、フォームはウェブの重要な構
成要素です。

10.3 クッキー

HTTP プロトコルは「ステートレス[6]」です。ちょっとした専門用
語ですが、ステートレスとは、HTTP サーバーがクライアントのリ
クエストについて何も記憶しておく必要がないことを意味します。リ
クエストされたページを返した後は、個々のやりとりの記録をすべて
破棄してしまっても構いません。

サーバーが何かを覚える必要が本当にあるとしましょう。たとえば、
すでに名前とパスワードを入力していた場合、その後に続くやりとり
では、それらを尋ね続けてほしくはありません。どうすれば、これを
実現できるでしょう？ 問題は、最初の訪問と 2 回目の訪問の間隔が、
数時間だったり、数週間だったり、あるいは 2 度とアクセスしない可
能性もあることです。この間隔は、次のアクセスを期待して情報を保
持しているサーバーにとっては、とても長い時間です。

1994 年に Netscape は、クッキー（cookie）というソリューション
を発明しました。可愛らしい名前ですが、プログラム間で受け渡され
る小さな情報の断片を表す、プログラマー用語です。サーバーがウェ

ブページをブラウザーに送信するときには、ブラウザーに格納してもらうことを意図した、追加のテキスト（約 4,000 バイトまで）を入れられます。この追加テキストが、クッキーと呼ばれます。ブラウザーが同じサーバーに対して後続の要求を行うと、ブラウザーに格納されたクッキーが同時に送信されます。実質的に、サーバーはクライアントのメモリーを使用して、クライアントの前回の訪問を記憶しているのです。

多くの場合、サーバーは一意の識別番号（ID）をクライアントに割り当てて、クッキー内に入れます。その ID に関連付けられた永続的な情報は、サーバー上のデータベースに保持されます。たとえば、ログインステータス、ショッピングカートの内容、ユーザー設定などです。ユーザーがサイトを再訪問するたびに、サーバーはクッキーを利用して、以前に対応したユーザーとして識別し、情報を設定または復元できます。

私は普段、すべてのクッキーを許可していません。そのため、Amazon にアクセスすると、最初のページには単に「Hello」（日本のサイトでは「こんにちは、ログイン」）と表示されます。しかし、何かを購入したい場合は、ログインしてショッピングカートに追加する必要があります。そのためには、Amazon がクッキーを送り込んでくるのを許さなければなりません。すると、クッキーを削除するまで、訪問するごとに「Hello, Brian」（日本のサイトでは「Brian さん」）と表示されます。

各クッキーには名前があり、1 台のサーバーは 1 回のアクセスで複数のクッキーを保存できます。クッキーはプログラムではなく、アクティブなコンテンツではありません。クッキーは完全に受動的なものです。クッキーは保存され、返送されるだけの単なる文字列なのです。サーバーに由来しないものは何もサーバーには戻りません。クッキーは、送り出された元のドメインにのみ返送されます。

クッキーには有効期限があり、期限を過ぎたらブラウザーにより削

図3　Amazonからのクッキーの例

除されます。ブラウザーには、クッキーを受け入れたり返したりしなければならないという要件はありません[※7]。

　コンピューター上のクッキーは簡単に表示できます。ブラウザーで表示したり、他のツールを使うこともできます。たとえば、私が最近、Amazonにアクセスしたときには、6つのクッキーが保存されました。**図3**はそれらをFirefoxのCookie Quick Managerを通して見た様子です。どうやらAmazonは、私が広告ブロッカーを使っているのを検知しているらしいことに注意しておきましょう[※8]。

　基本的にクッキーはとても便利に思えますし、もちろんそうなるように意図されています。しかし、悪用されない技術はないため、クッキーはあまり望ましくない用途にも利用されています。最も一般的なのは、人々のブラウジングを追跡し、閲覧記録を作り、標的型広告を出すことです。次の章では、これがどのように機能するかを、ウェブを閲覧する際にユーザーを追跡する他の手法とともに説明します。

10.4 ウェブページのアクティブコンテンツ
　ウェブの設計は元々、クライアントが強力なコンピューター（プロ

※7　訳注：ブラウザーの設定で、クッキーを受け入れるか否か、どの種類のクッキーなら受け入れるかなどを指定できます。ちなみにサードパーティのクッキーについては本章の後半で説明しています。

※8　訳注：画像の右下にある「adblk_yes」という表示が、広告ブロッカーの検知を示唆しています。

グラミング可能な汎用デバイス）であることを想定していませんでした。初期のブラウザーは、ユーザーに代わってサーバーへ要求を行い、フォームから情報を送信し、ヘルパープログラムを使用して写真や音声などの特別な処理を必要とするコンテンツを表示できました。

　しかし、すぐにブラウザーは、ウェブからコード（プログラム）をダウンロードして実行できるようになりました。このコードは「アクティブコンテンツ」と呼ばれる場合もあります。予想されるように、アクティブコンテンツは、重要な結果をもたらします。よい結果もあれば、決定的に悪い結果もあるのです。

　Netscape Navigator の初期バージョンには、ブラウザー内で Java プログラムを実行する機能が含まれていました。当時 Java は、比較的新しい言語でした。コンピューティング能力がそれほど高くない環境（家電製品など）にインストールできるよう設計されていたため、ブラウザーに Java インタープリターを組み込むことが技術的に可能でした。これにより、ワードプロセッサーやスプレッドシートなどの旧来のプログラムや、さらにはオペレーティングシステムのような重要なプログラムでさえも、ブラウザーの中で実行できるのではないか、という期待が高まりました。

　このアイデアは、Microsoft に、Java の弱体化を狙った一連の行動をとらせるほどの不安を与えました。1997 年には、Java の開発元である Sun Microsystems が、Microsoft を訴えました。この訴訟は数年後、Microsoft が 10 億ドル（約 1,000 億円程度）をはるかに超える金額を Sun に支払うことで和解しました。

　様々な理由から、Java はブラウザーを拡張する方法としては成功しませんでした。Java そのものは広く使用されていますが、ブラウザーとの統合は制限されていて、現在ではその目的にはほとんど利用されていません。

　Netscape はまた、特にブラウザー内で使用するための新しい言語である JavaScript を開発しました。JavaScript は 1995 年に登場して

います。名前は似ていますが、JavaScriptはJavaとは無関係です（名前はマーケティング上の理由で選ばれたものです）。両者とも第5章で紹介したプログラミング言語Cに、表面的に似ている程度の共通点しかありません。どちらも仮想マシンを使用しますが、技術的には大きな違いがあります。

10.4.1 JavaとJavaScript

Javaのソースコードは事前にコンパイルされてオブジェクトコードになっており、そのオブジェクトコードがブラウザーに送信されて実行されます。

元々のJavaのソースコードの内容は、実行する側（ブラウザー）はわかりません。対照的に、JavaScriptのソースコードは、ブラウザーに送信されて、そこでコンパイルされます。受信者（ブラウザー）は、実行しているソースコードを見られますし、実行するだけでなく、内容を研究したり応用したりできます。

現在、ほとんどすべてのウェブページには、ある程度のJavaScriptが含まれていて、視覚的な効果を提供したり、フォームの情報を検証したり、便利なこともあれば気に障ることもあるウィンドウをポップアップしたりしています。ポップアップ広告は、ブラウザーが提供するポップアップブロッカーによって抑えられるようになりましたが、洗練された追跡と監視への利用も広まっています。NoScriptやGhosteryといったブラウザーアドオンによってある程度はJavaScriptの実行を制御できるとは言え、JavaScriptはあまりにも広く普及しているため、一切排除してウェブを利用するのは困難です。ある意味皮肉なことですが、NoScriptやGhostery自体もJavaScriptで記述されています。

どちらかと言えば、JavaScriptについては、善が悪をしのいではいるものの、どれほど追跡（トラッキング）に利用されているかを考えると、悪が勝つ日もくるかもしれません（この話題は第11章で取り

上げます）。私は、日常的には NoScript を使用して JavaScript を完全に無効にしていますが、必要に応じて特定のサイトでは有効にしなければなりません。

　他の言語およびコンテンツも、ブラウザー自体のコードあるいは Apple Quicktime や Adobe Flash などのプラグインを使用して、ブラウザーで処理されます。プラグインは通常、サードパーティによって作成されたプログラムで、必要に応じてブラウザーに動的にロードされます。ブラウザーがまだ扱えない形式のコンテンツを含むページにアクセスすると、「プラグインを取得するか」と聞かれる場合があります。つまり、ブラウザーとの緊密な協力の下で、コンピューター上で実行する新しいプログラムをダウンロードするかどうかという問いです。

10.4.2 プラグインの功罪

　プラグインは何ができるのでしょう？　本質的には、欲することは何でもできてしまうので、利用者はプラグインの供給元を信用せざるを得ません。それが嫌なら、コンテンツを諦めなければなりません。プラグインは、ブラウザーによって提供される API を使用してブラウザーの一部として実行されるコンパイル済みのコードで、実行されるときには事実上ブラウザーの一部になります。Flash は、ビデオおよびアニメーションに広く使用されていました[9]。PDF ドキュメント用の Adobe Reader は、もうひとつの一般的なプラグインです。

　要するに、プラグインの供給元を信用する限り、バグがあったり自分の行動を監視されるかもしれない一般的な危険を受け入れれば、プラグインを利用できます。ただし残念ながら、Flash には重大なセキュリティ脆弱性を抱えてきた長い歴史があり、その利用は現在非推奨

---

[9]　訳注：2018 年には、Adobe が 2020 年末での Flash のサポート打ち切りをアナウンスし、HTML5 の技術への移行が始まりました。主要なブラウザーが Flash のサポートを停止したため、2022 年 3 月現在ではほぼ使われなくなっています。

です。HTML5 と呼ばれる HTML の新しいバージョンは、特にビデオやグラフィックスに関するプラグインの必要性を減らすブラウザー機能を提供してくれますが、プラグイン一般はこの先も長い期間存在し続けるでしょう。

　第6章でも説明したように、ブラウザーは、特殊なオペレーティングシステムのようなものです。ブラウザーは、表現豊かで複雑なコンテンツを処理して「ブラウジング体験を向上させる」ために拡張できます。ブラウザー内でプログラムを実行することで多くの仕事を行えるのが、こうしたしくみの利点です。計算がローカルで行われる場合は対話性も機敏になります。

　一方、こうしたブラウザーのしくみの欠点は、他の誰かが作成した、得体の知れないプログラムを実行しなければならないことです。未知の供給元からやってきたコードを手元のコンピューター上で実行するのは、真のリスクとなり得ます。「いつでも他人の善意に任せています」は、慎重なセキュリティポリシーとは言えません。Microsoft による記事である「10 Immutable Laws of Security：セキュリティ不変の十法則」における最初の法則は、「悪人が、自分のプログラムをあなたのコンピューター上で実行するように説得できたなら、それはもはやあなたのコンピューターではなくなる」というものです。JavaScript とプラグインの許可には慎重になりましょう。

10.5 ウェブ以外のアクティブコンテンツ

　アクティブコンテンツは、ウェブページ以外にも表れます。メールを考えてください。メールが到着すると、メールリーダープログラムによって表示されます。当然メールリーダーは、テキストを表示する必要があります。問題は、含まれている可能性のある他の種類のコンテンツをどの程度まで解釈すればよいか、です。なぜならそれは、プライバシーとセキュリティに大きな影響を与えるからです。

　メールメッセージ内の HTML は、どうでしょう？ サイズやフォン

トのタグを解釈するのは安全です。メッセージの一部が大きな赤い文字で表示されても、受信者をイライラさせる可能性はありますが、リスクはありません。メールリーダーは、画像を自動表示する必要があるでしょうか？ そうすれば写真を簡単に見られますが、そのコンテンツが他人から来た場合、さらに多くのクッキーが送り込まれる可能性が高まります。電子メールのクッキーはブロックできますが、メール送信者が大きさ1×1の透明な画像のURL（ここには受信したメッセージや受信者の情報がエンコードされています）を送ってくることは防げません（こうした目に見えない画像は「ウェブビーコン」と呼ばれたりします。ウェブページ上には頻繁に出現します）。HTML対応のメールリーダーが画像を要求すると、その画像を配信したサイトは、受信者が特定の時間にその特定のメールメッセージを読んだことを認識できます。これにより、メールがいつ読み取られたかを簡単に追跡できるので、ひょっとしたら秘密にしておきたかった情報が明らかになってしまうかも知れません。

　メールメッセージにJavaScriptが含まれている場合はどうなるでしょう？ WordやExcel、PowerPointのドキュメントが含まれている場合はどうでしょうか？ メールリーダーはこれらのプログラムを自動的に実行する必要があるでしょうか？ あるいは、メッセージ内のどこかをクリックすれば簡単に実行できるようにする必要があるでしょうか？ 考えてみてください。メッセージ内のリンクを直接クリックできるようにするべきでしょうか？ これは、犠牲者が何か愚かな振る舞いをするように、よく使われる方法です。PDFドキュメントにはJavaScriptを組み込めます（最初に見たときは驚きました）。組み込まれたコードは、メールリーダーで自動的に呼び出されるPDFビューアーにより、自動的に実行される必要があるでしょうか？

　メールメッセージには、ドキュメント、スプレッドシート、スライドプレゼンテーションを添付できます。便利で、よく行われる操作ですが、すぐ後で説明するように、そのようなドキュメントにはウイル

スが含まれる可能性があります。何も考えずに闇雲に添付ドキュメントをクリックすると、ウイルス感染を広げてしまうかもしれないのです。

メールメッセージにWindowsの.exeファイル、または、それに相当する実行可能ファイルが含まれていると、事態はさらに悪化します。それらをクリックするとプログラムが起動し、高い確率で利用者、または利用者のシステムに損害を与える可能性があります。悪者は、様々な手口を使用して、そのようなプログラムを実行させるように仕向けます。

かつて私は、ロシアのテニス選手、アンナ・クルニコワの写真が含まれていると書かれたメールを受け取りました。メッセージはその写真のクリックを促していました。ファイル名はkournikova.jpg.vbsでしたが、.vbs拡張子は表示されないので（これはWindowsの誤った機能です）、その正体が画像ではなくVisual Basicのプログラムである事実は隠されていました。幸いにも、私はUnixシステム上で、時代遅れのテキストだけのメールプログラムを使用していたので、写真がクリック可能にはなっていませんでした。そのおかげで、「写真」を後で調べるために保存できたのです。

10.6 ウイルス、ワーム、トロイの木馬

アンナ・クルニコワの「写真」は、実際にはウイルスでした。ここで、ウイルスとワームについて少しお話ししましょう。これらの用語はどちらも、あるシステムから別のシステムに伝播していく（多くの場合は悪意のある）コードを指します。技術的な違いは、それほど重要ではありませんが、ウイルスは伝播するために助けを必要とします。ウイルスは、ユーザーにより活性化されたときだけ、他のシステムに伝播します。一方、ワームは、ユーザーの手助けなしに広がっていきます。

こうしたプログラムがあり得ることは長い間知られていましたが、

実際に夜のニュースで報道された最初の例は、ロバート・T・モリスが1988年11月に放った「インターネット・ワーム」です。まだ現代的なインターネット時代が到来する前の出来事でした。モリスのワームは、自分自身をシステム間でコピーするためにふたつの異なるメカニズムを使用していました。ひとつは広く使用されていたプログラムのバグで、もうひとつは辞書攻撃（一般的な単語をパスワード候補として試す）です。これらを使って他のシステムにログインを行いました。

　モリス自身には悪意はありませんでした。彼はコーネル大学コンピューターサイエンス学部の大学院生でしたが、インターネットのサイズを測定する実験を当時計画していました。残念ながら、プログラミングエラーによって、彼のワームは予想よりはるかに速く伝播し、その結果、多くのマシンが複数回感染することで増加したトラフィック量に対処できず、インターネットから切断する必要に迫られました。モリスは、当時の新しい「Computer Fraud and Abuse Act」（コンピューター詐欺と濫用に関する法律）によって重罪に問われ、罰金を支払い、公共作業への奉仕を命じられました。

　ウイルスが感染したフロッピーディスクを介して伝播することは、その数年前から一般的でした。インターネットの普及以前は、パソコン間でプログラムやデータを交換するための標準的な媒体は、フロッピーディスクだったからです。感染したフロッピーには、フロッピーがロードされるときに自動的に実行されるプログラムが含まれていました。そのプログラムは、ローカルマシンに自分自身をコピーし、新たにフロッピーディスクが通常の用途で書き込まれるたびに自身（ウイルス）も同時に書き込まれるようになっていました。

10.6.1 VBウイルスの発生

　ウイルスの繁殖は、1991年にMicrosoft Officeのプログラム、特にWordにVisual Basic（VB）が組み込まれたために、さらに容易にな

りました。Word のほとんどのバージョンには VB インタープリター
が含まれていて、Word 文書（.doc ファイル）には、Excel や
PowerPoint のファイルなどを含められるように、VB プログラムを
組み込めます。ドキュメントが開かれたときに何かを行う VB プログ
ラムを記述するのはとても簡単です。

　また、VB は Windows オペレーティングシステム全体へのアクセ
スを提供するので、プログラムはやりたいことを何でもできてしまい
ます。通常の手順では、ウイルスは、まだ感染していないローカルマ
シンにインストールされて、次に他のシステムに向けて広がっていく
ように設定されます。一般的な伝播形式のひとつは、感染したドキュ
メントが開かれた際に、ウイルスが自分自身のコピーを、無難な、あ
るいは魅力的な言い回しのメッセージとともに、被害者の電子メール
アドレス帳の全登録先にメールとして送りつけるというやり方です
（「アンナ・クルニコワ」ウイルスはこの方法を使っていました）。受
信者が受け取ったドキュメントを開くと、ウイルスは新しいシステム
にインストールされ、同じプロセスが繰り返されます。

　1990 年代半ばから後半にかけて、このような VB ウイルスがたく
さん発生しました。当時の Word のデフォルト設定は、ユーザーの許
可を求めることなく盲目的に VB プログラムを実行していたので、感
染が急速に広がってしまい、大企業はすべてのコンピューターをオフ
にして、ウイルスを排除するために個別にクリーンアップする必要に
迫られました。

　今でも VB ウイルスは存在しますが、Word や類似のプログラムの
デフォルトの振る舞いが変更されたため、その影響は大幅に減少しま
した。現代のほとんどのメールシステムは、メールが人の目に触れる
前に、着信メールから VB プログラムやその他の疑わしいコンテンツ
を取り除いてしまいます。

　VB ウイルスはとても簡単に作成できるため、経験の少ないプログ
ラマーでも書けたのです。そうしたプログラムを書いた人は「script

kiddies」（スクリプト小僧）と呼ばれていました。今では捕獲されず
に動作するウイルスやワームを書くことはますます難しくなっていま
す。2010年の後半に、Stuxnet（スタックスネット）と呼ばれた洗練
されたワームが、多くのプロセス制御コンピューター上で発見されま
した。その主な標的は、イランのウラン濃縮装置でしたが、そのアプ
ローチは巧妙でした。遠心分離機のモーターに対して、結果としては
通常の摩耗や故障に見えるような、不具合につながる速度変動を引き
起こすもので、同時に誰も異常に気が付かないように、監視システム
に対して異常なしの報告を上げるようになっていたのです。イスラエ
ルと米国が関与していると広く信じられていますが、誰もこのプログ
ラムの作者として名乗りをあげていません。

10.6.2 電子メールに加えてUSBドライブも危険

　トロイの木馬（多くの場合、こうした文脈では単に「トロイ」と略
されます）は、表面的には有益または無害に振る舞うプログラムです
が、実際には何らかの有害な仕事を行います。被害者は、何かの役に
立つらしいという情報に誘われて、トロイの木馬をダウンロード、あ
るいはインストールするよう仕向けられます。典型的な例は、システ
ムに対してセキュリティ分析を実行するふりをしながら、実際には後
述するマルウェアをインストールするプログラムです。

　ほとんどのトロイの木馬は、電子メールで届きます。**図4**（多少編
集しました）に示すメッセージには、Windowsで不注意に開かれた
場合、Dridex（ドライデックス）として知られるマルウェアをイン
ストールするWordファイルが添付されています。もちろん、この攻
撃を見破るのは簡単でした。私は送信者を知りませんでしたし、その
会社の名前を耳にしたこともありませんでした。送信者のアドレスも、
その会社とは無関係でした。まあ、そうした注意点を見逃したとして
も、私はLinux上のテキスト専用メールプログラムを使っているので、
かなり安全です。この攻撃はWindowsユーザーを標的にしたもので

```
From: Efrain Bradley <BradleyEfrain90@renatohairstyling.nl>
Subject: Invoice 66858635 19/12
Hi,
Happy New Year to you ! Hope you had a lovely break.
Many thanks for the payment. There's just one invoice that hasn't
been paid and doesn't seem to have a query against it either.
Its invoice  66858635  19/12  ?4024.80  P/O ETCPO 35094
Can you have a look at it for me please?  Thank-you !
Kind regards
Efrain Bradley
Credit Control, Finance Department, Ibstock Group
Supporting Ibstock, Ibstock-Kevington & Forticrete
-----------------------------------------------
( +44 (0)1530 dddddddd
[ Attachment: "invoice66858635.doc" 18 KB. ]
```

図4　トロイの木馬の例

した（これ以降に私は、もっともらしさは様々ですが、このメッセージの 20 を超える変種を受け取っています）。

　先に、ウイルスを広めるための初期の媒介物としてフロッピーディスクを挙げました。最新版の媒介物は、感染した USB フラッシュドライブです。フラッシュドライブは単なるメモリーなので、受動的なデバイスだと考える人もいるかもしれません。そうした期待に反して、一部のシステム（特に Windows）は、CD、DVD、またはフラッシュドライブが接続されたときに、ドライブからプログラムを自動的に実行する「オートラン」（autorun）サービスを提供しています。この機能が有効にされていると、有害なソフトウェアのインストールが可能になり、何の警告も介入のチャンスもないままに損害が与えられます。ほとんどの企業は USB ドライブを会社のコンピューターに差し込むことに対して厳しい規制を行っていますが、企業システムがこのやり方で感染してしまうのは珍しくありません[10]。

　新しい USB ドライブにウイルスがすでに感染した状態で出荷されている場合すらあります。一種の「サプライチェーン」攻撃です。さ

※ 10　訳注：USB ドライブ経由の感染を警戒して、パソコンの USB 差込口を物理的に塞いでしまう企業もあります。

らに簡単な攻撃は、会社の駐車場にその会社のロゴが付いた USB ド
ライブを置き去りにしておくことです。もしドライブに
ExecutiveSalaries.xls（役員報酬一覧）といった興味深い名前のファ
イルが置かれていた場合には、オートランの必要すらありません。

10.7 ウェブセキュリティ

　ウェブは、セキュリティ上の難しい問題を数多く引き起こします。
大まかに言えば、脅威を3つのカテゴリーに分類できます。クライア
ント（つまり利用者）への攻撃、サーバー（たとえばオンラインスト
アや銀行など）への攻撃、そして、送信中の情報への攻撃（無線の盗
聴や、光ファイバーケーブル上のすべてのトラフィックを監視してい
る NSA など）です。それぞれについて順番に、どんな脅威があるのか、
状況を緩和するために何ができるのか、を見ていきましょう。

10.7.1 クライアントへの攻撃

　ユーザーに対する攻撃には、スパムや追跡などの迷惑行為はもちろ
ん、さらに深刻な懸念となる、クレジットカードや銀行口座番号とい
った個人情報や、他人になりすまされる可能性のあるパスワードの漏
洩などが含まれます。

　次の章では、クッキーやその他の追跡メカニズムを使用して、いか
にユーザーのウェブ上の活動が監視されているかを詳細に説明します。
表向きはユーザーにとって関連が深く、気に障ることの少ない広告を
提供するとしながらも、監視にも使われているのです。サードパーテ
ィのクッキー（アクセスしたウェブサイトとは異なるウェブサイトか
ら送信されたクッキー）を禁止したり、あるいはトラッカーや
JavaScript、Flash などを無効化するブラウザーアドオンを使ったり
すれば、追跡を減らせます。

　防御レベルを調整するのは面倒です。防御シールドを完全に上げて
しまうと多くのサイトは利用できなくなってしまうので、必要に応じ

て一時的にそのシールドを下げる必要があります。そして、使い終わったら元に戻すのをお忘れなく。私はそれだけの手間をかける価値はあると思います。ブラウザーの提供元は、一部のクッキーやその他のトラッカーを簡単にブロックできるようにしています。また、外部のブロッカーも変わらず有効です。

スパム

　頼んでいないのに送られてくるスパムメール（迷惑メール）が急増しています。お金持ちになる方法や、投資のヒント、体の一部の改良、多数の不要な商品やサービスを宣伝してくるスパムメールは、増えすぎてメールの利用を危険にさらすほどになっています。私は通常、1日に50 〜 100通のスパムメッセージを受け取りますが、これは本物のメッセージの数を超えています。スパムがこんなに一般的なのは、送信にかかる費用がほとんど不要なためです。膨大な数の受信者の、ほんの一部の人が返信しただけでも、利益を生むのには十分なのです。

　スパムフィルターは、テキスト内の既知のパターンを分析して、小麦をもみ殻から分離しようとします。具体的には、「不要で余分な脂肪を削ぎ落とすおいしい飲み物」といった言い回しとか、ありそうもない名前、奇妙なスペル（「\/I/-\GR/-\」とか）、スパマーが好むアドレスなどがそうしたパターンです。

　ひとつだけの基準では十分ではないため、複数のフィルターを組み合わせて使います。スパムフィルタリングは、機械学習の主要なアプリケーションです。スパムまたは非スパムとしてタグ付けされたトレーニングセットを与えれば、機械学習アルゴリズムは、トレーニングセットの特性との類似性に基づいて、後に続く入力を分類します。この話題については第12章でまた取り上げます。

　スパムは、軍拡競争の例のひとつです。防御者がある種類のスパムに対処する方法を学ぶたびに、攻撃者は新しい方法を見つけるからです。発信元はしばしば偽装されるため、スパムを発信元情報に基づい

て食い止めるのは困難です。多くのスパムは、侵略されたパーソナルコンピューター（その多くは Windows です）から送信されています。損害を与えたりシステムを妨害しようとしたりする悪意あるソフトウェアは、マルウェアと呼ばれますが、セキュリティホールとユーザーの緩い管理によって、コンピューターはマルウェアのインストールに対して無防備です。「上」からの命令に従って、スパムをばら撒くマルウェアも存在します。その上もまた、結局別のコンピューターから命令されているのかもしれません。こうして命令系統が長くなるにつれて、その命令元を探し出すのはますます難しくなります。

フィッシング攻撃

　フィッシング攻撃は、窃盗に使用できる情報を自発的に引き渡すように、受信者を説得します。皆さんもほぼ間違いなく「ナイジェリアの手紙」（有名な詐欺メール）を受け取ったことがあるでしょう（奇妙なことに最近来た数通は**図5**のようにフランス語でした）。これほどまでに信じがたいものに対して、返信をする人がいるとはとても信

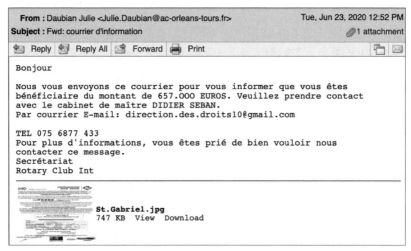

図5　フランスからのフィッシング攻撃

じられないのですが、応えている人は明らかに今でも存在します。

　多くのフィッシング攻撃はさらに微妙です。表向きは正当な機関や友人や同僚などを名乗るもっともらしいメールが届き、サイトを訪問したり、ドキュメントを読んだり、アカウント情報を確認したりするように求めてきます。その求めに応えてしまうと、敵はあなたのコンピューターに「何か」をインストールしたり、あなたに関する情報を入手したりしてしまいます。いずれの場合でも、敵はあなたのお金やIDを盗んだり、雇用主を攻撃できる可能性を手にします。幸いなことに、文法やスペルの間違いでバレる場合がありますし、リンクの上にマウスカーソルを置くと、それがどこか怪しい場所につながっているのがわかる場合もあります。

　フォーマットや会社のロゴのような画像は、実際のサイトからコピーできるため、公式のように見えるメッセージは簡単に作成できます。送信者が正当であるかどうかのチェックはされていないので、返信先アドレスには意味がありません。スパムと同様に、フィッシングにはほとんど費用がかかりません。そのため、成功率がわずかでも利益を上げられます。

　図 6 は、表向きは同僚（仮に JP と呼びます）からのメールを装った、標的型フィッシング攻撃のやりとりの記録です（編集済みです）。これよりも数週間前に同じような攻撃を見たことがあり、しかもメールアドレスがいかにも嘘くさい jp.princeton.edu@gmail.com のようなものだったので、私はちょっとからかうことにしました。

　結局犯人はあきらめました。私の振る舞いに気が付いたのでしょう。この攻撃は私を標的にする際に私の同僚や友人の名前を使ってきたのでわずかながら説得力がありました。このように正確な標的型攻撃を「スピアフィッシング」（銛を使ったフィッシング）と呼ぶことがあるのは、上記のような理由からです。スピアフィッシングは、ソーシャルエンジニアリングの一種で、共通の友人などの個人的な関係を装ったり、同じ会社で働いていると主張したりして、被害者が結果的に愚

```
JP: Are you available for a quick task?
BK: what's up?
JP: Okay, I'm in a meeting, i need ebay gifts card
purchased, let me know if you can quickly stop by the
nearest store so i can advise the quantity and the
denominations to procure.  Turn in the expense for
reimbursement later.
Thanks
BK: what kind of store?  nearest one is a liquor store.
JP: Okay, Pick up 5 ebay gifts card at $200/each = $1000.You
can get the at any store around around Scratch-off silver
lining at the back for the pin codes.  Send the pin codes on
each cards once purchased.  Can you go take care of this
now?
BK: I don't think the liquor store has that kind of card,
and I normally just buy some beer.  Any other suggestions?
```

JP：ちょっとしたお願いがあるのだけれど、いいかな？
BK：何かな？
JP：良かった。今会議中なんだけど、ebay ギフトカードを買う必要があるんだよ、近くの店に立ち寄れるようなら教えてくれないかな、買って欲しいカードの種類と金額を伝えるから。費用はあとで払うよ。
BK：どんな店に行けばいいのかな？　一番近い店は酒屋だけど。
JP：わかった、じゃあ 200 ドル（2 万円強）のギフトカードを 5 枚、計 1000 ドル分買ってくれるかな。どこでもどこでも買えるけど裏の銀色の部分を削り落とすと PIN コードが出てくるんだ。買ったカードそれぞれの PIN コードを送ってほしいんだ。今からやってくれるかい？
BK：酒屋にはその手のカードは売っていないと思うな。それに普通酒屋ではビールを買うだけだし。他に何かある？

図6　弱い標的型フィッシング攻撃の例

かな行動をするように仕向けます。Facebook や LinkedIn のような場所で自分の生活を明らかにすればするほど、誰かがあなたを標的にすることが容易になります。ソーシャルネットワークが、ソーシャルエンジニアの活動を助けるのです。

　2020 年 7 月、Twitter は、ビル・ゲイツ、ジェフ・ベゾス、イーロン・マスク、バラク・オバマ、ジョー・バイデンといった多くの著名人のアカウントを利用した攻撃に悩まされました。それらのアカウントから「ビットコインで 1000 ドル分（11 万円強）送ってくれたら

2000ドル分（22万円強）お返しします」といった類のツイートが投稿されたのです。ビットコインを送れる人ならともかく、こんなものに引っかかる人がいるとは信じがたいのですが、Twitterが何とかそれを止めるまでに、何百人もの人が実際に引っかかったようでした。Twitterはその後、次のように述べています。

> 2020年7月15日に発生したソーシャルエンジニアリングは、携帯電話に対するスピアフィッシング攻撃で少数の従業員を標的にしたものでした。攻撃を成功させるには、攻撃者が当社の内部ネットワークと、当社の内部サポートツールへのアクセスを許可された特定の従業員資格情報の、両方へのアクセスを取得する必要がありました。最初に標的となった従業員全員がアカウント管理ツールの使用権限を持っていたわけではありませんでしたが、攻撃者はその資格情報を使って社内システムにアクセスし、当社の業務フローに関する情報を取得しました。そして、この知識を使ってアカウントサポートツールにアクセスできる従業員をさらに標的にできたのです。

　この攻撃者は、十分なアクセス権を持たない従業員から、アクセス権を持つ従業員へとステップアップできたことに注意してください。
　攻撃の主犯格は、フロリダ出身の17歳だったことがすぐに判明し、他に2人の若者が起訴されました。
　CEOや別の上級幹部を表面上装って、部下を狙うスピアフィッシングやソーシャルエンジニアリングは、特に効果的なようです。所得税還付の何カ月も前に、個々の従業員の情報（米国の場合W-2フォーム：源泉徴収票に書くような内容）を送るように、ターゲットに依頼する手法も有名です。こうしたフォームは正確な名前、住所、給与、社会保障番号を含むので、不正な税金還付の申請に使用できるのです。従業員と税務当局が気付くころには、加害者はお金を手に入れて、と

っくに姿を消しています。

スパイウェア、ボット、ランサムウェア

　スパイウェアは、被害者のコンピューター上で実行されて、被害者に関する情報をどこか他の場所に送信するプログラムです。明らかに悪意に満ちたものもありますが、単に商業的な目的で情報収集するものもあります。たとえば、現在のほとんどのオペレーティングシステムは、インストールされているソフトウェアに、更新されたバージョンがあるか否かを自動的にチェックします。

　セキュリティ問題のバグ修正を入手するために、ソフトウェアの更新を奨励しているのだから良いことだと、擁護もできます。一方、プライバシーの侵害だと、反論もできます。あなたがどんなソフトウェアを使っているのかを他人に教える必要はありません。強制的な更新が問題になる可能性もあります。新しいバージョンはそれほど良くなってもいないのにサイズが大きくなりがちで、しばしばこれまで通りの動作ができなくなったり、新しいバグが入ったりするからです。私は学期の途中では重要なソフトウェアをアップデートしないようにしています。なぜなら授業で必要な機能などが変わってしまうかもしれないからです。

　パーソナルマシンに対しては、攻撃者が「ゾンビ」をインストールしてくるのが一般的です。ゾンビは、インストール後、インターネットを介して外部から指示を受けるまではじっと待機して、ひとたび指示が到着したら、スパムを送信するなどの不正行為を行うプログラムです。そのようなプログラムはしばしばボット（bot）と呼ばれ、ある共通のコントロールに従うボットのネットワークはボットネット（botnet）と呼ばれます[11]。既知のボットネットは数千にも及びますが、動員可能なボットの数はおそらく数百万台に及ぶと思われます。攻撃

※11　訳注：bot とはロボット（Robot）の略称です。

を可能にするボット販売は盛んに行われています。

ファイルシステム内で情報を探すか、秘密裡にインストールされた「キーロガー」を使用して、入力されたデータやパスワードを盗むことで、クライアントコンピューターを侵害し、おおもとの情報を盗み出せます。キーロガーというのは、クライアント上のすべてのキーストロークを監視するプログラムで、入力されたパスワードを横取りできます。ここでは暗号化は役に立ちません。マルウェアは、コンピューターのマイクとカメラをオンにすることもできます。

マルウェアがコンピューターのコンテンツを暗号化してしまい、解読用パスワードを手に入れるために支払わなければならない場合があります。このような攻撃は、もっともな名前ですがランサム（身代金）ウェアと呼ばれます。2020年6月に、カリフォルニア大学サンフランシスコ校（UCSF）の医学部が攻撃を受けましたが、大学側は声明で次のように述べています。

> 暗号化されてしまったデータは、公共の利益のために大学が追求している学術研究の一部にとって重要なものでした。そのため、暗号化されたデータを解除するためのツールと、彼らが入手したデータの返還に対する対価として、身代金の一部である約114万ドル（約1億3000万円）をマルウェア攻撃の背後にいる人物に支払うという難しい決断を下しました。

それから間もなく、私が所属する研究機関から、私に関するデータが含まれている可能性のあるランサムウェア攻撃の報告メールが届きました。この機関は、Blackbaudという会社を使ってサービスを提供しています（クラウドコンピューティングだと考えてください）。その研究機関からのメールの一部はこのようなものでした。

> また、Blackbaudからは、データを保護し、個人情報盗難の可

能性を軽減するために、サイバー犯罪者のランサムウェアの要求に応じたとの知らせが入りました。さらに Blackbaud は、サイバー犯罪者および第三者の専門家から、（犯罪者が入手した）データが破壊されたとの保証を得たとも報告しています。

　Blackbaud が侵害を発見してから私たちに通知するまでになぜ遅れが生じたのかを分析するために、引き続き Blackbaud と協力しています。

　この「遅れ」は約2カ月で、その間に Blackbaud は支払いを済ませていました。問題が起きた研究機関から、私やおそらく他のメンバーに知らせが行ったのはさらに2週間後でした。また私は、情報を破壊したと主張する悪者からの「保証」についても疑問を抱いています。それは、証拠となる写真を破棄することを約束する脅迫者を思い起こさせるのではないでしょうか？

　ランサムウェアのシンプルなバージョンは、あなたのコンピューターがマルウェアに感染していると脅迫する画面をポップアップしつつ、でもこれを取り除けると言ってきます。曰く「何も触らずに、ここに表示されたフリーダイヤルに電話すれば、わずかな料金で助かります」といった感じです。これは一種のスケア（脅迫）ウェアです。私の親戚がこの詐欺に引っかかり、数百ドル（数万円）を支払ってしまいました。幸いなことに、クレジットカード会社が請求を取り消してくれましたが、誰もがそのような幸運に恵まれるわけではありません。もしビットコインで支払ったなら、悪者が約束を守らなくても、どこにも頼れません。

　ブラウザーまたは他のソフトウェアにバグがあるせいで、悪意のあるユーザーによるソフトウェアのインストールが可能になっている場合には、リスクはさらに悪化します。ブラウザーは大きくて複雑なプログラムなので、ユーザーへの攻撃を可能にする多数のバグを持っています。ブラウザーを最新状態に保つことは、不必要な情報を開放し

たりランダムなダウンロードを許可しないように設定することと同様、防御行動の一部です。たとえば、Word や Excel のドキュメントなどを開く前には、ブラウザーが確認を求めるように、ブラウザーを設定しましょう。ダウンロードするものには注意してください。ウェブページまたはプログラムからインストールを要求されたときに、何も考えずにクリックしてはいけません。数ページ先で、さらに多くの防御手法について説明します。

　携帯電話の場合、最も考えられるリスクは、個人情報を流出させてしまうようなアプリのダウンロードです。アプリは、連絡先、位置情報、通話記録など、携帯電話上のすべての情報にアクセスでき、それを簡単に悪用できてしまいます。携帯電話のソフトウェアは、アクセス権を細かく制御できるようになるなど、自衛手段を徐々に改善していますが、あくまでも、「徐々に」という点に注意しなければなりません。

10.7.2 サーバーへの攻撃

　サーバーに対する攻撃は、ユーザーにとって直接的な問題ではありません。サーバーへの攻撃に対してユーザーができることはあまりありませんが、だからといってユーザーに被害が及ばないわけではありません。

　サーバーは、クライアントからのリクエストがいかに巧妙に作成されていたとしても、許可されていない情報を開放したり、不正なアクセスを許可したりしないように、慎重にプログラムされ設定される必要があります。サーバーは大きくて複雑なプログラムを実行するため、バグや設定エラーがよくあります。どちらも悪用される可能性があります。

　サーバーでは通常、SQL（structured query language：構造化問い合わせ言語）と呼ばれる標準インターフェースを通してアクセスされるデータベースが、サポートされています。よくある攻撃のひとつに

「SQLインジェクション」と呼ばれるものがあります。アクセスが慎重に制限されていない場合には、巧妙な攻撃者はクエリーを送信して、データベース構造に関する情報を取得し、不正な情報を抽出して、さらにサーバー上で攻撃者のコードを実行することさえできます。コードはシステム全体を制御できる可能性があります。そのような攻撃は、防御と同様によく理解されてはいますが、それでも驚くほど頻繁に発生しています。

　一度システムが侵入を許してしまうと、それによって引き起こされる害悪を防ぐ手段はほとんどありません。特に攻撃者が「ルート」アクセス、つまり最高レベルの管理特権でアクセスできるようになった場合には、なおさらです。これは、ターゲットがサーバーであろうとも、あるいは個人のホームコンピューターであろうとも、どちらにも当てはまります。侵入された時点で、攻撃者はウェブサイトを破壊したり、改ざんしたり、ヘイトスピーチなどの恥ずべきコンテンツを投稿したり、破壊的なプログラムをダウンロードしたり、児童ポルノや海賊版ソフトウェアなどの違法コンテンツを保存して配布したりできます。データはサーバーから大量に盗まれたり、それほど大量でなくとも個人のマシンからも盗まれたりするかもしれません。

相次ぐ被害

　そうした侵害はほぼ毎日起きていて、時には大規模に発生します。2017年3月、米国の3つの信用調査会社のうちのひとつであるEquifaxから、1億5000万人分の個人識別情報がテラバイト単位でコピーされました。Equifaxのような信用機関は、そのデータベース内にとても多くの機密情報を保有するため、潜在的に深刻な問題でした。

　Equifaxは、セキュリティ手順をおろそかにしていました。既知の脆弱性に対してシステムを最新の状態に維持していなかったのです。情報漏洩後の行動も、決してほめられたものではありませんでした。同社は9月になって初めて情報漏洩を公表し、一部の上級幹部は情報

漏洩が公表される前に株式を売却していました。

2019年12月、米国のコンビニエンスストアチェーンWawaは、Wawaの販売端末に侵入したマルウェアによって、3000万枚ともいわれる大量のクレジットカードの情報が盗まれ、そのカード情報がダークウェブで販売されていたと発表しました。

2020年2月、主に法執行機関向けに顔認証ソフトウェアを提供しているClearview AIが侵入されて、顧客データベースが流出しました。同社は、それ以外の写真や検索の記録などは何も盗まれていないと主張していましたが、当時のニュースでは、写真も盗まれていたと報じられていました。

また、2020年2月には、Marriott Internationalのホテルチェーンが、500万人以上の宿泊客の情報が盗まれたと発表しました。盗まれた情報には、連絡先の詳細や生年月日などの個人的な事実が含まれていました。

DoS攻撃

サーバーは、DoS（denial of service、サービス拒否）攻撃を受ける可能性もあります。DoS攻撃は、敵が大量のトラフィックをサイトに送り込んで、サイトの処理能力をパンクさせるものです。多くの場合、ボットネットの協調で行われています。ボットネットを構成する乗っ取られたマシンが、特定のサイトに特定のタイミングで、リクエストを送るように命令されます。これにより人為的な処理オーバーが引き起こされるのです。

多くの発信元から同時に送られてくる攻撃は、分散型サービス拒否（distributed denial of service：DDoS）攻撃と呼ばれます。その一例として挙げられるのが、2020年2月にアマゾンのクラウドサービスAWSに対して行われた攻撃です。このときピーク時のトラフィックは2.3Tbpsに達し、アマゾンはそれを史上最大のDDoS攻撃だとコメントしましたが、何とか切り抜けました。

サービス拒否攻撃は、大きなサーバーを狙った大規模なものが多いのですが、小規模なものも当然起こり得ます。たとえば、私の雇用主は最近、便利だった自家製のスケジュール管理システムを捨てて市販のシステムに変更しました。新しいシステムはユーザーのオンラインカレンダーにアクセスして空き時間を探して更新する機能を持っています。新しいシステムの提供会社はこれを "painless scheduling"（楽々スケジュール）と呼んでいます。ユーザーが自分の ID に紐付いたウェブリンクに行って、空いている時間帯をクリックし、確認用の電子メールアドレスを提供すれば完了です。しかしこの際に、何のチェックも行われないので、ID を推測できれば、誰でも他人の空き時間をすべて埋めてしまえます。メールアドレスの検証もしないので、カレンダーシステムを媒介にして、誰にでも匿名で迷惑なメッセージを送れてしまいます。私の学生のプロジェクトがこのようなプライバシーとセキュリティホールを作ってしまったら、私は本当にがっかりするでしょう。高価な商用製品にはもっと良いものを期待できるはずです。

10.7.3 転送中の情報に対する攻撃

　転送中の情報に対する攻撃は、おそらくほとんど意識されていません。しかし、もちろん深刻で、数が多い攻撃なのです。無線システムの広がりによってこの状況は変わっていくでしょう。もちろん悪い方向に、です。お金を盗もうとする人が、あなたと銀行との対話を盗聴して、口座番号とパスワードを収集しようとする可能性があります。ただし、あなたと銀行間のトラフィックが暗号化されている場合には、盗聴者がトラフィックの内容を理解するのは困難です。オープンな無線アクセスが提供されている場所ならどこでも、暗号化されていない接続はプログラムによって盗聴されているかもしれない、と注意する必要があります。しかも極めて検知されにくいやり方で、攻撃者があなたのふりをすることも可能なのです。店舗内での端末間で行われていた暗号化されていない無線通信の盗聴により、クレジットカードの

大規模な盗難が行われたこともありました。犯人は店舗の外に駐車した車の中で、やりとりされるクレジットカード情報を取り込んでいたのです。

HTTPS は HTTP の 1 バージョンで、TCP/IP トラフィックを双方向で暗号化し、盗聴者が内容を読み取ったり、当事者の 1 人になりすましたりするのを不可能にします。HTTPS の使用は急速に増加していますが、まだ普遍的ではありません[12]。

中間者攻撃を仕掛けることも可能です。この場合、攻撃者はメッセージを横取りして変更し、あたかも元のソースから直接送られたかのように送信するのです（第 3 部冒頭で紹介した『モンテ・クリスト伯』の物語はその一例です）。適切な暗号化を用いれば、この種の攻撃も防げます。国家ファイアウォールは別の種類の中間者攻撃です。これによりトラフィックが遅くなったり、検索結果が変更されたりします。

仮想プライベートネットワーク（VPN）は、2 台のコンピューター間に、暗号化されたパスを確立します。このため通常は、双方向の情報フローを保護します。企業は、その従業員が、自宅から働いたり通信の安全性が担保できない国で働いたりできるように、しばしば VPN を使用します。個人も VPN を使用すれば、オープン Wi-Fi を提供するコーヒーショップや他のサイトから、比較的安全に作業を行えます。しかし、VPN を運営しているのが誰なのか、また、ユーザーの情報を明らかにするよう政府に要求された場合、どの程度対抗できるのかについては注意が必要です。

実際、VPN 業者の基本的な誠実さと能力には注意すべきです。2020 年 7 月に、接続のログを取らないと謳っていた多くの無料 VPN サービスが、日付、時間、IP アドレス、さらには暗号化されていな

※12　訳注：2022 年 3 月時点では一般利用客にサービスを提供する主要な商用サイトのほとんどが HTTPS に対応しています、一方、古い企業サイトや個人サイトには HTTP のままのものも残っています。

いパスワードとともに、ユーザーに関する1テラバイト以上のログ情報を漏洩する事件がありました。

Signal、WhatsApp、iMessageなどのセキュアメッセージングアプリは、ユーザー間の音声、ビデオ、テキスト接続を暗号化して提供します。すべての通信はエンドツーエンドで暗号化されます。つまり、送信元で暗号化され、受信側で復号されます。サービスプロバイダーの手中ではなく、エンドポイントにのみ存在するキーを使用するため、原則として他の誰も盗聴や中間者攻撃は行えません。Facebookメッセンジャーもメッセージングアプリですが、現時点ではエンドツーエンドで暗号化されていません（オプションは存在します）。暗号化されていない限り攻撃されやすくなります。

WhatsAppがFacebook（現Meta）の製品であり、iMessageがAppleの製品であるのに対して、Signalはオープンソースのソフトウェアです。エドワード・スノーデンは、安全な通信に適したシステムとしてSignalを推奨し、自らも使用しています。

多くの人が利用しているZoom社のビデオ会議システムは、256ビットAESによる会議のエンドツーエンド暗号化を謳っています。しかし、2020年に米国連邦取引委員会（FTC）が提出した訴状では、実際にはZoomが暗号鍵を手元に保持し、AES-128暗号しか使用しておらず、Safariブラウザーのセキュリティ機構をバイパスするソフトウェアを密かにインストールしていたと主張されています。

10.8 自分自身を守る

防御の方が大変です。守る側は考えられるすべての攻撃を防御する必要がありますが、攻撃者はひとつの弱点を見つけるだけで済むからです。攻撃者が有利なのです。そうだとしても、特に潜在的な脅威を現実的に評価できるのなら、防御が成功する確率を向上できます。

あなたは、自分自身の防御のために何ができますか？ これは誰かが私にアドバイスを求めたときに、その人たちに投げかける質問です。

私は、防御を3つのカテゴリーに分類しています。非常に基本的なレベル、賢明で慎重なレベル、そして、どれほど偏執的であるかが問われるレベルです（お気付きのように、私は偏執狂的防御を行っていますが、多くの人はそこまではいきません）。

基本レベル

誰も推測できないような、そしてコンピューターを使ってたくさんの可能性を試してもすぐには判明しないような、パスワードを慎重に選んでください。ひとつの単語、誕生日、家族やペットの名前、その他の重要な単語、そして特に、驚くほど頻繁に選択される "password" の類よりも、強力なパスワードが必要です。大文字、小文字、数字、特殊文字を含むいくつかの単語から構成されるフレーズは、安全性と使いやすさの間にある適切な妥協の産物です。登録しようとしているパスワードの安全性を推定してくれるサイトも多数存在します。慣習的にはパスワードを定期的に変えることが推奨されていたりしますが、私は必ずしもそのやり方に賛成しません。頻繁に変更するのは生産的ではありませんし、特に都合が悪いときに変更を強制されると、最後の数字を1増やすといった定型的な変更に陥りがちだからです。

銀行やメールなどの重要なサイトでは、オンラインニュースやソーシャルメディアサイトなどと同じ使い捨てパスワードを使用しないでください。職場では、個人アカウントで行っているような、同じパスワードの使い回しはしないでください。他のサイトへのサインオン（登録）をする際に、FacebookやGoogleなどの、ひとつのサイトを使用しないでください。それは何かまずいことが起きたときには単一障害点になりますし、もちろん、あなたに関する情報を単に相手に渡してしまいます。特定のパスワードが漏洩したかどうかを haveibeenpwned.com で調べられます。このサイトは様々な情報を漏洩データから収集しています。

LastPassなどのパスワードマネージャーは、利用するすべてのサ

イト向けの、安全でランダムなパスワードを生成して保存してくれます。これを使えばマスターパスワードをひとつだけ覚えておくだけで済みます。もちろん、そのパスワードを忘れてしまったり、その会社やパスワードを保持しているソフトウェアが侵害されたり強要されて漏洩してしまった場合には、パスワードマネージャーの利用が単一障害点となってしまいます。

利用可能な場合は、「二要素認証」を使用しましょう。二要素認証には、パスワードと、ユーザーが所有する物理デバイス、の両方が必要です。ユーザーが何か（パスワード）を知っていて、かつ何か（デバイス）を持っている必要があるために、パスワードだけよりも安全なのです。デバイスとして携帯電話アプリも使えます。アプリはサーバー側が数字の生成に用いているアルゴリズムと同じものを使って、一致する数字を生成しなければなりません。あるいは携帯電話に送信されたメッセージの場合もあります。もしくは、パスワードと一緒に提供しなければならないランダムな数字を表示する、**図7**のような特殊なデバイスの場合もあります。

皮肉なことに、SecurID という名の、広く使用されている二要素認証デバイスを製造している RSA は、2011 年 3 月にハッキングを受けました。セキュリティ情報が盗まれて、一部の SecurID デバイスが脆弱になりました。

見知らぬ人からの添付ファイルを開いてはいけません。また、送られることを予想していなかった友人や同僚からの添付ファイルも開い

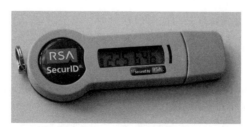

図7 RSA SecurID 二要素認証デバイス

てはいけません。Microsoft Office プログラムでは Visual Basic マクロを許可しないようにしましょう。要求されたとしても、自動的に受け入れたり、クリックしたり、インストールしたりしてはいけません。由来が疑わしいプログラムをダウンロードしてはいけません。信頼できる供給元から提供されたものでない限り、たとえ本章で紹介している防御アドオンであっても、ソフトウェアのダウンロードとインストールには注意しましょう。コンピューターの場合と同じように、これは携帯電話にも当てはまります！

　オープン Wi-Fi が提供されている場所では、重要なことは何もしてはいけません。スターバックスで銀行取引を行ってはいけないのです。HTTPS で接続していることは確認しなければなりませんが、HTTP が暗号化するのはコンテンツのみです。経路上の全員が、送信者と受信者を知ることができるのです。そのようなメタデータは、人を識別するのにとても役立ちます。

　ウイルス対策ソフトウェアを使用して、最新の状態に保ちましょう。なお、コンピューター上でセキュリティチェックを実行するように提案してくるポップアップをクリックしてはいけません。セキュリティの修正が頻繁に行われているため、ブラウザーやオペレーティングシステムなどのソフトウェアは最新の状態に保ちましょう。

　情報を定期的に安全な場所にバックアップしましょう。Apple の Time Machine などのサービスを使用して自動的にバックアップするか、もしあなたが勤勉ならば手動でバックアップしてください。ともあれ定期的なバックアップ作業は、賢明な習慣です、ドライブが故障してしまったり、マルウェアがディスクを破壊したり、身代金のために暗号化したりした場合には、バックアップの有り難さが身にしみることでしょう。貴重なドキュメントや写真をクラウドサービスに保存しているなら、アカウントを停止されたりクラウドサービスが廃業してしまったときに備えて、自分自身でもバックアップを作成しましょう。

賢明で慎重なレベル

ポップアップとサードパーティのクッキーをオフにします。クッキーはブラウザーごとに保存されるので、使用するブラウザーごとに防御を設定する必要があります。面倒な作業で有効にする方法の詳細もブラウザーごとに異なりますが、手間をかける価値はあります。

Adblock Plus、uBlock Origin、Privacy Badger、Flashblock などのアドオンを使用して、ポップアップやクッキーが持ち込む広告やトラッキング、潜在的なマルウェアを拒否しましょう。Ghostery を使用して、ほとんどの JavaScript トラッキングを排除しましょう。Adblock や類似のアドオンは、長い広告サイトリストに登録された URL への HTTP リクエストを通さないようにします。広告主側は、広告ブロッカーのユーザーが行っているのはある意味、不正行為や盗みだと主張しますが、広告がマルウェアの配信に使用される主要な媒介物のひとつである限り、それらを無効にしておいた方が安心です。無効にすることでブラウザーもさらに速く動作することに気付くでしょう。

プライベートブラウジングまたはシークレットモードをオンにして、各セッションの最後にクッキーを削除するようにしましょう。ただし、これが影響を与えるのはユーザー自身のコンピューターだけで、オンラインでは相変わらずトラッキングされてしまいます。「トラッキング拒否」（Do Not Track）設定はあまり効きませんし、逆に利用者を特定しやすくします。

地図や道案内が必要になるまでは携帯電話の位置情報サービスは切っておきましょう。

メールリーダーの HTML と JavaScript は無効にしましょう。

使用しないオペレーティングシステムのサービスはオフにしましょう。たとえば、私の Mac は、プリンター、ファイル、およびデバイスを共有したり、他のコンピューターがログインしてコンピューターをリモートで管理したりできます。Windows にも同様の設定があり

ます。それらをすべてオフにしましょう。

　ファイアウォールは、着信および発信しようとするネットワーク接続を監視し、アクセスルールに違反する接続をブロックするプログラムです。コンピューターのファイアウォールをオンにしましょう。

　パスワードを使用して、携帯電話とノートパソコンをロックしましょう。もし指紋リーダーがある場合には、それを使用しましょう。

偏執狂レベル

　JavaScript を抑制するために、ブラウザーでの JavaScript の実行を許可しない。

　明示的にホワイトリストとして登録したサイト以外のすべてのクッキーをオフにする。

　一時的なサインアップのためには偽のメールアドレスを使う。あるサイトがサービスや情報にアクセスするために電子メールアドレスを入力しろと強いてくる場合には、私は mailinator.com や yopmail. com のサービスを利用します。

　使用しないときは携帯電話の電源を切る。電話を暗号化する。後者は iOS の新しいバージョンでは自動的に行われ、Android でも利用できます。ノートパソコンも暗号化しましょう。

　匿名ブラウジングには Tor ブラウザーを使用する（これについては、第 13 章で詳しく説明します）。

　安全な通信には Signal、WhatsApp、iMessage を使用する。ただし、これらを使ったとしても、注意しないとマルウェアを受け渡す可能性があります。

　携帯電話がますます狙われているので、携帯電話に対する予防措置を強化する必要があります。ダウンロードするアプリやその他のコンテンツには特に注意してください。2018 年 5 月には、Amazon の創業者であるジェフ・ベゾスが、WhatsApp のメッセージに含まれる悪質な動画によって、サウジアラビア政府のエージェントから携帯電

話をハッキングされたようです。

　また、IoT（Internet of Things）にも同様の問題があります、IoT
デバイスは、ユーザーがほとんど制御できないため、予防措置が取り
にくくなることは間違いありません。ブルース・シュナイアーの著書
『Click Here to Kill Everybody』（未訳：ここをクリックすれば全員死亡）
は、IoT の危険性についての優れた調査報告です。

10.9 まとめ

　ウェブは、何も無かった 1990 年から、現在のような日々の生活に
欠かせないものへと成長してきました。ウェブは、ビジネス面での
「顔」を変えてきました。特に、検索、オンラインショップ、レーティ
ング、価格比較、そして製品評価サイトといった、消費者レベルで
の変化が大きなものでした。また、ウェブは、友人や、同じ関心のあ
る人たち、さらには付き合う相手を見つける方法などに対して、影響
を及ぼしました。ウェブは、私たちが世界についてどのように学び、
どこでニュースを得るか、を決定します。もし自分の興味に焦点を絞
った情報源だけからニュースや意見を得るとしたら、それは良いこと
ではないでしょう。実際、「フィルターバブル」という用語は、ウェ
ブが考えや意見を形作る上でどれだけ影響力があるかを反映した言葉
です。

　遠く離れた場所からの行動を可能にしたウェブは、無数の機会と利
便性をもたらしましたが、同時に問題とリスクももたらしました。会
ったこともない遠く離れた人たちに対して、自分の姿と弱点を晒して
いるのです。

　ウェブは未解決の管轄権問題も引き起こします。たとえば米国では、
多くの州が州内での購入に消費税（売上税）を請求しますが、オンラ
インストアは、購入者から消費税を徴収しない場合が多いようです。
理論上、州に物理的な拠点がない場合には、州の徴税機関の代理人と
して働くことを求められないからです。購入者は州外での購入を報告

し、それらに税金を支払う決まりになっていますが、そうする人は誰もいません。

　名誉毀損も、管轄権が不明確な分野です。国によっては、中傷しているとされる人がその国に一度も行ったことがなくても、単に（別の場所でホストされている）ウェブサイトがその国で見られるという理由だけで、その国で名誉毀損訴訟が起こせます。

　ある国では合法なのに、別の国では合法ではない活動もあります。ポルノ、オンラインギャンブル、政府への批判などがよく見られる例です。市民が、国境内では違法とされている活動にインターネットとウェブを使用している場合、国家は彼らにどのように規則を守らせるのでしょうか。限られた数のインターネット入出経路のみを提供し、政府によって承認されないトラフィックをブロックし、フィルターにかけ、速度を遅くする国もあります。「中国のグレートファイヤーウォール」※13は最もよく知られている例ですが、もちろんそれが唯一のものではありません。

　インターネット上で人々に身分証明を要求することも、また別のやり方です。匿名のいじめや嫌がらせを防ぐ良い方法のように聞こえますが、同時に、政治活動や異議行動にも抑制的な効果をもたらします。必要ならば匿名性を確保しつつも、匿名の悪者やボットからの通信を遮断するにはどうすれば良いのでしょうか？

　Facebook や Google のような企業がユーザーに本名を使用するように強制しようとした試みは、もっともな理由から強い抵抗に遭いました。もちろんオンラインの匿名性には多くの欠点（ヘイトスピーチ、いじめ、釣り言葉、暴言など）がありますが、報復を恐れることなく自分を表現できる自由も重要なのです。しかし、適切なバランスは（そんなものが本当にあるとしても）まだ見つけられていません。

※13　訳注：中国の国家レベルの検閲ゲートウェイで、様々なサイトへのアクセスを遮断しています。

個人、政府（市民の支持があるかないかにかかわらず）、および企業（その利益はしばしば国境を越えます）の正当な利益の間には、常に緊張関係があります。もちろん、犯罪者は、権限の管轄や、他の当事者の正当な利益については、あまり心配したりしません。インターネットは、これらすべての懸念を、さらに差し迫ったものにするのです。

MEMO

第 **4** 部

データ

　本書の第4部は「データ」です。本書の初版は3つのパートに分かれていて、データはコミュニケーションとひとまとめになっていました。しかし、ここ数年、データの重要性が高まり、独立したパートに値するようになりました。

　ビッグデータ、データマイニング[※1]、データサイエンス、そして、新しい職種であるデータサイエンティストなど、「データ」はしばしば他の言葉と組み合わせて使われます。これらのテーマについては、書籍、チュートリアル、オンラインコース、大学の学位さえもが用意されています。本節では、それらを簡単に説明します。

ビッグデータ、データマイニング、データサイエンス

　ビッグデータとは、大量のデータを扱うことだけを意味していて、それで十分です。世界にあるデータの推定量は、これまで以上にますます大きくなっています。かつては、その推定量を表現するにはエクサ（Exa）バイト（10^{18}）という単位が便利でしたが、今ではゼタ

[※1] 訳注：マイニング（mining）とは、元々は「鉱山を採掘する」という意味です。転じて現在は、集めたデータを「掘り起こして」、様々な価値を見出すという意味にも使われます。

（Zetta）バイト（10^{21}）が必要です。近い将来には、ヨタ（Yotta）バイト（10^{24}）が登場すると予測した方が良さそうです。なお、ヨタ（Yotta）は、国際単位系（SI）に定義されている最大の接頭語です。いずれはヨタの大きさでも足りなくなって、ドクター・スースの『On Beyond Zebra！』の真似ではありませんが、『On Beyond Yotta』（ヨタを超えて）のような接頭語をいくつか追加する必要があるでしょう。

　データマイニングとは、そうしたビッグデータの中から、潜在的に価値のある情報や洞察を探し出す作業です。データサイエンスは、統計学や機械学習などの技術を応用し、データを理解してそこから意味を抽出し、それに基づいて予測を試みる学際的な分野です。当然ながらデータサイエンティストは、データサイエンスに携わる仕事をする人ですし、流行している重要な分野で仕事をして大きな報酬を得たいとおそらく考えている人です。

データの取得と活用

　こうしたデータはどこから来るのでしょう？ データを使って何ができるのでしょう？ そして、自分自身のデータを提供したくない場合にはどのようにして止められるのでしょうか？

　第11章では、無数のデータソースについて説明します。オンラインでの行動、そしてオフラインでの行動が、時に「データ・エクゾースト」（データ排出）とまで呼ばれる私たち自身に関する膨大な量の情報の産出に、どのように寄与しているのかを説明します。

　第12章の「人工知能と機械学習」では、それほどまでに大量のデータを使って何をするのか、その一端を紹介します。データ活用の中には、私たちの役に立つものもあります。画像認識やコンピュータービジョン、音声認識や音声処理、言語翻訳など、普段の生活に役立つものがあり、これらはすべて、学習できるデータがたくさんあるからこそ可能なのです。しかし、一方で、私たちに関しても多くの情報が

知られてしまうデメリットがあります。多くの場合、知られてしまうのは、誰にも知られたくない、あるいは、少なくとも利用されたくない、個人情報なのです。

　機械学習の広範な利用は、人種差別をはじめとする様々な差別や、その他の倫理的問題を悪化させる推論をデータから引き出すのではないかという、深刻な懸念を引き起こしています。機械学習は、客観的なガイドであるかのように考えられがちですが、多くの場合、機械学習の結論は暗黙のバイアス（偏り、思い込み）を見せかけの権威で覆っているに過ぎません。

　第13章では防御について議論します。知らず知らずのうちに提供しているデータを制限したり、そのデータが利用されるのを減らすために何ができるのでしょう。完全にデータを隠したり安全にすることは不可能ですが、個人のプライバシーやセキュリティを大幅に高めることは可能です。

- 11 -
データと情報

> インターネットを見つめれば、
> インターネットも等しくおまえを見つめ返すだろう

**アーサー・W・バークス、ハーマン・H・ゴールドスタイン、ジョン・フォン・ノイマン、
フリードリッヒ・ニーチェ、『善悪の彼岸』、1886. に謝りつつ**[※1]

コンピューターや携帯電話、クレジットカードで行うほとんどすべての行為が、あなたに関するデータを生成します。データは慎重に収集、分析、永久保存され、しばしばあなたが全く知らない組織に販売されていきます。

典型的なやりとりを考えてみましょう。あなたはコンピューターまたは携帯電話を使用して、購入するモノ、訪問する場所、またはもっと詳しく知りたいトピックを検索します。検索エンジンは、検索した内容、検索した時間、そのときにいた場所、そして検索結果から何をクリックしたかを記録し、可能であればそれらをあなた個人に結びつけます。広告主は、その情報を利用して、ターゲットを絞った広告メッセージを送信します。

今や皆がオンラインで検索し、買い物をし、映画やテレビ番組を楽しんでいます。友人や家族と、メールやメッセージで、時には音声通

[※1] 訳注：ニーチェの著作『善悪の彼岸』(Jenseits von Gut und Böse) 中にある Und wenn du lange in einen Abgrund blickst, blickt der Abgrund auch in dich hinein.（おまえが長く深淵を覗くならば、深淵もまた等しくおまえを見返すのだ。）をもじったものです。

話を使って、コミュニケーションしています。Facebook や Instagram を使用して友人や知人と連絡を取り、LinkedIn を使用して仕事につながるかもしれない関係を維持し、場合によっては出会い系サイトを使用してロマンスを探します。Reddit や Twitter、オンラインニュースを読んで、周囲の世界に遅れないようにしています。お金の管理や請求書に対する支払いも、オンラインで行い、自分のいる場所をいつでも正確に知っている携帯電話とともに、常に動き回っているのです。自家用車は、利用者の居場所を知っていて、その情報を他者に伝えています。もちろん、どこにでもある監視カメラも、車の位置を把握しています。ネットワーク化されたサーモスタット、セキュリティシステム、スマート家電などのホームシステムは、人のあらゆる行動を監視し、家にいるかどうか、家にいるときに何をしているかを知っています。

　個人のデータストリームのすべてのビットが、収集されています。ネットワークハードウェアの支配的メーカーである Cisco が 2018 年に行った予測では、2021 年には世界の年間インターネットトラフィックが 3 ゼタバイトを超えるそうです。接頭辞のゼタ（zetta）は 10^{21} であり、これはいかなる意味でも膨大な量です。

　こうしたすべてのデータは、どこから来て、それを使って何が行われているのでしょうか？　その答えは興味深く、様々な意味で深く考えさせます。何しろそれらのデータの中には、私たちに関するものでありながら、私たちのためのものではないデータが存在しているのです。データが多いほど、見知らぬ人が私たちについて知る可能性が高まり、プライバシーとセキュリティが低下します。

　大量のデータ収集は検索エンジンから始まるので、本章はまず、ウェブ検索の説明から始めます。その内容はトラッキング（追跡）の議論につながります。トラッキングとは、あなたがどのサイトを訪問し、何をしたかを追跡することです。次に、エンターテインメントや便利なサービスと引き換えに、人々が喜んで差し出している個人情報につ

いて説明します。そうしたデータのすべては、一体どこに保存されるのでしょうか？ そこからデータベースの話につながります。データベースはあらゆる関係者によって集められたデータの集まりです。これらのデータは集約され、マイニングされます。なぜならデータの価値の多くは、新しい洞察を与える他のデータとの組み合わせから生まれるからです。これはまた、重大なプライバシー問題を引き起こします。何しろ複数の情報源から得られたデータを組み合わせることで、誰にも知られたくない自分のことを簡単に知られてしまうのです。そして最後に、クラウドコンピューティングについて説明します。クラウドコンピューティングでは、手元のコンピューターではなく、サーバー上でストレージと処理を提供する企業に、すべてのデータを渡しているのです。

11.1 検索

　ウェブ検索は、現代の基準で考えればウェブがまだ小さかった1995年に始まりました。ウェブページの数と問い合わせの数は、どちらもその後の数年で急速に増加しました。Googleのオリジナル論文である「The anatomy of a large-scale hypertextual web search engine」（大規模なハイパーテキストウェブ検索エンジンの構造）は、Google創業者のセルゲイ・ブリンとラリー・ペイジによって1998年初頭に公開されました。最も成功を収めた初期の検索エンジンのひとつであるAltaVista（アルタビスタ）は、1997年後半には1日あたり2,000万件の問い合わせを処理し、2000年までにはウェブページが10億ページに達して、1日あたりの問い合わせも数億回以上になることを正確に予測していました。2017年には1日50億回の検索が行われるだろうとする予想もありました。

　検索は大規模なビジネスです。何もないところから始まり、20年も経たないうちに大きな産業になりました。たとえば、Googleは1998年に設立され、2004年に上場し、2020年秋には時価総額が1兆

ドル（約114兆円）に達しています。これは、2兆ドル（約228兆円）を超えるAppleには及ばないものの、2000億ドル（約23兆円）以下のExxon MobilやAT&Tといった老舗企業を大きく引き離しています。Googleは非常に収益性の高い会社ですが、多くの競争に晒されているので、次に何が起きるかは誰にもわかりません（ここで大事なことをひとつ。私はGoogleのパートタイム従業員で、会社には多くの友人がいます。ですが、当然ながら、本書に記載されている内容はすべてGoogleの立場とは無関係です）。

11.1.1 検索エンジンのしくみ

　検索エンジンはどのように機能するのでしょうか？　ユーザーの観点から見た場合、問い合わせをウェブページのフォームに入力しサーバーに送信すると、サーバーは、リンクと簡単なテキストのリストをほぼ瞬時に返してきます。サーバー側から見た様子はさらに複雑です。サーバーは、問い合わせの単語を含むページのリストを作成し、それらを関連性の高い順に並べ替え、各ページの小片をHTMLで包んで送り返します。

　しかし、一人ひとりのユーザーがウェブに対して毎回新しい検索を行うには、ウェブは巨大過ぎます。そこで、検索エンジンの主要な仕事は、サーバー上にすでに保存され整理されているページ情報を使って、問い合わせに答える準備を行うことなのです。これはウェブの「クロール」（巡回）によって行われます。クロールによりページをスキャンし、関連するコンテンツを、後から来る問い合わせに素早く答えられるよう、データベースに保存します。クローリングはキャッシングの大規模な例です。検索結果は、インターネットページをリアルタイムに検索したものではなく、キャッシュされたページ情報から事前に計算されたインデックスに基づいて表示されます。

　図1は、その構造の概要を示したものです。結果ページへの広告の挿入の流れも示されています。

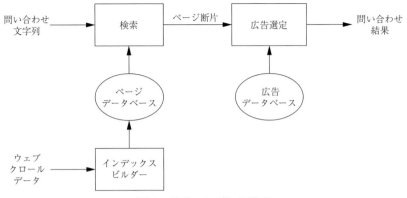

図1　検索エンジンの構成

　問題はその規模です。何十億人ものユーザーがいて、何十億ものウェブページがあります。Google は、かつてはインデックスを作成するためにクロールしたページ数を報告していましたが、ページ数が100 億を超えてしばらくした後にやめてしまいました。一般的な Web ページが 100 キロバイト（KB）だとすると、1,000 億ページを保存するには、10 ペタバイトのディスクスペースが必要になります。数カ月または数年も変わらない静的なウェブページもありますが、かなりの割合のページが急速に変化します（株価、ニュースサイト、ブログ、Twitter フィードなど）。このため、クロールは継続的で、かつ、極めて効率的でなければなりません。インデックス化された情報が古くなってしまわないように、休んでいる暇はありません。検索エンジンは 1 日に数十億の問い合わせを処理します。それぞれの検索リクエストは、データベースをスキャンし、関連するページを見つけて、正しい順序に並べ替える必要があります。また、検索結果に添えるための広告も選択しています。一方、検索品質を改善し、競合他社に先んじて、多くの広告を販売するためのデータを得るために、見えないところですべてを記録しています。

　検索エンジンは実用化されているアルゴリズムの優れた例ですが、

膨大なトラフィックの量は、単純な探索またはソートのアルゴリズムでは十分に高速化できないことを意味します。

そこで、ある一連のアルゴリズムが、クロールを処理します。次に見るべきページを決定し、そのページからインデックス付け可能な情報（単語、リンク、画像など）を抽出し、それらの情報をインデックスビルダーに届けます。URL が抽出され、重複したものや関連性のないものが排除され、残った情報が検査されるリストに追加されます。

クロール処理を複雑にしているのは、クローラーはサイトをあまり頻繁にアクセスできないという事情です。アクセスすることで、かなりの負荷を与えて迷惑になる可能性があるためです。クローラーがアクセスを拒否されることさえあります。ページの変更率は大きく異なるので、ページの変更頻度を正確に予測するアルゴリズムを使って、あまり変化しないページよりも、頻繁に変化するページに多くアクセスするようにすれば、効率の向上が期待できます。

次に行われるのが、インデックス構築です。クローラーからページを受け取り、各ページの関連部分を抽出し、それぞれの部分に URL や場所とともにインデックスを付けます。このプロセスの詳細は、インデックスを作成する対象のコンテンツによって異なります。テキスト、画像、スプレッドシート、PDF、ビデオなどは、すべて独自の処理が必要です。実際には、インデックス作業は、あるページ内に出現するそれぞれの単語もしくはインデックス可能な項目のページと位置のリストを作成し、後ほど特定の項目を使って素早くページのリストを取り出せるような形式で保存します。

最後に控えているのは、問い合わせへの応答を組み立てる処理です。基本的な考えは、問い合わせに含まれるすべての単語を取り出し、インデックスリストを使って一致する URL を見つけ、そして（もちろん素早く）最もよく一致する URL を選び出します。この処理の詳細はそれぞれの検索エンジン運営者にとって最も大切な部分なので、処理に関する特定の技法をウェブ上で見つけることは困難です。繰り返

しになりますが、規模がすべてに関わってきます。与えられた単語はおそらく何百万ものページ上に出現するでしょう。一対の単語にしてみても、まだ100万ページ上に現れるかもしれません。そして、それらの応答候補から素早くトップ10をはじめとする候補を選び出さなければならないのです。検索エンジンが正確なヒットをトップに表示し、その応答が速くなるほど、競合他社よりも好んで使われるようになるのです。

　最初の検索エンジンは単純に検索語を含むページのリストを表示するだけでしたが、ウェブが成長するにつれて、その検索結果はほとんど問い合わせに無関係なページの寄せ集めになっていきました。GoogleのPageRankアルゴリズムは、各ページに品質尺度を割り当てますが、他のページがリンクしているページや、高く評価されているページからリンクされているページを高く評価します。なぜならそのようなページは、問い合わせに対して、高い関連性を持っている可能性が高いからです。ブリンとペイジが言うように、「直感的には、ウェブの多くの場所からよく引用されているページは見る価値がある」のです。当然のことながら、高品質の検索結果を生成するには、これ以上の対処が必要です。検索エンジン会社は競合他社と競争しながら、検索結果を継続的に改善しようとしています。

11.1.2 検索サービスと広告

　最大限の検索サービスを提供するためには、膨大な計算リソースが必要です。数百万個のプロセッサー、テラバイト規模の一次メモリー、ペタバイト規模の二次ストレージ、1秒あたりギガビットの帯域幅、ギガワット級の電力、そしてもちろん、大勢の人々が関わっています。これらはすべて、何らかの方法で対価が支払われる必要がありますが、通常は広告収入によって賄われています。

　最も基本的なレベルでは、広告主はウェブページに広告を表示するために料金を支払います。その価格は、ページを閲覧する人の数と、

どんな人たちなのか、によって決まります。価格は、ページビュー（広告がページに表示された回数のみをカウントする「インプレッション」）、「クリック」（視聴者が広告をクリックした回数）、または視聴者が実際に購入を行う「コンバージョン」の観点から決められます。広告対象に興味があるかもしれないユーザーには明らかに価値があるので、最も一般的なモデルでは、検索エンジン会社は検索語に対してリアルタイムオークションを実施します。広告主は、特定の検索語の結果と一緒に自分の広告を表示する権利に対して、入札を行います。そして、視聴者が広告をクリックすると、検索エンジン会社に売上が発生するのです。

　Google Ads（旧 AdWords）を使うと、提案された広告キャンペーンを簡単に実験できます。たとえば、同社の見積ツール（**図2**）によれば、「kernighan」という検索キーワードと、「unix」や「c programming」といった関連キーワードに対するコストは、1クリックあたり5セントになると考えられます。つまり、誰かがこれらのキーワードを検索して、私の広告をクリックするたびに、私は Google に5セントを支払うのです。Google はまた、私が選択した検索語について、1日あたり194回のクリックがあり、1日の予算が10ドルで

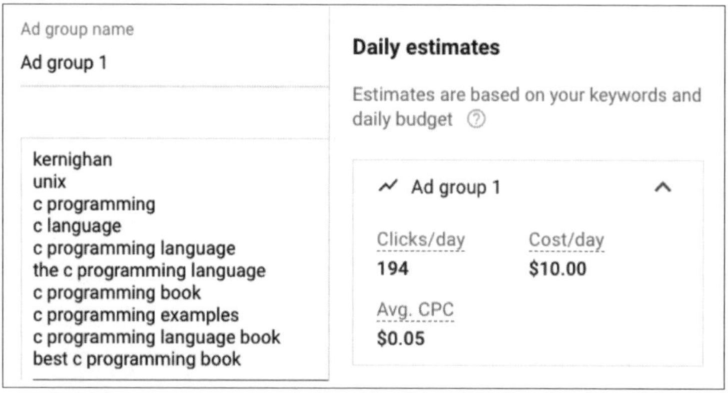

Ad group name
Ad group 1

kernighan
unix
c programming
c language
c programming language
the c programming language
c programming book
c programming examples
c programming language book
best c programming book

Daily estimates

Estimates are based on your keywords and daily budget ⑦

~ Ad group 1 ⌃

Clicks/day　　Cost/day
194　　　　　$10.00

Avg. CPC
$0.05

図2　「kernighan」とその関連語の Google 広告の見積額

あると推定しています（1カ月間の平均としてみた場合）。しかし、もちろん実際には、何人が私の広告をクリックして、その結果、私にいくらお金がかかるかは、私にもGoogleにもわかりません。実際にどうなるのか、実験はしていません。

　広告主がお金を払って検索結果を自分たちに有利になるように偏らせることは可能でしょうか？　このことはブリンとペイジも懸念していました。ブリンとペイジは先に挙げた論文の中で「広告によって資金が提供される検索エンジンは、本質的に広告主へのバイアスがかかり、消費者のニーズからは離れるだろうと考えている」と書いています。Googleはその収益のほとんどを広告から得ています。他の主要な検索エンジンと同様に、Googleは検索結果と広告を明確に区別していますが、不公平さやGoogle自身の製品に対するバイアスなどに関する、無数とも言える法的提訴がなされています。Google自身の回答は、検索結果には競合他社を不利にするようなバイアスはかけておらず、人々が最も役立つと思う広告を反映するアルゴリズムに基づいている、というものです。

　名目上は中立的な広告結果が、推定される人種、宗教、または民族のプロファイリングに基づいて特定のグループに微妙に偏る場合には、また違った形態のバイアスが発生しているのかもしれません。たとえば、一部の名前には人種的または民族的な背景を想像させるため、そうした名前が検索された場合、広告主は検索結果とともに表示されることを目指したり、あるいは、避けたりできます。

　米国では、人種、宗教、性別に基づく好みを示す広告は、違法とされています。Facebookも収益のほぼすべてを広告から得ていますが、広告主に多くの基準を用いて広告のターゲットを絞るためのツールを提供しています。その基準の多くは、所得や教育といったわかりやすい項目ですが、中には明確に違法の項目や、潜在的に差別的なターゲティングの代用となる項目もあります。Facebook（現Meta）は2019年、同社の広告プラットフォームが差別を可能にする広告を許可した

とする訴訟で和解しました。

　このような詳細を追跡されることなく、ウェブを検索できるのでしょうか？ DuckDuckGo 検索エンジンは、ユーザーの個人的な検索履歴を保存せず、パーソナライズされた広告を配信しないことを約束しています。また、独自の検索を行い、多数の検索エンジンやその他のソースからの結果を集約しています。広告から収入を得てもいますが、それは Adblock などで除去できます。また、DuckDuckGo は、プライベートで安全なブラウジングや携帯電話利用のための便利なガイドを提供しています。

11.2 トラッキング（追跡）

　前節では検索に絡めて説明しましたが、もちろんどんな種類の広告にも、同じような説明が当てはまります。正確にターゲットを絞り込むことができればできるほど、見ている人たちが好意的に反応してくれる可能性は高まるのですから、広告主も喜んで多く支払ってくれます。インターネット上で何を検索し、どのサイトを訪れ、その間に何をしたかを追跡すれば、あなたが誰で、何をしているのかが驚くほど詳細に明らかになってしまいます。ほとんどの場合、現在行われているトラッキングの目的は、効率的な販売です。しかし、それほど詳細な情報の、別の使い道を想像するのは難しくありません。ともあれ、本節で注目するのは、クッキー、ウェブのバグ、JavaScript、ブラウザーのフィンガープリントといった、トラッキングのしくみについてです。

　インターネットを使うとき、自分に関する情報が収集されるのは避けられません。トラッキングを避けて何かをするのは難しいのです。同じことが、他のシステム、特に携帯電話を使用する場合にも当てはまります。携帯電話は、常に物理的な位置を把握します。GPS対応の携帯電話（すべてのスマートフォンがそうです）は、屋外にいるときには、およそ 10 メートル以内の精度で居場所を把握していますし、

いつでもその位置を報告できます。一部のデジタルカメラも GPS を搭載しています。このため、撮影した写真ごとに位置情報が含まれます。こうした情報は「ジオタグ」（geotag）と呼ばれます。さらに新しいカメラには、写真をアップロードするために Wi-Fi や Bluetooth を備えたものもあります。これがトラッキングにも利用できない理由はありません。

　トラッキング情報が複数の情報源から収集されることで、個人の活動、興味、財政、仲間、その他の多くの生活情報が明らかになってしまいます。最も平穏な状況では、そうした情報は、広告主が利用者をターゲットとして正確に狙うために使われます。この結果、自分が反応したくなるような広告を見せられるのです。しかし、トラッキングが広告だけに留まるとは限りません。その収集結果は、差別、経済的損失、個人情報の盗難、政府による監視、場合によっては身体的危害といった、はるかに有害な目的に使用できるのです。

　2019 年と 2020 年に、ニューヨーク・タイムズ紙は、プライバシーとトラッキングに関する一連の記事を長期にわたって掲載しました。その中で最も意味深く衝撃的だったのは、アメリカのいくつかの大都市に住む 1200 万人の携帯電話から得られた 500 億件の携帯電話位置情報のデータベースを調査したものでした。そのデータは匿名の情報源から提供されたもので、おそらくデータブローカーで働いている人からだと思われます。タイムズ紙を引用します。

　　人々の行動に関するあらゆる情報を収集している企業は、以下の 3 つの主張に基づいてビジネスを正当化している。曰く「人々は追跡されることに同意している」、「データは匿名である」、「データは安全である」。
　　しかし、こうした主張はいずれも成り立たない。

タイムズ紙の記事では、イベント、自宅や職場の住所との相関関係

などから、かなりの数の個人を特定できたのです。タイムズ紙が扱ったのは500億件の記録でしたが、同紙によれば、位置情報会社はこれとは比べ物にならないほどの大量の人口統計データを毎日収集しているので、相関付けや識別は容易だと主張しています。理論的には、この「匿名」データには個人を特定できる情報は含まれていないのですが、実際には、特にデータソースを組み合わせれば、個人を特定できるような対応付けは容易なのです。一連の記事全体も重要ですが、この記事の内容は深刻です。

11.2.1 トラッキング情報の収集方法

情報はどのように収集されるのでしょう？ 一部の情報は問い合わせのたびにブラウザーから自動的に送られます。たとえばIPアドレス、リンクが置かれていたページ（「リファラー」と呼ばれます）、ブラウザーの種類とバージョン（「ユーザーエージェント」）、オペレーティングシステム、そして使っている言語などです。こうした送信に対してできる制御は限られます。**図3**は、送信される情報の一部を示しています（スペースの都合で編集しています）。

さらに、サーバーのドメインから送られていたクッキーがあった場合、それらも送信されます。前の章で説明したように、クッキーは元のドメインのみに戻ります。

```
HTTP_ACCEPT text/html,application/xhtml+xml,application/xml;
    q=0.9,image/webp,/;q=0.8
HTTP_ACCEPT_ENCODING gzip,
deflate HTTP_ACCEPT_LANGUAGE en-US,en;q=0.5
HTTP_CONNECTION keep-alive
HTTP_DNT 1
HTTP_HOST [...].princeton.edu
HTTP_REFERER http://[...].princeton.edu/env.html
HTTP_USER_AGENT Mozilla/5.0 (Windows NT 10.0;
    rv:68.0) Gecko/20100101 Firefox/68.0
QUERY_STRING [...]
REMOTE_ADDR 128.112.139.195
TZ America/New_York
```

図3 ブラウザーによって送信される情報の例（一部）

11.2.2 トラッキングの核心

　それでは、あるサイトが他のサイトへのアクセスを追跡するために、どのようにクッキーが使われるのでしょうか？

　答えは、リンクのしくみと動作の中に隠れています。ウェブページは、他のページへのリンクを含みます（これはハイパーリンクの本質です）。意識的にクリックしなければならないリンクについてはよく知られています。しかし、画像とスクリプトのリンクは意識的にクリックする必要がありません。それらはページがロードされる際に、提供元から自動的にロードされます。ウェブページに画像への参照が含まれる場合、その画像は指定されたドメインがどこであろうとも、そこからロードされて表示されます。画像の URL は通常、リクエストを行っているページの識別情報を取り込んでエンコードされるので、ブラウザーが画像を取得するときには、画像を提供する側のドメインは、どのページからアクセスされているかを認識し、アクセスしているコンピューターまたは携帯電話に、クッキーをデポジット（投入）したり、以前の訪問時にデポジットしたクッキーを取り出したりできます。JavaScript のスクリプトにも同じことが言えます。

　これがトラッキングの肝なので、もっと具体的に説明しましょう。実験としてすべての防御をオフにして、Safari ブラウザーで toyota.com にアクセスしてみました。初回の訪問で、25 以上の異なるサイトからクッキーをダウンロードし、多種多様なサイトから 45 枚の画像と 50 以上の JavaScript プログラムをダウンロードし、その合計は 10 メガバイト以上になりました。

　このページは、私が見ている間ずっと、ネットワークリクエストを行い続け、実際に Safari が警告を出すほどのバックグラウンドコンピューティングが行われていたのです（**図 4**）。

　学生にクッキーを数えるように言うと、「何千個もある」と報告してくるのは、これが理由です。また、そのようなページの読み込みが遅くなる理由も、これでわかります（読者も自分で実験できます。こ

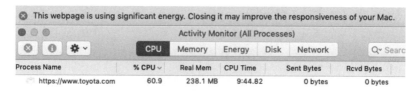

図4　動作し続けるウェブページ

うした情報は、ブラウザーの履歴やプライバシー設定などを見ればわかります）。なお、この実験は携帯電話で行ったものではありません。私のささやかなデータプランに多大な影響を与えるからです。

　いつものようにGhostery、Adblock Plus、uBlock Origin、NoScriptをオンにして防御を元に戻し、クッキーとローカルデータストレージを禁止すると、クッキーとスクリプトの数はゼロになりました。

　このページに掲載されている画像のうち、かなりの数が**図5**で強調されているような画像でした。トヨタ（toyota）のWebページには、画像を取得するFacebookへのリンクが含まれています。幅1ピクセル、高さ1ピクセルの透明な画像なので、全く見えません。

　こうした単一ピクセルの画像は、「ウェブバグ」または「ウェブビーコン」と呼ばれることが多いのですが、その唯一の目的はトラッキ

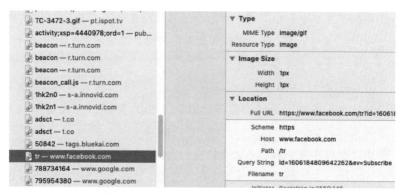

図5　トラッキング用の1ピクセル画像

ングです。私のブラウザーがFacebookから画像をリクエストすることで、Facebookは、私が特定のトヨタのページを見ていることを知り、（私が許可すれば）クッキーを保存できます。続けて私が他のサイトにアクセスしていけば、各トラッキング会社は、私が何を見ているかの見取り図を描けます。車に関するデータが多ければ、予想される広告主に伝えられて、その結果、私にはカーディーラーやローン、自動車用品などの広告が目に入るようになるでしょう。事故や痛みの緩和に関するものであれば、修理サービスや弁護士、セラピストなどの広告を多く見るようになるかもしれません。

　GoogleやFacebook、その他無数とも言える企業が、人々が訪れたサイトに関する情報を収集し、使用して、広告スペースをトヨタなどの顧客に販売しています。そのスペースを買った顧客は、ターゲット広告や、私に関するIPアドレス以上の他の情報と一緒に、様々な関連付けに（おそらく）利用できるでしょう。私が多くのウェブページを訪れることで、彼らは私の推定される特徴と興味の対象に関する詳細なデータベースを作成し、最終的には私が男性で、結婚していて、60歳以上で、車を2台所有していて、ニュージャージー州中央部に住み、そしてプリンストン大学で働いていることを割り出すでしょう。彼らが私について知識を増やせば増やすほど、彼らの顧客はその広告を正確にターゲットに向けられるようになります。もちろんターゲティング自体は個人の特定と同じではありませんが、ある時点で彼らは私を個人的に識別できるかもしれません。まあ、そのような会社のほとんどが、個人の特定はしないと言っているのですが。それでも、どこかのウェブページで名前やメールアドレスを入力した場合に、よそに出回らない保証はありません。

11.2.3 ネット広告とトラッキング

　2016年、ワシントン・ポスト紙がプライバシーに関する一連の記事を掲載しました。そのうちのひとつの記事のタイトルは「98

personal data points that Facebook uses to target ads to you」
（Facebook が広告のターゲットにするために使用する 98 の個人デー
タポイント）というものでした。この 98 個のデータポイントには、
居住地、年齢、性別、言語、教育レベル、収入、純資産などのわかり
やすいものだけでなく、違法な差別に利用される可能性のある「民族
的な親和性」といった微妙なものも含まれています。

　インターネット広告は洗練された市場です。ウェブページをリクエ
ストすると、ウェブページ発行者は、Google Ad Exchange や
AppNexus などの広告取引所に対して、そのページのスペースが利用
可能であることを通知します。同時に、現在見ている可能性の高いユ
ーザーに関する情報が渡されます（たとえば、「25 〜 40 歳の独身女性、
サンフランシスコ在住でテクノロジーと素敵なレストランが好き」と
いった情報です）。これを見て広告主は、その広告スペースに入札し、
落札者の広告がページに挿入されます。すべてが数百ミリ秒以内の出
来事です。

　トラッキングされることに魅力を感じない場合には、大幅に制限を
かけられます。まあ、ある程度の犠牲は必要ですが。ブラウザーに指
示すれば、クッキーを完全に拒否したり、サードパーティのクッキー
を無効にできます。クッキーはいつでも明示的に削除できますし、ブ
ラウザーを閉じると自動的に削除されるようにもできます。大手のト
ラッキング会社はオプトアウト[※2]のしくみを提供しています。コンピ
ューター上に特定のクッキーが置かれていた場合には、ターゲット広
告向けのトラッキングを行わないというものです。とは言え、その場
合でも何らかの形でトラッキングを継続している可能性は高いと思わ
れます。

　準公式の Do Not Track（トラッキング禁止）というしくみは、お

※2 訳注：オプトアウト（opt out）とは、ユーザーが明示的に何かを「取りやめる」ように指
　　示することです。

そらく実際にできること以上の約束をしています。ブラウザーには
「Do Not Track」（DNT）というチェックボックスがあり、通常は
「プライバシーとセキュリティ」メニューの中にあります。DNT を設
定しておくと、追加の HTTP ヘッダーがリクエストに加えられます
（図 3 がその例です）。DNT を遵守しているウェブサイトは、あなた
の情報を他のサイトに伝えませんが、そのサイトが自分自身で使用す
るために情報を保持するのは自由です。いずれにしても、訪問者の希
望（DNT）を尊重するかどうかは完全に任意であり、ほとんどのサ
イトはその希望を無視しています。たとえば Netflix は「現時点では、
ウェブブラウザーの Do Not Track 指定には対応しません」と明言し
ています。

「プライベートブラウジング」または「シークレットモード」は、ブ
ラウザーセッションが終了したときに、履歴、クッキー、および、そ
の他のブラウジングデータをクリア（消去）するようにブラウザーに
指示するための、クライアント側のしくみです。そのため、あなたが
何をしていたかを同じコンピューター上の他のユーザーに知られるこ
とはありません（なので、非公式に「ポルノモード」と呼ばれます）。
しかし、訪問したサイト側に残される記録には何の影響もないため、
次にアクセスしたときに高い確率で再訪だということが認識されます。
にもかかわらず、訪問者がシークレットモードを使用していることを
検知すると、コンテンツの提供を拒否するサイトもあります。

こうしたしくみは、ブラウザー間または同じブラウザーの異なるバ
ージョン間でさえ標準化されておらず、通常デフォルトでは無防備な
状態に設定されています。

残念ながら、多くのサイトは、クッキーを完全に排除すると、機能
しません。一方、ほとんどのサイトは、サードパーティのクッキー[3]

※3 訳注：サードパーティクッキーは、自分が意識的にアクセスしているページ以外のドメイン
　　から送り込まれてくるクッキーです。

は無くても正常に機能します。したがって、そうしたサードパーティ
のクッキーは常に無効にしておくべきでしょう。クッキーの使用法に
は、正当なものもあります。ウェブサイトは、すでにログインしてい
るかどうかを知ったり、またはショッピングカートの中身を追跡した
りする必要があるからです。とは言え、しばしばクッキーは単にトラ
ッキングのために利用されています。私を苛立たせるのには十分です
ので、そのようなサイトを贔屓にすることはありません[※4]。

11.2.4 JavaScriptやHTML5によるトラッキング

　JavaScript は主要なトラッキングツールです。ブラウザーは、オリ
ジナルの HTML ファイルの中にある JavaScript コードや、<script>
タグの中に src="name.js " と指定された URL から読み込まれた
JavaScript コードを実行します。これは、特定のページがどのように
見られているかを計測する、「分析」に頻繁に使用されています。た
とえば、私がテクノロジー関連のニュースサイトである Slashdot.org
にアクセスすると、ブラウザーはページそのもののデータとして
150KB をダウンロードしますが、さらに Google のサイトを含む他の
3 つのサイトから、合計 115KB の分析用 JavaScript スクリプトをダ
ウンロードします。

```
<script>
  src="https://google-analytics.com/ga.js">
</script>
```

※4 訳注：こうしたプライバシーへの懸念から脱サードパーティクッキーの流れが流行っていま
　　す。たとえば Google は、サードパーティクッキーに代わる技術として 2021 年に FLoC と
　　いう技術を発表しましたが、様々なフィードバックを受けて 2022 年 1 月に Topics という
　　技術を新たに発表しました。Google は 2022 年のうちにサードパーティのクッキーを廃止
　　すると表明しています。

(これらの分析用スクリプトは、私が個人的にスラッシュドットにアクセスした際には、実際にはダウンロードされません、なぜならAdblock や Ghostery などの拡張機能でそうしたダウンロードをブロックしているからです。)

　JavaScript コードは、その JavaScript 自身を送り出したサイトから、クッキーを設定したり取得したりできます。ブラウザーの閲覧ページの履歴といった、その他の情報にもアクセスできます。また、マウスの位置をずっと監視してサーバーに報告し、ウェブページのどの部分が興味深いか否かの推測もできます。さらに、リンクなどの反応エリアでなくても、ユーザーがクリックしたりハイライトした場所を監視することさえ可能です。

　図6が示すのは、マウスを動かしたときにその位置を表示する数行の JavaScript です。さらに数行追加すれば、閲覧しているウェブページの提供側に同じ情報が送信され、どこに入力したか、どこをクリックしたか、どこをドラッグしたかといった他のイベントも一緒に

```
<html>
<script>
function move(event) {
  document.getElementById("body").innerHTML =
    "position: " + event.clientX + " " + event.clientY;
}
</script>
<body>
  <div id="body" style="width:100%; height: 500px;"
       onmousemove="move(event)">
  </div>
</body>
</html>
```

図6　マウスの動きに合わせて座標を表示する JavaScript

送信されます。clickclickclick.click というサイトは、同じアイデアをさらに洗練させて、非常に面白いバージョンにしたものです。

　ブラウザーのフィンガープリント（指紋）は、ブラウザーの個々の特性を使用して、多くの場合クッキーを使わずに一意にユーザーを識別します。オペレーティングシステム、ブラウザー、バージョン、言語設定、インストールされているフォントとプラグインの組み合わせなどにより、多くの特徴的な情報が提供されます。HTML5 の新しい機能を使用すると、「キャンバスフィンガープリント」と呼ばれる手法を使用して、個々のブラウザーが特定の文字シーケンスをどのようにレンダリングするかを確認できます。一握りのこうした識別情報があれば、クッキーの設定にかかわらず、個々のユーザーを識別し、認識するのに十分なのです。当然広告主や他の組織は、クッキーに関係なく個人を正確に特定したいと考えています。

　電子フロンティア財団（Electronic Frontier Foundation：EFF）は、Panopticlick という名の有益なサービスを提供しています（ジェレミ・ベンサムの Panopticon［パノプティコン、一望監視施設］にちなんだものです。なお Panopticon とは、受刑者側が看守にいつ見られているかがわからないまま、継続的に監視ができるように設計された刑務所のことです）。

　panopticlick.eff.org[5]にアクセスすると、訪問したすべての人の中で、あなたがどれくらいユニークな存在であるかを教えてくれます。たとえ防御力が高くても、一意に特定できるか、少なくともそれに近い状態になる可能性があります。高い確率で、次に訪問したときに以前に訪問したことが認識されるでしょう。

　markup.org/blacklight でアクセスできる Blacklight は、防御のないブラウザーをシミュレートして、トラッカー（広告ブロッカーを回

※5 訳注：panopticlick.eff.org は 2020 年に coveryourtracks.eff.org という名前に変わりました。いわば、panopticlick の強化版です。

避しようとするものを含む）、サードパーティのクッキー、マウスと
キーボードの監視、その他の不正な行為を報告します。トラッキング
がどれだけ行われているか、を見るのは怖いかもしれませんが、一番
タチの悪い攻撃者を探すのも、ある意味楽しめます。たとえば、料理
サイトの epicurious.com は、136 のサードパーティのクッキーと 44
の広告トラッカーを読み込み、キーストロークとマウスクリックを監
視し、Facebook と Google への訪問をレポートします[6]。

　トラッキングのしくみは、ブラウザーに限定されません。メールリ
ーダーやその他のシステムでも使用できます。メールリーダーが
HTML を解釈するなら、誰かがあなたを追跡できるようにする 1 ピ
クセルの画像を「表示」するでしょう。Apple TV、Chromecast、
Roku、TiVo、そして Amazon の Fire TV stick は、いずれもあなた
が何を見ているかを知っています。いわゆる「スマートテレビ」もそ
うした情報を知っていて、あなたの声をメーカーに送り返したり、カ
メラの映像を送ったりすることさえあります。Amazon Echo のよう
な音声対応のデバイスは、あなたが話した内容を分析のために送信し
ています。

　先に見たように、すべての IP パケットは、手元のコンピューター
から相手先に向かう途中で、15 〜 20 個のゲートウェイを通過します。
これは、戻ってくるパケットにも当てはまります。その経路の途中に
ある各ゲートウェイは、各パケットを検査して内容を確認し、何らか
の方法でパケットの変更もできます。これは、情報のヘッダーだけで
なく、実際のコンテンツを見ていることから、ディープパケットイン
スペクションと呼ばれます。通常、これは ISP で行われています。
ISP は最も簡単に個人を識別できる場所だからです。インスペクショ
ンの対象はウェブブラウジングだけでなく、ユーザーとインターネッ

※6 訳注：こうした数字は計測する時期によって異なります、翻訳時の 2022 年 1 月には 103
　個のサードパーティのクッキーと 34 個の広告トラッカーが報告されました。

ト間のすべてのトラフィックが含まれます。

ディープパケットインスペクションは、マルウェアの排除など正当な目的に使われます。しかし、ターゲット広告を効果的に狙うために使用されたり、国家に出入りするトラフィックを監視または妨害するために使用される中国のグレートファイアウォール（金盾）や、米国家安全保障局（NSA）が米国内のトラフィックに仕掛けた盗聴のような目的に使用されたりもできるのです。

ディープパケットインスペクションに対する唯一の防御策は、HTTPS によるエンドツーエンドの暗号化です。これは、送信元や送信先などのメタデータは隠せませんが、コンテンツが移動する際の内容の読み取りや変更からコンテンツを保護します。

収集できる個人識別情報とその利用方法を管理するルールは、国によって異なります。大いに簡略化して述べるならば、米国では何でもありの状況です。あらゆる会社や組織がユーザーに関する情報を、ユーザーに知らせず、それどころかオプトアウトするチャンスも与えずに、収集して配布できます。

欧州連合（EU）ではプライバシーはもっと重視されています（再び大いに簡略化して述べていますが）。企業が個人の明示的な許可なしに、個人情報を集めたり利用することは法的に許されていません。2018 年半ばに施行された General Data Protection Regulation（GDPR、一般データ保護規則）の該当部分では、明示的に同意が得られていない限り、個人のパーソナルデータを処理できないとされています。オプトアウトをデフォルトとするオンラインフォームであっても、十分な同意とはみなされません。また、人々は自分の個人情報にアクセスして、それがどのように使用されているかを確認する権利も有しています。行った同意は、いつでも撤回できます。

米国と EU は 2016 年に、EU 市民のプライバシー権を保護しつつ、両地域間でデータをどのように移動させるかを規定する協定を締結しました。しかし、2020 年 7 月、EU の最高裁判所は、この協定が EU

のプライバシー権を遵守していないとの判決を下し、現在の状況は不透明なままとなっています。

2020 年初頭に施行された「カリフォルニア州消費者プライバシー法」(CCPA) は、GDPR と同様の目標と特徴を持っています。その中には「私のデータを売ってはならない」とする明確なオプション含まれています。CCPA はカリフォルニア州の住民にしか適用されませんが、米国内での影響が広がることを期待できるかもしれません。カリフォルニア州はアメリカの人口の 10% 以上を占めており、社会問題を先取りすることが多い地域です。とは言え、GDPR や CCPA がうまく機能しているかどうかを判断するには、まだ時期尚早です。

11.3 ソーシャルネットワーク

訪問するウェブサイトにおけるトラッキングが、ユーザーに関する情報を集める唯一の手段ではありません。実際、ソーシャルネットワークのユーザーは、楽しみや他人とのつながりの見返りとして、「自発的に」驚くべき量の個人プライバシーを与えています。

数年前ですが、私は次のようなウェブ投稿を見つけました。「就職面接で、彼らは私の履歴書に記載されていない内容について質問をしてきました。彼らは私の Facebook ページを見ていたのですが、これは許しがたい振る舞いです。何しろ Facebook は私生活であって、彼らとは何の関係もないのですから」。これは気の毒なほど素朴で無邪気な感想です。雇用主や大学の入試担当事務局が定常的に検索エンジンやソーシャルネットワーク、その他の似たような情報源を用いて、応募者についての情報を集めているのはよく知られているのに、少なくとも一部の Facebook ユーザーは先のような感想を抱くのかもしれません。米国では、求職者に対して年齢、民族、宗教、性的指向、配偶者の有無、および、その他の様々な個人情報を尋ねることは違法ですが、そうした情報はソーシャルネットワークを検索することで簡単かつ目立たないように判断できます。

検索エンジンやソーシャルネットワークは便利なサービスを提供していますし、しかも無料です。何がいけないのでしょう？　問題は、彼らがどうにかしてお金を稼がなければならないことです。あなたが製品にお金を払っていないのなら、あなた自身が製品であることを忘れないでください。ユーザーの情報を大量に収集して広告主に販売するのが、SNSのビジネスモデルです。その成り立ちゆえに、ほとんどの場合、プライバシーの問題を抱えているのです。

　ソーシャルネットワークが生まれてから、その規模と影響力を飛躍的に拡大するのに時間はかかりませんでした。Facebookは2004年に創業し、2020年には毎月25億人以上のアクティブユーザーを獲得しました。これは世界人口の約3分の1を占めています（Facebookは、InstagramやWhatsAppも所有しており、情報はこれらの事業間で共有されています）。Facebookの年間売上は700億ドル（約8兆円）で、ほとんどが広告によるものです。この成長率では、運用方針を慎重に検討する時間があまり取れないだけでなく、堅牢なコンピュータープログラムをゆっくりと開発することもできません。すべてのソーシャルネットワークのサイトでは、不適切な機能を介した個人情報の漏洩、頻繁に変更されるプライバシー設定に対するユーザーの混乱、ソフトウェアエラー、およびシステム全体にわたるデータ暴露の問題が発生してきました。

　最大かつ最も成功したソーシャルネットワークであることから、Facebookの問題は最も目立ちます。問題の一部は、Facebookがサードパーティに対してアプリケーションを書くためのAPIを提供したために、引き起こされました。そうしたアプリケーションは、Facebookユーザーにより実行される際に、Facebookのプライバシーポリシーと矛盾するようなプライベート情報の開示を行えるからです。もちろん、これらはいずれもFacebookに固有の問題ではありません。

11.3.1 位置情報は誰のものか

　位置情報サービスは、ユーザーの位置を携帯電話上に表示するため、友人と直接会ったり、位置情報を使うゲームをプレイしたりするのが簡単です。ターゲット広告は、見込み客の物理的な場所がわかっている場合に、特に効果的です。レストランからの提案には、新聞で読むときよりも、店の外に立っているときの方が反応する可能性が高くなるでしょう。しかし、その一方で、使っている携帯電話が、店内の移動を追跡するためにも使用されていると知ると、少し気味が悪くなります。それにもかかわらず、店舗側は「店内ビーコン」を使用し始めています。通常は特定のアプリをダウンロードすることで、トラッキングされることに同意（オプトイン）したとみなされます。同意を得た携帯電話上のアプリと、Bluetoothで通信するビーコンが、あなたの店内の位置をモニターして、特定の商品に興味がありそうならお得情報を送ってきます。ビーコンシステムを製造しているある会社の言葉を引用するなら、「ビーコンは屋内モバイルマーケティング革命の先駆けです」となります。

　自分の位置情報をプライベートなものに保つ権利である「ロケーションプライバシー」は、クレジットカード、高速道路や公共交通機関の支払いシステム、そしてもちろん、携帯電話のようなシステムによって脅かされています。これまで足を運んだすべての場所で跡を残さないようにするのは、ますます難しくなっています。中でも携帯電話にインストールされるアプリが最悪の犯人です。多くの場合、通話履歴、物理的な場所など、電話機があなたについて知っている実質的にすべての情報へのアクセスを要求してきます。しかし懐中電灯アプリが、本当に私の位置、連絡先、そして通話履歴を必要とするでしょうか？

　諜報機関はずっと、当事者の発言内容を知らなくても、誰が誰と通信しているかを分析すれば、多くを学べることに気付いていました。このため、NSAは米国内で行われたすべての通話のメタデータ（電

話番号、時刻、時間）を収集しています。最初の収集は、2001 年 9 月 11 日に行われたテロリストの攻撃に対する迅速な対応のひとつとして承認されましたが、データ収集の程度がどの程度のものだったのかは、2013 年にスノーデンの文書が公開されるまで正しく理解されてはいませんでした。「集めているのは会話そのものではなくて、単なるメタデータである」という主張を受け入れたとしても、メタデータから驚くほど多くのことが判明し得るのです。

2013 年 10 月に行われた、上院司法委員会の公聴会の前の証言で、プリンストン大学のエド・フェルテンは、メタデータが「プライベートストーリー」を完全に開示するためにどのように使えるのかを説明しました。

このメタデータは、一見すると「ダイヤルした番号に関する情報」に過ぎないように思えますが、テレフォニー・メタデータを分析すると、従来は通信内容を調べることでしか取得できなかった情報が得られることが多いのです。つまり、メタデータはしばしばコンテンツの代用になるのです。

最も単純な例としては、単一目的で使用されている特定の電話番号では、どのような形の接触でも、発信者の基礎的、かつ、しばしば機密性の高い情報が明らかになってしまいます。たとえば、ドメスティックバイオレンスやレイプの被害者をサポートするホットラインなどです。同様に、自殺を考えている人のためのホットラインも数多く存在し、その中には第一応答者（災害時に現場で最初に対応に当たる警察官や消防官）、退役軍人、ゲイやレズビアンのティーンエイジャーに特化したものなどもあります。アルコール、薬物、ギャンブルなど、様々な依存症患者のためのホットラインもあります。

同様に、NSA を含むほぼすべての連邦政府機関の監察官は、不正行為、浪費、詐欺報告を受け付けるためのホットラインを設

けていますし、多くの州の税務当局は、税金詐欺報告を受け付けるための専用ホットラインを設けています。また、ヘイトクライム、放火、違法銃器、児童虐待などを通報するホットラインも設置されています。こうしたケースでは、メタデータがあるだけで、それ以上の情報がなくても、コールの内容について多くのことが伝わります。

　性的暴行のホットラインや税金詐欺の通報ホットラインに電話したことを示す通話記録は、通話中に話された正確な言葉を明らかにするものではありません。しかし、それでもこれらの電話番号のいずれかに30分間かけたことを示す通話記録は、事実上誰もが非常に私的なものと考える情報を明らかにするのです。

11.3.2 ソーシャルネットワークと情報漏洩

　同じことがソーシャルネットワークにおける明示的および暗黙的な関係にも当てはまります。人々があからさまなリンクを示しているときには、彼らの間の関係を見出すのは容易です。たとえば、Facebookの「いいね！」を利用して、性別、民族的背景、性的指向、政治的傾向などの特性を、かなり正確に推定できます。これは、ソーシャルネットワークのユーザーから、無償で与えられた情報から生み出せる類推がどのようなものかを示しています。

　Facebookの「いいね！」ボタンや、Twitter、LinkedIn、YouTube、その他のネットワークが提供する類似のボタンを使用すると、トラッキングと関連付けがはるかに簡単になります。ページ上のソーシャルアイコン[※7]をクリックすると、そのページを見ていることがソーシャルネットワーク側に知らさます。ソーシャルアイコンは実質的には、隠されることなく表示される広告画像なのですが、それによりクッキ

※7 訳注：ソーシャルアイコンは、外部ページの情報をソーシャルメディア内で共有するために設置されるボタンです。

ーが送り込まれてくる機会も招くのです。

　ソーシャルネットワーキングや他のサイトからは、ユーザーでなくても個人情報が漏洩します。たとえば、決して悪意はない友人からパーティへの電子招待状（invite ならぬ e-vite）を受け取ったとしましょう。この招待サービスを運営している会社は、たとえ私がその招待に反応せず、いかなる意味でも私のアドレスの利用を許可しなかったとしても、私の有効なメールアドレスを手に入れたのです。

　友人が Facebook に投稿した写真に私をタグ付けすると、私の同意なしにプライバシーが侵害されます。Facebook は、友人同士が簡単にタグ付けできるように、顔認識を提供しています。そしてデフォルトでは、タグ付けされる側の許可なしに、タグ付けが行われます。私がコントロールできるのは、Facebook によるタグ付けの提案を拒否することだけで、タグ付け自体を拒否することはできないようです。Facebook の説明はこうです[8]。

　　顔認証の設定をオンにすると、プロフィールの写真や、すでにタグ付けされている写真など、あなたが写っていると思われる写真や動画を顔認証技術で解析し、あなたのテンプレートを作成します。このテンプレートを利用して、他の写真、動画、その他 Facebook 内でカメラが使われている場所（ライブビデオなど）で、あなたが認識されます。

　　この設定をオフにすると［中略］顔認識機能を使って、他者に写真中のあなたをタグ付けるように提案することはありません。つまり、写真にタグを付けることは相変わらず可能ですが、顔認識のテンプレートに基づいてタグが提案されることはなくなります。

※8　訳注：2021 年末に Facebook は顔認識機能の廃止を発表しました、したがってこの部分の説明は今は存在しません。

私は Facebook を一切使っていません。そのため、私が Facebook ページを「持って」いることに気付いたときには驚きました。おそらく Wikipedia から自動生成されたのでしょう。イライラさせられますが、私がそれを支持していると他の人々が思いませんように、と願う以外に、できることはほとんどありません。

　ユーザー数の多いシステムであれば、ユーザー間の相互作用を表す「ソーシャルグラフ」を作成し、そこに、間接的に持ち込まれたユーザーを（本人の同意や知識がなくても）、容易に取り込めます。いずれの場合も、個人が事前に問題を回避する方法はなく、一度作成された情報を削除することは困難です。

　世界に向けて話したい「自分自身」は何かを真剣に考えましょう。メールを送信したり、投稿またはツイートをする前に、少し時間をかけて、あなたの言葉や写真が、ニューヨーク・タイムズ紙の表紙やテレビニュース番組のトップストーリーとして取り上げられたら快適かどうかを自分自身に問いかけてみましょう。あなたのメール、SMS、そしてツイートは、永久に保存される可能性が高く、数年後には恥ずかしい状況などで再浮上する可能性もあるのです。

11.4 データマイニングと集約

　インターネットとウェブは、人々が情報を収集、保存、提示する方法に革命をもたらしました。検索エンジンやデータベースは、誰にとっても非常に価値があり、インターネット以前にどうやって管理していたかを思い出すのが難しいほどです。膨大なデータ（ビッグデータ）は、音声認識、言語翻訳、クレジットカード詐欺検出、レコメンデーションシステム、リアルタイム交通情報、それ以外の多くの貴重なサービスに対する原材料を提供します。

　しかし、オンラインデータの急増には大きな問題点もあります。特に、自分自身に関する情報が、快適なレベルを超えて拡散してしまう可能性がある場合には問題はさらに大きくなります。

明らかに公的な情報もありますし、検索とインデックスの対象となるのを意図した情報の集まりもあります。本書のウェブページを作成して検索エンジンから簡単に見つかるようにできれば、間違いなく私にとっての利点です。

　公的記録はどうでしょう？　法的には、申請すれば、一般の人が特定の情報を利用できます。米国では通常、機密扱いではない裁判記録、住宅ローン文書、住宅価格、地方固定資産税、出生死亡記録、結婚許可証、有権者名簿、政治献金などが含まれます（出生記録は生年月日を明らかにしますし、加えて、本人確認の一部としてしばしば使用されている「母親の旧姓」もわかってしまう可能性が高まります）。

　昔は、こうした情報を入手するために地方自治体の事務所へ直接出向く必要がありました。そのため、記録は技術的には「公開」されてはいましたが、何かしらの努力なしにはアクセスができませんでした。データを探している人は、直接顔を出し、おそらくは自分自身の身分証明書を示して、物理的なコピーに対してお金を払う必要がありました。

　現在は、データの多くはオンラインで入手でき、自宅から快適に、匿名のまま、公的記録を調べられます。それらを大量に収集し、他の情報と組み合わせるビジネスすら、成立するかもしれません。人気サイトの zillow.com は、地図、不動産広告、および、物件と取引に関する公開データを組み合わせて、地図に住宅価格を表示します。売買を考えている人にとっては価値のあるサービスですが、そうでない人にとっては立ち入ったものに思えるかもしれません。似たような他のサイトでは、現在および過去の居住者の情報や、有権者の登録情報が追加され、おまけに興味を引くために、潜在的な犯罪歴も示唆されます。fec.gov で参照できる選挙献金に関する連邦選挙委員会のデータベースは、どの候補者が友人たちや著名人に支持されているかを示したり、自宅の住所などの情報を明らかにできます。これは、公衆の知る権利と個人のプライバシーの権利との間の、不安定なバランスに関

わる問題です。

　どの情報に簡単にアクセスできるようにするべきかは、答えるのが難しい質問です。政治献金は公開されるべきですが、献金者の住所はおそらく取り除かれるべきでしょう。米国の社会保障番号（SSN）のような個人識別番号は、個人情報の窃盗に簡単に利用されるため、ウェブに登録されるべきではありません。逮捕歴と写真は公開される場合があり、そうした情報を表示するサイトもあります。実はそうしたサイトのビジネスモデルは代金と引き換えに写真を削除することなのです！　既存の法律は、多くの場合、そうした情報をいつでも封じ込められるわけではありません。一度ウェブに掲載されてしまえばもう手遅れです。情報はいつまでもウェブに残り続けるのです。

11.4.1 匿名化の落とし穴

　互いに独立しているように見えるかもしれない、複数のソースからのデータが組み合わさると、自由に利用可能な情報に対する懸念はさらに深刻になります。たとえば、ウェブサービスを提供する企業は、そのユーザーに関する大量の情報を記録します。検索エンジンは、すべての問い合わせを記録します。その際には、問い合わせが出されたIPアドレスや、前回の訪問時に送り込まれたクッキーも同時に渡されます。

　2006年8月、AOLは世の中の役に立ちたいとの思いから、問い合わせ記録の大規模なサンプルを、研究のために公開しました。3カ月間にわたる65万人のユーザーからの2,000万件の問い合わせ記録は、匿名化されていました。そのため、理屈の上では、名前のわかる個人は完全に排除されているはずでした。世の中に役立てたいという思いにもかかわらず、実際にはAOLが想定していたほどには、記録が匿名化されていないことがすぐに明らかになりました。各ユーザーにはランダムではあるものの一意の識別番号が割り当てられていたために、同じ人が行った一連のクエリーを見つけることが可能だったのです。

その結果、少なくとも少数の個人を一意に識別できました。人々は、自分の名前や住所、社会保障番号、その他の個人情報を検索していたのです。検索の相関によって、AOLが信じていた以上のことが明らかになり、元々のユーザーが想像していたよりも、はるかに多くのことが明らかになりました。AOLはウェブサイトから問い合わせ記録をすぐに削除しましたが、もちろん、すでに遅すぎました。データは世界中に広がってしまっていたのです。

　問い合わせ記録には、ビジネスの運営やサービスの改善に役立つ貴重な情報が含まれますが、明らかに機密性の高い個人情報も含まれます。検索エンジンはそのような情報を、どのくらいの期間、保存すべきなのでしょう？ここには、対立する外的圧力が働いています。プライバシー上の理由から短い期間を望む勢力と、法執行機関の目的のために長い期間を望む勢力です。さらに匿名化を進めるためには、データを内部でどの程度、処理する必要があるでしょうか？一部の企業は、各クエリーのIPアドレスの一部（通常は右端のバイト）を削除していると主張しますが、ユーザーの識別を不可能にするには不十分な場合があります。政府機関はこの情報にどのようなアクセスを行う必要があるでしょう？民事訴訟の中でどれだけ発見できるでしょうか？これらの質問に対する答えはとても明快とは言えないものです。AOLの記録における問い合わせの中には、たとえば配偶者を殺す方法などの恐ろしい質問が混ざっていました。おそらくは、限られた状況下では、記録を法執行機関に対して開示することは望ましいと思われます。しかし、どこに境界線を引くべきかは、とても不明瞭です。一方、問い合わせ記録を保持しないと明言している検索エンジンは少数です。そうした中では、DuckDuckGoが最も利用されています。

　AOLのエピソードは、一般的な問題を示しています。データを完全に匿名化するのは困難なのです。識別情報を削除しようとする試みは、狭い視野で考えられがちです。この特定のデータには、特定の人物を識別する可能性のあるものが含まれていないから無害に違いない

……そのように考えられがちなのです。しかし、現実の世界には他の情報源があります。多くの場合、元の提供者には全く知られておらず、おそらくずっと後になるまで存在さえしなかった、複数の情報源からの事実を組み合わせれば、多くのことを推論できます。

　ある有名な事例が、この再識別の問題を鮮やかに表面化しました。1997年、当時マサチューセッツ工科大学（MIT）の博士課程の学生だったラタニア・スウィーニーは、表面的には匿名化されていた、13万5,000人分のマサチューセッツ州の被雇用者の医療記録を分析しました。データは州の保険委員会によって研究のために公開されており、民間企業に対する販売も行われていました。他の多くの項目とともに、各レコードには生年月日、性別、現在の郵便番号が含まれていました。スウィーニーは1945年7月31日に生まれた人が6人いることに気付きました。3人は男性で、ケンブリッジに住んでいたのは1人だけでした。この情報を公開されている有権者登録リストと組み合わせることで、彼女はその人が当時マサチューセッツ州知事だったウィリアム・ウェルドだと特定できたのです。

　これらは、それぞれ孤立した問題ではありません。2014年、ニューヨーク市のタクシーリムジン委員会は、2013年に市内でタクシーに乗った1億7300万人分の匿名データセットを公開しました。しかし、匿名化のやり方があまり良くありませんでした。そのため、リバースエンジニアリングを行い、タクシーの営業許可番号をもとに、どのタクシーがどの移動記録にマッチしたかの情報の復元が可能だったのです。このとき、データサイエンスの企業インターンが、営業許可番号のわかるタクシーに有名人が乗っている写真を発見できることに気付きました。これだけで、約10回の旅行の詳細を、チップの額まで再現できたのです。

　十分な知識は得られないはずだから、ある種の秘密が知られることはないだろうと、人は信じがちです。これらの例は、本来は一緒に調査されるはずではなかったデータセットを組み合わせれば、多くのこ

とを学べることを示しています。しかし、敵は、すでにあなたが思っている以上の情報を、知っているかもしれません。そして、仮に敵が、今日は知っていないとしても、多くの情報が時間とともに利用可能になっていくのです。

11.5 クラウドコンピューティング

　第6章で説明した計算のモデルを思い出してみましょう。パーソナルコンピューターが1台または複数台あるとします。人々はドキュメント作成用のWord、個人財務用のQuickenまたはExcel、写真の管理用のiPhotoなど、タスクごとに個別のアプリケーションプログラムを利用します。一部のサービスを使うためにインターネットに接続する場合もありますが、プログラムは自分のコンピューター上で実行されます。頻繁にバグを修正する新しいバージョンをダウンロードし、新しい機能を入手するためにはアップグレードを購入する必要も時にはあるでしょう。

　このモデルの本質は、プログラムとそのデータが自分のコンピューター上に存在しているという点です。あるコンピューター上でファイルを変更し、別のコンピューターでそのファイルを必要とする場合には、自分自身でファイルを転送する必要があります。オフィスにいるときや出張中に、自宅のコンピューターに保存されているファイルが必要になった場合は、運の悪さを嘆きましょう。Windowsパソコンと Mac の両方でExcelとかPowerPointを使う必要がある場合には、それぞれのマシン用にプログラムを購入する必要があります。携帯電話で使いたければ、もちろん別途購入する必要があります。

　現在は、上記とは異なるモデルが標準となりました。ブラウザーまたは携帯電話を使用して、インターネットサーバーに保存している情報にアクセスし、操作するモデルです。GmailやOutlookなどのメールサービスが最も広く普及している例です。メールには、どんなコンピューターや電話からでもアクセスできます。ローカルで作成された

メールメッセージをアップロードしたり、ローカルファイルシステム
にメッセージをダウンロードしたりは可能ですが、ほとんどの場合に
は、サービスを提供してくれる場所にただ情報を保存するだけです。
ソフトウェアのアップデートという概念はありませんが、次々に新し
い機能が登場します。友人の様子を知り、彼らの写真を眺めるといっ
た行為は、Facebook では普通に行われています。会話や写真はあな
た自身のコンピューターではなく、Facebook 上に保存されています。
これらのサービスは無料で提供されています。唯一目に見える「コス
ト」は、メールを読んだり、友人が何をしているかを確認するときに
出てくる広告です。

　このモデルは、しばしばクラウドコンピューティングと呼ばれます。
この名前は、インターネットは特定の物理的な場所を持たない「クラ
ウド（雲）」（**図7**）だという比喩に由来しています。情報は、「クラ
ウドの中のどこか」に保存されているわけです。メールやソーシャル
ネットワークは最も一般的なクラウドサービスですが、それ以外にも
たくさんのクラウドがあります。Instagram、Dropbox、Twitter、
LinkedIn、YouTube、オンラインカレンダーなども、そうしたクラ
ウドサービスです。データはローカルではなくクラウド、つまりサー
ビスプロバイダーによって保存されます。メールとカレンダーは
Google サーバー上にあり、写真は Dropbox や Facebook サーバー上
にあり、レジュメは LinkedIn の上にあるといった具合です。

　クラウドコンピューティングは、様々な要素が協力して実現されて
います。パソコンが強力になるにつれて、ブラウザーも強力になって

図7　クラウド

います。ブラウザーは高い表示性能を要求する大規模なプログラムを（たとえプログラミング言語がインタープリター方式の JavaScript だったとしても）効率的に実行できるようになりました。クライアントとサーバー間の帯域幅と遅延時間は、ほとんどの人にとっては 10 年前よりもはるかに良くなっています。これにより、入力中に検索キーワードを提案するために個々のキーストロークに応答するような用途にさえも、データを素早く送受信できるようになりました。その結果、ブラウザーを使用して、以前ならスタンドアロンのプログラムが必要だった操作のほとんどを処理しながら、サーバーを使って大量のデータを保持し、重い処理を実行できるようになりました。このしくみは携帯電話でもうまく機能します。アプリをダウンロードする必要はありません。

　ブラウザーベースのシステムは、デスクトップシステムとほぼ同じ応答性を備えながら、どこからでもデータにアクセスできます。Google が提供するクラウドベースの「オフィス」ツールを考えてください。これは、ワードプロセッサー、スプレッドシート、プレゼンテーションのプログラムなどを提供していて、しかも複数のユーザーからの同時アクセスと更新が可能です。

11.5.1 クラウドとクライアントの関係

　興味深い問題のひとつは、これらのクラウドツールが、最終的にデスクトップバージョンを打ち負かすほどになるかどうか、という点です。想像できるように、Office からの収益が大きな部分を占める Microsoft は、懸念を示しています。Office は主として Windows 上で動いており、Windows も同社にとって大きな収益源です。ブラウザーベースのワードプロセッサーとスプレッドシートは、Microsoft の製品を必要としないため、Office と Windows 両方のコアビジネスを脅かしています。現時点では、Google Docs や類似のシステムは Word、Excel、PowerPoint のすべての機能を提供してはいませんが、

技術進歩の歴史をみれば、登場時には明らかに劣っているシステムでありながら、その機能でも十分な新しいユーザーを引きつけることに成功し、徐々に既存勢力を駆逐した例に事欠きません。Microsoft はもちろんこの問題を十分に認識していて、実際に Office 365 と呼ばれるクラウドバージョンを提供しています。

ウェブベースのサービスは、ユーザーが継続的に料金を支払ってアクセスするサブスクリプション（定期支払い）モデルを導入しやすいために、マイクロソフトや他のベンダーにとって魅力的です。しかし消費者は、ソフトウェアを一度購入し、必要に応じてアップグレードにお金を払う方を好むかもしれません。私の古い Mac 上では、いまだに 2008 年版の Microsoft Office を使っています。問題なく動作しているし、（マイクロソフトの名誉のために言っておくと）今でも時々セキュリティアップデートが行われているので、急いでアップグレードする必要は感じていません。

クラウドコンピューティングはクライアント側の高速な処理能力と大量のメモリー、そしてサーバーとの間の高速な帯域幅に依存します。クライアント側のコードは JavaScript で記述されており、通常はとても複雑です。JavaScript コードは、ドラッグなどのユーザーアクションや更新されたコンテンツなどのサーバーアクションに対応して、グラフィックス素材を迅速に更新および表示するために、ブラウザーに大きな負荷をかけます。これだけでも非常に難しいことですが、ブラウザーと JavaScript のバージョン間の非互換性により、さらに事態は悪化します。提供側は、適切なコードをクライアントに送り込むための最適な方法を見つける必要があります。とは言え、コンピューターが高速になり、標準が厳守されるにつれて、いずれも改善されていくでしょう。

クラウドコンピューティングは、処理中に情報が存在する場所と、計算が実行される場所の、トレードオフが行えます。たとえば、特定のブラウザーに依存しない JavaScript コードを作成する方法のひと

つは、コード自身の中に「実行しているブラウザーが、Firefox バージョン 75 ならこうする、Safari 12 ならこうする、そうでなければ、違うことをする」といった条件分岐を含めておくやり方です。しかし、そうしたコードは大きくなりがちです。つまり、JavaScript プログラムをクライアントに送るために、さらに大きな帯域幅が必要になるのです。もちろん、ブラウザー判別のための余計なテストは、ブラウザーの実行速度を遅くします。これとは別の方法は、サーバーがクライアントに対して使用されているブラウザーの種類を尋ね、その特定のブラウザーに合わせて調整されたコードを送るやり方です。そうしたコードは、さらにコンパクトで高速に実行されるかもしれません。しかし、小さなプログラムの場合にはそれほど違いはありません。

　ウェブページのコンテンツは、圧縮せずに送信できます。これにより、両端での処理は少なくなりますが、必要な帯域幅は増えます。コンテンツを圧縮して送信した場合には、帯域幅は少なくなるものの、両端で処理する必要が生じます。圧縮が一方のみで行われる場合もあります。大規模な JavaScript プログラムは、不要なスペースをすべて削除し、変数と関数に 1 文字または 2 文字の名前を使用して、圧縮されるのが普通です。結果は人間の読者にとってはわかりにくいものですが、クライアントコンピューターは気にしません。

　技術的な課題はありますが、常にインターネットにアクセスできると仮定すると、クラウドコンピューティングには利点がたくさんあります。ソフトウェアは常に最新になりますし、情報は専門的に管理された、十分な容量を持つサーバーに保存され、クライアントデータは常にバックアップされるため、何かを失う心配はほとんどありません。文書のコピーはひとつだけ存在するので、異なるコンピューターの上に、お互いに矛盾する可能性のある複数のコピーは存在しません。ドキュメントを共有して、リアルタイムでの共同編集も簡単です。この価値は計り知れません。しばしば個人は無料で使えて、法人は有償となるプランがあります。

11.5.2 クラウドの課題

　その一方で、クラウドコンピューティングは、プライバシーやセキュリティに関する難しい問題を提起します。クラウドに保存されたデータの所有者は誰でしょう？　それには誰が、どのような状況下で、アクセスできるのでしょう？　情報が間違って公開されてしまった場合、法的責任はあるのでしょうか？　亡くなった人のアカウントはどうなるのでしょう？　データの公開を強制できるのは誰でしょうか？　たとえば、メールプロバイダーが自発的もしくは法的措置によって、あなたの通信内容を、訴訟の一環として政府機関や裁判所に提供するのは、どのような場合でしょうか？　それがあったかどうかを知ることはできるでしょうか？　米国では、いわゆる「国家安全保障レター」によって政府から情報開示要求が送られますが、送られた企業は、政府からの情報要求があったことを顧客に告げることが禁じられています。その動きは、住んでいる場所で、どのように影響されるでしょうか？　あなたが、個人データのプライバシーに関する比較的厳しい規則がある EU 内の居住者である一方、しかしクラウドデータは米国のサーバーに保存されていて、たとえば米国愛国者法（Patriot Act）のような法律の対象である場合はどうでしょうか？

　これらは架空の質問ではありません。大学の教授として、私は必然的に、学生の個人情報にアクセスする必要があります。成績はもちろん、時には秘密の個人情報や家族情報にも触れます。こうした情報は電子メールで到着し、大学のコンピューターに保存されます。私が成績ファイルの保存と通信のために、Microsoft のクラウドサービスを使用することは合法でしょうか？　私が起こした何らかのミスにより、この情報が世界中で共有された場合には、どうなるでしょう？　学生に関する情報を求めている政府機関から、Microsoft が召喚された場合はどうなるでしょう？　私は弁護士ではありませんし、答えもわかりませんが、この件について心配しています。そのため、学生に関する記録とコミュニケーションにはクラウドサービスを利用しないよう

に努力しています。私はそのような資料をすべて、学校が提供するコンピューター上に保存しているので、学校側の過失やコンピューターの不具合によって何らかの個人情報が流出した場合、私自身は賠償請求からある程度は保護されるはずです。もちろん、私が個人的に馬鹿なことをしてしまった場合には、おそらくデータの保存場所は関係ありません。

　誰がどのような状況で他人のメールを読めるのでしょう？　これは部分的には技術的な質問ですが、部分的には法的な問題です。法的部分に対する答えは、あなたが住んでいる管轄区域によって異なります。米国では、私の理解している範囲では、あなたが会社の従業員である場合、あなたの雇用主は会社のアカウントのメールを自由に、あなたに通知することなく読めます。雇用主が施設を提供しているので、その施設がビジネス目的で、会社と法律の要件に従って利用されているかを確認する権利があるという理屈に基づいているため、そのメールがビジネスに関連しているかどうかは関係ありません。

　私のメールはあまり面白いものではありませんが、雇用主が、たとえ法的権利を持っていたとしても、あまり正当な理由なしに読むとしたら、私はずいぶんと嫌な思いをするでしょう。あなたが学生である場合には、ほとんどの大学は、学生のメールは紙の手紙と同じように、プライベートなものだという立場を取ります。私の経験では、学生は転送以外の目的では大学のメールアカウントを使用しません。すべてを Gmail に転送しています。この事実を暗黙のうちに認めているため、私の大学も含め多くの大学は学生のメールを外部サービスに委託しています。これらのアカウントは一般サービスからは分離され、学生のプライバシー規制の対象となり、広告は表示されません。それでもデータは相変わらずプロバイダーが保存しています。

　ほとんどの人がしているように、個人メールに ISP またはクラウドサービス（たとえば、Gmail、Outlook、Yahoo、その他）を使用する場合には、プライバシーは利用者とクラウドの間の問題です。一般

に、そのようなサービスは、公には顧客のメールがプライベートであり、他人はそれを見ることはなく、法的要求がない限り公開しないという立場をとっています。しかし、「国家安全保障」の衣装をまとった、広すぎるあるいは非公式の要求に対してどれほどしっかりと抵抗するかについては、あまり議論されることはありません。強力な圧力に耐えるプロバイダーの意欲頼みというのが現実です。米国政府は、9/11以前は組織犯罪と戦うために、そして9/11以後はテロリズムと戦うために、電子メールへこれまで以上に簡単にアクセスできることを望んでいます。この種のアクセスに対する圧力は着実に増加していますが、テロ事件が発生すると急激に増加します。

一例を挙げると、2013年に、クライアントに安全なメールを提供していたLavabitという小さな会社が、米国政府がメールにアクセスできるように、会社のネットワークに監視機能をインストールするように命じられました。政府はまた、暗号化キーの引き渡しを命じ、オーナーのラダー・レヴィソンに、これらが行われることを彼の顧客に伝えてはいけない、と告げました。レヴィソンは拒絶し、適正な手続きを拒否されたと主張しました。最終的に彼は、顧客メールへのアクセスを可能にするのではなく、会社の閉鎖を選択しました。最終的には、政府があるアカウント、すなわちエドワード・スノーデンのアカウントに関する情報を追っていたことが明らかになりました。

現在では、ProtonMailを代替品として使用できます。スイスに拠点を置き、プライバシーを約束しています。また、他国からの情報提供の要請を無視できる立場にあることは確かです。しかし、どんな場所にあるどんな企業でも、政府機関や企業の財務的なプレッシャーに悩まされることはあるでしょう。

プライバシーとセキュリティへの懸念は別として、Amazonや他のクラウドプロバイダーにはどのような責任があるのでしょうか？ たとえば何らかの設定エラーが原因で、AWSサービスが丸一日の間、とても使えないくらい遅くなったと仮定してみましょう。AWSの顧

客にはどのような手段があるのでしょうか？ 契約書にはサービスレベル契約が含まれるのが普通ですが、契約そのものが良いサービスを実現してくれるわけではありません。これは重大な問題が発生した場合の法的措置の根拠になるだけです。

　サービスプロバイダーは顧客に対してどのような責任を負っているのでしょうか？ 法的強制や「当局」からの静かな要求に対して、いつなら立ち上がって戦い、いつなら唯々諾々と従うのでしょう？ このような質問に終わりはなく、明確な回答はほとんどありません。政府も個人も、自分自身についての利用可能な情報は削減しようとする一方で、常に他者に関しては多くの情報を望んでいます。現在、Amazon、Facebook、Google などをはじめとする多くの主要なプレイヤーたちは、政府からの情報の削除要求、ユーザーに関する情報要求、著作権侵害による削除要請などの大まかな件数を示す「透明性レポート」を公開しています。それは、主要な商業組織がどのくらいの頻度で、どのような理由に基づいて抵抗しているかについて、興味をそそるヒントを与えています。たとえば、2019 年、Google は政府から約 35 万のユーザーアカウントに関する情報提供の要請を 16 万件以上受けています。そしてそのうちの約 7 割で「何らかの情報」を開示しています。Facebook も同様の件数の要求と開示を報告しています。

11.6 まとめ

　テクノロジーの日々の使用によって、想像しているよりもはるかに膨大で詳細なデータストリームが生成されています。それはすべて、商用目的に取り込まれています。私たちの認識を大きく超えて、共有され、組み合わされ、研究され、そして、販売されているのです。これは、検索、ソーシャルネットワーク、無制限のオンラインストレージなど、当然のものとして利用している、価値ある無料サービスの引き換えに行われているのです。あまり十分ではありませんが、データ収集の範囲についての一般の認識は高まっています。現在、広告ブロ

ッカーは、広告主が気にし始めるほど多くの人々によって使用されています。広告ネットワークがしばしば無意識のうちにマルウェアを供給してしまう現状を考えると、広告のブロックは賢明ですが、全員がGhostery や Adblock Plus を使い始めたらどうなるかは明らかではありません。これまでのようなウェブはなくなってしまうのでしょうか、それとも誰かが Google や Facebook、Twitter をサポートする代替案を発明するのでしょうか？

データはまた、政府が利用するために取得されていますが、長期的には有害になるように思えます。政府には、営利企業にはない力があり、それに対して抵抗するのは困難です。政府の振る舞いを変えるには、どのように行動すればよいかは、国ごとに大きく異なりますが、どんな場合でも、問題についての情報を得ることは良い第一歩です。

1980 年代初期に、とても効果的だった AT&T の広告スローガンは、「手を差し伸べて誰かに触れてみよう」でした。ウェブ、電子メール、SMS、ソーシャルネットワーク、クラウドコンピューティングなどはすべて、「手を差し伸べて誰かに触れること」を簡単にします。時には「手を差し伸べて誰かに触れること」は有効です。直接会うよりもはるかに大きなコミュニティで友人を作り、関心を共有できるのです。しかし同時に、手を差し伸べる行為は、世界中からあなたが見えるようになり、アクセスできるようにします。そこでは全員があなたと同じ関心を抱いているとは限りません。スパム、詐欺、スパイウェア、ウイルス、トラッキング、監視、個人情報の盗難、プライバシー、さらにはお金の損失への扉も開かれます。用心するのが賢明です。

- 12 -
人工知能と機械学習

> コンピューターが思考し、学習し、創造するとしたら、
> それはこれらの能力を与えるプログラムのおかげである。(中略)
> プログラムこそが、何らかの方法で自らのパフォーマンスを分析し、
> その失敗を診断し、将来の有効性を高める変更を行うのだ
>
> **アーサー・W・バークス、ハーマン・H・ゴールドスタイン、ジョン・フォン・ノイマン、**
> **ハーバート・A・サイモン、The New Science of Management Decision[※1]、1960.**

> 私の同僚は人工知能を研究していますが、
> 私は自然愚行(natural stupidity)を研究しています。
>
> **現代行動経済学の創始者であるエイモス・トベルスキー(1937-1996):**
> **『Nature』2019年4月号より引用**

　膨大な量のデータに、計算機の性能やメモリーをどんどん適用して
いって、高度な数学を駆使すれば、これまで人間の営みだと考えられ
きた分野にコンピューターを適用する、人工知能の長年の課題に挑戦
できるようになるでしょう。

　実用的な人工知能は比較的新しいものですが、歴史的なルーツは
1950年代にさかのぼります。現在、この分野は、バズワード、誇大
広告、希望的観測、そして、ほんのわずかの実際に達成された成果が
混ざり合った状態です。人工知能、機械学習、自然言語処理（それぞ

※1　訳注：1977年の第3版が『意思決定の科学』として邦訳されています。

れ AI、ML、NLP と略されます）は、ゲーム（チェスや囲碁をプレイするプログラムは、人間の最高のプレイヤーよりも優れています）や、音声認識・合成（Alexa や Siri を思い浮かべてください）、機械翻訳、画像認識・コンピュータービジョン、自動運転車などを含むロボットシステムで大きな成功を収めています。Netflix や Goodreads のようなレコメンデーションシステムは、新しい映画や本を紹介してくれますし、Amazon の関連商品リストは間違いなくその収益に貢献しています。スパム検出システムはまずまずの仕事をしていますが、スパマーのテクニックに追いつく作業に終わりはありません。

　画像認識システムは、写真を構成要素に分離し、それらが何であるかを判別する処理にとても優れているものの、しばしばだまされてしまいます。癌細胞や網膜疾患などを識別するための医療画像処理は、平均的な臨床医と同等の能力を持つこともありますが、最も専門的な医師にはまだ及びません。顔認証は、電話やドアのロックを解除するために必要な性能を備えますが、同時に商業目的や政府の意図により悪用される可能性もあります（実際によく悪用されています）。

　この分野には特殊な専門用語が多く、明らかに異なるものが混ざり合ってしまうことがあります。準備のために、まずは用語を簡単に説明します。

「人工知能」は、普通は人間にしかできないと思われている行為をコンピューターにやらせるという、広い意味を持つカテゴリーです。人間は自分たちが「知能」を持っていると考えていますが、「人工」は同じものをコンピューターが持っているという意味になります。

「機械学習」は、人工知能のサブセットです。アルゴリズムが独自の判断を行い、AI 分野の課題の一部を解決できるように訓練する、大きな技術分野を意味します。

　機械学習は、統計学とは重なる部分もありますが、同じではありません。大幅に単純化するなら、統計解析は、あるデータを生み出すモデルを仮定して、そのデータに最も合致するモデルのパラメーターを

見つけ出そうとします。対して機械学習は、モデルを仮定せず、データの中に関係性を見つけ出そうとします。通常、機械学習は、かなり大きなデータセットに適用されます。統計学も機械学習もどちらも確率論的です。ある程度の確率で正しい答が得られますが、保証はありません。

「深層学習」は、人間の脳のニューラルネットワーク（神経ネットワーク）に（少なくとも比喩的には）似た計算モデルを使用する機械学習の一種です。深層学習の実装は、人間の脳が行っていると思われる処理を（極めて）緩やかに模倣します。つまり、一群のニューロン（神経細胞）が低レベルの特徴を検出し、その出力が他のニューロンへの入力となって、低レベルの特徴に基づいて高レベルの特徴が認識される、といった具合です。システムが学習するにつれて、ある接続は強化され、他の接続は弱められます。

深層学習は、特にコンピュータービジョンにおいて、非常に効果の高いアプローチです。機械学習の研究の中でも最も活発な分野のひとつで、様々なモデルが数多く存在しています。

これらのテーマに関する書籍、科学論文、人気記事、ブログ、チュートリアルなどは膨大にあります。仮に他に何もしなくても、ついていくのは大変です。本章では、機械学習の概要を簡単に説明します。本章を読めば、用語のいくつかと、機械学習が何に使われるのか、主要なシステムがどのように機能するのか、それらはどのくらいうまく機能するのか、そして重要な「どこで失敗する可能性があるのか」への理解が進むでしょう。

12.1 歴史的背景

20世紀半ばにコンピューターが開発された当初は、本来人間でなければできない作業をコンピューターを使って実現するにはどうすれば良いか、が課題でした。わかりやすいターゲットは、チェッカーやチェスのようなゲームをプレイすることでした。こうしたゲームを選

ぶ利点は、ルールが完全に規定されていて、興味を持つ人や専門家の資格を持つ人が大勢いるところです。また、別のテーマの、ある言語から別の言語への翻訳は、明らかに難しい課題ながら、さらに重要です。たとえば、冷戦時代にはロシア語から英語への機械翻訳が重要な問題でした。その他、音声認識や音声合成、数学的または論理的推論、意思決定、学習プロセスなどにも応用されました。

こうしたテーマの研究に対しては、米国国防総省などの政府機関からの資金が容易に獲得できました。後にインターネットの開発へとつながった初期のネットワーク研究に対する国防総省の資金提供の価値は本書でもすでに説明しましたが、同様に人工知能の研究にも熱心で手厚いサポートが行われました。

1950年代から1960年代にかけてのAI研究は、無邪気で楽観的だったと言ってもいいと思います。科学者たちは、ブレークスルーがすぐそこまで来ていると感じていたのです。5年か10年もすれば、コンピューターは言語を正確に翻訳するし、チェスの試合では人類最高のプレイヤーに勝利するだろうというわけです。

当時、私はまだ学部生に過ぎませんでしたが、この分野と秘められた可能性に魅力を感じて、人工知能に関する卒業論文を書きました。残念ながら、その論文をもう持っていません。どこかで失われてしまったのです。そのため、どれほど楽観的な意見を述べたのかは覚えていません。

しかし、ほとんどすべてのAIアプリケーションは、想像されていたよりもはるかに困難であることが明らかになり、常に「あと5年か10年」と言われ続けました。結果は乏しく、資金も底をつき、後に「AIの冬」と呼ばれたように、この分野は10年20年と休眠状態が続いたのです。その後、1980年代から1990年代にかけて、エキスパートシステムやルールベースシステムと呼ばれる別のアプローチが始まりました。

エキスパートシステムでは、適用領域の専門家がたくさんのルール

を書き、プログラマーがそのルールをコードに変換し、コンピューターがそれらを使って何らかの処理を実行します。医療診断は人気のあるアプリケーションのひとつでした。医師が患者の状態を判断するためのルールを作成すれば、プログラムが診断を行えるようになるはずです。医師を支援したり、補完したり、理論的には医師に取って代わることさえも可能になります。たとえば、初期の例のひとつであるMYCIN（マイシン）は、血液の感染症を診断する目的で開発されました。約600個のルールを使用し、一般開業医と同等以上の能力がありました。MYCINを開発したのは、エキスパートシステムの先駆者であり、人工知能の研究で1994年にチューリング賞を受賞したエドワード・ファイゲンバウムです。

　エキスパートシステムは、カスタマーサポートや機械装置の保守・修理など、いくつかの分野である程度の成功を収めましたが、大きな限界も明らかになりました。実際には、包括的なルールを集めるのはとても難しく、また、例外も多すぎるのです。この手法は、大きな話題や新しい問題領域にはうまく対応できません。状況の変化や理解の向上に応じてルールを更新する必要があります。たとえば、高熱、喉の痛み、ひどい咳のある患者に対面した医師の判断ルールが2020年にどのように変わったかを考えてみると良いでしょう。かつては、おそらく軽度の合併症を伴った一般的な風邪と診断された症状が、患者や医療従事者に深刻なリスクをもたらす感染症のCovid-19（新型コロナウイルス感染症）である可能性が高いのです。

12.2 古典的機械学習

　アルゴリズムに大量のデータを与えて自ら「学習」させようとするのが、機械学習の基本的な考え方です。その際にはルールを与えず、特定の問題を解決するような明示的なプログラムも行いません。最もシンプルな形式では、正しい値でラベル付けされたデータのトレーニングセットをプログラムに提供します。たとえば、手書きの数字を認

識するためのルールを考案するのではなく、正しい数値がラベル付けされた大量のサンプルの数字を用いて、学習アルゴリズムを訓練します。アルゴリズムは、学習データを使った成功と失敗に基づいて、学習データの特徴をどのように組み合わせれば最良の結果が得られるかを学習します。もちろん「最良」と完璧は異なります。機械学習のアルゴリズムは、良い結果が得られる確率を高めようとしますが、完璧を保証できるわけではありません。

　学習後、そのアルゴリズムは、学習データセットからの学びに基づいて、新しいアイテムを分類したり、その値を予測したりします。

　ラベル付きデータに基づく学習を「教師あり学習」と呼びます。ほとんどの教師あり学習アルゴリズムは、共通の構造を持っています。たとえば、ある文章がスパムか否か、写真に写っている動物の種類、家の値段などの、正しいカテゴリーでラベル付けされた例をまず大量に処理します。アルゴリズムは、この学習データセットに基づいて、最適な分類や予測を行うためのパラメータ値を決定します。要するに、例から一般化する方法を学ぶのです。

　とは言え、正しい判断をするためには、どのような「特徴」が必要なのかをアルゴリズムに伝えなければなりません、ただし、それらの特徴をどのように重み付けしたり、組み合わせたりするのかは伝えません。たとえば、電子メールをフィルタリングしようとしている場合には、スパム的な言葉（「無料！」とか）、既知のスパムトピック、奇妙な文字、スペルミス、間違った文法など、何らかの形でスパムコンテンツに関連する特徴が必要です。こうした特徴はどれも個々には決定的ではありませんが、十分なラベル付きデータがあれば、少なくともスパマーが新たに対応するまでは、アルゴリズムがスパムとそうでないものの区別を始められます。

　手書きの数字の認識は、よく知られている問題です。米国立標準技術研究所（NIST）は、6万枚のトレーニング画像と1万枚のテスト画像からなるテストスイートを公開しています。**図1**はその一例です。

図 1　NIST の手書き数字のサンプル（Wikipedia より）

機械学習システムはこのデータを扱うのは得意です、公開コンペティ
ションでのエラー率は 0.25% 以下、つまり 400 文字に 1 文字程度のミ
スです。

　機械学習のアルゴリズムは、様々な原因で失敗する可能性がありま
す。たとえばアルゴリズムが「オーバーフィッティング」（過剰適
合）を起こすと、学習データではうまく機能するのに、新しいデータ
ではうまく機能しなくなります。トレーニングデータの量が十分でな
かったり、特徴量のセットが間違っていたりすることもあるでしょう。
あるいは、アルゴリズムが学習データの偏りを露わにするような結果
を出すこともあります。これは、量刑や再犯率の予測などの刑事司法
アプリケーションでは特にデリケートな問題ですが、クレジットスコ
アリング、住宅ローンの申請、履歴書など、アルゴリズムが人間につ
いて判断を下すあらゆる場面でも同じ問題に直面します。

　スパムメールの検知や数字の認識などは、分類の一例です。すなわ
ちアイテムを正しいクラスに分類する作業です。予測アルゴリズムは、
住宅価格やスポーツのスコア、株式市場の動向など、何らかの数値を
予測しようとします。たとえば、人間は立地、築年数、居住面積、部
屋数などの基本的な特徴から住宅価格を予測しようとしますが、

Zillow（ジロー）[※2]が採用しているような複雑なモデルでは、類似住宅の過去の販売価格、近隣の特徴、不動産税、地元の学校の質などの特徴が加わっています。

　教師あり学習とは対照的に、「教師なし学習」では、ラベルの付いていない学習データ、つまり何のラベルもタグも付いていないデータを使用します。教師なし学習アルゴリズムは、データの中からパターンや構造を見つけ出し、その特徴に基づいてアイテムをグループ化しようとします。有名なアルゴリズムであるk平均法（k-means clustering）は、データをk個のグループに割り振るアルゴリズムです、ただし、同じグループ内のアイテムの類似性を最大化し、あるグループと別のグループの類似性を最小化するように最善を尽くします。たとえば、複数のドキュメントの著者を決定する際に、著者が2人いるという仮説を立てることがあるでしょう。そうした場合に、文章の長さ、語彙の多さ、句読点のスタイルなど、関連性のありそうな特徴を選んで、クラスタリングアルゴリズムに文書をふたつのグループに分けさせるのです。

　また、教師なし学習は、データアイテムのグループ内の外れ値を特定するのにも便利です。ほとんどの項目が明らかにクラスター（グループ）化されているのに、一部の項目がクラスター化されていない場合、それらはさらに検討すべきデータである可能性を示しています。たとえば、**図2**に示す人為的に作ったデータが、クレジットカードの利用状況のある側面を表しているとします。ほとんどのデータポイントはふたつの大きなクラスターのいずれかに含まれますが、そうでないポイントもいくつかあります。クラスタリングが完璧である必要はないので、この結果には問題がないのかもしれません。しかし、その一方で、不正やエラーの事例の可能性もあります。

　教師なし学習は、高いコストがかかる可能性のあるタグ付きやラベ

※2　訳注：Zillowは米国のオンライン不動産データベースです。

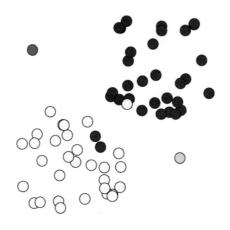

図2 クラスタリングで異常個所を特定

ル付きの学習データを必要としない利点があります。しかし、すべて
の状況に適用できるわけではありません。適用するには、クラスター
分けに役立つ特徴を備えたセットを見つけ出す必要がありますし、も
ちろん、どのくらいの数のクラスターがあるのかをきちんと把握しな
ければなりません。個人的な例ですが、標準的な k 平均法アルゴリ
ズムを使って、約5,000枚の顔画像をふたつのクラスターに分けたら
どうなるかを実験したことがあります。これで男女別のグループ分け
ができるのでは、という素朴な期待を抱いていました。その時は経験
的に90%の確率で正しい答を出したように思われましたが、何を根
拠に結論を出したのかはわからず、エラーにも明らかなパターンは見
当たりませんでした。

12.3 ニューラルネットワークと深層学習

　人間の脳の働きをコンピューターがシミュレートできるとしたら、
人間と同じような知的作業もできるようになるでしょう。これは人工
知能の聖なる目標で、人々は長年にわたってそのアプローチを試みて

holy grail

きました。

　脳の機能は、特別な種類の細胞であるニューロン（神経細胞）同士
のつながりに基づいています。ニューロンは触覚や聴覚、光などの刺
激や他のニューロンからの入力に反応します。入力刺激が十分に強け
れば、ニューロンは「発火」して出力に信号を送り、それによって他
のニューロンの反応が引き起こされるでしょう（もちろん、この説明
は極めて単純化しています）。

　コンピューターのニューラルネットワーク（ニューロンのネットワ
ーク）は、このような接続を簡略化したものです。**図3**に模式化す
るように、規則的なパターンで接続された人工ニューロンに基づいて
います。それぞれのニューロン（丸）には、入力をどのように組み合
わせるかに関するルールがあり、それぞれのエッジ（線）には、通過
するデータに適用される重みが付けられています。

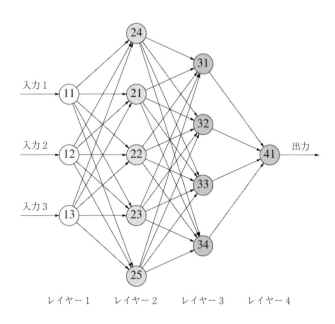

図3　4層構造の人工ニューラルネットワーク

ニューラルネットワークは新しいアイデアではありませんが、初期の研究では十分な結果が得られず、人気がありませんでした。しかし、1980年代から1990年代にかけて、一握りの研究者が研究を続け、予想に反して、2000年代初頭には、画像認識などの課題で、人工ニューラルネットワークが既存の最良の技術よりも優れた結果を出すようになったのです。最新の機械学習の進歩は、ニューラルネットに基づいています。2018年のチューリング賞は、これら粘り強い科学者のうち、ヨシュア・ベンジオ、ジェフリー・ヒントン、ヤン・ルカンの3名に贈られました。

　ニューラルネットワークでは、最初の方の層が低レベルの特徴を識別するのが基本です。たとえば、画像のエッジとなる可能性のあるピクセルのパターンの認識などがまず行われます。後の方の層では、物体や色の領域などの高度な特徴を識別し、最終的には、猫や顔などの実体を識別します。深層学習の「深層」とは、ニューロンが複数の層に分かれていることを意味しますが、アルゴリズムによっては数層の場合もあれば、十数層以上の場合もあります。

　図3では、ネットワーク内で行われている計算の複雑さや、情報が順方向だけでなく逆方向にも流れていることは示していません。処理を繰り返して、各ノードの重みを更新しながら、ネットワークは各層での認識性能を向上しています。

　ネットワークは、入力の処理と出力の生成を繰り返し、非常に多くの反復を行って学習します。アルゴリズムは、各反復において、ニューラルネットワークの出力と、望まれている出力との間の誤差を測定し、次の反復において誤差を減らすように重みを修正します。予定のトレーニング時間が過ぎたり、重みの変化が少なくなったりすると停止します。

　ニューラルネットワークで重要なのは、探すべき特徴のセットを与える必要がないことです。むしろ、学習プロセスの一環として、どんなものであれ、ニューラルネットワーク自体が特徴を見つけるのです。

一方でこれは、ニューラルネットワークの潜在的な欠点につながります。ニューラルネットワークは、どのような「特徴」を識別したのかを示さないため、結果に対する具体的な説明や理解を提供しません。これが、結果を鵜呑みにすることには慎重でなければならない理由のひとつです。

　深層学習は、コンピュータービジョンに関連する課題で特に成功しています。つまり、コンピューターに画像内のオブジェクトを識別させ、時には人間の顔のような特定のインスタンス（実例）を認識させられます。たとえば、Google Maps のストリートビューでは、顔やナンバープレート、時には家の番地を認識して、ぼかしています。これは、特定の顔を認識するという一般的な課題を、より簡単にしたものです。顔ではないものをぼかしても不都合はほとんどないので、間違ってもあまり問題にはなりません。

　コンピュータービジョンは、多くのロボットアプリケーションで中心的な役割を果たしています。特に自動運転車では、周囲の世界の迅速な解釈が求められます。

　同時に、特に顔認識については、多くの懸念が寄せられています。監視機能が大幅に強化される可能性は明らかですが、顔認識は微妙な差別も可能にします。ほとんどの顔認識システムは、学習画像データに十分な多様性がないために、有色人種に対しては白人に比べて正確に機能しません。2020 年には、人種差別に対する世界的な抗議活動のさなか、大手企業がこの分野から完全に撤退する計画（IBM）や、法執行機関への顔認識技術の供給を一時停止する計画（Amazon、Microsoft）を発表しました。いずれもこの分野での主要企業ではなかったので、ビジネス上の影響はあまりなかったものの、おそらくこの象徴的意味は、懸念に対する各社の真剣な取り組みを表したものかもしれません。

　深層学習の最も劇的な成功例のひとつは、チェスや囲碁などの、人間にとって最も難しいゲームを、人間の最高のプレイヤーよりも上手

にプレイするアルゴリズムを生み出したことです。彼らは人間よりも優れているだけでなく、自分自身と対戦することで、数時間でどのようにプレイすれば良いかを習得しました。

DeepMind（後に Google が買収）が開発したプログラムである AlphaGo（アルファ碁）は、プロの囲碁棋士を破った初のプログラムでした。その後、すぐにさらに強い AlphaGo Zero（アルファ碁ゼロ）が登場し、さらに AlphaZero（アルファゼロ）が登場して、囲碁だけでなく、チェスや日本のボードゲームである将棋（これも同じくらい難しいゲームです）もプレイするようになりました。AlphaZero は、自分自身と対局しながら遊び方を学び、1 日のトレーニングで、これまで最高のチェスプログラムだった Stockfish（ストックフィッシュ）を相手にした 100 試合で、28 勝 0 敗 72 引き分けを達成しました。

AlphaZero は、強化学習と呼ばれる深層学習の一種に基づいています。強化学習は外部環境からのフィードバック（ゲームの場合は勝ち負け）を利用して、継続的にパフォーマンスを向上します。正しいことをしているかどうか、少なくとも正しい方向に向かっているかどうかは環境が教えてくれるので、学習データは必要ありません。

機械学習の実験をしたい場合は、Google の teachablemachine. withgoogle.com を利用すれば、画像認識や音声認識などを簡単に試せます。

12.4 自然言語処理

機械学習の一分野である自然言語処理（NLP）は、コンピューターに人間の言語をどのように処理させるか、がテーマです。つまり、あるテキストの意味を理解し、要約し、別の言語に翻訳し、音声に変換し（または音声をテキストに変換し）、さらには人間が書いたような意味のあるテキストを生成します。Siri や Alexa のような音声操作システムでの NLP の活躍は知られています。これらのシステムは、音声を認識してテキストに変換し、質問の内容を把握して関連する回答

を検索し、自然に聞こえる声を合成します。

　コンピューターは、ある文書が何について書かれているのか、それが何を意味しているのか、現在の作業にどのように密接に関連しているのか、を教えてくれるでしょうか？ 長い文書の正確な要約や概要をコンピューターで作成できるでしょうか？ 同じニュースを異なる視点から見たり、関連性の高い判例など、関連性のあるテキストをコンピューターが見つけてくれるでしょうか？ 剽窃を確実に検出できるでしょうか？ これらはすべて、もしコンピューターの言語を理解する能力が今以上に優れていれば、解決できる問題です。

　センチメント（感情）分析は、あるテキストが基本的にポジティブなのかネガティブなのかを判断しようと試みる、興味深い事例です。顧客のフィードバックやレビュー、アンケートの回答、ニュース記事などを評価する際に応用できます。

　素朴に考えれば、ポジティブな言葉（「素晴らしい」、「偉大」、「堅実」、「天才」）とネガティブな言葉（「ひどい」、「間抜け」）を数えて、その数の差を表示すればいいのではないかと思うかもしれません。しかし、このやり方では言葉の微妙なニュアンスを捉えられません。単純な否定でさえ難しいものですし（"He's neither stable nor a genius"「彼は堅実でも天才でもない」）、皮肉や嫌味はもっと困難です（"He's hardly wonderful"「彼は素晴らしいとは言えないね」）※3。

　また、人間に見えるレベルで会話を続けることも AI の課題です。これは、第3章の最後に紹介したコンピューターの知性を調べるチューリングテストに通じています。知的な会話をするためには、相手の話を理解し、適切な答を返さなければなりません。

　自然言語を使ってコンピューターと対話する最初の試みに、患者とロジャーズ派心理学者との会話をシミュレートした Eliza（イライザ）

※3 訳注：どちらの例文も、否定的な言葉と肯定的な言葉が同居しているので、機械的には意味を判断しにくいのです。

というプログラムがあります。Elizaは、1966年にMIT教授のジョセフ・ワイゲンバウムによって作られ、少なくとも最初に登場したときには驚くほどのインパクトがありました。ウェブ上にはたくさんのElizaシミュレーターが存在します。数分間遊んでみるのは面白いのですが、その弱点はすぐに明らかになります。会話例を**図4**に示します。

```
ELIZA: How do you do.  Please tell me your problem.
YOU:   Writing a book is hard work.
ELIZA: What does that suggest to you?
YOU:   Maybe I should do something different?
ELIZA: Can't you be more positive?
YOU:   Definitely I should do something different.
ELIZA: That's quite interesting.
YOU:   Is it?
ELIZA: That is interesting.  Please continue.
```

ELIZA：はじめまして。あなたの問題を教えてください。
YOU：本を書くのは大変な作業です。
ELIZA：それはあなたに何を教えてくれますか？
YOU：おそらく私は何か違うことをした方がいいんじゃないでしょうか？
ELIZA:もっとポジティブになれませんか？
YOU：絶対に私は違うことをした方がいいと思います。
ELIZA：それはとても興味深いですね。
YOU：そうですか？
ELIZA：それは興味深いです。続けてください。

図4　Elizaとの「会話」例

　こうしてチャットボットは1966年から改良されてきましたが、相変わらず多くの経験を積まなくてもその限界がわかります。どこかの会社に電話をしたときに、録音された声とこんな対話によくなりませんか？

　　「何でお困りかを簡潔にお話しください。『請求』、『修理』、『注文』、または『その他』のようにお話しできます」

　この何とも歯痒いステップの中で、音声認識ソフトは、回答の中か

らキーワードを探し出し、次のステップへと送ります。しかし、本当の意味で理解しているわけではないので、抱えている問題が相手のキーワードに一致しないと話はまとまりません。ほとんどの場合、私は試しもせずに、一連のプロセスを回避しようとゼロを繰り返し押します。そうすれば、たいていの場合には、問題の解決にもっと役立つ人間の担当者につながります。

　大規模なテキストで学習した言語モデルをベースにした洗練されたシステムでは、人間の特定の会話に反応するのではなく、さらに良い出力を生み出せます。興味深い例として、"Talk to Transformer" があります。これは、ユーザーが提供した最初のフレーズのもっともらしい続きを生成します。800万のウェブページから作られたデータベースに基づいていますが、ある時点までに出されたすべての単語から得られたパターンに基づき、次の単語を予測しようとします。結果は、たいていの場合、もっともらしく、時にはとても良くなります。最初の文として "Writing a book is hard work"（本を書くのは大変な仕事です）という文章を提供した場合の結果2例を紹介します。

　　本を書くのは大変な仕事です。意味があり、ユニークで、あなたの名前とビジョンが入ったものを考えてみましょう。著作権者は、あなたが自分の本を無断でコピーしていると主張し、訴訟を起こすことさえできます。あなたはそのような状況に対応しつつ、それでも最高の本を書けなければなりません。

　　本を書くのは大変な仕事です。そして、正しく行うことが重要です。多くの作家がそれを理解していません。私は『The Book I Want To Write』（私が書きたい本）の制作に何年も費やしました。昨年には、私の新刊『Getting It Right the First Time』（初めて正しく理解する）が素晴らしい成功を収めました。編集者や読者から感謝や励ましの言葉が書かれたメモを受け取ったこともあり

ます。

　私は、いろいろ奇妙な事情が重なって、2020年の春に「詩と計算」をテーマにした講義を共同で担当しました。その中で、コンピューターは人間と同じくらい上手に詩を書けるか、を議論のテーマのひとつにしました。狭い範囲でのチューリングテストのようなものです。書けるかどうかの答は、きちんと定義されていない多くの用語に依存するので、決定的なことは言えないのですが、お楽しみとして、**図5**に3つの詩を挙げておきます。さて、それぞれ作者は人間でしょうか、それともコンピューターでしょうか？作者の名前はこの章の最後に書いておきます。

> Illegibility of this
> World. All twice-over.
> Robust Clocks
> agree the Cracked-Hour,
> hoarsely.
> You, clamped in your Depths,
> climb out of yourself
> for ever.

> Listening to find
> she hides deep within her
> yet in mortal reach.

> WHAT was the use of not leaving it there where it would hang what was the use if there was no chance of ever seeing it come there and show that it was handsome and right in the way it showed it. The lesson is to learn that it does show it, that it shows it and that nothing, that there is nothing, that there is no more to do about it and just so much more is there plenty of reason for making an exchange.

　この世界の
　判読不能性。すべては二度行われる。
　堅牢な時計は
　ひび割れた時間に同期する、
　しゃがれ声で。
　自分の深みにとらわれたあなたは、
　自分から這い上がる
　いつまでも。

探すために耳を澄ませる
彼女は彼女の奥底に潜む
それでも死から逃れられない。

それがぶら下がっているところにそれを残さないことの意味は「何」だった
のか、それがそこに来るのを見る機会がなく、それがそれを示している方法
で、それが立派で正しいことを示せないなら、何が役に立つのか。学んだこ
とは、それが示すものを知ったこと。つまりそれがそれを示し何者でもない
こと、何もないこと、それ以上何もすることがないこと、それでもたくさん
あるのは交換を行う夥しい数の理由があること。

図5　3つの詩 ― 書いたのはプログラムか、人間か？

　人間の言語をコンピューターで別の言語に翻訳するのは、古くから
の課題です。1950年代には、人々は自信を持って「1960年代には解
決済みの問題になっているだろう」と予想し、1960年代には「それ
は1970年代だ」と予想していました。残念ながら、まだそこまでは
到達していません。しかし、大量のコンピューティングパワーと、機
械学習アルゴリズムのトレーニングに使用できる大量のテキストのお
かげで、状況は以前よりもはるかに良くなっています。

　古典的な挑戦は、"the spirit is willing but the flesh is weak."（精
神は望んでいるが、肉体は弱い）という英語の表現をロシア語に翻訳
し、さらに英語に戻すことです。少なくとも伝説では、"the vodka is
strong but the meat is rotten."（ウォッカは強いが、肉は腐っている）
と変換されたそうです。現在、Google翻訳では、**図6**のような結果

the spirit is willing but the flesh is weak.	×	дух желает, но плоть слаба.
дух желает, но плоть слаба.	×	the spirit desires, but the flesh is weak.

（精神は熱望しているが、肉体は弱い）

図6　英語からロシア語への翻訳とその逆

になっています。これはずいぶんマシですが、完全とは言えません。機械翻訳がまだ解決済みの問題になっていないのがわかります（Google のアルゴリズムは頻繁に変更されるので、あなたが試すときには結果が変わっているかもしれません）。

　現在の機械翻訳は、特に全く知識のない言語や文字セットで書かれたテキストの内容を、大まかに把握するときに便利です。しかし、細部が間違いがちで、ニュアンスが完全に抜け落ちてしまうことも珍しくありません。

12.5　まとめ

　機械学習は万能ではありません。機械学習がどのように機能するのか、特に機械学習で得られた結果をどのように説明するのかについては、多くの疑問があります。**図 7** に示す xkcd の漫画は、これををを見事に表現しています。

　人工知能（AI）と機械学習（ML）は、コンピュータービジョン、音声認識と生成、自然言語処理、ロボットなどの様々な分野に飛躍的

「これが君の機械学習システムなの？」

「その通り！データをこの線形代数の山に放り込んで、反対側から答を持って行ってくれ」

「もし答が間違っていたら？」

「正しく見え始めるまで山をかき回してくれ」

図 7　xkcd.com/1838（機械学習について）

な進歩をもたらしました。同時に、公平性、偏り、説明責任、技術の適切な倫理的利用などについての、深刻な懸念が生じています。おそらく最も深刻な問題は、機械学習システムの答えが「正しく見えている」のは、単に最初に入力したデータの偏りを反映しているだけなのかもしれないことです。

人為的なトレーニングデータに惑わされる可能性もあります。たとえば、ある研究では、訓練用の写真では戦車の検出に成功したのに、実戦では大失敗した事例があります。その理由は、トレーニング用の写真のほとんどが晴れた日に撮影されたものだったので、アルゴリズムは戦車ではなく、「晴れた日」を認識するようになっていたのです。

残念ながら、これはグワン・ブランウェン氏が www.gwern.net/Tanks に書いているように、魅力的な都市伝説に過ぎません。しかし、たとえこの話が真実でなくても、役に立つ注意点があります。無関係な人為的データに惑わされていないか、です。

機械学習のアルゴリズムはデータよりも優れたものになり得るでしょうか？ Amazon は、採用活動に使用していた社内ツールを廃止しました。女性の応募者への不利な偏りが明らかになったためです。Amazon のモデルは、10 年間にわたって同社に提出された履歴書のパターンを読み込んで、候補者を評価していました。しかし、そうした応募者の多くは男性だったので、トレーニングデータは現在の応募者群の典型例ではなかったのです。その結果、男性の応募者の方が有利になってしまいました。つまり、どんな人工知能や機械学習システムも、入力データよりも優秀にはなれないし、残念ながらデータに内在する偏りを確認するだけになってしまう可能性が高いのです。

たとえば、コンピュータービジョンシステムは顔を識別でき、時にはそれなりに高い精度で識別可能です。携帯電話や事務所のロック解除のように、役立つことにも使われますが、問題のある使い方をされることもあります。Amazon Ring（アマゾン・リング）のようなスマートドアベルシステムは、家の近くの出来事を監視し、不審時が起

こったときに、あなたや地元の警察に警告を送ります。しかし、その
システムが白人の多い地域で有色人種を「怪しい」と判断するなら、
人種差別を機械化したものと言えるでしょう。

　このような問題を懸念したAmazonは、2020年半ばに同社の
Rekognition（レコグニション）ソフトウェアの警察による使用を中
止しました。これは、米国で警察の残虐行為や人種的偏見に対する抗
議活動が広がっていた時期に下された決定でした。その後まもなく、
何十億枚ものウェブ上の写真から顔のデータベースを作成し、そのデ
ータを法執行機関に提供していたClearview AI（クリアビューAI）
に対して、複数の訴訟が起こされました。Clearviewは、公的に利用
可能な情報の収集は、米国憲法修正第1条の言論の自由の規定によっ
て保護されると主張しています。

　コンピュータービジョンシステムは、様々な監視の現場で使用され
ています。その限界点はどこにあるでしょう？　テロリストのリーダ
ーとなり得る人物を探し出す軍事システムは、そのような人物が特定
された時点でドローンによる攻撃を発令するべきでしょうか？　この
ような判断をどこまで機械化していくべきでしょうか？　一般的には、
自動運転車、自動操縦、産業用制御システムといった、安全性が最重
視されるシステムにおいて、機械学習をどのように扱うべきでしょう
か？　レビューや監査の対象となる再現可能な振る舞いが存在しない
とき、モデルが悲惨な行動（たとえば自動運転車を急加速させたり、
群衆に向けてミサイルを発射させたり）を選択しないことをどうやっ
て保証すればよいのでしょうか？

　機械学習モデルは、刑事司法制度において、罪に問われた人の再犯
の可能性を予測するために使用されることがあり、保釈や判決に影響
を与えます。問題は、トレーニングデータは現在の状況を反映してお
り、データに含まれる人種や性別などの特性に基づく体系的な不公平 systemic injustice
が反映される可能性です。このようなデータの偏りの解消は、難しい
問題なのです。

様々な意味で、人工知能や機械学習はまだ黎明期にいます。メリットは今後も継続するでしょう。しかし、デメリットも残り続けます。デメリットを見極めて管理できるよう、注意深くなる必要があるでしょう。

　図5の最初と最後の詩は、それぞれポール・セランとガートルード・スタインという人間による作品です。真ん中の詩は、botpoet.com にアクセスして実行したレイ・カーツワイルの「サイバネティック詩人」プログラムによって生成されました。

- 13 -
プライバシーとセキュリティ

　デジタル技術は多大な恩恵をもたらしました。それなしでは日々の生活はずっと貧しくなるでしょう。しかし同時に、個人のプライバシーとセキュリティに大きな悪影響も及ぼしていて、(私の独善的意見では)状況は悪化しています。プライバシー侵害は、一部はインターネットとそれがサポートするアプリケーションに起因しますが、他の一部は、小型化、低価格化、高速化されたデジタル機器の副産物です。処理能力、ストレージ容量、通信帯域幅の増加が合わさることによって、多くの情報源から個人情報を取得して保存し、集約して効率的に分析し、広範に広めることが、最小限の費用で簡単に行えるようになりました。

　「プライバシー」の解釈のひとつは、自分の個人的な生活の様相を他人に知られないようにする権利と能力です。政府や取引先の企業に、私が何を買ったか、誰とコミュニケーションしたか、どこを旅行した

か、どんな本を読んだか、どんなエンターテインメントを楽しんだか
などを、いちいち知られたくはありません。どれも私のプライベート
な活動で、私が明確に承認した場合にのみ他人に公開されるべきです。
私は平均的な人以上に恥ずかしい秘密を隠し持っているわけではありません。それでも、生活や習慣が他人と共有されない安心を得たいのです。特にモノを売りつけようとする営利団体や、仮にどんなに善意があったとしても政府機関への共有はお断りです。

　時折「私は気にしないよ、隠すものなんかないし」という人がいます。これはあまりにも無邪気で愚かな態度です。自宅の住所、電話番号、確定申告書、電子メール、信用情報、医療記録、歩いたり運転したりしたすべての場所、誰と電話やメッセージを交わしたかなどを、不特定多数の人に知られたいと思うでしょうか？　確定申告書や医療記録を除いて、これらの情報はすべてデータブローカーが入手できる可能性があり、データブローカーはその情報を他人に販売できます。政府はセキュリティという言葉を「国家安全保障」という意味で使用します。つまり、テロ攻撃や他国の行動などの脅威から国全体を保護するという意味です。企業は、犯罪者や他の企業から自社の資産を保護するという意味で、この言葉を使用します。個人の場合、セキュリティとはプライバシーとほぼひとまとめに考えられています。何しろ、個人生活の大部分が広く知られていたり簡単に見つかるようでは、安心かつ安定した心持ちでいるのは難しいからです。特にインターネットは、個人情報が多くの場所から簡単に収集されるようになり、電子的侵入者へ個人の生活への扉を開いたため、（物理的なものよりも、経済的な意味での）個人のセキュリティに大きな影響を与えました。

　個人のプライバシーとオンラインセキュリティに関心があるなら、世間のほとんどの人たちよりも、技術に精通しておく必要があります。基本を学んでおけば、あまり知識を持たない友人たちよりも、はるかに良い結果が得られます。第10章では、ブラウジングや携帯電話の利用を管理するための具体的な方法を紹介しました。本章では、プラ

イバシーの侵害を遅らせ、セキュリティを高めるために、個人が実行できる対策を検討します。ただし、これらは大きなテーマですのでお話しするのは一例に過ぎず、氷山の一角でしかないことに注意してください。

13.1 暗号

「秘密文書」の技巧である暗号は、多くの点で、プライバシーへの攻撃に対抗する最善の防御策です。適切に行われれば、暗号は素晴らしく柔軟で強力です。残念ながら、優れた暗号は難しく微妙なものでもあり、しばしば人為的ミスにより破られてしまいます。

　暗号は、何千年もの間、個人情報を他の関係者と交換するために使用されてきました。ジュリアス・シーザーは、秘密メッセージの各文字を3文字分シフトする（ずらす）単純な暗号化方式を使っていました。たとえばAはDになり、BはEになるといった具合です（この方式は偶然ですが、「シーザー暗号」と呼ばれています）。したがって、メッセージ「HI JULIUS」は「KL MXOLXV」に暗号化されます。このアルゴリズムは、文字を13個シフトするプログラムrot13の中に生きています。ネットニュースグループでは、暗号化の目的ではなく、ネタバレや攻撃的な文章が、うっかり読まれないようにするために使われています（13個のシフトが英語のテキストの暗号化に便利な理由について考えても良いでしょう）。

　暗号には長い歴史があり、暗号が自分たちの秘密を安全に守ってくれると考えた人たちに、多くの場合で興味深く、時には危険な物語をもたらしました。1587年にスコットランドの女王メアリーは、使っていた暗号技術が貧弱だったために断頭台送りとなりました。彼女は、イングランド女王のエリザベスⅠ世を退位させてメアリーをイングランドの王位にも就かせたいと思っていた共謀者とメッセージを交換していました。その暗号が破られ、「中間者攻撃」（訳注：暗号盗聴手段のひとつです）が陰謀と協力者の名前も暴露しました。協力者たちの運

命は、いっそ斬首が慈悲深い手段のように思えるようなものでした。日本の連合艦隊長官の山本五十六大将は、日本の暗号システムが安全ではなかったことから、1943年に戦死しました。アメリカの諜報機関が山本の飛行計画を知ったために、アメリカのパイロットは彼の飛行機を撃墜できたのです。また、広く受け入れられているわけではありませんが、イギリスが、アラン・チューリングのコンピューティング技術と専門知識を使用して、エニグマ暗号マシン（**図1**）で暗号化されたドイツ軍の通信を解読できたために、第二次世界大戦が大幅に短縮されたという説があります。

　暗号の基本的な考え方は、アリスとボブがメッセージを交換する際

図1　ドイツのエニグマ暗号マシン

に、敵が交換中のメッセージを読めたとしても、その内容はわからないようにしておくというものです[※1]。暗号を使った通信を行うには、メッセージをスクランブル（暗号化）およびアンスクランブル（非暗号化）するために使用できる、2人が共有するある種の秘密が必要です。この秘密は他の人にはわからず、アリスとボブだけには理解できるようにします。この秘密は「キー」（鍵）と呼ばれます。たとえば、シーザー暗号では、キーはアルファベットがシフトされる距離、つまりAをDなどに置き換えるための3となります。エニグマのような複雑な機械暗号デバイスの場合、キーは、複数のコードホイールの設定とプラグセットの配線の組み合わせです。現代のコンピューターベースの暗号システムでは、キーは、大きな秘密の番号です。この秘密の番号は、メッセージのビットをその秘密の番号なしには実質的には解読できないやり方で暗号化する際に使用されます。

　暗号のアルゴリズムは、様々な方法で攻撃される可能性があります。各シンボル（訳注：暗号内の文字や記号などです）の出現回数をカウントする頻度分析は、シーザー暗号や、新聞のパズルのような単純な置換暗号に対して有効です。頻度分析を防ぐために、アルゴリズムは暗号文中に、すべてのシンボルが等しく出現し、解析可能なパターンが出ないように調整を行う必要があります。別の攻撃としては、暗号化前の平文（プレーンテキスト）の一部およびその暗号化の結果がわかる場合に、それをヒントに鍵を推測する攻撃手法（既知平文攻撃）や、任意の平文から何らかの手段で暗号文を取得できる条件で、平文と暗号文を大量に生成し、そこから暗号鍵を推測する攻撃手法（選択平文攻撃）があります。優れたアルゴリズムは、このようなすべての攻撃に対して耐えられなければなりません。

　暗号システムのしくみは、敵に知られていて完全に理解されている

と仮定しなければなりません。その場合、すべてのセキュリティがキーに依存します。これに対し、そうは考えずに、「攻撃者はどのスキームが使われているか、もしくはそれがどのように動作するかを知らないはずだ」という仮定に基づくやり方は、「隠蔽によるセキュリティ」（security by obscurity）と呼ばれます。しかしその仮定は、成り立つとしても、長い時間はもちません。実際、誰かが自分の暗号システムは完全に安全であると主張しながら、それがどのように機能するかを言おうとしない場合には、安全ではないと確信して良いでしょう。

　暗号システムにはオープンな開発が不可欠です。暗号システムは、脆弱性を調査できるように、可能な限り多くの専門家の経験が必要です。それでも、システムが機能することを確信するのは困難です。アルゴリズムの弱点は、最初の開発と分析が行われたかなり後に現れる可能性があります。バグは、偶然あるいは悪意とともに挿入されたコードで発生します。さらに、意図的に暗号システムを弱める場合もあります。これは重要な暗号標準の中で使われた乱数ジェネレーターの、重要なパラメーターを NSA が定義しようとしたケースに当てはまるように思えます。

13.1.1 秘密鍵暗号

　現在、根本的に異なる 2 種類の暗号システムが使用されています。古いものは通常、「秘密鍵暗号」または「対称鍵暗号」と呼ばれています。暗号化と復号に同じキーが使用されるという意味で、「対称鍵」は説明的な名前ですが、次の節で説明する新しい種類の「公開鍵」暗号との対比を考えた場合には「秘密鍵」の方がふさわしい名前です。

　秘密鍵暗号では、メッセージは同じ秘密鍵で暗号化および復号されます。この秘密鍵は、メッセージを交換するすべての関係者が共有する必要があります。アルゴリズムが完全に理解されており、欠陥や弱

点がないと仮定すると、メッセージを復号する唯一の方法はブルート
フォース攻撃（総当り攻撃）です。ブルートフォース攻撃は暗号化に
使用されたキーを探すために、考えられるすべての秘密鍵を試してい
くやり方です。試行には長い時間が必要になるかもしれません。キー
の長さがNビットの場合、必要な労力は2^Nにほぼ比例します。しかし、
ブルートフォースが愚かな戦略だとは言えません。攻撃者は、長いキ
ーを試す前に、たとえば辞書にある一般的な単語を使ったり、
passwordとか12345といった、いくつかのパターンに従った短いキ
ーを試すでしょう。キーを選ぶ際に怠惰だったり不注意だったりする
人たちに対しては、そうした攻撃はとても有効です。

　2000年代初頭頃まで、最も広く使用されていた秘密鍵暗号アルゴ
リズムは、IBMとNSAによって1970年代前半に開発されたData
Encryption Standard（DES）でした。NSAがDESでエンコード（符
号化）されたメッセージを簡単にデコード（復号）できるように、秘
密のバックドアメカニズムを仕込んだのではないかという疑いがあり
ましたが、これは確認されませんでした。DESは56ビットのキーを
持っていましたが、コンピューターが高速になるにつれて、いずれに
せよ56ビットでは短すぎることがわかってきました。1999年までには、
DESキーは、かなり安価な特定用途のコンピューターによる1日の
ブルートフォース計算で解読される可能性が出てきました。これは、
さらに長いキーを持つ新しいアルゴリズム群の開発へとつながりまし
た。

　こうした新しいアルゴリズムの中で、最も広く使用されているのは、
米国立標準研究所（National Institute of Standards and
Technology：NIST）が後援し、世界規模の公開コンペティションの
中で開発が行われた、Advanced Encryption Standard（AES）です。
世界中から数十個のアルゴリズムが提出され、徹底した公開テストと
批判に晒されました。ベルギーの暗号学者ホァン・ダーメンとフィン
セント・ライメンによって開発されたラインダール（Rijndael）が勝

者となり、2002年に公式の米国政府標準になりました。このアルゴリズムはパブリックドメインになっているので、ライセンスや料金なしで誰でも使用できます。AESは、128ビット、192ビット、そして256ビットの3つのキー長をサポートします。このため可能なキーが多数あるので、何らかの弱点が発見されない限り、AESに対するブルートフォース攻撃は、この先何年も役に立たないでしょう。

確認してみましょう。GPU（第3章で簡単に触れました）は1秒間に約10^{13}回の操作を実行できるため、100万個のGPUを使えば、1秒間に10^{19}回の操作、または年間約3×10^{26}回の操作（約2^{90}回の操作）を実行できます。そこから2^{128}までは遠い道のりです。よって、たとえAES-128であっても、ブルートフォース攻撃に対して安全だと考えられるのです。

AESやその他の秘密鍵システムの大きな問題は、キーの配布です。通信する各当事者はキーを知っている必要があるため、それぞれにキーを安全に届ける手段が必要です。キーの配布は、全員を自宅のディナーに招待するのと同じくらい簡単に思えるかもしれませんが、参加者の一部が敵対勢力のスパイだったり反対勢力だったりした場合には、秘密鍵を送信するための安全で確実なチャネルが見つからないかもしれません。もうひとつの問題は、キーの増殖です。互いに無関係な複数のグループと、それぞれ独立した秘密の会話を行うには、グループごとに個別のキーが必要になり、キーの配布の問題がさらに難しくなります。この問題への考慮が、やがて次節の話題である公開鍵暗号の開発につながりました。

13.1.2 公開鍵暗号

公開鍵暗号は、1976年にスタンフォード大学のホイットフィールド・ディフィーとマーティン・ヘルマンによって発明された、秘密鍵暗号とは全く異なるアイデアです（ラルフ・マークルのアイデアを一部使っています）。ディフィーとヘルマンは、この仕事で2015年のチ

ューリング賞を2人で受賞しました。実は公開鍵暗号のアイデアは、彼らが発見する数年前に、イギリスの諜報機関GCHQの暗号担当者であるジェームズ・エリスとクリフォード・コックによって独自に発見されていたのですが、彼らの仕事は1997年まで秘密にされていて公開できず、発明者としての栄誉のほとんどを逃しました。

公開鍵暗号システムでは、各個人が公開鍵と秘密鍵で構成される一対のキーを持っています。この一対のキーは数学的に関連する整数です。一方のキーで暗号化されたメッセージは他方のキーでのみ復号でき、その逆も同様です。キーが十分に長い場合には、計算によって攻撃者が秘密のメッセージを解読したり、公開鍵から秘密鍵を推測したりするのは事実上不可能です。攻撃者が使用できる最もよく知られているアルゴリズムは、キーが長くなるとともに、実行時間が指数関数的に増加します。

公開鍵は、使用される際、文字通り公開されています。誰でも利用でき、多くの場合、ウェブページに置かれています。一方の秘密鍵は、厳重に秘密にしておく必要があります。秘密鍵はこのキーのペアの所有者だけが知っています。

アリスがメッセージをボブに送信したいとします。このときボブだけが読めるように暗号化するとしましょう。彼女はボブのウェブページにアクセスし、彼の公開鍵を入手します。彼女はこの公開鍵を使ってボブへのメッセージを暗号化します。彼女が暗号化されたメッセージを送信するときに、盗聴者のイブは、アリスによるボブへのメッセージの送信を知るかもしれません。しかし、メッセージは暗号化されているため、イブはその内容を知ることはできません。

ボブはアリスのメッセージを自分の秘密鍵で復号します。秘密鍵は彼だけが知っており、公開鍵で暗号化されたメッセージを復号する唯一の方法です（**図2**を参照）。もしボブが暗号化した返信をアリスに送信したい場合には、アリスの公開キーで暗号化を行います。繰り返しになりますが、ここでもイブは返信を閲覧できますが、内容を理解

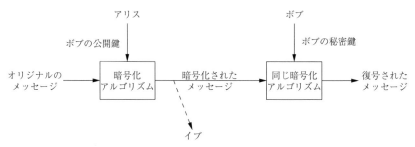

図2　アリスがボブに暗号化されたメッセージを送る

できない暗号化された形式で見られるだけです。アリスはボブの返信
を、彼女だけが知っている自分の秘密鍵で復号します。

　公開鍵暗号では、配布しなければならない共通の秘密が存在しない
ので、キーの配布に関する問題が解決します。アリスとボブはそれぞ
れ自分のウェブページに自分の公開鍵を掲載できます。他の人はそれ
を使って2人のどちらとも事前の調整や秘密の交換なしにプライベー
トな会話を行えます。実際、当事者がすでに会っている必要もありま
せん。もちろん、アリスが暗号化されたメッセージをボブやキャロル
などに送りたい場合は、それぞれの受信者に対する正しい公開鍵を使
って別々に暗号化しなければなりません。

　公開鍵暗号は、インターネットにおける安全な通信の要<ruby>要<rt>かなめ</rt></ruby>です。本を
オンラインで購入したいとしましょう。Amazon にクレジットカード
番号を伝える必要がありますが、平文では送りたくないので、暗号化
されたコミュニケーションチャネルが必要です。Amazon と私は
共有キー(shared key)を持っていないため、AES を直接使用することはできません。
共有キーを準備するために、私のブラウザーはランダムな一時キー(temporary key)を
生成します。次にブラウザーは、生成した一時キーを Amazon の公
開鍵を使用して暗号化し、Amazon に安全に送信します。Amazon は、
送られてきた一時キーを自身の秘密鍵を使用して復号します。こうし
て Amazon と私のブラウザーは、その共有された一時キーを使用して、
クレジットカード番号などの情報を AES で暗号化できるようになり

ます。

　公開鍵暗号方式の欠点のひとつは、そのアルゴリズムが遅くなる傾向にあることです。おそらく、AESのような秘密鍵アルゴリズムよりも数桁遅くなります。したがって、すべてを公開鍵で暗号化するのではなく、2段階の手順が存在しています。まず公開鍵を使用して一時的なAESのための秘密鍵を共有し、次にAESを使用して大量のデータを転送します。

　上記コミュニケーションの各段階は安全です。最初は公開鍵を使用して一時キーを設定し、次にAESを使用して大量データを交換するからです。ウェブストア、オンラインメールサービス、および他のほとんどのサイトにアクセスする際には、この手法を使用します。

　公開鍵暗号方式が実行されている証拠は、手元のパソコンで見られます。ブラウザーは、HTTPSプロトコル（セキュアなHTTP）で接続し、リンクが暗号化されていることを、閉じた錠前のアイコンで示します。

　現在、ほとんどのウェブサイトはデフォルトでHTTPSを使用します。これにより、トランザクションは少し遅くなりますが、ひどく遅くはなりません。特に安全な通信を必要とする直接的な理由がない場合でも、より一層のセキュリティは大切です。

　公開鍵暗号には、他にも便利な特徴があります。たとえば、デジタル署名方式の実現に利用できます。アリスがメッセージに署名したいとします。署名の目的は、メッセージを受信した人が、確かに彼女から来たもので、詐欺師からのものではないと確認できるようにするためです。彼女が秘密鍵でメッセージを暗号化して結果を送信すると、誰でも彼女の公開鍵を使ってメッセージを復号できます。アリスの秘密鍵を知っている唯一の人物がアリスだけだと仮定すると、そのメッセージはアリスによって暗号化されたものに違いないことがわかりま

す。当然ですが、これは、アリスの秘密鍵が漏洩していない場合にのみ、うまくいきます。

　また、アリスがボブへのプライベートメッセージにどのように署名すれば良いかもわかります。これにより、ボブ以外はそのメッセージを読めず、そしてボブは、そのメッセージが確かにアリスから来たことを確信できます。アリスは最初に、ボブへのメッセージに自分の秘密鍵で署名し、結果をボブの公開鍵で暗号化します。イブは、アリスがボブに送った内容を見られますが、それを復号できるのはボブだけです。彼は外側のメッセージを自分の秘密鍵で復号し、次に内側のメッセージをアリスの公開鍵で復号して、アリスからのメッセージであるのを確認します。

　もちろん、公開鍵暗号がすべてを解決するわけではありません。アリスの秘密鍵が漏洩してしまった場合には、アリスへ送られた過去のメッセージはすべて読めてしまいますし、彼女の過去の署名はすべて疑わしくなります。キーの取り消しは困難です。つまり、特定のキーがもはや有効ではないことを宣言するのは難しいのです。とは言え、ほとんどのキー作成方式には、キーがいつ作成されて、いつ期限切れになるかに関する情報が含まれます。また、「前方秘匿性」という名 Forward Secrecy の手法が役立ちます。個々のメッセージは上記のような「ワンタイムパスワード」（一度きりのパスワード）で暗号化され、その後そのパスワードは破棄されます。ワンタイムパスワードが、敵が再作成できないような方法で生成される場合には、あるメッセージ用のパスワードが知られたとしても（たとえ秘密鍵が漏洩していたとしても）それ以前またはそれ以後のメッセージの復号には役立ちません。

13.1.3 公開鍵暗号のアルゴリズム

　最も広く使用される公開鍵アルゴリズムは、1978 年に MIT で発明された RSA です。発明したコンピューター科学者の名前であるロナルド・リベスト、アディ・シャミール、レナード・アドルマンにちな

んで命名されました。RSAアルゴリズムは、非常に大きな合成数の
因数分解の難しさに依存します。RSAは、非常に大きな（最低500
桁の）整数を生成することで機能します。この整数はふたつの大きな
素数の積であり、それぞれの素数の長さは結果の積の半分くらいの桁
数があります。この素数が公開鍵と秘密鍵の基礎となります。元の因
数を知っている人（秘密鍵の所有者）は、暗号化されたメッセージを
素早く解読できますが、そうでない人は実質的に大きな整数を因数分
解しなければならないので、現実的には計算不可能だと考えられてい
ます。リベスト、シャミール、そしてアドルマンはRSAアルゴリズ
ム発明の功績によって、2002年にチューリング賞を受賞しました。

　キーの長さは重要です。ほぼ同じサイズのふたつの素数の積である
大きな整数を因数分解するのに必要な計算の労力は、その長さととも
に急速に増加して、因数分解は実行不可能になります。RSA特許の
権利を持つRSA Laboratoriesは、1991年から2007年まで因数分解
コンテストを主催しました。長さが増加していく合成数のリストを公
開し、それぞれの数を因数分解できた最初の人に賞金を提供していた
のです。最小の数字は約100桁の十進数で、かなり迅速に因数分解さ
れました。2007年に最後のコンテストが行われたときには、因数分
解された最大の数は193桁（640ビット）で、賞金は2万ドル（約
280万円）でした。なお、2019年にはRSA-240（240桁、795ビット）
が因数分解されています。腕試しをしてみたい場合には、リスト自身
はまだオンラインに掲載されたままです[※2]。

　公開鍵アルゴリズムは低速なため、文書の署名は、オリジナル文書
から作られるはるかに小さくて偽造できない値を使って間接的に行わ
れます。この短い（小さな）値は、「メッセージダイジェスト」また
は「暗号ハッシュ」と呼ばれています。これは、任意の入力のビット

を加工して固定長のビットシーケンス（ダイジェストまたはハッシュ値）にするアルゴリズムによって作り出されます。このアルゴリズムは、同じダイジェストを生み出す他の入力を計算で発見するのは事実上不可能だという特徴を持っています。さらに、入力に対するほんのわずかな変更でも、ダイジェストのおよそ半分のビットが変更されます。このことから、文書への改ざんはダイジェストもしくはハッシュ値を、元のダイジェストと比較して容易に検出できるのです。

たとえば ASCII では、文字 x と X は 1 ビットが異なります。16 進数では 78 と 58 ですが、2 進数では 01111000 と 01011000 となります。MD5 と呼ばれるアルゴリズムを使用したそれらの文字の暗号化ハッシュ（ハッシュ値）は次の通りです。

最初の行は x のハッシュ値の前半で、2 番目の行は X のハッシュ値の前半です。3 番目と 4 番目の行はそれぞれの後半部分です。私はプログラムを使用しましたが、手作業でもビット数の違い（128 ビット中の 66）を数えるのは簡単です。

```
10011101 11010100 11100100 01100001 00100110 10001100 10000000 00110100
00000010 00010010 10011011 10111000 01100001 00000110 00011101 00011010

11110101 11001000 01010110 01001110 00010101 01011100 01100111 10100110
00000101 00101100 01011001 00101110 00101101 11000110 10110011 10000011
```

これらのいずれかと同じハッシュ値を持つ別の入力を、計算で見つけるのは事実上不可能で、ハッシュ値から元の入力に戻る方法もありません。

いくつかのメッセージダイジェストアルゴリズムが広く使われています。上記で使った MD5 は、RSA の開発者の 1 人であるリベストによって開発されました。MD5 では 128 ビットの結果が生成されます。また、NIST が開発した SHA-1 は、160 ビットの結果を生成します。今では MD5 と SHA-1 の両方には弱点があることが示されていて、使用は非推奨になっています。NSA が開発したアルゴリズムファミ

リーである SHA-2 には、既知の弱点はありません。にもかかわらず、NIST は新しいダイジェストアルゴリズムを作成するために、AES を生み出したものと似た公開コンペティションを開催しました。現在 SHA-3 という名で知られる勝者が 2015 年に選ばれています。SHA-2 および SHA-3 は、224 〜 512 ビットの範囲の大きさのダイジェストを生成します。

現代の暗号は驚くべき性能を誇りますが、実用上は信頼できる第三者の存在が欠かせません。たとえば、本を注文するときに、洗練された詐欺師ではなく Amazon と話していることをどのように確認すればよいのでしょうか？

私が Amazon のサイトを訪問すると、Amazon は私に証明書を送信して身元を証明します。この証明書は、独立認証局からのデジタル署名が行われた情報の集まりで、Amazon の身元の検証に利用できます。私のブラウザーは、証明書を認証局の公開鍵で確認し、それが Amazon に属していて、他の誰かには属さないのを検証します。理論的には、認証局が、送信されたのは Amazon の証明書であると認めた場合には、本当にそうであることを確信できます。

ただし、この場合に私は、認証局を信頼する必要があります。認証局が詐欺なら、私はその利用者を誰も信用できません。2011 年、あるハッカーがオランダの認証局である DigiNotar に侵入し、Google を含む多くのサイトの不正な証明書を作成しました。もし詐欺師が DigiNotar で署名された証明書を送ってきたら、私はその詐欺師を本物の Google として受け入れてしまったでしょう。

典型的なブラウザーは、驚くほど多くの認証局を知っています。私が使っている Firefox では 80 近く、Chrome では 200 以上ですが、その大半は聞いたこともないような遠く離れた場所にある組織です。

Let's Encrypt は、誰にでも無料で証明書を提供する非営利の認証局です。この認証局は、証明書を簡単に取得できるようになれば、最終的にはすべてのウェブサイトが HTTPS で動作し、すべてのトラフ

ィックが暗号化されるはずだという考えに基づいて運営されています。2020 年初頭までに、Let's Encrypt は 10 億枚の証明書を発行しました。

13.2 匿名性

インターネットを使えば、利用者に関する多くの情報が明らかになります。最下位レベルで使われる IP アドレスはすべてのやりとりに必要とされ、IP アドレスにより使っている ISP が明らかになり、利用者がどこにいるかを推測できます。推測の精度はインターネットへの接続方法によって影響されます。たとえば、小さな大学の学生の場合は推測が正確になりますし、大企業のネットワーク内にいる場合には不正確です。

ほとんどの人にとって、最も一般的な利用方法であるブラウザーを使用すれば、さらに多くの事柄が明らかになります（第 11 章の図 3 参照）。ブラウザーは、参照しているページの URL と、ブラウザーの種類や処理できる応答の種類（たとえばデータ圧縮の有無、または受け入れる可能な画像の種類）に関する、詳細な情報を送信します。適切な JavaScript コードを使用すれば、ブラウザーはどんなフォントがロードされているかやその他の特性もレポートします。これらの情報をかけ合わせて、文字通り何百万人ものユーザーから人物を特定できるのです。この種のブラウザーフィンガープリント（指紋）は一般的になりつつありますが、回避は困難です。

第 11 章で紹介したように、panopticlick.eff.org（訳注：現在は coveryourtracks.eff.org）を使えば、あなたがどれくらいユニークかを推定できます。私のノートパソコンで行った実験では、Chrome でそのサイトにアクセスしてみたところ、最近アクセスした 28 万人以上のユーザーの中で、私がユニーク（一意）であるのがわかりました。私と同じ Firefox の設定をしている人がもう 1 人いて、Safari でも同じ設定をしている人がもう 1 人いるのがわかりました。これらの値は、広告ブロッカーなどの防御手段により異なりますが、ほとんどの区別

は、自動的に送信されるユーザーエージェント（User Agent）ヘッダーと、インストールされているフォントとプラグインによって決まります。

これには、なす術がほぼありません。ブラウザーの提供元は、この潜在的なトラッキング情報の送信を減らせるはずですが、状況を改善する処置はほとんど行われていないようです。がっかりなことに、私がクッキーを無効にしたり、Do Not Track（トラック禁止）を有効にしたりすると、私のユニーク度がさらに上がってしまい、具体的な識別が簡単になってしまいます。

一部のウェブサイトは匿名性を約束しています。たとえば、Snapchat のユーザーは、友人にメッセージや写真、動画を送れますが、その内容は指定された短時間内での消去が約束されています。Snapchat は法的措置の圧力にどれほど抵抗するでしょうか？Snapchat のプライバシーポリシーには、「当社は、有効な法的手続き、政府の要請、または適用される法律、規則、規制を遵守するために、情報の開示が必要であると合理的に判断した場合には、お客様に関する情報を共有する場合があります」と書かれています。このような表現は、もちろんすべてのプライバシーポリシーに共通するもので、ユーザーの匿名性があまり強くないことを示唆していますし、どの国にいるかによっても変わってきます。

13.2.1 TorとTorブラウザー

あなたは内部告発者で、自分が誰かを特定されずに、組織内の不正行為を公表したい人間だと想像してみましょう（エドワード・スノーデンを考えてみてください）。もしくは、弾圧的な政権下での反体制派であったり、同性愛者が迫害されている国に住む同性愛者であったり、問題のある宗教の信者であったとしたら、どうでしょうか？ あるいは単に、私と同様、年中監視されることなくインターネットを使いたいだけだと思ってください。自分の身元をわかりにくくするため

図3　Tor のロゴ

に、何ができるでしょう？　第10章の最後にある提案は役に立ちます
が、他にもひとつ、ほとんどコストが不要であるにもかかわらず極め
て効果的な手段があります。

　接続の最終的な受信者がその接続の発信者を知ることができないよ
うに、暗号化を使用して会話を十分に隠蔽できます。そのようなシス
テムの中で、最も広く使われているのが「Tor」です。Tor は元々、
The Onion Router（オニオンルーター）の略でした。会話がある場
所から別の場所に伝わる際に、周りに重ねられていく暗号の階層を表
す比喩です。**図3** に示す Tor ロゴは、その起源を示唆しています。

　Tor は暗号を使って、インターネットトラフィックを複数のリレー
ノードを通して送ります。各リレーノードがパス上のすぐ隣のリレー
ノードだけを知っていて、他のノードについてはわからないようにす
るためです。パス上の最初のリレーノードは、発信者が誰であるかを
認識していますが、最終的な送信先を認識していません。パス上の最
後のリレーノード（出口ノード）は受信者（最終的な送信先）を知っ
ていますが、誰が接続を開始したのかは知りません。中間のリレーノ
ードは、情報を送ってきたリレーノードと送信先のリレーノードのみ
を知っているだけで、それ以上は知りません。メッセージは、リレー
ノードごとに1層ずつの複数の暗号化層でラップされます。各リレー

ノードは、メッセージを先へ送信するときに、層をひとつ削除します（このためオニオン＝タマネギという比喩が使われるのです）。同じ手法が逆方向にも使用されます。通常、3つのリレーノードが使用されるため、中央のリレーは、発信元または宛先については何も知りません。

　常時、世界中に約 7,000 のリレーノードがあります。Tor アプリケーションは、リレーノードのランダムなセットを選択し、パスを設定します。これは、単一セッション中であっても、時々変更されていきます。

　Tor を利用する最も一般的な方法は、Tor Browser です。Tor Browser は、転送に Tor を使用するように設定された Firefox のバージョンで、Firefox のプライバシー設定も適切に行います。torproject.org から Tor ブラウザーをダウンロードしてインストールし、他のブラウザーと同じように使ってください。ただし、その際には、安全に使う方法に関して表示される警告の内容に注意しましょう。

　Tor Browser の使い心地は Firefox とほとんど同じですが、余分な経路と暗号化レイヤーを通過するのに時間がかかるため、おそらく多少動作が遅くなるでしょう。また、自衛などのために Tor ユーザーを拒否するサイトも存在します、攻撃者も善良な人々と同様に匿名性を重んじるからです。

　ライトユーザーに対して、匿名化がどのように見えるかを示す簡単な例として、**図 4** に Tor（左）と Firefox（右）で表示させたプリンストンのお天気ページを示します。それぞれのブラウザーで、weather.yahoo.com にアクセスしています。Yahoo は私がどこにいるかを知っているつもりなのですが、Tor を使った方は間違えています。私がこの実験を試みると、ほぼ毎回「出口ノード」はヨーロッパのどこかになります。1 時間後にページをリロードしてみると、私はラトビアからルクセンブルクに移動したことになっていました。私がちょっと引っかかるのは、華氏で表示されている温度です。華氏は米国外

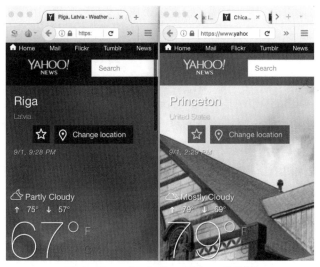

図4　Torブラウザー（左）の動作例

ではあまり利用されていないのですが、Yahooはどのようにして表示を決めているのでしょうか？　ちなみに他の気象サイトは摂氏で報告してきます。

　Panopticlickによると、私がTorブラウザーを使用しているときには、28万人の最近の訪問者のサンプルの中で、私と同じ特徴を持つ人が約3,200人います。なので、ブラウザーのフィンガープリントによって私を特定するのは難しくなり、他のブラウザーで直接接続しているときよりも確実に特徴が少なくなっています。とは言え、Torは決してすべてのプライバシー問題を解決する完璧な解決法ではありません。不用意に使用すれば、匿名性が損なわれる可能性があります。ブラウザーと出口ノードが攻撃される可能性があり、侵害を受けたリレーノードが問題となる可能性があるため、Torは無敵ではありません。また、Torを使用すると、大勢の人の中では目立つのも事実です。問題になるかもしれませんが、Torを使う人が増えるにつれて改善されるでしょう。

Tor は本当に NSA もしくは同等の能力を持つ組織から安全でしょうか？　スノーデンの文書のひとつだった、2007 年の NSA によるプレゼンテーションでは、あるスライド（**図 5**）に「すべての Tor ユーザーを常に非匿名化することは不可能である」（We will never be able to de-anonymize all Tor users all the time.）と書かれています。もちろん、NSA は諦めませんが、これまでのところ、Tor は普通の人が利用できる最高のプライバシーツールのようです（Tor が元々、米国政府機関のひとつである海軍研究所によって、米国の諜報通信を保護するために開発されたことは少し皮肉です）。

　とりわけ被害妄想に囚われているのなら、「TAILS」（The Amnesic Incognito Live System[※3]）を試してみましょう。TAILS は、DVD、USB ドライブ、あるいは SD カードなどのブート可能デバイスから起動される Linux の一種です。TAILS は、Tor と Tor ブラウザーを実行し、実行するコンピューター上に痕跡を一切残しません。

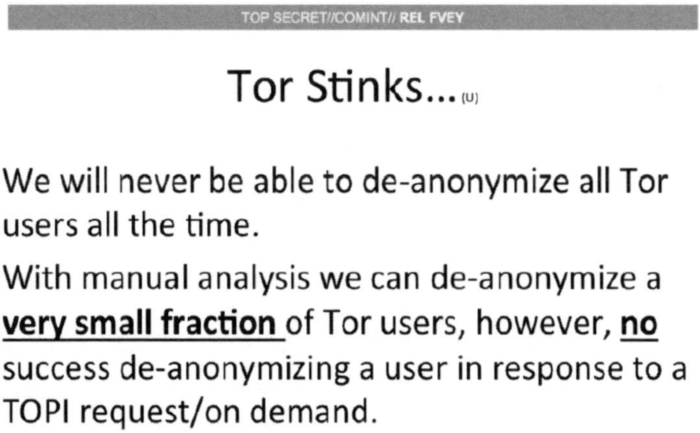

TOP SECRET//COMINT// **REL FVEY**

Tor Stinks...(U)

- We will never be able to de-anonymize all Tor users all the time.
- With manual analysis we can de-anonymize a **very small fraction** of Tor users, however, **no** success de-anonymizing a user in response to a TOPI request/on demand.

図 5　Tor に関する NSA プレゼンテーション（2007 年）

※3 訳注：「記憶喪失の匿名者システム」といった意味です。

TAILSで実行されているソフトウェアは、インターネットへの接続にTorを使用するため、利用者も匿名である必要があります。また、ローカルのハードディスクには何も保存せず、一次メモリーにのみ保存します。TAILSセッションの終了後にコンピューターがシャットダウンすると、メモリーの内容は消されます。これにより、ホストコンピューターに何の記録も残さずに文書を扱えます。TAILSは、OpenPGPを含む他の暗号化ツールセットも提供します。OpenPGPを使用すると、メール、ファイルなどを暗号化できます。TAILSはオープンソースで、ウェブからダウンロード可能です。

13.2.2 ビットコイン

　お金の送受信では、匿名性が高く評価されます。現金は匿名です。現金で支払う場合は、記録もなければ取引関係者を特定する手段もありません。地元でガソリンや食料品などの少額の買い物をする場合を除いて、現金での買い物は徐々に難しくなっています[※4]。レンタカー、飛行機のチケット、ホテル、そして、もちろんオンラインショッピングはすべて、購入者を識別するクレジットカードまたはデビットカードの使用を求めます。カードは便利ですが、利用履歴が残ります。

　巧妙な暗号化を用いれば、匿名通貨を作成できます。最も成功したのが「ビットコイン」です。サトシ・ナカモト（Satoshi Nakamoto）という人物が発明し、2009年にオープンソースソフトウェアとして公開しました（Nakamotoの本当の身元は不明です。これは珍しく成功した匿名性の例です）。

※4 訳注：長年現金社会だった日本においても、2019年10月の消費税増税をきっかけに、キャッシュレス取引を推進する動きが強まっています。SuicaやPASMOなどを使った電子マネーだけでなく、PayPayを代表とする多くのQRコード決済も伸びています。特に2020年初頭から始まったコロナ禍は、現金によるやりとりを避ける流れを後押ししています。

ビットコインは分散型のデジタル通貨もしくは暗号通貨です[5]。いかなる政府やその手の組織によって発行または管理されておらず、従来のお札や硬貨とは異なり、物理的な形態は持ちません。その価値は、政府が発行する金銭が備えるような法的裏付けや、金のような希少性によって与えられているわけではありません。しかし、金と同じように、その価値はユーザーが商品やサービスに対してどれだけの金額を支払うか、あるいは受け入れるかにかかっています。

　ビットコインは、現金のやり方を真似て、ふたつの主体が、中間者または信頼できる第3者を介さずに、ビットコインを取引できる、ピアツーピア・プロトコルを使用します。ビットコイン・プロトコルは、ビットコインが本当に交換されることを保証します。つまり、所有権が譲渡され、取引の最中にコインが作成されたり失われたりせず、完了した取引の取り消しもできません。それでも取引をする両者はお互いに、そして全世界に対して、匿名性を守れるのです。

　ビットコインは、すべての取引を記帳する「ブロックチェーン」と呼ばれる公開台帳を保持しますが、取引の背後にいる当事者は匿名であり、実際には暗号の公開鍵であるアドレスによってのみ識別されます。ビットコインは、取引を検証して公開元帳に書き込むという、計算が困難な作業を行うことで、報酬として生成（マイニング：採掘）されます。ブロックチェーン内のブロックはデジタル署名され、以前のブロックを参照するため、これまでのブロックを作成するために行ったすべての作業をやり直さなくては、取引を変更できません。したがって、ブロックチェーン開始時点からのすべての取引は、チェーン内に暗黙的に記録されており、原理的にはすべてを参照できます。過去のすべての作業をやり直さずには新しいブロックチェーンを偽造で

※5 訳注：日本では資金決済法の改正（2020年5月1日施行）により、法令上、「仮想通貨」「暗号通貨」は「暗号資産」へ呼称変更されています。ビットコインなどを「通貨」と呼ぶのを当局が嫌ったことによる措置です。しかし実際には、「仮想通貨」や「暗号通貨」という呼称も多く使われています。

きないので、再計算は事実上実行できません。

　重要なのは、「ブロックチェーンが完全に公開されていること」です。したがって、ビットコインの匿名性は「ペンネーム」に似ています。特定のアドレスに関連付けられたすべての取引を、すべての人が知っていますが、そのアドレスの所有者についてはわかりません。ただし、アドレスを適切に管理しないと、取引に関連付けられてしまう可能性はあります。また、秘密鍵を紛失した場合には、ビットコインを永遠に失う可能性があります。

　取引の当事者が注意深く振る舞えば、匿名のままでいられるため、ビットコインは麻薬取引、ランサムウェアの身代金支払手段、その他の違法行為に好まれる通貨です。Silk Road という名のオンライン市場は、違法薬物の販売に広く使用され、ビットコインで支払いが行われていました。そのサイトの所有者は、最終的には匿名性ソフトウェアの欠陥のせいではなく、勤勉な IRS（米国国税庁）の捜査員が現実世界の身元情報にたどり着けるわずかな痕跡をオンラインコメントとして残していたために、特定されました[6]。オペレーションセキュリティ（諜報世界の隠語では opsec）を正しく行うのは非常に難しく、わずか一度の小さな手違いでゲーム終了に追い込まれてしまいます。

　ビットコインは「仮想通貨」ですが、従来の通貨と交換可能です。過去の交換レートは変動が激しく、米ドルに対するビットコインの価値は大きく上下に揺れ動いてきました。**図6**は、複数年分の価格を示します。

　銀行のような大手企業や、Facebook（現 Meta）のような企業も、サービスや独自のブロックチェーン通貨を提供することで、暗号通貨の世界に足を踏み入れています。もちろん、税務当局もビットコインに関心を持っています。何しろ匿名の取引の目的のひとつは、課税逃

※6 訳注：いわゆる闇サイトだった Silk Road は 2013 年 10 月、米国当局に摘発されて閉鎖されました。

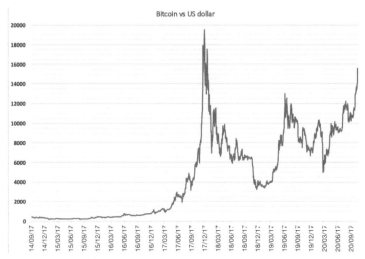

図6 ビットコインの価格（finance.yahoo.com）

れだからです。米国では、ビットコインのような仮想通貨は、連邦所得税の対象となる資産として扱われるため、取引によって課税対象となるキャピタルゲインが発生する可能性があります。

　ビットコインを試すのは簡単です。bitcoin.org は始めるのに適した場所です。coindesk.com には優れたチュートリアル情報があります。また、本やオンラインコースも提供されています。

13.3 まとめ

　暗号は、現代の技術において重要です。暗号は、インターネットを使用するときにプライバシーとセキュリティを保護する基本的なしくみです。しかし、残念ながら、暗号は善良な人だけでなく、すべての人を助けます。つまり、犯罪者、テロリスト、児童ポルノ業者、麻薬カルテル、政府が、みな暗号技術を使用して、あなたを犠牲にしながら、自らの利益を追求しようとしているのです。

　暗号の魔神を壺に戻す方法はありません。世界的な暗号技術者は数が少なく、世界中に散らばっていて、どの国も独占できません。さら

に、暗号コードはほとんどがオープンソースで、誰でも利用できます。したがって、特定の国で強力な暗号を禁止しようとしても、その使用が妨げられる事態は起こりそうもありません。

暗号技術は、テロリストや犯罪者を幇助しないように使用が禁止されるべきか、もしくは現実的に考えて暗号システムに「バックドア」（それを通して敵対者が暗号化した内容を政府機関が復号できるようにする）を備えるべきか——これらについては、熱い議論が定常的に交わされています。ほとんどの専門家は、こうした動きは悪い考えだと信じています。特に権威のあるグループのひとつが、2015年半ばに「Keys Under Doormats: Mandating insecurity by requiring government access to all data and communications」（ドアマットの下のキー：すべてのデータと通信への政府のアクセス要求が引き起こす安全保障の強制弱体化）と呼ばれるレポートを公開しました。タイトルが内容を示唆しています。

暗号は、そもそも正しく行うのが非常に困難です。いかに慎重に設計されたとしても、意図的な弱点の追加は、大きな障害を招きかねません。繰り返し見てきたように、（私やあなたの）政府は、秘密を保つことが不得手です。スノーデンとNSAを考えてみてください。よってバックドアのキーを秘密にしたり適切に使ったりする責任を政府に任せるというのは、たとえ善意であったとしてもその前提自身に無理があり、そもそも間違ったアイデアなのです。

基本的な問題は、テロリストが使用する暗号だけの弱体化はできず、その際にはすべての人の使う暗号も弱くなってしまうことです。AppleのCEOであるティム・クックが2015年後半に述べたように、「現実問題として、バックドアを入れたとしたら、そのバックドアはすべての人のものになってしまいます。善人も、そして悪人も、そのバックドアを利用できます」という結果になるのです。そしてもちろん、詐欺師、テロリスト、および、政府は、いずれにせよ弱体化された暗号を使いません。事態はさらに悪化するのです。

Apple のソフトウェアは、ユーザーが提供する Apple は知らない
キーを使用して、iOS を実行する iPhone のすべてのコンテンツを暗
号化します。政府機関または裁判官が Apple に携帯電話を復号する
ように指示した場合、Apple はそれを実行できないと誠実に答えられ
ます。Apple の立場は、政治家や法執行機関を味方にできるわけでは
ありませんが、擁護できる立場です。もちろん、賢明なユーザーは、
政府機関が内容や会話を簡単に盗聴できてしまう電話の購入を嫌がり
ますから、商売的にも理にかなっています。

　2015 年末、カリフォルニア州サンバーナディーノで、2 人のテロリ
ストが 14 人を殺害しました（犯人も最後に射殺されました）。FBI は、
テロリストの iPhone の暗号化を解除するように Apple に要求しまし
た。Apple は、特別な目的であったとしても、そうした情報にアクセ
スするしくみを作ってしまうと、すべての電話のセキュリティを著し
く弱める前例になると主張しました。

　サンバーナーディーノの事件は、最終的に FBI が情報を復元する
別の方法を見つけたと宣言したことで、議論は中途半端になりました
が、2019 年末にフロリダで起きた別の銃乱射事件で、この問題が再
燃しました。FBI は協力を要請しました。Apple は、持っているすべ
ての情報を提供したと言うものの、パスワードは持っていません。

　この激しい議論においては、双方に理があります。私の個人的な立
場は、強力な暗号は、普通の人々が政府の行き過ぎや犯罪の侵入に対
抗できる数少ない防御法なので、手放してはならないというものです。
メタデータの説明で以前述べたように、法執行機関が適切な手段を使
うだけで情報を取得できる方法は他にもたくさんあります。少数の人
を調査するために、全員の暗号を弱める必要はないはずです。しかし、
これらはそもそも困難な問題ですし、暴力事件の余波などのような政
治的かつ感情的に緊迫した状況でしばしば繰り返される議論です。短
期的には満足のいく解決策を見つけられそうもありません。

　どのセキュリティシステムでも、最も弱い部分は関わっている人間

です。人間にとって複雑すぎたり使うのが難しいシステムを、偶然に
あるいは意図的に、人間自身が破壊してしまうのです。パスワードの
変更を強制されたときに、何をするかを考えてみるとよいでしょう。
特に新しいパスワードを今すぐ考え出す必要があり、それは大文字と
小文字が混在し、少なくともひとつの数字を含み、特定の特殊文字を
要求するもののそれ以外の文字は要求しないといった奇妙な制限を満
たさなければならない場合は、どうするでしょうか？　ほとんどの人
は何らかのパターンに頼り、それを書き留めますが、いずれの行為も
セキュリティを損なう可能性があります。自問してください。敵対者
があなたのパスワードをふたつ見た場合、その人物は他のパスワード
を推測できるでしょうか？　スピアフィッシングを思い出してくださ
い。クリック、ダウンロード、またはオープンを要求する、極めても
っともらしいメールを何回受信しましたか？　要求に応えそうになっ
たことは？

　たとえ全員が安全を確保しようと努力しても、強い意志を持った敵
はアクセスを実現するために、いつでも4つのB（bribery, blackmail,
burglary, brutality：贈収賄、脅迫、不法侵入、蛮行）を使ってきます。
政府は、パスワードの開示を拒む人々を、投獄するぞと脅迫できます。
とは言え、いつでもすべての脅威からというわけにはいかないものの、
あなたが注意深くなることで、現代社会で働くためには十分な、自分
を守るためのまずまずの行動が可能になるのです。

- 14 -
次に来るものは?

これまで本書で多くの分野を眺めてきました。その過程で何を学ぶべきだったのでしょうか? 今後、何が問題になりそうなのでしょうか? これから5年から10年先に、まだ取り組んでいるコンピューティングの問題は何でしょう? 時代遅れになったり、もはや意味のなくなってしまうものは何でしょうか?

上辺だけの詳細は常に変化しますし、私が話してきた技術的に細々としたお話は、物事が動作するしくみを理解するための具体例を示す役割を除けば、それほど重要ではありません。多くの人たちは抽象的

※1 訳注:この言い回しは、一見意味ありげでありながら、よく考えると特に意味のある内容ではないように思えます。実はこの発話スタイルは、最初に名前が挙がっている人気大リーガーであったヨギ・ベラ氏の言い回しを真似たものです。たとえば有名なものに「This is the earliest I've ever been late.」(今まで遅れた中では一番早かったよ)があります。ニールス・ボーアは不確定性原理の提唱者として有名ですし、サミュエル・ゴールドウィンは波乱万丈の人生を送った映画監督です。マーク・トゥエインも『トム・ソーヤの冒険』だけでなく数々の警句で有名な作家です。

な話よりも具体的な事例からの方が多くを学べるので、そうしている
だけです。それにコンピューティングそのものがすでに抽象的な考え
に溢れています。

　ハードウェア側では、コンピューターがどのように構成されるか、
情報をどのように表現したり処理するか、専門用語や数値の意味、お
よび時間の経過とともにどのように変化してきたかの理解が役立ちま
す。

　ソフトウェアの場合には、抽象的なアルゴリズム（計算量がデータ
量とともにどのように増加するかも一緒に）と、具体的なコンピュー
タープログラムの両方で、計算プロセスを正確に定義する方法を知る
ことが重要です。ソフトウェアがどのように編成され、様々な言語の
プログラムやコンポーネントを使ってどのように作成されるかがわか
れば、皆が利用するソフトウェアの背後に何が隠れているかを理解す
るのに役に立ちます。運が良ければ、いくつかの章で示したプログラ
ミング例で、自分でコードを書く際の筋道を想像できるでしょう。自
分で実際にプログラミングしないとしても、何が関係するのかを知る
のは良いことです。

　コミュニケーションシステムは、ローカルにおいてもグローバルに
おいても、影響を及ぼします。情報がどのように流れるのか、誰がア
クセスできるのか、どのように制御されるのか、に対する理解が重要
です。プロトコル（システムの相互作用の規則）も大切です。今日の
インターネットの認証問題に見られるように、プロトコルの特性が深
刻な影響を与える可能性があるからです。

　実世界の考察に役立つコンピューティングのアイデアもあります。
たとえば、私はよく、論理構造と物理実装を区別します。この例は、
無数に現れます。コンピューターが良い例です。コンピューターの製
造方法は急速に変化しますが、アーキテクチャは長い間変わっていま
せん。一般的に言うなら、コンピューターはすべて同じ論理的性質を
持ちます。原理的には、コンピューターはすべて、同じ計算を実行で

きるのです。ソフトウェアのコードは実装を隠す抽象インターフェースを提供します。これにより、利用する側に変更を求めずに、利用される側の実装を変更できるのです。仮想マシン、仮想オペレーティングシステム、さらに実際のオペレーティングシステムでさえ、実装から論理構造を分離するためのインターフェースの利用例なのです。おそらく、プログラミング言語もこの抽象化の機能を提供しています。なぜならプログラミング言語を使うことで、あたかもコンピューター自身が、人間が理解できる言語を直接使っているように見せかけて、コンピューターとの対話が可能になるからです。

　コンピューターシステムは、エンジニアリングのトレードオフの良い例です。タダではモノは手に入らず、タダのランチはない（タダより高いものはない）のです。これまで見てきたように、デスクトップパソコン、ノートパソコン、タブレット、そして携帯電話は、いずれも同じコンピューティング機器ですが、サイズ、重量、消費電力、コストの制約への対応方法が、大きく異ります。

　また、コンピューターシステムは、大規模で複雑なシステムを、小さくて管理しやすく、独立して開発できる細かなパートに分けて実現した良い例です。ソフトウェアの階層、API、プロトコル、標準などはすべて、その実例です。

「はじめに」で私が言及した、4つの「普遍的なアイデア」は、デジタルテクノロジーの理解に重要であり続けます。もう一度振り返ってみましょう。

14.1 4つの普遍的なアイデア

　最初は、「情報の普遍的なデジタル表現方法」です。化学には100を超える元素があります。物理学には10あまりの素粒子があります。デジタルコンピューターには、ふたつの要素（0と1）があり、すべては01で構成されます。複数のビットは任意の種類の情報を表現します。trueとfalse、yesとnoなどの最も単純なバイナリーの選択肢

から、数字や文字、その他何でも構いません。たとえば、ブラウジングやショッピング、電話の履歴、ユビキタス監視カメラから得られる、あなたの人生の記録のような大規模な情報も、単純なデータ項目の集合として表現され、最終的には個々のビットレベルまで落とし込めます。

　次は、「汎用的なデジタルプロセッサー」です。コンピューターは、ビットを操作するためのデジタル機器です。プロセッサーに何をするかを指示する命令はビットとしてエンコードされ、通常はデータと同じメモリーの中に保存されます。命令を変更すると、コンピューターは別の処理を行います。コンピューターが汎用マシンである理由です。

　ビットの意味は文脈に依存します。ある人にとっての命令は、他の人にとってのデータとなり得ます。データのコピー、暗号化、圧縮、エラー検出といったプロセスは、ビットが表す内容とは無関係に実行できますが、扱っているデータの種類を知れば、上手に扱える場合もあります。

　特別な専用機を、汎用オペレーティングシステムを搭載した汎用コンピューターで置き換えていく傾向は、今後も続くでしょう。遠い将来には、生物学的コンピューティングや量子コンピューター、あるいはまだ発明されていない何かに基づいた、今とは別の種類のプロセッサーが使われるようになるかも知れません。それでも、デジタルコンピューターはまだまだ長い間使用されるでしょう。

　三番目は「ユニバーサルデジタルネットワーク」です。データと命令の両方のビットを、あるプロセッサーから別のプロセッサーへ、世界中どこへでも伝送します。インターネットと電話ネットワークが融合して、現在の携帯電話に見られるようなコンピューティングと通信の収束を真似た、普遍的なネットワークになる可能性があります。インターネットの進化は間違いありませんが、インターネットの初期にはとても生産性が高かった「奔放な西部劇の登場人物」的特徴の多く the free-wheeling wild west character を、この先も残せるのかは不透明です。ひょっとすると、企業や政府

によってさらなる制限と制御が加わり、「ウォールドガーデン（壁に^{walled gardens}囲まれた庭）」の集まりになるのかもしれません。それはそれで確かに魅力的かも知れませんが、壁に囲まれていることに変わりはありません。残念ですが、私の予想はウォールドガーデン化です。すでにひとつの国全体が日常的にインターネットへのアクセスを制限したり、社会不安時にインターネットを完全に遮断したりする例が見られます。

最後は、「どこでも使えるデジタルシステム」です。デジタル機器は、技術改良により、小型化、低価格化、高速化、そして、一層の普及が進みます。ストレージ密度などの単一技術の改善が、しばしばすべてのデジタル機器に影響を与えます。ますます多くの機器がコンピューターを搭載してネットワーク化されるにつれて、モノのインターネット（IoT）が身の周りに広がるでしょう。そして、この動きはセキュリティ問題を悪化させるでしょう。

デジタルテクノロジーの限界と問題が起きる可能性は無くならないので、それらには注意を払わなければなりません。テクノロジーは多くの「善いもの」に貢献しますが、新しい形の困難な問題を引き起こしたり既存の問題を悪化させたりもします。その中でも特に重要な問題を以下に示します。

14.2 重要な問題

誤報、偽情報、そして、あらゆる種類の**フェイクニュース**は、インターネット上で急速に拡大している問題です。ソーシャルメディア上には、誤ったニュースや画像、動画などが氾濫していますが、これまでのソーシャルメディアは、危険なほど悪いコンテンツの抑制に消極的でした。検閲や言論の自由への干渉に対する懸念は確かにありますが、個人的には振り子が一方に偏りすぎていると思います。適当に例をひとつ挙げると、Covid-19 のパンデミックが起きていた 2020 年のある 3 カ月間に、Facebook は「CDC（米国疾病予防管理センター）や他の健康専門家が危険だとする偽の予防策や過度の治療法」を提供

していた700万件の投稿を削除しました。また、他の約1億件の投稿にも警告を表示しました。

　プライバシーは、商用、政府、そして犯罪目的のために、間違った方向へ導こうとする勢力からの、絶え間ない脅威に晒されています。個人データの大規模な収集は引き続き行われるでしょう。個人のプライバシーは、これまでよりもさらに少なくなってしまう可能性があります。かつてのインターネットは、匿名でいることがとても簡単でした（特に悪行のためには）。しかし現在では、たとえ善い意図を持っていたとしても、匿名のままでいるのはほぼ不可能です。市民のインターネットへのアクセスを制御し、暗号化を弱めようとする政府の試みは、善人には役に立たず、かえって悪人に支援、安心、悪用可能な単一障害点を提供します。政府は自国民を簡単に識別して監視することを望んでいるのに、その一方では他国にいる反体制派のプライバシーと匿名性を支援していると、皮肉を言う人もいるかも知れません。企業は、現行および潜在的な顧客について、可能な限り多くの情報を知りたがっています。ひとたび情報がウェブ上に置かれると、その情報は永遠に残り続けます。取り消す現実的な手段はありません。

　ユビキタスカメラからウェブトラッキング、携帯電話位置の記録に至るまで、**監視**は増え続けています。そして、ストレージとプロセッシングコストの急速な減少は、人間の全生活に関する完全なデジタル記録を、一段と実現可能にしています。あなたがこれまでの人生で、聞いたことや言ったことをすべて記録するには、どれくらいのディスク容量が必要でしょうか？　それにはどれくらいのコストが必要でしょうか？　あなたが20歳なら、答えは約10テラバイト（TB）で、2021年にはそのコストは200ドル（約2万8000円）以下でしょう。完全なビデオ記録でも、その10倍から20倍以上の大きさにはなりません。

　個人、企業、そして政府にとっての**セキュリティ**も現在進行中の問題です。サイバー戦争とかその他のサイバー何々といった用語が役立

つのかはわかりませんが、個人や大きな集団が、国家や犯罪組織による、ある種のサイバー攻撃に晒されている可能性は高く、実際に晒されている場合もあります。貧弱なセキュリティ習慣は、政府や商用データベースからの情報の盗難に対して、全員を脆弱にしてしまいます。

著作権は、デジタル素材のコピーを、コストなしで無制限に作成し世界中に配布できる世の中では、非常に困難な問題です。かつては書籍、音楽、映画、テレビ番組の製造と販売には、専門知識と特殊な設備が必要でした。そのため、従来の著作権は、デジタル時代以前の創造的な作品には十分に機能していました。しかし、そうした時代は過ぎ去りました。著作権とフェアユースは、ライセンスとデジタル著作権管理によって置き換えられています。これらは、普通の人々にとっては不便なものですが、それでも真の盗用は防げません。メーカーが著作権を利用して競争を阻害したり、顧客の囲い込みをしたりするのをどうやって防げばいいのでしょうか？ そして、著者、作曲家、パフォーマー、映画製作者、プログラマーの権利を保護しつつ、彼らの作品が永久に制限されたままにしないようにするには、どうすれば良いのでしょうか？

特許もまた難しい問題です。ソフトウェアによって制御される汎用コンピューターを取り込んだ機器が増える中で、広範すぎる特許や十分に研究されていない特許の保有者による、法外な要求を防ぎつつ、発明者の正当な利益を保護するにはどうすれば良いのでしょうか？

リソースの割り当て、特に周波数帯のような不足気味で貴重なリソースの割り当ては、常に論争の的です。大手通信会社のようにすでに割り当てを受けている既存勢力は、大きなアドバンテージを得ています。お金、ロビー活動、様々なコネを通して、その地位を活用し守られ続けられるのです。

反トラストは、欧州連合（EU）や米国では重要な問題です。Amazon、Facebook（現 Meta）、Google のような企業が市場を支配しており、圧倒的で中央集権的な力を与えています。Google はおそ

らく最も反トラスト法で訴えられやすい企業で、米司法省は 2020 年末にグーグルに対する反トラスト法訴訟を発表しました。全世界の検索の少なくとも 70% は Google を介して行われています（米国では90% に及びます）。Google は広告の最重要企業ですが、収入のほとんどを広告から得ています。携帯電話の大部分は、Google の Android OS を搭載しています。Facebook は、直接的に、あるいは Instagram のような子会社を通じて、ソーシャルメディアを支配しています。Facebook と Google は、技術や専門知識を取り込むだけではなく、成長する前に潜在的な競争相手を排除するためにも、小さな会社を常に買収しています。

　大規模なハイテク企業は、自分たちは競合他社よりも優れたサービスを提供しているからこそ成功しているのであり、成功は結果であると主張します。しかし同時に、たとえ彼らが合法的であったとしても、あまりにも大きな力を持っていると主張することも可能なのです。EU と米国はこのことを懸念し始めていて、場合によってはそのような企業の力をコントロールするための行動を起こしさえしているようです。

　管轄権もまた、情報がどこにでも移動できる世界では、困難な問題です。ある管轄区域で合法的なビジネスおよび社会的慣行が、他の地域では違法であり得るからです。法制度は全く追いついていません。管轄権の問題は、米国の州境を越えた税金などの争点や、EU と米国でのデータプライバシー規則間の矛盾として顕在化します。これはまた、フォーラムショッピングという行為としても現れます。フォーラムショッピングとは、犯罪がどこで起きたか、被告がどこにいるかにかかわらず、原告が特許訴訟や名誉毀損訴訟のような法的行動を、自分に有利な結果を期待できる管轄区域で開始することです。インターネットの管轄権自体は、自身の利益のためにさらに多くの管理を望む組織などの脅威にさらされています。

　管理はおそらく最大の問題です。政府は、市民によるインターネッ

トでの発言や行為を、管理したいと考えています（もちろんインター
ネットはあらゆるメディアと同義語になりつつあります）。国家のフ
ァイアウォールは、一般的で避けがたいものになりつつあります。国
家は、企業が国内でビジネスを継続するために何をしなければならな
いかについて、ますます多くの制限を課すでしょう。企業は、逃げる
のが難しい壁に囲まれた庭（ウォールドガーデン）に、顧客を閉じ込
めたがっています。使用する機器のいくつが、あなた自身のソフトウ
ェアを実行したり、その中で何が行われているのかを確認したりできな
いように、提供者によって機能制限されているかを考えてみてくだ
さい。個人は政府と企業の両者が入り込んでくる範囲を制限したいの
に、戦う土俵は対等ではありません。ここまでに述べてきた防御策は
役には立ちますが、決して十分ではありません。

　最後に、現在の技術は急速に変化していますが、人間はそうではな
いことを常に意識していなければなりません。ほとんどの点で、私た
ち人間は、何千年も前と同じです。善や悪の動機に操られる善人と悪
人の比率も、あまり変わりません。社会、法律、そして政治のしくみ
は、テクノロジーの変化に適応していきますが、それはゆっくりとし
たプロセスですし、様々な速さで動いて、世界の様々な場所で、様々
な解決策を生み出します。今後数年間で、物事がどのように進化する
かはわかりません。それでも私は、本書があなたにとって避けられな
い変化のいくつかを予測し、立ち向かい、良い影響を与えるのに役立
つことを願っています。

原書注釈

> 構成は正しく、材料の選択は賢明で、文章も良いものです。
> しかし、注釈の本質を十分に理解していません(成績:C+)
> **私が大学3年生だった1963年に書いたエッセイに対する教師のコメント。**

　本書の情報源に関する注釈を提供します（完全ではありません
が）。私のお気に入りで、おそらく読者の皆さんにも楽しんでいた
だけるだろう書籍も含めます。いつもながら、ウィキペディアは、
ほぼすべてのトピックに対する簡単な調査と基本的な事実に関する
優れた情報源です。検索エンジンは、関連資料を見つける上で素晴
らしい仕事をします。オンラインですぐに見つかる情報への、直接
のリンクは掲載しません。掲載のリンクは、すでに古くなっている
可能性があります。先頭の数字はページ数です。

004：IBM 7094 は約 150KB の RAM を持ち、クロック速度は 500KHz で、価格は約
300 万ドルでした。en.wikipedia.org/wiki/IBM_7090
009：Richard Muller, Physics for Future Presidents, Norton, 2008. 素晴らしい本です。
本書のインスピレーションを得たもののひとつです。
009：Hal Abelson, Ken Ledeen, Harry Lewis, Wendy Seltzer, Blown to Bits：Your
Life, Liberty, and Happiness After the Digital Explosion, Second Edition, Addison-
Wesley, 2020. 多くの重要な社会的ならびに政治的トピック、特にインターネットにつ
いて触れています。私のプリンストン大学でのコースにとっての、良い材料を提供して
くれました。ハーバード大学の類似のコースから派生したものです。
021：Zoom の株価は、FTC からエンドツーエンドの暗号化について嘘をついたと非
難されたことで、大きな打撃を受けましたが、その後損失の大部分を回復しました。

022：中国の新型コロナウィルス感染症（Covid-19）アプリ：`www.nytimes.com/2020/03/01/business/china-coronavirus-surveillance.html`

023：ブルース・シュナイアーによる、接触追跡アプリの非効率性に関する考察：`www.schneier.com/blog/archives/2020/05/me_on_covad-19_.html`

023：スノーデンの物語は、グレン・グリーンウォルドの『No Place to Hide』（2014）（邦訳『暴露―スノーデンが私に託したファイル―』）、ローラ・ポイトラスの受賞ドキュメンタリー『Citizenfour』（2015）、スノーデン自身の『Permanent Record』（2019）、バート・ゲルマンの『Dark Mirror』（2020）で語られています。

023：NSA の活動については以下を参照。`www.npr.org/sections/thetwo-way/2014/03/18/291165247/report-nsa-can-record-store-phone-conversations-of-whole-countries`

025：James Gleick, The Information：A History, A Theory, A Flood, Pantheon, 2011. 通信システムに関する興味深い資料です。情報理論の父であるクロード・シャノンに焦点を当てています。歴史的な部分は特に興味深いです。

027：位置情報の開示制限に対する NSA のアドバイス：`media.defense.gov/2020/Aug/04/2002469874/-1/-1/0/CSI_LIMITING_LOCATION_DATA_EXPOSURE_FINAL.PDF`

028：Bruce Schneier, Data and Goliath：The Hidden Battles to Collect Your Data and Control Your World, Norton, 2015 (p. 127).（邦訳『超監視社会：私たちのデータはどこまで見られているのか？』）信頼性が高く、不穏な内容ですが、よく書かれています。まっとうな怒りを感じるでしょう。

031：James Essinger, Jacqguard's Web：How a Hand-loom Led to the Birth of the Information Age, Oxford University Press, 2004. バベッジ、ホレリス、エイケンを通してジャカード織機の歴史をたどります。

031：差分機関の画像は、ウィキペディアのパブリックドメイン画像です。`commons.wikimedia.org/wiki/File:Babbage_Difference_Engine.jpg`

032：Doron Swade, The Difference Engine：Charles Babbage and the Quest to Build the First Computer, Penguin, 2002. Swade は、1991 年に製作されたバベッジ式機械についても説明しています。同機は現在、ロンドンの科学博物館にあります。2008 年に製作されたクローン（32 ページの図）は、カリフォルニア州マウンテンビューのコンピューター歴史博物館に置かれています。以下も参照してください。`www.computerhistory.org/babbage`

032：作曲に関する引用は、Luigi Menabrea の "Sketch of the Analytical Engine"（解析機関のスケッチ）という論文を翻訳したエイダ・ラブレスのメモからです。

032：Mathematica の開発者であるスティーブン・ウルフラムが、ラブレスの歴史に関する長く有益なブログ記事を書いています。`writings.stephenwolfram.com/2015/12/untangling-the-tale-of-ada-lovelace/`

033：エイダ・ラブレスの肖像は、ウィキペディアからのパブリックドメイン画像で

す。 commons.wikimedia.org/wiki/File:Carpenter_portrait_of_
Ada_Lovelace_-_detail.png

033：Scott McCartney, ENIAC：The Triumphs and Tragedies of the World's First Computer, Walker & Company, 1999.

036：Burks, Goldstine and von Neumann, "Preliminary discussion of the logical design of an electronic computing instrument". www.cs.unc.edu/~adyilie/comp265/vonNeumann.html

037：以前に Mac OS X という名称だった Apple の OS は、現在は macOS という名になっています。

047：Pride and Prejudice（『高慢と偏見』）のオンラインコピー。 www.gutenberg.org/ebooks/1342

052：Charles Petzold, Code：The Hidden Language of Computer Hardware and Software, Microsoft Press, 2000.（邦訳『CODE コードから見たコンピュータのからくり』）論理ゲートからコンピューターを構築する方法。本書に書かれているレベルの 1 または 2 階層下のレベルまでカバーします。

055：Gordon Moore, "Cramming more components onto integrated circuits". newsroom.intel.com/wp-content/uploads/sites/11/2018/05/moores-law-electronics.pdf

065：デジタルカメラのしくみに関する素晴らしい説明は以下です：www.irregularwebcomic.net/3359.html

077：ライプニッツは 1670 年代に 2 進数、さらには 16 進数について研究しました。足りない 6 つの数字には音符（ut, re, mi, fa, sol, la）を使用しました（訳注：かつては "do"（ド）ではなく "ut" が使われていましたが、発音しにくいという理由で変更されました）。

082：colornames.org は 1600 万色がいかに多いかを教えてくれる楽しいサイトです。

083：2020 年にリリースされた macOS Catalina から、ついに 32bit のプログラムがサポートされなくなりました。

084：Donald Knuth, The Art of Computer Programming, Vol 2：Seminumerical Algorithms, Section 4.1, Addison-Wesley, 1997（訳注：同名邦訳あり）

109：チューリングマシンは、計算の抽象的なモデルです。素晴らしい実現例を www.youtube.com/watch?v=E3keLeMwfHY で見られます。

110：Alan Turing, "Computing machinery and intelligence". www.csee.umbc.edu/courses/471/papers/turing.pdf なお Atlantic にはチューリングテストに関する役立つ面白い記事が置かれています。 www.theatlantic.com/magazine/archive/2011/03/mind-vs-machine/8386

110：この CAPTCHA は、以下からの、パブリックドメインイメージです。 en.wikipedia.org/wiki/File:Modern-captcha.jpg

111：アンドリュー・ホッジスが管理するチューリングのホームページは以下です。 www.turing.org.uk/turing ホッジスはアラン・チューリングに関する伝記の決定版であ

る "The Enigma. Updated edition, Princeton University Press, 2014" (邦訳『エニグマ アラン・チューリング伝』)の著者です。

111：ACM チューリング賞の詳細は以下で見られます。 amturing.acm.org/

111：ドイツ海軍が使用していた 1944 年製のエニグマが、2020 年にオークションにて 43 万 7000 ドルで落札されました：www.zdnet.com/article/rare-and-hardest-to-crack-enigma-code-machine-sells-for-437000

113：ムーアの法則の終焉に関する数多くの記事のうちのひとつ：https://www.technologyreview.com/2020/02/24/905789/were-not-prepared-for-the-end-of-moores-law/

118：ソフトウェアの観点から見た 737 MAX の状況についての説明：spectrum.ieee.org/aero-space/aviation/how-the-boeing-737-max-disaster-looks-to-a-software-developer

119：アイオワ州民主党予備選の大失態：www.nytimes.com/2020/02/09/us/politics/iowa-democratic-caucuses.html

119：The perils of Internet voting, triggered by coronavirus concerns：www.politico.com/news/2020/06/08/online-voting-304013

120：www.cnn.com/2016/02/03/politics/cyberattack-ukraine-power-grid

120：en.wikipedia.org/wiki/WannaCry_ransomware_attack

120：thehill.com/policy/national-security/507744-russian-hackers-return-to-spotlight-with-vaccine-research-attack（訳注：日本語版もありますが、記述量は英語版が圧倒的に多いです。ja.wikipedia.org/wiki/WannaCry）

121：James Gleick on Richard Feynman："Part Showman, All Genius," www.nytimes.com/1992/09/20/magazine/part-showman-all-genius.html

121：The River Cafe Cookbook, "The best chocolate cake ever". books.google.com/books?id=INFnzXj81-QC&pg=PT512

139：William Cook's In Pursuit of the Traveling Salesman, Princeton University Press, 2011 は「巡回セールスマン問題」の歴史と最新情報を伝える魅力的な書籍です。

141：シリーズ "Elementary" の 2013 年のエピソードで P=NP が主題となっているものは以下です。 www.imdb.com/title/tt3125780/

143：John MacCormick Nine Algorithms That Changed the Future：The Ingenious Ideas That Drive Today's Computers, Princeton University Press, 2011（邦訳『世界でもっとも強力な 9 のアルゴリズム』）は、検索、圧縮、エラー訂正、暗号化といった主要なアルゴリズムのわかりやすい解説です。

153：Kurt Beyer, Grace Hopper and the Invention of the Information Age, MIT Press, 2009. ホッパーは注目に値する人物であり、大きな影響力を持つコンピューティングの先駆者であり、79 歳で引退したときには米海軍で最高齢の将校でした。有名な講義エピソードとして、手を少し開いて差し出し「この幅を光が飛ぶのにかかる時間が

ナノセカンドです」と説明したというものがあります（訳注：その様子を以下から見られます）。www.youtube.com/watch?v=9eyFDBPk4Yw）。

162：NASA Mars Climate Orbiter のレポートは以下から見られます。llis.nasa.gov/llis_lib/pdf/1009464main1_0641-mr.pdf

163：www.wired.com/2015/09/google-2-billion-lines-codeand-one-place

166：バグの画像は、以下からのパブリックドメイン画像です。www.history.navy.mil/our-collections/photography/numerical-list-of-images/nhhc-series/nh-series/NH-96000/NH-96566-KN.html

169：www.theregister.co.uk/2015/09/04/nsa_explains_handling_zerodays

172：米国最高裁判所は 1998 年の Sonny Bono 著作権期間延長法の合憲性を認めました（皮肉な名前ですが、この法律は「ミッキーマウス保護法」として知られています。なぜならこの法律は、すでに長期にわたるミッキーマウスやその他のディズニーキャラクターの著作権保護期間を延長するからです）。en.wiki-pedia.org/wiki/Eldred_v._Ashcroft

174：Amazon のワンクリック特許は以下から見られます。www.google.com/patents?id=O2YXAAAAEBAJ

175：ウィキペディアには、パテントトロールに関する良い議論があります。en.wikipedia.org/wiki/Patent_troll（訳注：日本語版もありますが、記述量は多くありません。ja.wikipedia.org/wiki/パテント・トロール）

176：EULA は、この Mac について／サポート／大切なお知らせ…／ソフトウェア使用許諾契約書から構成されていて約 12 ページあります。

178：macOS Mojave の EULA より：「利用者はまた、ミサイル、核兵器、化学兵器または生物兵器の開発、設計、製造または生産を含み、かつこれらに限定されることなく米国の法律で禁止されている目的のために Apple ソフトウェアを使用しないことに同意するものとします」

180：en.wikipedia.org/wiki/Oracle_America,_Inc._v._Google,_Inc

180：Oracle 対 Google に対する EFF からのアミカスブリーフ（被告のために事件の当事者ではない第三者が裁判所に提出する意見陳述書）は以下から見られます。www.eff.org/document/amicus-brief-computer-scientists-scotus

185：私の自動車のコードは以下です。www.fujitsu-ten.com/support/source/oem/14f

191：『Unix：A History and a Memoir』（Kindle Direct Publishing、2019 年）は、責任者ではなかったものの、その誕生に立ち会った私の視点から、Unix の歴史を自分なりに考察したものです。

191：オリジナルの Linux コードは以下にあります。www.kernel.org/pub/linux/kernel/Historic

215：Windows のファイル回復ツール：`www.microsoft.com/en-us/p/windows-file-recovery/9n26s50ln705`

217：One example from 65 million returned by a Google search："Leaked White House emails reveal behind-the-scenes battle over chloroquine in coronavirus response".

226：Microsoft Windows on ARM processors：`docs.microsoft.com/en-us/windows/uwp/porting/apps-on-arm`

228："Court's Findings of Fact"（裁判所による事実認定）、段落154、1999年。 `www.justice.gov/atr/cases/f3800/msjudgex.htm` このケースは、Microsoftに対するコンプライアンス監視が終わった2011年に、最終的に終了しました。

230：当時 YouTube でオバマ大統領（当時）による熱心な勧誘が、Computer Science Education Week（コンピューターサイエンス教育ウィーク）キャンペーンの一部として行われました。 `www.whitehouse.gov/blog/2013/12/09/don-t-just-play-your-phone-program-it`

233：JavaScript の学習に役立つ多くのサイトの中でも、`jsfiddle.net` と `w3schools.com` のふたつは有益です。

247：Python は、`python.org` からダウンロードできます。

248：Colab は、`colab.research.google.com` からアクセス可能です。

249：Jupyter ノートブックとは、「生きたコード、方程式、視覚化、物語テキストを含むドキュメントを作成し共有できるオープンソースのウェブアプリケーション」です。`jupyter.org` を参照してください。

264：Gerard Holzmann and Bjorn Pehrson, The Early History of Data Networks, IEEE Press, 1994. 視覚通信に関する詳細で非常に興味深い歴史が解説されています。

264：視覚通信の図は、以下のパブリックドメイン画像です。 `en.wikipedia.org/wiki/File:Télégraphe_Chappe_1.jpg`

266：Tom Standage, The Victorian Internet：The Remarkable Story of the Telegraph and the Nineteenth Century's On-Line Pioneers, Walker, 1998.（ビクトリア時代のインターネット）魅力的で面白い読み物です。

268：携帯電話登場以前の生活を懐かしんでいるのは私だけではありません。 `www.theatlantic.com/technology/archive/2015/08/why-people-hate-making-phone-calls/401114`

271：アレキサンダー・グラハム・ベルの論文はオンラインで読めます。引用は以下からです。 `memory.loc.gov/mss/magbell/253/25300201/0022.jpg`

273：なぜ56kがダイアルアップモデムの最速速度なのか？：`www.10stripe.com/articles/why-is-56k-the-fastest-dialup-modem-speed.php`

275：DSL についての良い説明：`broadbandnow.com/DSL`

285：Guy Klemens, Cellphone：The History and Technology of the Gadget that Changed the World, McFarland, 2010.（携帯電話：世界を変えたガジェットの歴史と技術）携帯電話の進化に関する詳細な歴史と技術的話題。難しい部分もありますが、大部

分はわかりやすい読み物です。当たり前だと思っているシステムの持つ驚くべき複雑さの良い見取り図を示します。

289：米国連邦裁判官は、スティングレイから得られた証拠の採用を見送りました。`www.reuters.com/article/us-usa-crime-stingray-idUSKCN0ZS2VI`

291：4G と LTE の説明については、以下をご覧ください。`www.digitaltrends.com/mobile/4g-vs-lte`

295：JPEG のしくみに関する素晴らしい説明は以下ですをインタラクティブに解説しています：`parametric.press/issue-01/unraveling-the-jpeg/`

307：NSA と GCHQ の両者は、海から上がってくる光ファイバーケーブルを盗聴しています。`www.theatlantic.com/international/archive/2013/07/the-creepy-long-standing-practice-of-undersea-cable-tapping/277855/`

310：鳥類キャリアに関する RFC は以下になります：`tools.ietf.org/html/rfc1149` また RFC-2324 もきっと楽しんで貰えるとおもいます。（訳注：和訳「鳥類キャリアによる IP」は以下になります。`ja.wikipedia.org/wiki/`鳥類キャリアによる IP、また RFC-2324 の和訳は以下にあります `ja.wikipedia.org/wiki/Hyper_Text_Coffee_Pot_Control_Protocol`)

311：トップレベルドメインの現在のリストは以下で確認できます。現在 1600 個近くあります `www.iana.org/domains/root/db`

313：法執行機関は、IP アドレスが個人を明確に識別してはいないことを認識できていないことがよくあります。`www.eff.org/files/2016/09/22/2016.09.20_final_formatted_ip_address_white_paper.pdf`

319：DE-CIX は、多くの IXP と同様に、大規模なトラフィックグラフを提供しています。以下を参照。`www.de-cix.net`

319：traceroute コマンドは、1987 年にバン・ヤコブソンによって作成されました。

330：SMTP は、1981 年にジョン・ポステルが RFC 788 で定義したのが始まりです。

331：SMTP への Telnet を使ったセッションに関しては以下をご覧ください：`technet.microsoft.com/en-us/library/bb123686.aspx`

340：2015 年、キューリグはコーヒーメーカー用のカプセルに DRM を施そうとしましたが、ユーザーには不評で売り上げは激減しました：`boingboing.net/2015/05/08/keurig-ceo-blames-disastrous-f.html`

340：外部に知らぬ間に接続する機器：`www.digitaltrends.com/news/china-spying-iot-devices`

340：`arstechnica.com/information-technology/2016/01/how-to-search-the-internet-of-things-for-photos-of-sleeping-babies/`

340：Gordon Chu, Noah Apthorpe, Nick Feamster, "Security and Privacy Analyses of Internet of Things Children's Toys,"（IoT 玩具のセキュリティとプライバシーの分析）2019.

341：IoT デバイスへのアクセスに Telnet を使用する：`www.schneier.com/blog/archives/2020/07/half_a_million.html`

341：風力発電機への攻撃：`news.softpedia.com/news/script-kiddies-can-now-launch-xss-attacks-against-iot-wind-turbines-497331.shtml`

361：Microsoft の "10 Immutable Laws of Security"（セキュリティ不変の十法則）は以下の通り。`docs.microsoft.com/en-us/archive/blogs/rhalbheer/ten-immutable-laws-of-security-version-2-0`

366：Kim Zetter, "Countdown to Zero Day", Crown, 2014 は Stuxnet に関する魅力的な説明です。

373：`blog.twitter.com/en_us/topics/company/2020/an-update-on-our-security-incident.html`

373：CEO に対するフィッシングによって、2016 年に Seagate は全従業員の W-2 を流出させました。`krebsonsecurity.com/2016/03/seagate-phish-exposes-all-employee-w-2s`

375：`www.ucsf.edu/news/2020/06/417911/update-it-security-incident-ucsf`

378：`epic.org/privacy/data-breach/equifax/`

379：セキュリティ侵害に関する Wawa の声明：`www.wawa.com/alerts/data-security`

379：Clearview AI でデータ流出：`www.cnn.com/2020/02/26/tech/clearview-ai-hack/index.html`

379：`news.marriott.com/news/2020/03/31/marriott-international-notifies-guests-of-property-system-incident`

379：Amazon への DDoS 攻撃：`www.theverge.com/2020/6/18/21295337/amazon-aws-biggest-ddos-attack-ever-2-3-tbps-shield-github-netscout-arbor`

382：「ノーロギング」無料 VPN での侵害：`www.theregister.com/2020/07/17/ufo_vpn_database/`

382：FTC の訴状と Zoom との和解案：`www.ftc.gov/news-events/press-releases/2020/11/ftc-requires-zoom-enhance-its-security-practices-part-settlement`

383：Steve Bellovin, Thinking Security, Addison-Wesley, 2015 には、脅威モデルに関する広範な議論が記載されています。

383：パスワードの選択に関する有名な xkcd コミックがあります。`xkcd.com/936`

386：「AdBlock はどのように働くのか？」：`help.getadblock.com/support/solutions/articles/6000087914-how-does-adblock-work-`

387：「Amazon 社長の携帯がハッキングされた」：`www.theguardian.com/technology/2020/jan/21/amazon-boss-jeff-bezoss-phone-`

hacked-by-saudi-crown-prince

388：Click Here to Kill Everybody, Bruce Schneier, Norton, 2018.

388：Eli Pariser, The Filter Bubble：What the Internet Is Hiding from You, Penguin, 2011（邦訳『閉じこもるインターネット—グーグル・パーソナライズ・民主主義』）

393：Dr. Seuss's 1955 children's book On Beyond Zebra! は風変わりな拡張アルファベットを使っています。

396：Cisco はインターネットトラフィックの大幅な増加を予想しています。 www.cisco.com/c/en/us/solutions/collateral/service-provider/ip-ngn-ip-next-generation-net-work/white_paper_c11-481360.html（訳注：オリジナルの英語版は削除されています。和訳は以下です。www.cisco.com/c/ja_jp/solutions/collateral/service-provider/visual-networking-index-vni/complete-white-paper-c11-481360.html）

397：オリジナルの Google の論文は以下です。このシステムは最初に実現されたときは実際に BackRub（背中のマッサージ）と呼ばれていました（訳注：BackRub とはあえて意訳すれば「孫の手」でしょうか）。 infolab.stanford.edu/~backrub/google.html

397：巨大な数を扱う二つのサイト： www.domo.com/learn/infographic/data-never-sleeps-5, www.forbes.com/sites/bernardmarr/2018/05/21/how-much-data-do-we-create-every-day-the-mind-blowing-stats-everyone-should-read

403：ラタニア・スウィーニーは、名前の検索を行ったときに「逮捕記録に関連した広告提案の生成」が「人種に関連する」名前を使ったときに有意に多くなることを発見しました。 papers.ssrn.com/sol3/papers.cfm?abstract_id=2208240

403：「Facebook を住宅ターゲット広告における人種差別で告発」： www.reuters.com/article/us-facebook-advertisers/hud-charges-facebook-with-housing-discrimina- tion-in-targeted-ads-on-its-platform-idUSKCN1R91E8

403：Facebook 広告の差別に関する記事： www.propublica.org/article/facebook-ads-can-still-discriminate-against-women-and-older-work-ers-despite-a-civil-rights-settlement

404：DuckDuckGo のプライバシーに関するアドバイスは、以下で読めます。 spreadprivacy.com

405：ニューヨーク・タイムズのプライバシーシリーズ： www.nytimes.com/series/new-york-times-privacy-project

406：携帯電話による位置トラッキングに関するニューヨーク・タイムズの記事： www.nytimes.com/interactive/2019/12/19/opinion/location-tracking-cell-phone.html

408：Facebook が個人の追跡に使っているデータに関する記事：www.washingtonpost.com/news/the-intersect/wp/2016/08/19/98-

personal-data-points-that-face-book-uses-to-target-ads-to-you/

409：Facebook のオフライン追跡機能について：www.washingtonpost.com/technology/2020/01/28/off-facebook-activity-page

411：Netflix のプライバシーポリシーは以下から見られます。 help.netflix.com/legal/privacy?locale=en&docType=privacy（訳注：和訳「個人情報保護方針」は以下から見られます。 help.netflix.com/legal/privacy?locale=jp&docType=privacy)

413：キャンバス・フィンガープリンティングについて：en.wikipedia.org/wiki/Canvas_fingerprinting

415：音声対応の「スマートテレビ」による聴き取りをオフにする方法：www.consumerreports.org/privacy/how-to-turn-off-smart-tv-snooping-features/

416：EU が大西洋横断データ移送協定を否決：www.nytimes.com/2020/07/16/business/eu-data-transfer-pact-rejected.html

417：Facebook とパーソナルデータについて：www.pewresearch.org/internet/2019/01/16/facebook-algorithms-and-personal-data

418：2019 年にニューヨーク・タイムズ紙は 150 のプライバシーポリシーを分析しました。結果は「理解不能なほど酷いものだった」：www.nytimes.com/interactive/2019/06/12/opinion/facebook-google-privacy-policies.html

419：https://www.swirl.com/products/beacons（訳注：このサイトはもう存在しません)

419：ロケーションプライバシーは以下から見られます。 電子フロンティア財団（Electronic Frontier Foundation、eff.org）は、プライバシーおよびセキュリティポリシー情報の優れた情報源です www.eff.org/wp/locational-privacy

420：エド・フェルテン教授の証言：www.cs.princeton.edu/~felten/testimony-2013-10-02.pdf

421：Kosinski, et al, "Private traits and attributes are predictable from digital records of human behavior,"（私的な特徴と属性は人間行動のデジタル記録から予測可能だ）www.pnas.org/content/110/15/5802

421：Facebook tagging help：www.facebook.com/help/187272841323203 (June 2020)

425：Simson L. Garfinkel, De-Identification of Personal Information（個人情報の非識別化）, dx.doi.org/10.6028/NIST.IR.8053

425：「匿名化データからの個人識別情報の特定」：georgetownlawtechreview.org/re-identification-of-anonymized-data/GLTR-04-2017

429：クラウドイメージは cliprtion.com/free-clipart-549 より許諾を得て掲載しています

431：2016 年 4 月に、Microsoft はこの種の要件について司法省を訴えました：blogs.microsoft.com/on-the-issues/2016/04/14/keeping-secrecy-exception-not-rule-issue-consumers-businesses/

435：lavabit メールをシャットダウンしたひとの記事：www.theguardian.com/commentisfree/2014/may/20/why-did-lavabit-shut-down-snowden-email

435：政府の編集ミスにより、このときスノーデンがターゲットだったことが明らかになりました：www.wired.com/2016/03/government-error-just-revealed-snowden-target-lavabit-case/

436：透明性レポートは以下から見られます：www.google.com/transparencyreport, govtrequests.facebook.com, aws.amazon.com/compliance/amazon-information-requests

439：ML と統計学の関係について：www.svds.com/machine-learning-vs-statistics

440：Vasily Zubarev による vas3k.com/blog/machine_learning は、数学を使わず、良いイラストで説明を行う素晴らしい入門ページです。

441：Computer History Museum（コンピュータ歴史博物館）によるエキスパートシステムに関する回顧展（2018 年）：www.computerhistory.org/collections/catalog/102781121

448：ベンジオ、ヒントン、ルカンに関するチューリング賞のページ：awards.acm.org/about/2018-turing

449：顔認識による誤逮捕の記事：www.nytimes.com/2020/06/24/technology/facial-recognition-arrest.html

449：IBM が顔認識を断念：www.ibm.com/blogs/policy/facial-recognition-susset-racial-justice-reforms

449：アマゾンが顔認証提供を一時停止：yro.slashdot.org/story/20/06/10/2336230/amazon-pauses-police-use-of-facial-recognition-tech-for-a-year

452：Eliza の対話例は www.masswerk.at/elizabot を使いました

453："Talk to Transformer" には inferkit.com からアクセスできます

458：Amazon Rekognition の記事（有料）：www.nytimes.com/2020/06/10/technology/amazon-facial-recognition-backlash.html

458：Clearview AI 訴訟：www.nytimes.com/2020/08/11/technology/clearview-floyd-abrams.html

459：このセクションの主要なアイデアは、バロカス、ハート、ナラヤナンの著書『Fairness and Machine Learning：Limitations and Opportunities』（fairmlbook.org）から得ています。

459：Botpoet.com は、詩のための楽しいオンラインチューリングテストです（訳注：現在はもうないようです）。

462：Simon Singh, The Code Book, Anchor, 2000.（邦訳『暗号解読』）一般読者向けの楽しい暗号の歴史。バビントンのエピソード（スコットランド女王メアリーを王位に就かせようとする試み）は魅力的です。

463：エニグマの写真は、ウィキペディアのパブリックドメイン画像です。commons.wikimedia.org/wiki/File:EnigmaMachine.jpg

465：ブルース・シュナイアーは、素人暗号がうまくいかない理由に関するエッセイをいくつか書いています。以下も初期の暗号を指しています。 www.schneier.com/blog/archives/2015/05/amateurs_produc.html

465：ロナルド・リベストは次のように述べています。「この規格は、ユーザーの重要な情報を NSA（だけ）に明示的に漏らすために、NSA によって設計された可能性が極めて高いように思える。Dual-EC-DRBG 規格には、おそらく（ほぼ確実に）NSA による不正アクセスを可能にするための『バックドア』が含まれている」nvlpubs.nist.gov/nistpubs/ir/2016/NIST.IR.7977.pdf

468：アリス、ボブ、そしてイブ。xkcd.com/177

470：署名と暗号を組み合わせる場合には、外側の層に対する改ざんを明らかにできるように、内側の暗号層は何らかの形で外側の層に依存する必要があります。theworld.com/~dtd/sign_encrypt/sign_encrypt7.html

476：Snapchat プライバシーポリシーは以下です。 www.snapchat.com/privacy（訳注：日本語版は以下です。www.snap.com/ja-JP/privacy/privacy-policy/）

479：Tor を使用するときにしてはいけないことリストは以下から見られます。 www.whonix.org/wiki/DoNot

480：NAS と Tor に関する FAQ： www.washingtonpost.com/news/the-switch/wp/2013/10/04/everything-you-need-to-know-about-the-nsa-and-tor-in-one-faq/

480：スノーデンの文書は以下などで見つけられます。 www.aclu.org/nsa-documents-search www.cjfe.org/snowden

480：TAILS のウェブサイトは以下のものです。 tails.boum.org

483：ビットコインの過去の価格は Yahoo Finance より引用しました。

483：ハッキングされた不倫サイト Ashley Madison で ID が漏洩した一部の人々は、ビットコインで 2000 ドルを支払うようにという脅迫を受け取りました。 www.grahamcluley.com/2016/01/ashley-madison-blackmail-letter

484：仮想通貨（暗号資産）に対する IRS（アメリカ合衆国内国歳入庁）の見解：www.irs.gov/individuals/international-taxpayers/frequently-asked-questions-on-virtual-currency-transactions

484：Arvind Narayanan et al., Bitcoin and Cryptocurrency Technologies, Princeton University Press, 2016.（邦訳『仮想通貨の教科書』）

485："Keys under doormats"（ドアマットの下のキー）は以下から見られます。著者たちは、暗号学を専門とする、真に知識のある人たちのグループです。私はこれらの人たちの半分を個人的に知っており、彼らの専門知識とその動機を信頼しています。

dspace.mit.edu/handle/1721.1/97690

486：「FBI が Apple に 2 台の iPhone のアンロックを要請」（NYT 有料記事）：www.
nytimes.com/2020/01/07/technology/apple-fbi-iphone-
encryption.html

493：「Facebook は Covid-19 に関する誤情報を 700 万件以上削除したと主張」（USA
Today の記事）：www.usatoday.com/story/tech/2020/08/11/facebook-
removed-over-7-m-misleading-covid-19-content/3346629001/

用語集

　用語集では、本書に登場する重要な用語の簡単な定義や説明を示します。通常の単語であるにもかかわらず特別な意味を持ち、頻繁に目にする可能性のある用語に焦点を当てています。

SI定義名	10の累乗	日本語	最も近い2の累乗
ヨクト（yocto）	10^{-24}		2^{-80}
ゼプト（zepto）	10^{-21}		2^{-70}
アット（atto）	10^{-18}		2^{-60}
フェムト（femto）	10^{-15}		2^{50}
ピコ（pico）	10^{-12}	1兆分の1	2^{-40}
ナノ（nano）	10^{-9}	10億分の1	2^{-30}
マイクロ（micro）	10^{-6}	100万分の1	2^{-20}
ミリ（milli）	10^{-3}	千分の1	2^{-10}
—	2^{0}		
キロ（kilo）	10^{3}	1千	2^{10}
メガ（mega）	10^{6}	100万	2^{20}
ギガ（giga）	10^{9}	10億	2^{30}
テラ（tera）	10^{12}	1兆	2^{40}
ペタ（peta）	10^{15}	1千兆	2^{50}
エクサ（exa）	10^{18}	100京	2^{60}
ゼタ（zetta）	10^{21}		2^{70}
ヨタ（yotta）	10^{24}		2^{80}

コンピューターと、インターネットのようなコミュニケーション
システムは、しばしばなじみのない単位で表される非常に大きな数
を扱います。前ページ下の表では、本書に登場するすべての単位を、
国際単位系（SI）の他の単位と一緒に示しています。技術が進歩す
るにつれて、大きな数字を表す単位を目にする機会が増えていくで
しょう。この表では、最も近い2のべき乗も示しています。誤差は
10^{24} でわずか21％です（つまり、2^{80} は約 1.21×10^{24} になります）。

●数字

16進数　16を基数とする数の表記法。Unicode テーブル、URL、色の指定など
でよく見られます。

2次（quadratic）　数値が変数もしくはパラメーターの2乗に比例して増加する
こと。たとえば、ソート対象の数によって変動する選択ソートの実行時間や、半
径に対する円の面積など。

4G　第4世代という意味。iPhone や Android 端末といったスマートフォンの
帯域幅を特徴付ける、いささか不正確な用語。3G の後継。驚きではありません
が、5G の登場はもうすぐです（訳注：すでに登場しています）。

5G　第5世代という意味。正確に定義された、新しい移動通信システム。2020
年以降 4G の後継となっていきます。

802.11　ノートパソコンやホームルーターで使用されるようなワイヤレスシ
ステムの標準（Wi-Fi とも）。

●英字

AES（Advanced Encryption Standard）最も広く使用されている秘密鍵暗号
化アルゴリズム。

AM（Amplitude Modulation）振幅変調。音声やデータなどの情報を、強度を
変化させることで信号に追加するしくみ。通常、AM ラジオについての文章で見
かけます。（FM も参照）

API（Application Programming Interface）アプリケーションプログラミング
インターフェース。ライブラリまたはその他のソフトウェアの集まりによって提
供されるサービスの、プログラマー向けの説明。たとえば、Google Maps API

は JavaScript から地図表示を制御する方法を示します。

ASCII（American Standard Code for Information Interchange）　情報交換用の米国標準コード。文字、数字、およびその他の記号を 7 ビットでエンコーディングします。ほとんどの場合、8 ビットのバイトとして格納されます。

BitTorrent　大きなファイルを効率的に配布するために人気のあるピアツーピア・プロトコル。ダウンロードもアップロードも行います。

Bluetooth　ハンズフリー携帯電話、ゲーム、キーボードなどに使われる短距離低電力無線。

CAPTCHA　人間とコンピューターを区別するためのテスト。ボットの検出が目的です。

CDMA（Code Division Multiple Access）　米国で使用されているふたつの互換性のない携帯電話技術のうちのひとつ。もうひとつは GSM です。

Chrome OS　Google のオペレーティングシステム。アプリケーションとユーザーデータは、ローカルマシン上ではなく主にクラウド上に存在し、ブラウザーからアクセスされます。

CPU（Central Processing Unit）　中央処理装置。プロセッサーの項を参照。

DES（Data Encryption Standard）　データ暗号化規格。初めて広く使用されたデジタル暗号化アルゴリズム。AES によって置き換えられました。

DMCA（Digital Millennium Copyright Act、1998）　デジタルミレニアム著作権法。著作権で保護されたデジタル素材を保護するための米国の法律です。

DNS（Domain Name System）　ドメインネームシステム。ドメイン名を IP アドレスに変換するインターネットサービス。

DRM（Digital Rights Management）　著作権で保護された素材の違法コピーを防止するための技術。一般にはうまく機能していません。

DSL（Digital Subscriber Loop（または Line））　電話回線を介してデジタルデータを送信する技術。ケーブルに匹敵しますが、現在はあまり使用されていません。

EULA（End User License Agreement）　エンドユーザーライセンス契約。細かな字で印刷された、ソフトウェアおよびその他のデジタル情報を使ってユーザーができることを制限した長い法的文書。

Flash　ウェブページにビデオおよびアニメーションを表示するために、Adobe が提供しているソフトウェアシステム（非推奨です）。

FM（Frequency Modulation）　周波数変調。無線信号の周波数を変更して情報を送信する技術。通常、FMラジオの利用シーンで見られます。AMも参照。

GDPR（General Data Protection Regulation）　一般データ保護規則。個人がオンラインデータを管理できるようにするための欧州連合の法律です。

GIF（Graphics Interchange Format）　写真向けではなく、色のブロックで構成された単純な画像向けの圧縮アルゴリズム。JPEG、PNGも参照。

GNU GPL（GNU General Public License）　ソースコードへの自由なアクセスを要求することでオープンソースコードを保護し、そのことを通して非公開化を防止する著作権ライセンス。

GPS（Global Positioning System）　全地球測位システム。衛星からの時間信号を使用して、地球表面上の位置を計算します。通信は一方向です。カーナビなどのGPSデバイスは、衛星に向かってブロードキャストは行いません。

GSM（Global System for Mobile Communications）　世界で広く使用されている携帯電話システム。

HTML（Hypertext Markup Language）　ハイパーテキストマークアップ言語。ウェブページのコンテンツとフォーマットを記述するために使用されます。

HTTP、HTTPS　ハイパーテキストトランスファープロトコル。ブラウザーやサーバーなどのクライアント間で使用されます。HTTPSはエンドツーエンドで暗号化されているため、スヌーピング攻撃や中間者攻撃に対して比較的安全です。

IC（Integrated Circuit）　集積回路。平らな表面に実装されて密封パッケージに封入され、回路内の他のデバイスに接続される電子回路部品。ほとんどのデジタルデバイスは、ほぼICで構成されています。

ICANN（Internet Corporation for Assigned Names and Numbers）　ドメイン名やプロトコル番号など、一意でなければならないインターネットリソースを割り当てる組織です。

IP（Internet Protocol）　インターネットプロトコル。インターネット経由でパケットを送信するための基本プロトコル。ちなみにIPは、知的財産を意味している場合があります。

IPv4、IPv6　IPプロトコルの現在のふたつのバージョン。IPv4は32ビットアドレスを使用し、IPv6は128ビットアドレスを使用します。これ以外のバージョンはありません。

IP アドレス　インターネットプロトコルアドレス。インターネット上のコンピューターに現在関連付けられている一意の数値アドレス。大雑把に言えば電話番号に似ています。

ISP（Internet Service Provider）　インターネットサービスプロバイダー。インターネットへの接続を提供する組織のこと。例としては、大学、ケーブルおよび電話会社などが挙げられます。

IXP　インターネットエクスチェンジポイント、複数のネットワークが集まって、それらの間でデータ交換が行われる物理的なサイトです。

JavaScript　視覚効果とトラッキングのために、主にウェブページで使用されるプログラミング言語（訳注：2022年時点では、JavaScriptはクライアント側での複雑な処理に加え、サーバー側での採用も増えつつあります）。

JPEG（Joint Photographic Experts Group）　デジタル画像に対する標準的な圧縮アルゴリズムおよび表現形式（策定グループの名前からとられました）。

Linux　サーバーで広く使用される、Unix に似たオープンソースのオペレーティングシステム。

MD5　メッセージダイジェストまたは暗号ハッシュアルゴリズム（現在は非推奨です）。

MP3　デジタルオーディオのための圧縮アルゴリズムと表現形式。ビデオのMPEG標準の一部です。

MPEG（Moving Picture Experts Group）　デジタルビデオ用の標準圧縮アルゴリズムおよび表現形式。策定した組織名からこの名称に。

PDF（Portable Document Format）　印刷可能なドキュメントの標準形式です。元々は Adobe によって作成されました。

PNG（Portable Network Graphics）　ロスレス圧縮アルゴリズムで、GIF および JPEG の特許不要の代替品です。さらに多くの色をサポートし、テキスト、ラインアート、および広い範囲の無地エリアのある画像に使用されます。

RAM（Random Access Memory）　コンピューターの主記憶。

RFID（Radio-Frequency Identification）　電子ドアロック、ペット識別チップなどで使用される非常に低電力なワイヤレスシステム。

RGB（Red, Green, Blue）　赤、緑、青の3つの基本的な色（三原色）を組み合わせて、コンピューターディスプレイで色を表す標準的な方法。

RSA　最も広く使用されている公開鍵暗号アルゴリズム。発明者のロナルド・

リベスト、アディ・シャミール、レナード・アドルマンの名前にちなんで命名されました。

SDK（Software Development Kit）　プログラマーが携帯電話機やゲーム機など、特定のデバイスまたは環境向けにプログラムを作成できるようにする、ツールのコレクション。

SHA-1、SHA-2、SHA-3　任意の入力から暗号ダイジェストを作成するための、安全なハッシュアルゴリズム（SHA-1 は非推奨になりました）。

TCP（Transmission Control Protocol）　IP を使用して双方向ストリームを作成するプロトコル。TCP/IP は、TCP と IP を組み合わせたものです。

Unicode　ユニコード。世界のすべての記述システムのすべての文字の標準エンコードです。UTF-8 は、Unicode データを転送するための 8 ビット可変幅のエンコーディングの名称です。

Unix　ユニックス。ベル研究所（Bell Labs）で開発されたオペレーティングシステムで、今日の多くのオペレーティングシステムの基盤を形成しています。Linux は同じサービスを提供する類似品ですが、実装は異なります。

URL（Uniform Resource Locator）　`http://www.amazon.com` のようなウェブアドレスの標準形式。

USB（Universal Serial Bus）　外部ディスクドライブ、カメラ、ディスプレイ、電話などのデバイスをコンピューターに接続するための標準コネクター。USB-C は物理的な互換性のない新しいバージョンです。

VoIP（Voice over IP）　音声会話にインターネットを使用する方法で、しばしば通常の電話システムにアクセスする手段と共に提供されます。

VPN（Virtual Private Network）　仮想プライベートネットワーク。双方向の情報フローが保護される、コンピューター間の暗号化された経路。

Wi-Fi（Wireless Fidelity）　802.11 ワイヤレス規格の、マーケティング向け名称。

●カタカナ

アーキテクチャ　コンピュータープログラム、システム、ハードウェアの構成または構造を表す正確ではない用語。

アセンブラー　プロセッサーの使う命令を、コンピューターのメモリーに直接ロードするためのビットに変換するプログラム。アセンブリー言語は、そのレベルに対応したプログラミング言語です。

アドオン　追加の機能や利便性のためにブラウザーに追加された小さな JavaScript プログラム。Adblock Plus や NoScript などのプライバシーアドオンがその例です。拡張機能（エクステンション）とも呼ばれます。

アナログ　温度計の液体レベルなど、何かに対応して滑らかに変化する物理的特性を使用する情報表現の総称。デジタルとは対照的。

アプリ、アプリケーション　Word または iPhoto など、何らかのタスクを実行するプログラムまたはプログラムファミリーのこと。「アプリ」という言い方は、カレンダーやゲームといった携帯電話アプリケーションで特によく使用されます。初期の頃には「キラーアプリ」といった使われ方がされていました（訳注：iPhoto は現在、「写真」という名前のアプリになっています）。

アルゴリズム　計算プロセスの正確かつ完全な仕様。ただし、プログラムとは対照的に、コンピューターによって直接実行可能なものではなく抽象的な記述です。

イーサネット　最も一般的なローカルエリアネットワークテクノロジーです。ほとんどの家庭およびオフィスのワイヤレスネットワークで使用されています。

インターフェース　ふたつの独立したエンティティ（実体）間の境界を表す曖昧な一般用語。プログラミングインターフェースに関しては API を参照。別の用法として一般的なのは、人間が直接対話するコンピュータープログラムの一部である（グラフィカル）ユーザーインターフェースまたは GUI です。

インタープリター　命令を特定のコンピューター（実物であるか否かを問いません）のために解釈する（すなわち動作をシミュレートする）プログラム。ブラウザー内の JavaScript プログラムはインタープリターにより処理されます。仮想マシンも参照。

ウイルス　コンピューターに感染する、通常は悪意のあるプログラム。ウイルスは、ワームとは対照的に、あるシステムから別のシステムへ伝播するには助けが必要です。

ウェブサーバー　ウェブアプリケーションに特化したサーバー。

ウェブビーコン　特定のウェブページがダウンロード（表示）された事実をトラッキングするために使用される、通常は目に見えない小さな画像。

ウォールドガーデン　ユーザーをそのシステムのサービス内に制限するソフトウェアエコシステムのこと。システムの外部にアクセスしたり使用したりするのを困難にします。

オープンソース　自由にアクセスできるソースコード（ソースコードはプログラ

マーによって読めるテキストです）のこと。普通は、GNU GPLのようなライセンスとともに提供されます（GNU GPLは、同じ条件でソースコードを自由にアクセスできるように要求するライセンスです）。

オブジェクトコード　実行のために一次メモリーにロードできるバイナリー形式の命令とデータ。コンパイルとアセンブリーの結果として生み出されます。ソースコードと対比されます。

オペレーティングシステム　プロセッサー、ファイルシステム、デバイス、外部接続など、コンピューターのリソースを制御するプログラム。例として、Windows、macOS、Unix、Linuxなどがあります。

カーネル　オペレーションとリソースの制御を担当するオペレーティングシステムの中心部分。

キーロガー　主に悪意のある目的のために、コンピューター上のすべてのキーストロークを記録するソフトウェアのこと。

キャッシュ　最近使用された情報への高速アクセスを提供するためのローカルストレージ。

クッキー　サーバーによって送信され、コンピューターのブラウザーに保存され、そのサーバーへの次回アクセス時にブラウザーからサーバーへと返されるテキスト。ウェブサイトへの訪問を追跡するために広く使用されます（訳注：2022年2月現在、Googleはプライバシー侵害に対する懸念を受けて、広告に用いられるサードパーティクッキー技術の見直しを行っています。その技術のひとつがTopicsです）。

クライアント　サーバーに対して要求を行うプログラム（多くの場合ブラウザーを指しています）。

クラウドコンピューティング　アプリケーションの主要部分がデスクトップ側ではなくサーバー側で実行されるデータ処理のこと。データもサーバー側に保存されます。メール、カレンダー、写真共有サイトなどがその例です。

ゲートウェイ　あるネットワークを別のネットワークに接続するコンピューター。ルーターとも呼ばれます。

ケーブルモデム　ケーブルテレビネットワーク経由でデジタルデータを送受信するためのデバイス。

コード　プログラミング言語で書かれたプログラムのテキスト（ソースコードなど）。あるいはASCIIのようなエンコーディング。

コンパイラー　CまたはFortranなどの高レベル言語で記述されたプログラムを、

アセンブリー言語などの低レベル形式に変換するプログラム。

サーバー　クライアントからの要求に応じてデータへのアクセスを提供するコンピューターのこと。検索エンジン、ショッピングサイト、ソーシャルネットワークなどがその例です。

システムコール　オペレーティングシステムがプログラマーにサービスを提供するメカニズム。システムコールは、関数呼び出しによく似ています。

シミュレーター　デバイスまたはその他のシステムをシミュレートする（同様な動作をする）プログラム。

スティングレイ　携帯電話の基地局をシミュレートするデバイスで、携帯電話が通常の基地局の代わりに通信するようにしてしまいます。

スパイウェア　インストールされているコンピューター上で発生していることをスパイの本部に報告するソフトウェア。

スペクトル　たとえば携帯電話サービスやラジオ局などの、システムまたはデバイスの扱う周波数範囲。

スマートフォン　プログラム（アプリ）をダウンロードして実行できる iPhone や Android 端末のような携帯電話。

ゼロデイ　防御者が事前に修正または防御する余裕がない、これまで知られていなかったソフトウェア脆弱性。

ソーシャルエンジニアリング　友人や雇用主のような関係を装って、被害者をだまして情報を盗み取ったり、特定の行動をとらせる手法。

ソースコード　プログラマーが理解できる言語で書かれたプログラムテキスト。コンパイルされてオブジェクトコードになります。

ソリッドステートディスク（SSD）、**ソリッドステートドライブ**　フラッシュメモリーを使用する不揮発性二次ストレージ。ディスクドライブの代わりに使われます。

ダークウェブ　ワールド・ワイド・ウェブの一部で、特別なソフトウェアやアクセス情報がないとアクセスできないものです。主に違法行為に関連しています。

チップ　平らなシリコン表面上に形成され、セラミックパッケージに封入された小さな電子回路。集積回路（IC）またはマイクロチップとも。

チューリングマシン　アラン・チューリングが考案した抽象的なコンピューターで、あらゆるデジタル計算を実行できます。ユニバーサルチューリングマシンは、他のチューリングマシン、つまりデジタルコンピューターをシミュレートするこ

とも可能です。

ディレクトリ　フォルダーと同じ。

デジタル　離散的な数値のみをとる情報の表現。アナログと対照的。

ドメイン名　www.cs.nott.ac.uk のような、インターネットに接続されているコンピューターの階層的な命名。

ドライバー　プリンターなどの特定のハードウェアデバイスを制御するためのソフトウェア。通常、必要に応じてオペレーティングシステムにロードされます。

トラッキング　ウェブユーザーがアクセスしたサイトと、そこで行ったことを記録すること。

トロール　インターネットで意図的に破壊的な行為をすること。名詞と動詞の両方で使われます。また、適用範囲の広い特許を悪用しようとするパテントトロールという用語もあります。

トロイの木馬　ある機能を提供することを約束しながら、実際には異なる（通常は悪意のある）ことを行うプログラム。

ネット中立性　インターネットサービスプロバイダーは、経済的またはその他の非技術的な理由でバイアス（偏り）をかけることなく、すべてのトラフィックを同じやり方で処理しなければならないとする一般的原則（過負荷の場合を除いて）。

ハードディスク　磁気材料の回転ディスクにデータを保存するデバイス。ハードドライブとも呼ばれます。フロッピーディスクと対比されます。

バイト　英文字、小さな数字を格納できたり、大きなデータの一部となれる8ビットのデータ。現代のコンピューターではひとつの単位として扱われます。

バイナリー　2種類の状態または値のみを持つこと。また2進数のこと。

バイナリー探索　次に探索する部分を等しく半分に繰り返し分割しながら、ソートされたリストを探索するアルゴリズム。

バグ　プログラムまたはその他のシステムエラー。

パケット　IP パケットなどの、特定の形式を持った情報のコレクション。概念的には標準的な封筒または輸送用コンテナに似ています。

バス　電子デバイスを接続するために使用される一群の配線。USB も参照してください。

バックドア　暗号技術の中で、特別な知識を持つ者に暗号を解読または回避することを可能にする意図的仕掛け。

ピアツーピア（peer-to-peer）　ピア（同等の相手）間の情報交換、つまりクライアントサーバーとは対照的に、同等な関係者同士の情報交換を指します。ファイル共有ネットワークやビットコインで使用されています。

ピクセル　画像の要素。デジタル画像のひとつの点。

ビット　オンまたはオフなどのバイナリー選択の情報を表す、1桁の2進数（つまり0または1）のこと。

ビットコイン　ピアツーピアネットワークを利用して、匿名のオンライン取引を可能にするデジタル通貨または暗号通貨（訳注：仮想通貨、暗号資産とも言います）。

ファイアウォール　コンピューターまたはネットワークからのネットワーク接続の着信および発信を、制御またはブロックする、プログラムやおそらくはハードウェア。

ファイバー、光ファイバー　長い距離で光信号を伝送するために使用される、極めて純粋なガラスの細い糸。伝送される信号はデジタル情報をエンコードしています。ほとんどの長距離デジタルトラフィックは、光ファイバーケーブルを使って伝送されます。

ファイルシステム　ディスクやその他のストレージメディア上の情報を整理してアクセスするオペレーティングシステムの一部。

フィッシング、スピアフィッシング　多くの場合、電子メールを使用して、個人情報を取得したり、マルウェアをダウンロードさせたり、ターゲットとなんらかの関係があるようなふりをして秘密情報を奪おうとすること。スピアフィッシングは、さらに正確にターゲットを狙います。

フィルターバブル　偏ったオンライン情報源に依存することから生じる、情報源と情報の狭窄。

フォルダー　ファイルと他のフォルダーに関するサイズ、日付、権限、場所などの情報を保持しているファイル。ディレクトリと同じ。

ブラウザー　多くの人たちにウェブサービスへのインターフェースを提供する、Chrome、Firefox、Internet Explorer、Edge、Safariといったプログラムのこと。

ブラウザーのフィンガープリンティング　サーバーがユーザーの使っているブラウザーの特徴を使用して、そのユーザーを多少なりとも一意に識別する技術のこと。キャンバスフィンガープリンティングはその一例です。

プラグイン　ブラウザーのコンテキストで実行されるプログラム。FlashとQuicktimeが一般的な例です（訳注：2022年時点では、Flashは非推奨で、Quicktimeもあまり

使われていません)。

フラッシュメモリー　電力を消費せずにデータを保存する集積回路メモリーテクノロジー。カメラ、携帯電話、USB メモリースティック、そしてディスクドライブの代替品として広く使用されています。

プラットフォーム　オペレーティングシステムなどの、その上にサービスを構築できるソフトウェアシステムを表す曖昧な用語。

プログラム　コンピューターにタスクを実行させる一連の命令。プログラミング言語で書かれています。

プログラミング言語　コンピューターの操作シーケンスを表現するための表記法。最終的には RAM にロードされるビットへと変換されます。例としては、アセンブリー言語、C、C++、Java、JavaScript などがあります。

ブロックチェーン　ビットコインプロトコルなどで使用される、過去の全取引の分散型台帳。

プロトコル　システム間の相互作用に関する合意。ネットワークで情報を交換するために多数のプロトコルを持つインターネット上で、よく見かけます。

プロセッサー　算術計算および論理演算を行い、コンピューターの他の部分を制御するコンピューターの部品。CPU とも呼ばれます。Intel および AMD のプロセッサーはノートパソコンやデスクトップパソコンで広く使用されています。ARM プロセッサーは、ほとんどの携帯電話で採用されています。

ベースステーション　ワイヤレスデバイス（携帯電話、ラップトップなど）をネットワーク（電話ネットワーク、コンピューターネットワーク）に接続するための無線機器。

ボット、ボットネット　悪者の制御下で悪意のあるプログラムを実行するコンピューターのこと。ボットネットは、共通の制御下にあるボット集団のことです。ロボットが語源です。

マイクロチップ　チップまたは集積回路を表す別の用語。

マルウェア　悪意のある性質と意図を持つソフトウェア。

モデム（modulator/demodulator）　変調 / 復調器、ビットとアナログ表現（音声など）を相互変換するデバイス。

ライブラリ　プログラムの一部として使用できる形式の関連ソフトウェアコンポーネントのコレクション。たとえば、JavaScript がブラウザーにアクセスするために提供している標準関数など。

ランサムウェア 被害者のコンピューターのデータを暗号化し、復元するための支払い（身代金＝ランサム）を要求する攻撃のこと。

ルーター ゲートウェイを表す別の用語。あるネットワークから別のネットワークに情報を渡すコンピューターのこと。無線ルーターも参照。

ループ 命令のシーケンスを繰り返すプログラムの一部。無限ループはそれを無限に繰り返します。

レジストラ 個人および企業にドメイン名を販売する権限を（ICANNから委託されて）持つ会社。

ワーム コンピューターに感染する、通常は悪意のあるプログラム。ウイルスとは対照的に、ワームは助けを借りずにあるシステムから別のシステムへと増殖していく可能性があります。

●漢字

圧縮 デジタル音楽のMP3圧縮または画像のJPEG圧縮のように、デジタル表現をオリジナルよりも少ないビット数に圧搾します。

暗号通貨（cryptcurrency） 物理的な資産や政府の不換紙幣ではなく、暗号技術に基づくデジタル通貨（たとえばビットコインのようなもの）。

仮想マシン コンピューターをシミュレートするプログラム。またはインタープリター。

仮想メモリー まるで実際以上に一次メモリーがあるような錯覚を与えるソフトウェアとハードウェア。

関数 ファンクションとも呼ばれます。平方根を計算したり、JavaScriptのプロンプト関数のようにダイアログボックスをポップアップするなどの、特定の専門計算タスクを実行するプログラムのコンポーネントのこと。

強化学習 実世界の課題での成果を学習の指針とする機械学習のこと。チェスなどのコンピューターゲームに利用されています。

教師あり学習 ラベル付き、またはタグ付けされたサンプルの集合を使って学習する機械学習。

教師なし学習 ラベルやタグ付けされたサンプルなしに学習する機械学習。

検索エンジン ウェブページを収集し、それらに関する問い合せに回答する、BingやGoogleなどのサーバー。

指数関数的 一定の期間ごとに一定の割合で成長すること。たとえば、月に6％

ずつ成長する、などです。しばしば「急速に成長する」ことを雑に表現するために使われます。

周辺機器 外部ディスク、プリンター、スキャナーなど、コンピューターに接続されたハードウェアデバイス。

証明書 ウェブサイトの信頼性を検証するために使用できる、デジタル署名された暗号データ。

深層学習 人工ニューロンのネットワークに基づいた、機械学習の技法。

非推奨 コンピューティング分野で、将来置き換えられるか時代遅れになるため、避けるべきであることを明示された技術。

宣言 コンピュータープログラムの一部の名前とその性質を指定するプログラミング言語の構成要素。計算中に情報を保存する変数などが宣言されます。

対数 数値Nを与えたときに、ある底（b）に対して累乗（bx）を行った結果がNに等しくなるような数値（x）のこと。本書では、底2で、対数は整数です。

帯域幅 コミュニケーション経路がどれだけ速く情報を運べるかを、1秒あたりの送信ビット数（bps）で表現したもの。たとえば、電話モデムは56Kbps、イーサネットは100Mbpsの帯域幅を持ちます。

知的財産（intellectual property） 著作権と特許によって保護できる、創造的または発明的な行為の産物。ソフトウェアやデジタルメディアも含まれます。紛らわしいのですが、時々IPと省略されます。

中間者攻撃 攻撃者が他の2者間の通信を傍受して変更する攻撃。

標準（規格） あるものがどのように動作するか、またはどのように作られるか、あるいはどのように制御されるかを正式に規定もしくは説明したもの。相互運用性と独立した実装を可能にするのに十分な精度を持ちます。ASCIIやUnicodeなどの文字セット、USBなどのプラグやソケット、プログラミング言語の定義などがその例です。

表現（representation） 情報がデジタル形式で示される方法を表す一般用語。

複雑さ 計算タスクまたはアルゴリズムの難易度の尺度で、N個のデータ項目を処理するのにかかる時間で表されます。Nや log Nといった表現を使います。

変数 情報を保存するためのRAMの場所。変数宣言は変数に名前を付け、初期値や保持するデータのタイプなど、変数関連の情報を提供します。

無線ルーター コンピューターなどの無線デバイスを有線ネットワークに接続するための電波を使うデバイス。

謝辞

　本書をより良いものにするために協力してくれた友人や同僚には、改めて大きな恩義を感じています。いつものように、Jon Bentley には頻繁に複数の草稿を丁寧に読んでもらいました。彼の構成に関する提案、事実確認、新しい事例はとても貴重なものでした。Al Aho、Swati Bhatt、Giovanni De Ferrari、Paul Kernighan、John Linderman、Madeleine Planeix-Crocker、Arnold Robbins、Yang Song、Howard Trickey、John Wait の各氏は、原稿全体に対して詳細なコメントを寄せてくれました。また、貴重なご意見をいただいた Fabrizio d'Amore、Peter Grabowski、Abigail Gupta、Maia Hamin、Gerard Holzmann、Ken Lambert、Daniel Lopresti、Theodor Marcu、Joann Ordille、Ayushi Sinha、William Ughetta、Peter Weinberger、Francisca Weirich-Freiberg の各氏にも感謝します。Sungchang Ha による旧版の韓国語訳は、今回の英語版をも大幅に改善してくれました。Harry Lewis、John MacCormick、Bryan Respass、Eric Schmidt の各氏は旧版を惜しみなく賞賛してくれました。プリンストン大学出版局の制作チーム（Mark Bellis、Lorraine Doneker、Kristen Hop、Dimitri Karetnikov、Hallie Stebbins）とは、いつも一緒に楽しく仕事をしています。MaryEllen Oliver の校正と事実確認は、非常に入念なものでした。

　20 年が過ぎて、私のクラスを履修した学生たちは、ジャーナリスト、医者、弁護士、あらゆるレベルの教師、政府関係者、会社創業者、アーティスト、パフォーマー、そして、深く関わる市民として、世界を動かし始めています（少なくとも世界が道を外れないように手助けをしています）。私は彼らをとても誇りに思っています。

　Covid-19（新型コロナウィルス感染症）危機の間、懸命に働き犠牲になった多くの人々に感謝します。彼らのおかげで、私たちは家の中

で比較的快適に仕事をでき、パンデミック中でも機能し続けた不可欠なサービスや、ケアしてくれた医療システムに頼ることができました。その恩義はとても言葉では言い表せません。

『教養としてのコンピューターサイエンス講義』初版の謝辞

惜しみなく助力とアドバイスを提供してくれる友人や同僚たちに改めて深く感謝します。Jon Bentley は、前の版と同様に、細心の注意を払って草稿を読み、各ページに対して役立つコメントをくれました。本書は彼の貢献により、はるかに良いものになりました。私はまた、Swati Bhatt、Giovanni De Ferrari、Peter Grabowski、Gerard Holzmann、Vickie Kearn、Paul Kernighan、Eren Kursun、David Malan、David Mauskop、Deepa Muralidhar、Madeleine Planeix-Crocker、Arnold Robbins、Howard Trickey、Janet Vertesi、そして John Wait から、草稿に対する貴重な、助言、批評、そして修正を受け取りました。また、David Dobkin、Alan Donovan、Andrew Judkis、Mark Kernighan、Elizabeth Linder、Jacqueline Mislow、Arvind Narayanan、Jonah Sinowitz、Peter Weinberger、そして Tony Wirth からの助言に助けられました。プリンストン大学出版の Mark Bellis、Lorraine Doneker、Dimitri Karetnikov、Vickie Kearn の制作チームは素晴らしい共同作業者でした。全員に感謝します。

私はまた、プリンストン大学の情報技術政策センターによる、良い仲間、良い会話、毎週の無料ランチ、の提供に感謝します。そして、才能と熱意が私を驚かせ、刺激し続ける、COS 109 の素晴らしい学生の皆さんへ。どうもありがとう。

『D is for Digital』の謝辞

私は友人や同僚たちからの寛大な助言とアドバイスに深い恩義を受けています。特に、Jon Bentley は複数の草稿のほぼすべてのページに詳細なコメントをくれました。Clay Bavor、Dan Bentley、Hildo

Biersma、Stu Feldman、Gerard Holzmann、Joshua Katz、Mark Kernighan、Meg Kernighan、Paul Kernighan、David Malan、Tali Moreshet、Jon Riecke、Mike Shih、Bjarne Stroustrup、Howard Trickey、そして John Wait は、草稿全体を注意深く読み、役立つ助言をし、いくつかの大きな間違いを指摘してくれました。また、Jennifer Chen、Doug Clark、Steve Elgersma、Avi Flamholz、Henry Leitner、Michael Li、Hugh Lynch、Patrick McCormick、Jacqueline Mislow、Jonathan Rochelle、Corey Thompson、Chris Van Wyk の貴重なコメントに感謝します。彼らから助言を受けた多くの個所に、彼らが気付いてくれることを望んでいますが、同時に助言を受け入れなかった何カ所かには気付かないことを願っています。

David Brailsford は厳しい経験に基づいて、自己出版とテキストフォーマットに関する多くの有用なアドバイスをくれました。Greg Doench と Greg Wilson は、出版に関する助言を気前よく行ってくれました。Gerard Holzmann と John Wait には、写真の借りがあります。

Harry Lewis は、本書の最初の草稿のいくつかが書かれた、2010 〜 2011 年度のハーバード大学における私のホスト教官でした。Harry のアドバイスと、類似のコースを教えた彼の経験には、複数の草稿に対する彼のコメントと同様、大きな価値がありました。ハーバード大学のエンジニアリングと応用サイエンススクール（School of Engineering and Applied Sciences）とバークマン・センター（Berkman Center for Internet and Society）は、オフィススペースや設備、そしてフレンドリーで刺激的な環境と、いつでも無料のランチ（本当です！）を提供してくれました。

私は特に、COS 109「Computers in our World」を受講してくれた何百人もの学生たちに感謝します。彼らの関心、熱意、そして友情は、インスピレーションの絶え間ない源でした。これから数年後に彼らが世界を動かすときに何かしら役立つものを、この講義から得られることを願っています。

解説(初版)

坂村健

　現在、全世界で——我が国では最近になってだが、「DX：デジタル・トランスフォーメーション」が話題になっている。DX とは、IoT、AI、オープンデータ、クラウドコンピューティングといった最先端の情報通信技術を駆使して「仕事のやり方」にイノベーションを起こす——デジタル時代に合わせて、単なる改善ではなく根本的に仕事のやり方を改革することで、大きく生産性を上げるという動きだ。

　紙書類を前提とした従来のやり方、単に個々の書類の作成に表計算ソフトやワープロを使うといったレベルの小手先のデジタル化ではなく、すべての関係情報をデータベースに集めそこから必要なデータセットを適切な形式に変換して各々の部署で見られるようなインフラを確立した上で、それを前提に最適なやり方をリデザインし、合わせてアプリを開発する。そういう基本部分からのデジタル化が DX だ。

　なぜ今 DX かというと、スマートフォンの普及から AI の実用化まで様々な技術進歩がそれを可能にしたからだが、それ以上に重要なのは、今までの小手先のデジタル化以上の効率化が世界の先進諸国で求められているからだ。DX は、企業から行政まで、製造業から教育まで、すべての社会プロセスを大きく変え、少子高齢化や省エネなど多くの解決が難しい社会問題——いわゆる SDGs を達成し得る鍵となる。同じ仕事をより少ない人手で行うことができれば——さらに自動化して AI による最適制御を行えれば——そのために、社会プロセスの DX が必要なのだ。

　しかし、同時にここにきて DX の難しさが特に日本において顕著であり、世界レベルでは日本の弱点として見えてきている。各現場——それぞれの仕事をよく理解している人が、主体性を持って「やり方」をどう変えるか考えることが DX の大前提。しかし「改革」がすべての分野に及ぶということに対して、今までのやり方を変えたくないと

いう抵抗や「コンピューターはよくわからないから、専門家に任せればいい」といった他人任せの姿勢が日本では特に強い。

　企業や行政などの組織をDXするとき、従来のように大手のシステム会社に丸投げでシステム開発させるようなやり方は、全くといっていいほど失敗する。DXでは「従来のやり方」を下敷きにできないからだ。最終的にコーディング（プログラミング）は外部委託するにしても、デジタル技術の可能性を前提に業務のやり方をゼロから考え直すことは、業務内容をよく知っている人がやるしかない。特に日本では、現場が主体的にやらない改革はうまくいかないだろう。「上からの改革」に抵抗の強い日本では、皆に理解を得られないDXはたいてい頓挫する。逆に言えば、情報通信技術についての理解——簡単な歴史から原理、その可能性と限界まで——を、社会のすべての構成員が持ち一般教養になっている国は社会のDXにとって有利になる。

　こういう前提を理解した上で本書を見てみると、本書が持つ意味は大きい。コンピューターのハードウェアの基礎からソフトウェア、インターネットからIoT、さらには著作権やプライバシー問題まで、押えておくべき「デジタル時代の教養」はすべて網羅され、しかもその「広さ」と内容の「深さ」のバランスが良い。

　今までも多くのコンピューター関連の「〜入門書」はあったが、範囲が狭いか、広くても内容が浅すぎるなど「教養書」と呼べるものは少なかった。しかし本書は大学の教科書として書かれただけあって、歴史から始まり最先端まで体系的に書かれており、頭から読んでいくだけでコンピューターの歴史——しかも「なぜそうなったか」といった理由まで含めて、素直に理解することができる。その点で本書は理想的な「デジタル時代の教養書」となっている。

　本書を書いたプリンストン大学のブライアン・カーニハン教授は、公式規格化されるまでのC言語の事実上のバイブルだったコンピューターサイエンスの分野の古典——『プログラミング言語C』の共著者の1人。もう1人の著者のデニス・リッチーと併せた「カーニハン

＆リッチー（通称：K&R）」として、UNIX——特にCの世界での「神様」だ。『プログラミング言語C』は今もこの世界で教科書として使われている。また、多くのプログラミング言語入門書で最初のプログラムの例題として出てくる「Hello world」もカーニハン教授が始めたもので、この分野での研究だけでなく、代表的教育者としても知られている人物だ。その教育経験を通してであろうが、氏のコンピュータに関する「一般向け教養書」が少ないという問題意識は全くその通りで、私も全く同じ問題意識で以前『痛快！コンピュータ学』という本を上梓した。そのため、このような本を書く「広さと深さ」のバランス——さらには難しいことを簡単に書く難しさはよくわかる。

　自分で言うのもなんだが『痛快！コンピュータ学』もよい本だと今でも思うし、おかげさまで現在も売れている。一般読者向けの書き下ろしなので、大学教科書由来の本書よりくだけていてとっつきやすいと思う。基礎的なところは全く変わっていないので、30年ほど前の本なのに全然問題ない。本書もそうだが、きちんと学問的基礎から書かれている教養書は古くならない。「ワープロ入門書」とは異なるのである。この本も、長く読まれる名著だと思う。しかも今の時点では最新だ。最新の技術については本書でぜひフォローしていただきたい。

　なお『痛快！コンピュータ学』と比べて気が付いたのは、本書の図の少なさだ。コンピューター関係の「解説書」として見るなら異例の図の少なさだと思う。しかし、頭から文章を読んでいくと自然に頭に入ってくるところはすごい。多分著者が意図的に行っているのであろう。翻訳がうまいのと併せて、各項目の文章の長さがよく考えられており、すらすら読める。その意味で、本書は「文系」の教養書に非常に近いスタイルで書かれている。それでいて、内容的にも妥協していないところが素晴らしい。

　一般の基礎教養として情報通信技術への理解が重要ということは、私も折に触れて主張してきた。そのせいもあってか日本でも——世界からはいささか遅れたものの2020年から初等中等教育において義務

教育に取り上げられた。ただそれはこれからの人々にとってである。すでに社会に出た人はぜひ本書を読んでほしい。

　DX が喫緊の課題になっている企業人から行政パーソンまで、さらには医師から建築までのすべての現場人にとって必須の「新時代の教養書」——本書レベルの教養を持った人が多く出て日本の DX が進むことを、願っている。

第2版での追記

　カーニハン教授が第2版の「はじめに」で書かれているように、新型コロナウィルス感染症（Covid-19）により、企業や大学といったあらゆる組織でのオンライン化が加速した。日本でも、それまでほんの一部だったリモート勤務が一気に広まった。結果的に、DX の重要性は高まる一方である。しかし、仕事のやり方を変える DX を伴わずにリモート勤務だけを進めれば、せっかくのリモートにもかかわらず、押印や郵便物のチェックのためだけに出勤しなければならない犠牲者が出てくる羽目になる。

　また、新型コロナウィルスは DX を加速しただけではない。その対応には、各自治体によって、大きな差が出た。デジタルを活かせたか、それを可能にする柔軟さがあったか——そういう DX 適性の差を新型コロナウィルスが露わにしたとも言える。

　初版の「解説」で指摘したように、DX はやり方の改革であるからこそ、現場が主体となった取り組みでなければ、うまくいかない。現場の一人ひとりの「デジタル世界」に対する理解は必須であり、その意味で本書の持つ意味はさらに大きくなったと言えるだろう。

　「デジタル世界」の進展は留まるところを知らない。目先の DX は喫緊の課題であると同時に、今後を見据えたときには、メタバースやWeb3、6G といった新技術はさらなる DX を求めるだろう。すべての現場人が、本書で「新時代の教養」を身に付け、来るべき「デジタル世界」の新技術を自分事と捉えて活躍できることを願っている。

索引

筆者

ブライアン・カーニハン (Brian W. Kernighan)

プリンストン大学コンピューターサイエンス学部教授。これまで共著を含む10冊の本を出版。その中にはコンピューターサイエンスの古典と呼ぶことができる "C Programming Language"（邦訳『プログラミング言語C』）も含まれる。ニュージャージー州プリンストン在住。

解説

坂村健（さかむらけん）

INIAD（東洋大学情報連携学部）学部長、工学博士。東京大学名誉教授。IEEE Life Fellow。YRPユビキタス・ネットワーキング研究所長。オープンなコンピュータアーキテクチャTRONを構築、宇宙機『はやぶさ』や家電などを制御する組込OSとして世界中で多数使われている。TRONはIEEEの標準OSでもある。2003年紫綬褒章、2006年日本学士院賞、2015年ITU150Award受賞。

訳者

酒匂寛（さこうひろし）

有限会社デザイナーズデン代表取締役社長。東京大学農学部畜産獣医学科卒。メインフレーム、ワークステーションでの開発を経て、90年代以降組込システム、企業システムほか、あらゆるソフトウェアシステムの信頼性と生産性を、主にモデリングを通して向上させるためのコンサルティングを行う。90年代はオブジェクト指向、21世紀になってからは形式手法の伝道も行っている。著書『課題・仕様・設計』、訳書『オブジェクト指向入門』(メイヤー)、『ソフトウェア要求と仕様』(ジャクソン)、『作ることで学ぶ』(ステージャー他)、『ライフロング・キンダーガーテン』(レズニック)、『ZERO BUGS』(トンプソン)、『バイオインフォマティクスデータスキル』(バッファロー) など。

教養としての
コンピューターサイエンス講義
第2版

2020 年 2 月 25 日　第 1 版第 1 刷発行
2020 年 12 月 15 日　第 1 版第 9 刷発行
2022 年 5 月 2 日　第 2 版第 1 刷発行
2022 年 9 月 2 日　第 2 版第 2 刷発行

著　者	ブライアン・カーニハン
訳　者	酒匂 寛
解　説	坂村 健
発行者	村上 広樹
発　行	株式会社日経 BP
発　売	株式会社日経 BP マーケティング 〒 105-8308　東京都港区虎ノ門 4-3-12
装　丁	小口 翔平＋後藤 司（株式会社 tobufune）
制　作	岩井 康子（アーティザンカンパニー株式会社）
編　集	田島 篤
印刷・製本	図書印刷株式会社

ISBN978-4-296-00045-6
Printed in Japan